중학

수학 3-2

개념 해결의 법칙

이 책을 기획·검토해 주신 245명의 선생님들께 감사드립니다.

기획에 참여하신 선생님

강지훈 권은경 고수환 공경식 김정태 김지인 서정택 신준우 안우영
위성옥 윤인영 이경은 이동훈 이슬비 이재욱 전은술 정태식 황선영

검토에 참여하신 선생님

서울

강연희 고혜련 기한성 김길수 김명후 김미애 김보미 김슬희 김연수
김용진 김재훈 김정문 김주현 김진위 김진희 김현아 김형수 나종학
박명호 박수견 박용진 박지견 박진선 박진수 서동욱 성은수 손현희
안은해 윤석태 윤혜영 이누리 이명숙 이수아 이영미 이윤배 이정희
이창기 장기헌 장성민 조세환 지은희 채미진 채진영 최송이

경기

강원우 곽효희 권수빈 권용운 기샛별 김경아 김 란 김세정 김연경
김재빈 김정연 김지송 김지윤 김태현 김혜림 김효진 김희정 맹주현
민동건 박민서 박용철 박재곤 방은선 배수남 백남흥 서정희 신수경
신지영 엄준호 오경미 유기정 유상현 윤금숙 윤혜선 이나경 이다영
이명선 이보미 이보형 이봉주 이신영 이은경 이은지 이재영 이지훈
이진경 이희숙 이희정 임인기 장도훈 정광현 정문숙 정필규 조성민
조은영 조진희 최경희 최다혜 최문정 최선민 최영미 홍가영

충청

강태원 권경희 권기윤 권용운 김근래 김미정 김선경 김영철 김장훈
김 진 김현진 남궁찬 남철희 라정흠 류현숙 박대권 박영락 박재춘
박진영 박찬웅 방승현 백용현 변애란 신상미 신옥주 안용기 이금수
이문석 이태영 정구환 정선우 정소영 정지영 천은경 최도환 최미선
최종권 최진욱 한미숙 허진형 황용하 황은숙

경상

강대희 구본희 구영모 권기현 금은희 김미숙 김보영 김수정 김현경
노정은 류민숙 문준호 민희영 박상만 박순정 박승배 박현숙 배두현
배홍재 심경숙 심영란 양선애 오창희 이상준 이언주 이유경 이현준
장수민 전선미 전진철 조현주 추명석 하미애 하희정 한창희 한혜경

전라

고미나 김경남 김대화 김돈오 김 련 김선주 김세현 김우신 김원미
김정희 김지현 나희정 류 민 박명숙 박성미 박성태 박정미 백성주
선재연 성준우 송정권 위효영 유현수 유혜정 이경묵 이상용 이수정
이은순 이재윤 임주미 장민경 장원익 전선재 정명숙 정미경 정연일
정은성 조창영 최상호 홍귀숙

강원

박상윤 신현숙

제주

이승환

개념 해결의 법칙

이 책은 수학을 어려워하는 학생의 눈높이에 맞춰 꼭 알아야 하는 개념을 쉽고 자세하게 설명한 책입니다. 수학을 처음 시작하는 학생이나 수학의 기초가 닦여 있지 않은 학생은 나도 할 수 있다!는 자신감을 가지고 학습하시기 바랍니다.

- 개념을 쉽고 정확하게 이해할 수 있도록 정리
- 개념을 확실하게 이해할 수 있도록 개념 이해 문제와 적용 문제 제시
- 교과서 수준의 대표 유형 문제와 대표 유형을 반복 연습할 수 있는 쌍둥이 문제 제시
- 빈칸 채우기를 통한 개념 정리와 대표 유형에서 학습한 문제와 유사한 문제들로 단원 마무리 구성

수학은 단계적인 학문이기 때문에 빠른 시간 안에 성적을 끌어올리기는 쉽지 않습니다.
비록 거북이 걸음이라 할지라도 꾸준하게 노력하는 사람만이 수학에서 승리할 수 있습니다.
개념 해결의 법칙은 쉽고 빠르게 기본 실력을 다지는데 그 목표를 두었습니다.
이 책을 사용하는 학생 모두가 수학에 자신감을 갖게 되기를 바랍니다.

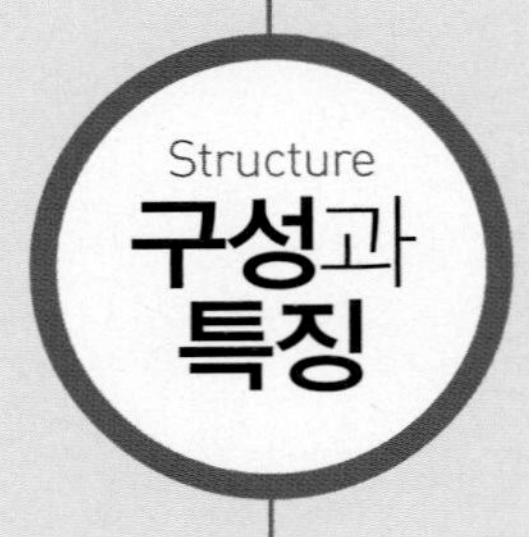

개념 정리

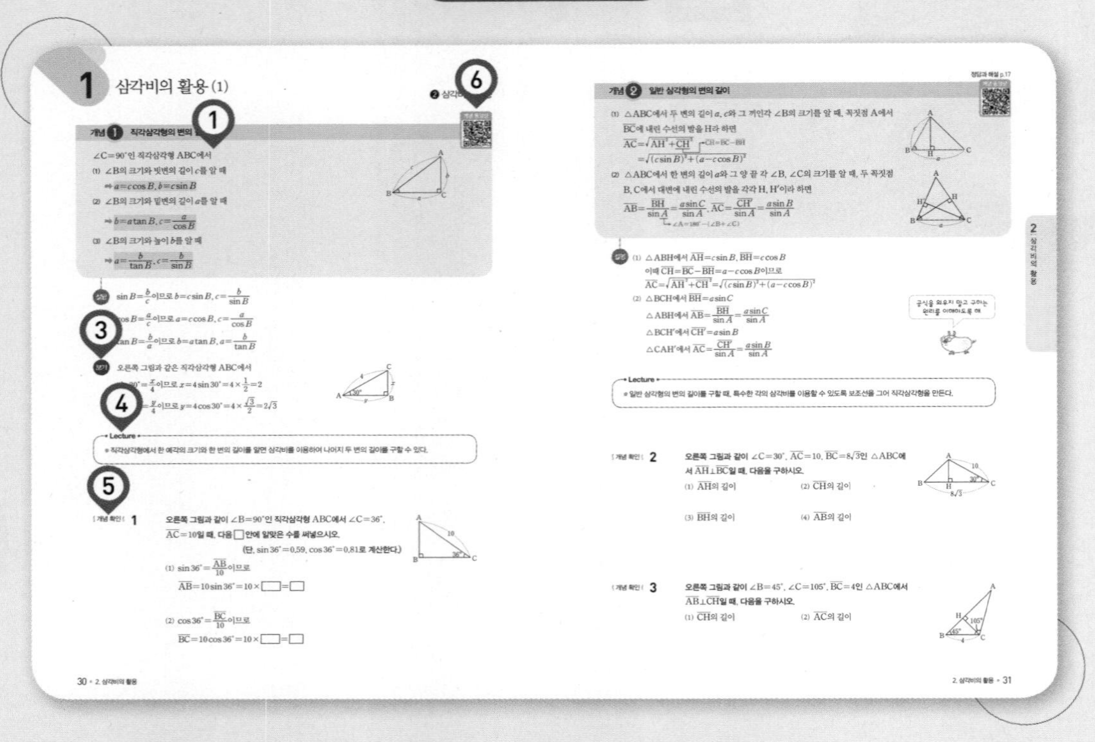

❶ **개념 설명** : 개념을 쉽고 정확하게 이해할 수 있도록 정리

❷ **용어** : 이전 학년 또는 앞 단원에서 배웠던 용어가 다시 나오는 경우에 대한 설명

❸ **보기** : 개념을 어떻게 적용시키는지 예를 보여줌

❹ **Lecture** : 중요한 내용 또는 반드시 짚고 가야할 내용을 정리

❺ **개념 확인** : 개념만으로 풀 수 있는 문제로 개념을 바르게 이해했는지 확인

❻ **개념 동영상** : QR코드를 스마트폰으로 스캔하여 동영상 강의를 시청!

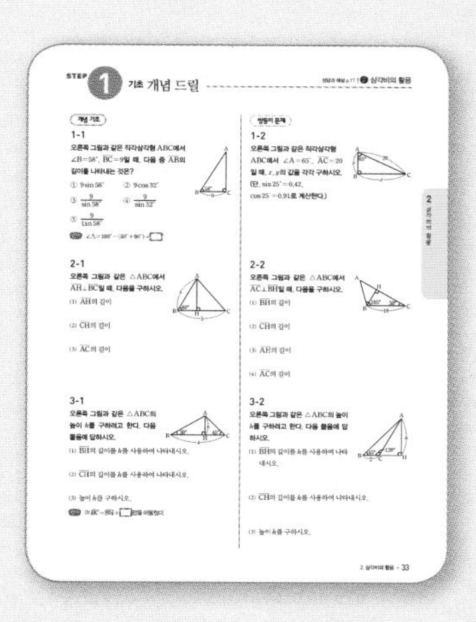

Step1 기초 개념 드릴

- **개념 기초** : 쉬운 개념 이해 문제와 적용 문제를 제시
- **쌍둥이 문제** : 유사한 문제로 반복 연습

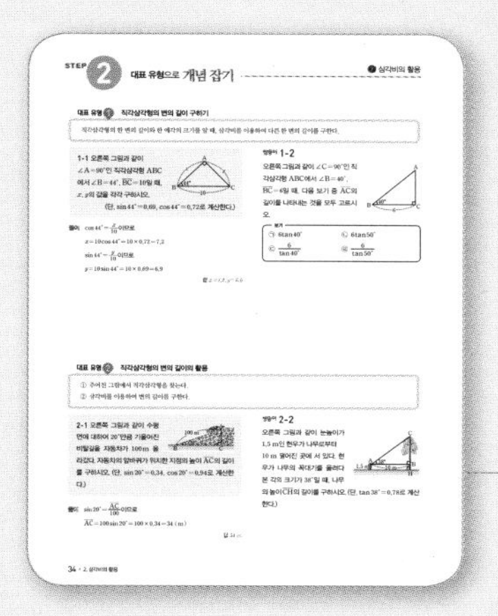

Step2 대표 유형으로 개념 잡기

- 교과서 또는 학교 시험에 나오는 필수 유형들을 개념과 함께 제시
- 예제와 풀이, 쌍둥이 문제로 구성

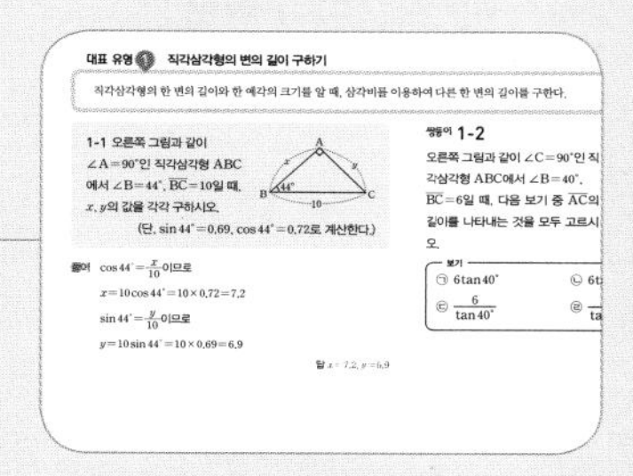

대표 유형 1 직각삼각형의 변의 길이 구하기

직각삼각형의 한 변의 길이와 한 예각의 크기를 알 때, 삼각비를 이용하여 다른 한 변의 길이를 구한다.

1-1 오른쪽 그림과 같이 $\angle A=90°$인 직각삼각형 ABC에서 $\angle B=44°$, $\overline{BC}=10$일 때, x, y의 값을 각각 구하시오. (단, $\sin 44°=0.69$, $\cos 44°=0.72$로 계산한다.)

풀이 $\cos 44°=\frac{x}{10}$이므로 $x=10\cos 44°=10\times0.72=7.2$

$\sin 44°=\frac{y}{10}$이므로 $y=10\sin 44°=10\times0.69=6.9$

답 $x=7.2$, $y=6.9$

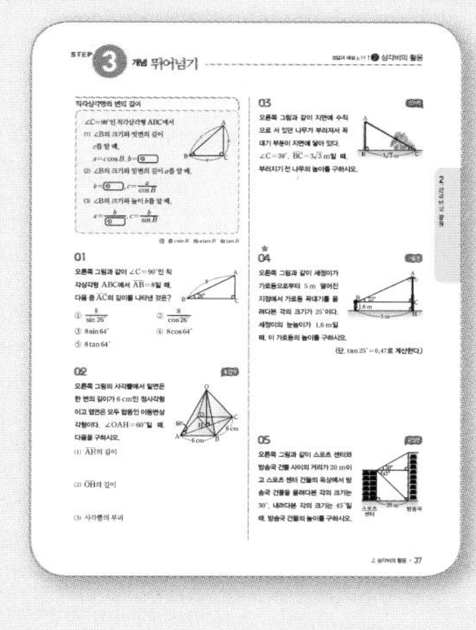

Step3 개념 뛰어넘기

- 빈칸 채우기를 통해 개념 정리 부분을 다시 한번 짚고 넘어가기
- 대표 유형에서 학습한 문제와 유사한 문제들로 다시 한번 확인
- **창의, 융합** : 새로운 문제 및 개념을 응용한 문제에 대한 적응력 기르기

부록 단원 종합 문제

Contents
차 례

4

원주각

5

통계

1 삼각비

중2	중3	고등학교
• 도형의 닮음 • 닮음의 활용	• 삼각비	• 삼각함수의 뜻과 그래프 • 삼각함수의 미분

학습 목표

- 삼각비의 뜻을 알고, 직각삼각형에서 삼각비의 값을 구할 수 있다.
- 특수한 예각의 삼각비의 값을 구할 수 있다.
- 삼각비의 표를 이용하여 삼각비의 값을 구할 수 있다.

이 직각삼각형 ABC에서 $\sin A$의 값을 구해 볼까요?
A
B
C
5
3
4
sin이 뭐지?
저 삼각형에 사인이 있다고?
내 사인은 이거야.
sign 말고 sin을 말하는 거야. △ABC에서 $\sin A=\frac{\overline{BC}}{\overline{AC}}$야.
A
B
C
사인은 삼각비 중의 하나이고, 삼각비란 이것을 말하는 거야.
그게 뭔가요?
∠B=90°인 직각삼각형 ABC에서
(1) $\sin A=\frac{(\text{높이})}{(\text{빗변의 길이})}=\frac{a}{b}$
(2) $\cos A=\frac{(\text{밑변의 길이})}{(\text{빗변의 길이})}=\frac{c}{b}$
(3) $\tan A=\frac{(\text{높이})}{(\text{밑변의 길이})}=\frac{a}{c}$
이때 $\sin A$, $\cos A$, $\tan A$를 통틀어 ∠A의 삼각비라 한다.
빗변
b
높이
a
기준각
밑변
c
A
B
C
Sin
Cos
tan
삼각비란 사인, 코사인, 탄젠트 삼총사를 말하는 거구나.
우리처럼 말야!

1 삼각비의 뜻

개념 1 삼각비의 뜻

$\angle B=90^\circ$인 직각삼각형 ABC에서

(1) $(\angle A\text{의 사인})=\dfrac{(\text{높이})}{(\text{빗변의 길이})}$

➡ $\sin A=\dfrac{a}{b}$

(2) $(\angle A\text{의 코사인})=\dfrac{(\text{밑변의 길이})}{(\text{빗변의 길이})}$

➡ $\cos A=\dfrac{c}{b}$

(3) $(\angle A\text{의 탄젠트})=\dfrac{(\text{높이})}{(\text{밑변의 길이})}$

➡ $\tan A=\dfrac{a}{c}$

이때 $\sin A$, $\cos A$, $\tan A$를 통틀어 $\angle A$의 삼각비라 한다.

보충

• sin은 sine의 줄임말로 '사인', cos은 cosine의 줄임말로 '코사인', tan는 tangent의 줄임말로 '탄젠트'라 읽는다.

$\sin A$, $\cos A$, $\tan A$에서 A는 $\angle A$의 크기야.

보기 오른쪽 그림과 같은 직각삼각형 ABC에서 $\angle A$의 삼각비의 값은

$\sin A=\dfrac{\overline{BC}}{\overline{AC}}=\dfrac{3}{5}$, $\cos A=\dfrac{\overline{AB}}{\overline{AC}}=\dfrac{4}{5}$, $\tan A=\dfrac{\overline{BC}}{\overline{AB}}=\dfrac{3}{4}$

$\angle C$의 삼각비의 값은

$\sin C=\dfrac{\overline{AB}}{\overline{AC}}=\dfrac{4}{5}$, $\cos C=\dfrac{\overline{BC}}{\overline{AC}}=\dfrac{3}{5}$, $\tan C=\dfrac{\overline{AB}}{\overline{BC}}=\dfrac{4}{3}$

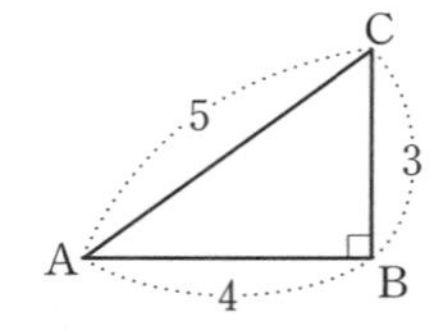

Lecture

• 한 예각의 크기가 같은 모든 직각삼각형은 서로 닮은 도형이므로 대응변의 길이의 비가 각각 같다.
따라서 같은 각에 대한 삼각비의 값은 항상 같다.

$\sin A=\dfrac{\overline{BC}}{\overline{AB}}=\dfrac{\overline{DE}}{\overline{AD}}=\dfrac{\overline{FG}}{\overline{AF}}=\dfrac{(\text{높이})}{(\text{빗변의 길이})}$

$\cos A=\dfrac{\overline{AC}}{\overline{AB}}=\dfrac{\overline{AE}}{\overline{AD}}=\dfrac{\overline{AG}}{\overline{AF}}=\dfrac{(\text{밑변의 길이})}{(\text{빗변의 길이})}$

$\tan A=\dfrac{\overline{BC}}{\overline{AC}}=\dfrac{\overline{DE}}{\overline{AE}}=\dfrac{\overline{FG}}{\overline{AG}}=\dfrac{(\text{높이})}{(\text{밑변의 길이})}$

➡ $\angle A$의 크기가 정해지면 직각삼각형의 크기에 관계없이 삼각비의 값은 일정하다.

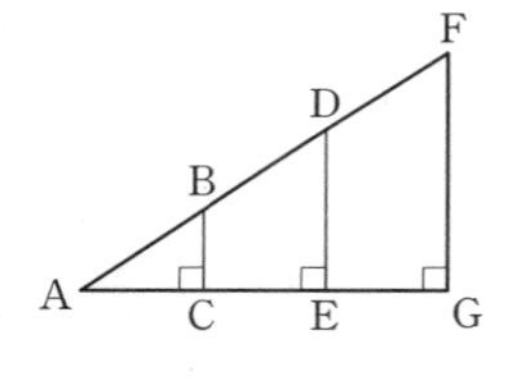

| 개념 확인 | **1** **오른쪽 그림과 같은 직각삼각형 ABC에서 다음 삼각비의 값을 구하시오.**

(1) $\sin A$ (2) $\cos A$ (3) $\tan A$

(4) $\sin C$ (5) $\cos C$ (6) $\tan C$

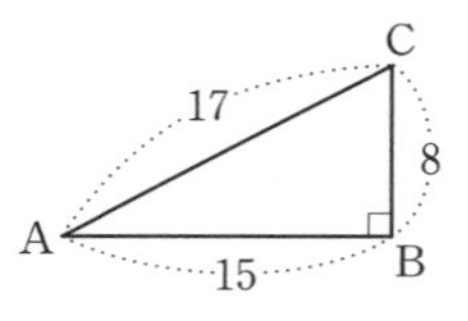

STEP 1 기초 개념 드릴

개념 기초

1-1

오른쪽 그림과 같은 직각삼각형 ABC에서 다음을 구하시오.

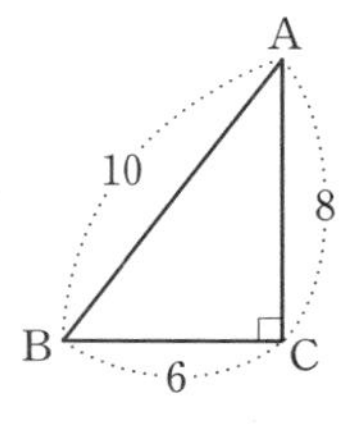

(1) $\sin A$, $\cos A$, $\tan A$의 값

(2) $\sin B$, $\cos B$, $\tan B$의 값

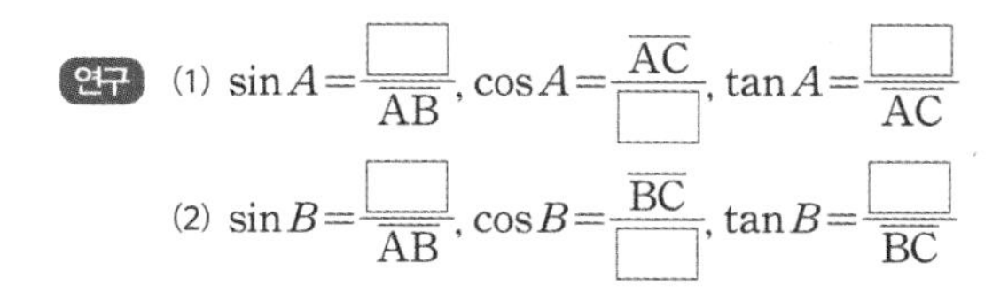
연구 (1) $\sin A=\frac{\square}{\overline{AB}}$, $\cos A=\frac{\overline{AC}}{\square}$, $\tan A=\frac{\square}{\overline{AC}}$

(2) $\sin B=\frac{\square}{\overline{AB}}$, $\cos B=\frac{\overline{BC}}{\square}$, $\tan B=\frac{\square}{\overline{BC}}$

쌍둥이 문제

1-2

오른쪽 그림과 같은 직각삼각형 ABC에서 다음을 구하시오.

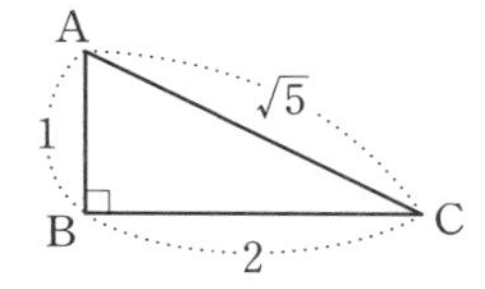

(1) $\sin A$, $\cos A$, $\tan A$의 값

(2) $\sin C$, $\cos C$, $\tan C$의 값

2-1

오른쪽 그림과 같은 직각삼각형 ABC에서 다음을 구하시오.

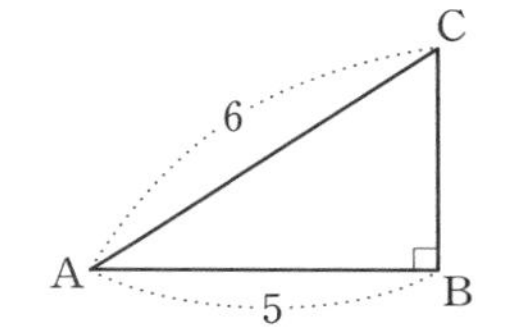

(1) $\overline{BC}$의 길이

(2) $\sin A$, $\cos A$, $\tan A$의 값

연구 피타고라스 정리를 이용하여 $\overline{BC}$의 길이를 구한다.

2-2

오른쪽 그림과 같은 직각삼각형 ABC에서 다음을 구하시오.

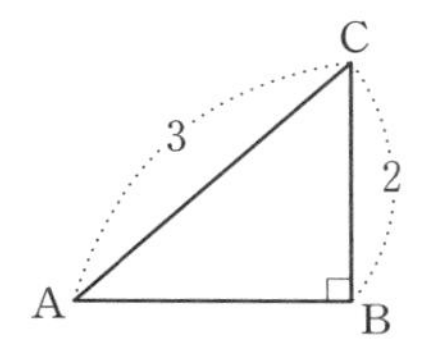

(1) $\overline{AB}$의 길이

(2) $\sin A$, $\cos A$, $\tan A$의 값

3-1

오른쪽 그림과 같은 직각삼각형 ABC에서 $\overline{BC}\perp\overline{DE}$일 때, 다음 
□ 안에 알맞은 것을 써넣으시오.

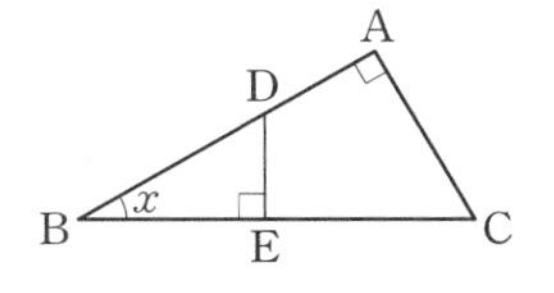

(1) $\sin x=\frac{\square}{\overline{BC}}=\frac{\overline{DE}}{\square}$

(2) $\cos x=\frac{\overline{AB}}{\square}=\frac{\overline{BE}}{\square}$

(3) $\tan x=\frac{\square}{\overline{AB}}=\frac{\square}{\overline{BE}}$

연구 두 쌍의 대응각의 크기가 각각 같을 때, 두 삼각형은 닮은 도형이다.

3-2

오른쪽 그림과 같은 직각삼각형 ABC에서 $\overline{AD}\perp\overline{BC}$일 때, 다음 □ 안에 알맞은 것을 써넣으시오.

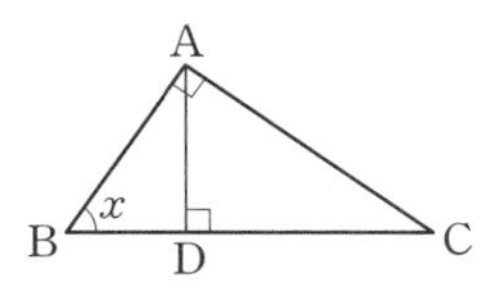

(1) $\sin x=\frac{\square}{\overline{BC}}=\frac{\square}{\overline{AB}}=\frac{\overline{CD}}{\square}$

(2) $\cos x=\frac{\overline{AB}}{\square}=\frac{\square}{\overline{AB}}=\frac{\square}{\overline{AC}}$

(3) $\tan x=\frac{\square}{\overline{AB}}=\frac{\overline{AD}}{\square}=\frac{\square}{\overline{AD}}$

STEP 2 대표 유형으로 개념 잡기

대표 유형 ❶ 삼각비의 값

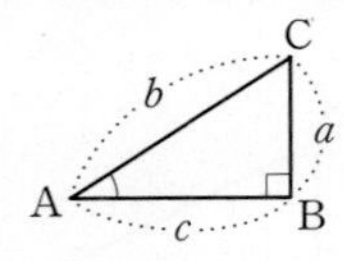

➡ $\sin A=\frac{a}{b}$, $\cos A=\frac{c}{b}$, $\tan A=\frac{a}{c}$

1-1 오른쪽 그림과 같이 $\overline{AB}=2$, $\overline{BC}=4$인 직각삼각형 ABC에서 $\sin A\times\tan C$의 값을 구하시오.

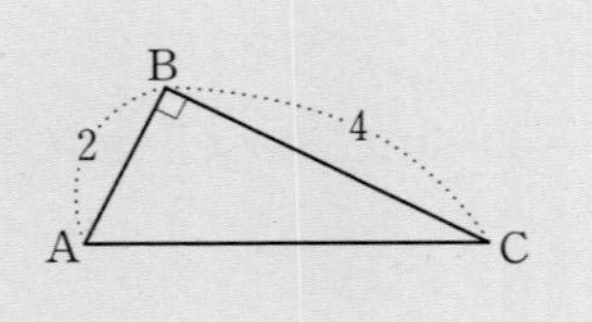

풀이 $\overline{AC}=\sqrt{2^2+4^2}=2\sqrt{5}$이므로

$\sin A=\frac{4}{2\sqrt{5}}=\frac{2\sqrt{5}}{5}$, $\tan C=\frac{2}{4}=\frac{1}{2}$

$\therefore \sin A\times\tan C=\frac{2\sqrt{5}}{5}\times\frac{1}{2}=\frac{\sqrt{5}}{5}$

답 $\frac{\sqrt{5}}{5}$

쌍둥이 1-2

오른쪽 그림과 같이 $\overline{AD}=\overline{CD}$이고 $\overline{AB}=15$, $\overline{AC}=12$인 직각삼각형 ABC에서 $\cos x$의 값을 구하시오.

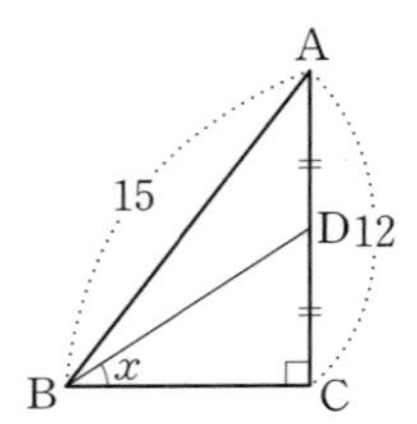

대표 유형 ❷ 삼각비의 값이 주어질 때, 삼각형의 변의 길이 구하기

주어진 삼각비의 값과 한 변의 길이를 이용하여 다른 변의 길이를 구한다.

2-1 오른쪽 그림과 같이 $\angle B=90^\circ$인 직각삼각형 ABC에서 $\overline{AB}=6$ cm이고 $\cos A=\frac{3}{4}$일 때, $\overline{BC}$의 길이를 구하시오.

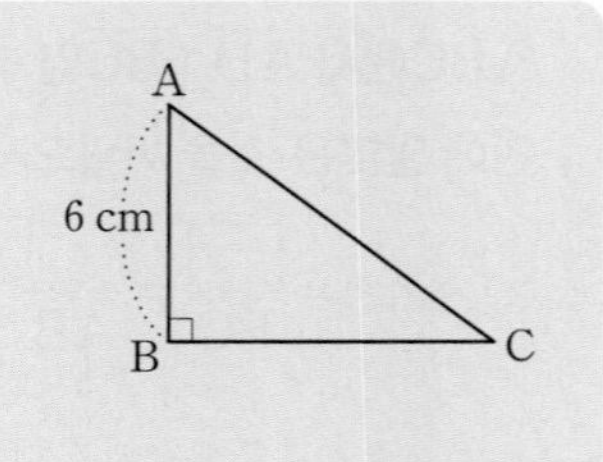

풀이 $\cos A=\frac{6}{\overline{AC}}$이므로 $\frac{3}{4}=\frac{6}{\overline{AC}}$

$3\overline{AC}=24$ $\therefore \overline{AC}=8$ (cm)

$\therefore \overline{BC}=\sqrt{8^2-6^2}=2\sqrt{7}$ (cm)

답 $2\sqrt{7}$ cm

쌍둥이 2-2

오른쪽 그림과 같이 $\angle C=90^\circ$인 직각삼각형 ABC에서 $\overline{AB}=8\sqrt{3}$ cm이고 $\sin B=\frac{1}{2}$일 때, $\triangle ABC$의 넓이를 구하시오.

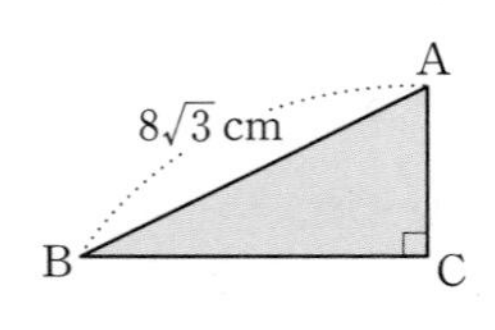

대표 유형 3 삼각비의 값이 주어질 때, 다른 삼각비의 값 구하기

주어진 삼각비의 값을 만족하는 직각삼각형을 그려 본다.

3-1 직각삼각형 ABC에서 $\tan A=\frac{4}{5}$일 때, $\cos A-\sin A$의 값을 구하시오. (단, $0^\circ<A<90^\circ$)

풀이 $\tan A=\frac{4}{5}$이므로 오른쪽 그림과 같이 $\angle B=90^\circ$, $\overline{AB}=5$, $\overline{BC}=4$인 직각삼각형 ABC를 생각하면

$\overline{AC}=\sqrt{5^2+4^2}=\sqrt{41}$

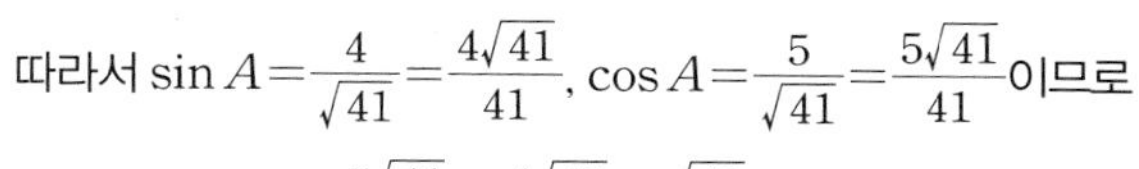

따라서 $\sin A=\frac{4}{\sqrt{41}}=\frac{4\sqrt{41}}{41}$, $\cos A=\frac{5}{\sqrt{41}}=\frac{5\sqrt{41}}{41}$이므로

$\cos A-\sin A=\frac{5\sqrt{41}}{41}-\frac{4\sqrt{41}}{41}=\frac{\sqrt{41}}{41}$

답 $\frac{\sqrt{41}}{41}$

쌍둥이 **3-2**

직각삼각형 ABC에서 $\sin B=\frac{1}{3}$일 때, $\cos B\times\tan B$의 값을 구하시오. (단, $0^\circ<B<90^\circ$)

쌍둥이 **3-3**

직각삼각형 ABC에서 $\cos A=\frac{5}{9}$일 때, $\sin A\div\tan A$의 값을 구하시오. (단, $0^\circ<A<90^\circ$)

대표 유형 4 직각삼각형의 닮음을 이용한 삼각비의 값 구하기 (1)

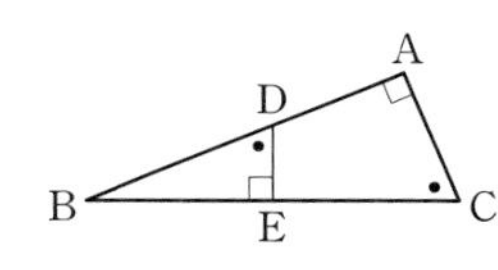

➡ △ABC와 △EBD에서
$\angle BAC=\angle BED=90^\circ$, $\angle B$는 공통이므로
△ABC∽△EBD (AA 닮음) ∴ $\angle BCA=\angle BDE$

4-1 오른쪽 그림과 같이 $\angle A=90^\circ$인 직각삼각형 ABC에서 $\overline{BC}\perp\overline{DE}$이고 $\overline{AC}=5$, $\overline{BC}=13$이다. $\angle BDE=x$일 때, $\sin x$의 값을 구하시오.

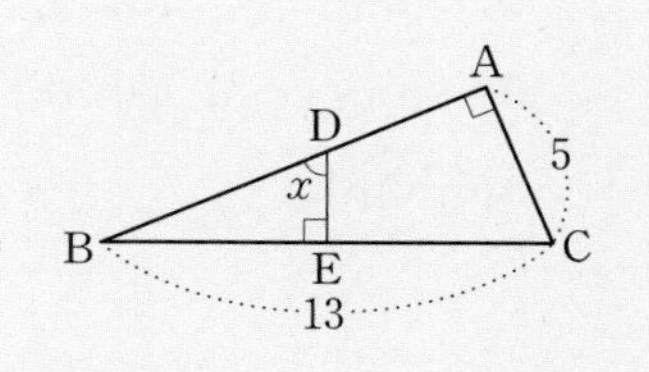

풀이 △ABC와 △EBD에서
$\angle BAC=\angle BED=90^\circ$, $\angle B$는 공통
따라서 △ABC∽△EBD (AA 닮음)이므로
$\angle BCA=\angle BDE=x$
△ABC에서 $\overline{AB}=\sqrt{13^2-5^2}=12$
$\therefore \sin x=\sin C=\frac{\overline{AB}}{\overline{BC}}=\frac{12}{13}$

답 $\frac{12}{13}$

쌍둥이 **4-2**

오른쪽 그림과 같이 $\angle C=90^\circ$인 직각삼각형 ABC에서 $\overline{AB}\perp\overline{DE}$이고 $\overline{AB}=5$, $\overline{AC}=3$이다. $\angle BDE=x$일 때, $\sin x+\cos x$의 값을 구하시오.

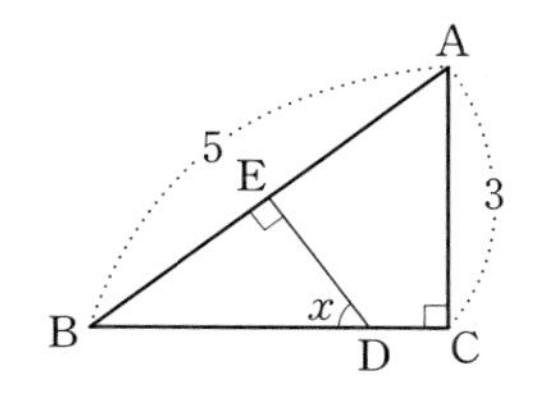

대표 유형 5 직각삼각형의 닮음을 이용한 삼각비의 값 구하기(2)

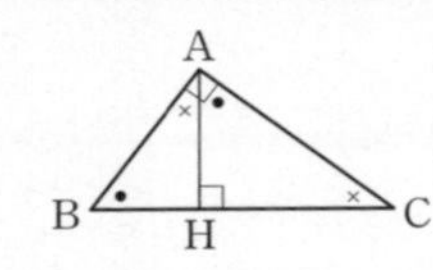

➡ $\triangle ABC \backsim \triangle HBA$ (AA 닮음)이므로 $\angle BCA = \angle BAH$

$\triangle ABC \backsim \triangle HAC$ (AA 닮음)이므로 $\angle CBA = \angle CAH$

5-1 오른쪽 그림과 같이 $\angle A = 90^\circ$인 직각삼각형 ABC에서 $\overline{AH} \perp \overline{BC}$이다. $\angle BAH = x$일 때, $\sin x$의 값을 구하시오.

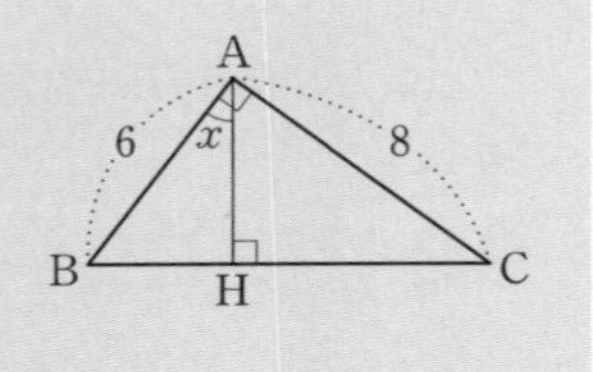

풀이 $\triangle ABC$와 $\triangle HBA$에서

$\angle BAC = \angle BHA = 90^\circ$, $\angle B$는 공통

따라서 $\triangle ABC \backsim \triangle HBA$ (AA 닮음)이므로

$\angle BCA = \angle BAH = x$

$\triangle ABC$에서 $\overline{BC} = \sqrt{6^2+8^2} = 10$

$\therefore \sin x = \sin C = \dfrac{\overline{AB}}{\overline{BC}} = \dfrac{6}{10} = \dfrac{3}{5}$

답 $\dfrac{3}{5}$

쌍둥이 **5-2**

오른쪽 그림과 같이 $\angle A = 90^\circ$인 직각삼각형 ABC에서 $\overline{AH} \perp \overline{BC}$이다. $\angle BAH = x$, $\angle CAH = y$일 때, $\cos x + \cos y$의 값을 구하시오.

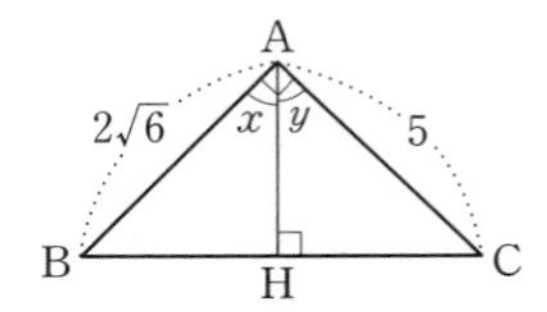

대표 유형 6 일차함수의 그래프와 삼각비

• x절편 : 직선이 x축과 만나는 점의 x좌표 ➡ $y=0$일 때, x의 값

• y절편 : 직선이 y축과 만나는 점의 y좌표 ➡ $x=0$일 때, y의 값

6-1 오른쪽 그림과 같이 일차함수 $y=x+3$의 그래프가 x축의 양의 방향과 이루는 각의 크기를 a라 할 때, $\sin a + \cos a$의 값을 구하시오.

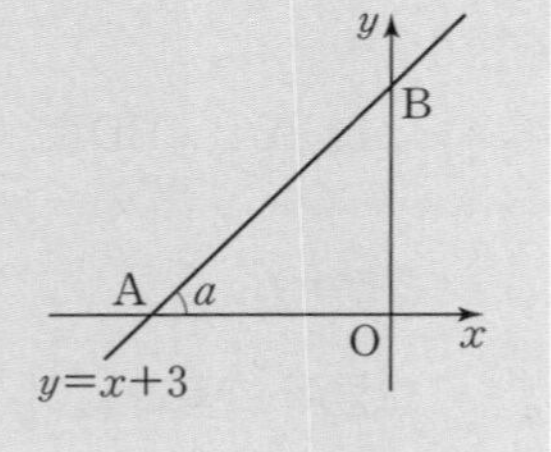

풀이 $y=x+3$에 $y=0$을 대입하면

$0=x+3$, $x=-3$ $\quad \therefore A(-3, 0)$

$y=x+3$에 $x=0$을 대입하면

$y=3$ $\quad \therefore B(0, 3)$

$\triangle AOB$에서

$\overline{AB} = \sqrt{3^2+3^2} = 3\sqrt{2}$이므로

$\sin a = \dfrac{\overline{BO}}{\overline{AB}} = \dfrac{3}{3\sqrt{2}} = \dfrac{\sqrt{2}}{2}$, $\cos a = \dfrac{\overline{AO}}{\overline{AB}} = \dfrac{3}{3\sqrt{2}} = \dfrac{\sqrt{2}}{2}$

$\therefore \sin a + \cos a = \dfrac{\sqrt{2}}{2} + \dfrac{\sqrt{2}}{2} = \sqrt{2}$

답 $\sqrt{2}$

쌍둥이 **6-2**

오른쪽 그림과 같이 일차방정식 $3x+4y-12=0$의 그래프가 x축과 이루는 예각의 크기를 a라 할 때, $\sin a$, $\cos a$, $\tan a$의 값을 각각 구하시오.

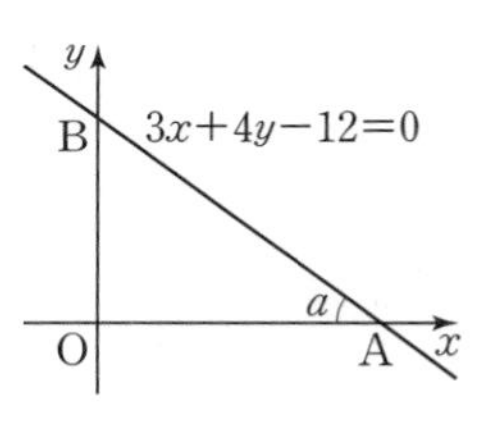

삼각비의 뜻

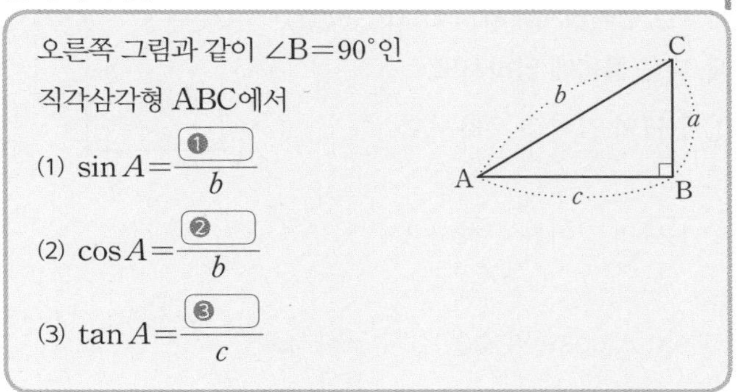

오른쪽 그림과 같이 $\angle B=90^\circ$인 직각삼각형 ABC에서

(1) $\sin A=\dfrac{❶}{b}$

(2) $\cos A=\dfrac{❷}{b}$

(3) $\tan A=\dfrac{❸}{c}$

답 ❶ a ❷ c ❸ a

01

오른쪽 그림과 같은 직각삼각형 ABC에서 다음 중 옳은 것은?

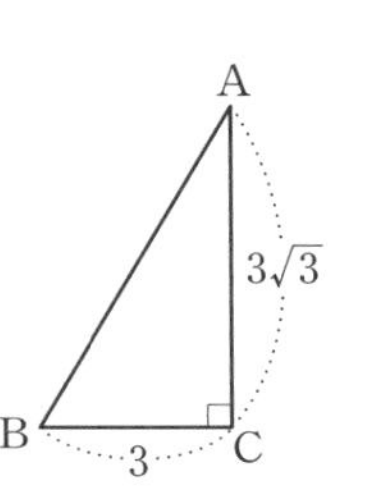

① $\sin A=\dfrac{\sqrt{3}}{2}$ ② $\cos A=\dfrac{1}{2}$

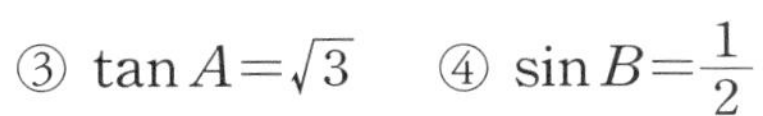

③ $\tan A=\sqrt{3}$ ④ $\sin B=\dfrac{1}{2}$

⑤ $\cos B=\dfrac{1}{2}$

02

오른쪽 그림과 같은 직각삼각형 ABC에서 $\cos A+\cos C$의 값을 구하시오.

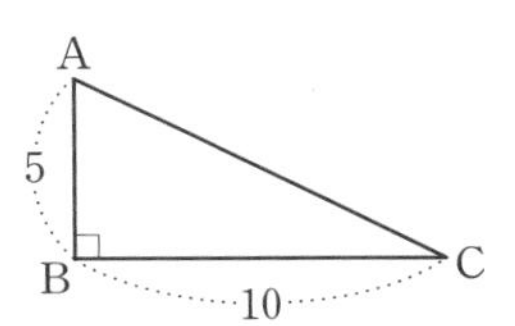

★ 03

오른쪽 그림과 같은 직각삼각형 ABC에서 $\overline{AC}=10$ cm이고 $\tan B=\dfrac{2}{3}$일 때, $\sin B$의 값을 구하시오.

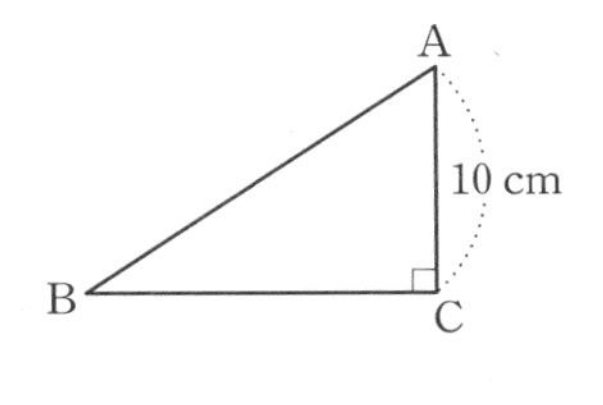

04

오른쪽 그림과 같은 직각삼각형 ABC에서 $\overline{AB}=8$ cm이고 $\sin A=\dfrac{\sqrt{2}}{2}$일 때, $\triangle$ABC의 넓이를 구하시오.

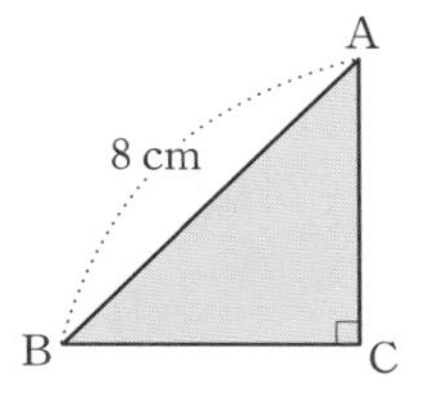

05

$\angle C=90^\circ$인 직각삼각형 ABC에서 $\cos B=\dfrac{2}{3}$일 때, $\sin B+\tan B$의 값을 구하시오.

★ 06

서술형

$0^\circ<A<90^\circ$이고 $7\sin A-5=0$일 때, $\tan A$의 값을 구하시오.

07

오른쪽 그림과 같이 $\angle A=90^\circ$인 직각삼각형 ABC에서 $\overline{BC}\perp\overline{DE}$이고 $\overline{AB}=8$, $\overline{AC}=15$이다. $\angle CDE=x$일 때, $\sin x$의 값을 구하시오.

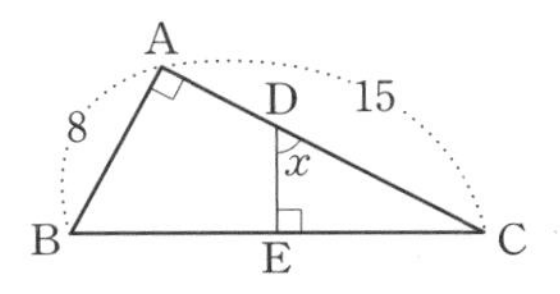

08

오른쪽 그림과 같이 $\angle C=90^{\circ}$인 직각삼각형 ABC에서 $\overline{AB}\perp\overline{ED}$이고 $\overline{BE}=11$, $\overline{DE}=7$일 때, $\sin A$의 값을 구하시오.

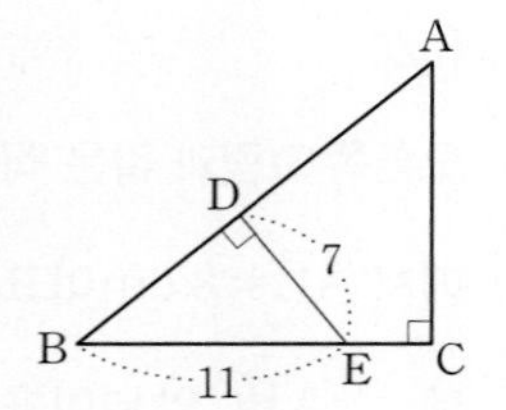

09

오른쪽 그림과 같이 $\angle A=90^{\circ}$인 직각삼각형 ABC에서 $\overline{AD}\perp\overline{BC}$이고 $\angle BAD=x$, $\angle CAD=y$일 때, $\sin x+\cos y$의 값을 구하시오.

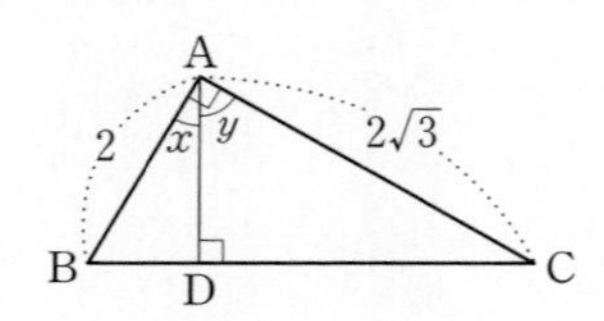

10

서술형 + 융합형

오른쪽 그림과 같이 일차함수 $y=\frac{3}{2}x+3$의 그래프가 x축의 양의 방향과 이루는 각의 크기를 a라 할 때, $\sin a$의 값을 구하시오.

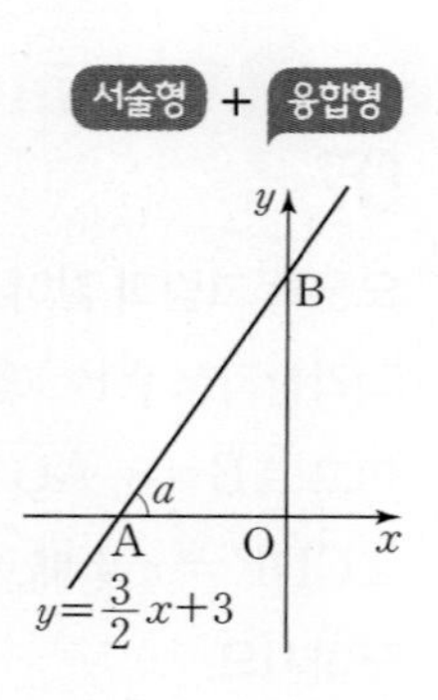

11

오른쪽 그림과 같이 한 모서리의 길이가 4인 정육면체에서 $\angle BHF=x$일 때, 다음 물음에 답하시오.

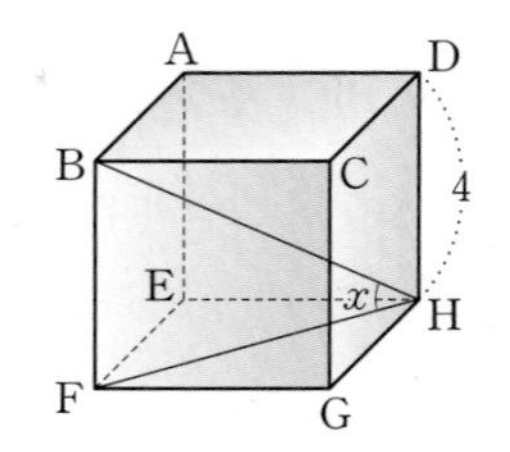

(1) $\overline{FH}$의 길이를 구하시오.

(2) $\overline{BH}$의 길이를 구하시오.

(3) $\sin x$, $\cos x$의 값을 각각 구하시오.

(4) $\sin x\times\cos x$의 값을 구하시오.

12

오른쪽 그림과 같이 한 모서리의 길이가 6인 정사면체의 꼭짓점 A에서 밑면에 내린 수선의 발을 H, $\overline{BC}$의 중점을 M이라 하자. $\angle AMD=x$일 때, 다음 물음에 답하시오.

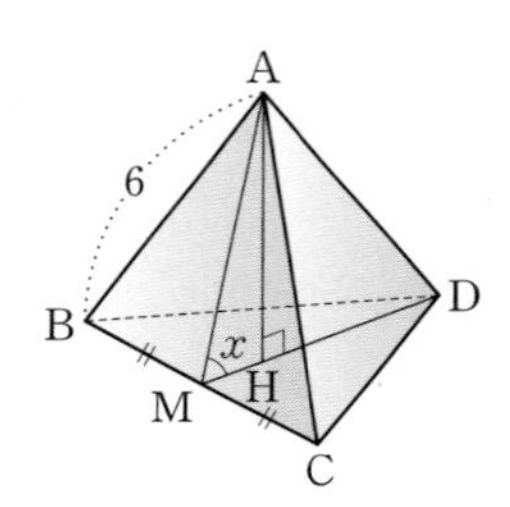

(1) $\overline{AM}$의 길이를 구하시오.

(2) $\overline{MH}$의 길이를 구하시오.

(3) $\overline{AH}$의 길이를 구하시오.

(4) $\sin x$의 값을 구하시오.

2 삼각비의 값

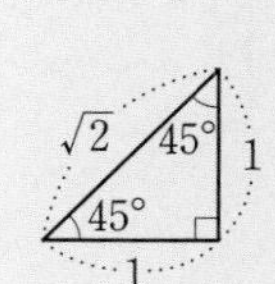

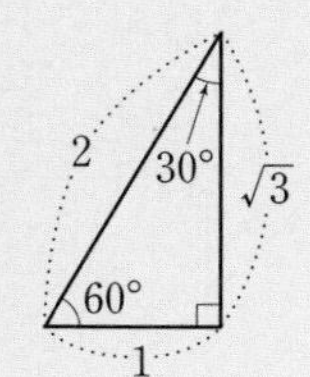

개념 1 30°, 45°, 60°의 삼각비의 값

개념 동영상

30°, 45°, 60°의 삼각비의 값은 다음과 같다.

삼각비 \ A	30°	45°	60°	
$\sin A$	$\frac{1}{2}$	$\frac{\sqrt{2}}{2}$	$\frac{\sqrt{3}}{2}$	→ sin의 값은 증가
$\cos A$	$\frac{\sqrt{3}}{2}$	$\frac{\sqrt{2}}{2}$	$\frac{1}{2}$	→ cos의 값은 감소
$\tan A$	$\frac{\sqrt{3}}{3}$	1	$\sqrt{3}$	→ tan의 값은 증가

설명 (1) 45°의 삼각비의 값

한 변의 길이가 1인 정사각형의 대각선의 길이는 $\sqrt{2}$이므로

$\sin 45° = \frac{1}{\sqrt{2}} = \frac{\sqrt{2}}{2}$, $\cos 45° = \frac{1}{\sqrt{2}} = \frac{\sqrt{2}}{2}$, $\tan 45° = \frac{1}{1} = 1$

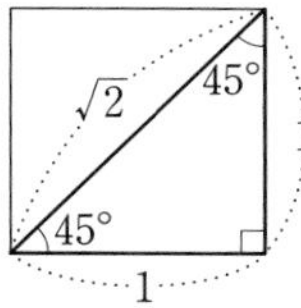

(2) 30°, 60°의 삼각비의 값

한 변의 길이가 2인 정삼각형의 높이는 $\sqrt{3}$이므로

① $\sin 30° = \frac{1}{2}$, $\cos 30° = \frac{\sqrt{3}}{2}$, $\tan 30° = \frac{1}{\sqrt{3}} = \frac{\sqrt{3}}{3}$

② $\sin 60° = \frac{\sqrt{3}}{2}$, $\cos 60° = \frac{1}{2}$, $\tan 60° = \frac{\sqrt{3}}{1} = \sqrt{3}$

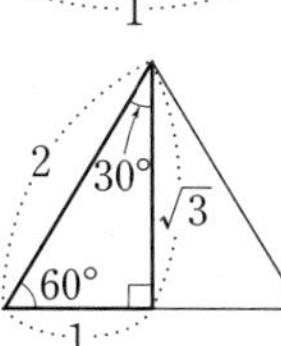

Lecture

- 30°, 45°, 60°의 삼각비의 값 사이의 관계

① $\sin 30° = \cos 60° = \frac{1}{2}$

② $\sin 45° = \cos 45° = \frac{\sqrt{2}}{2}$

③ $\sin 60° = \cos 30° = \frac{\sqrt{3}}{2}$

④ $\tan 30° = \frac{1}{\tan 60°} = \frac{\sqrt{3}}{3}$

| 개념 확인 | **1** **다음을 계산하시오.**

(1) $\sin 30° + \cos 60°$

(2) $\tan 60° - \cos 30°$

(3) $\cos 45° \times \sin 45°$

(4) $\tan 30° \div \sin 60°$

개념 2 예각의 삼각비의 값

오른쪽 그림과 같이 반지름의 길이가 1인 사분원에서 예각 x에 대하여

(1) $\sin x=\dfrac{\overline{AB}}{\overline{OA}}=\dfrac{\overline{AB}}{1}=\overline{AB}$

(2) $\cos x=\dfrac{\overline{OB}}{\overline{OA}}=\dfrac{\overline{OB}}{1}=\overline{OB}$

(3) $\tan x=\dfrac{\overline{CD}}{\overline{OD}}=\dfrac{\overline{CD}}{1}=\overline{CD}$

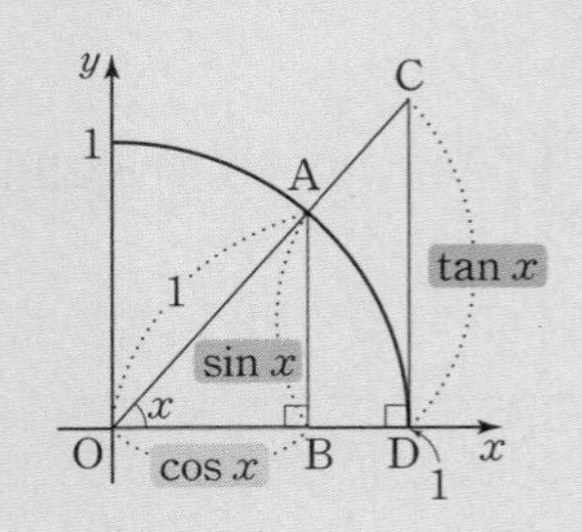

보기 오른쪽 그림과 같이 반지름의 길이가 1인 사분원에서

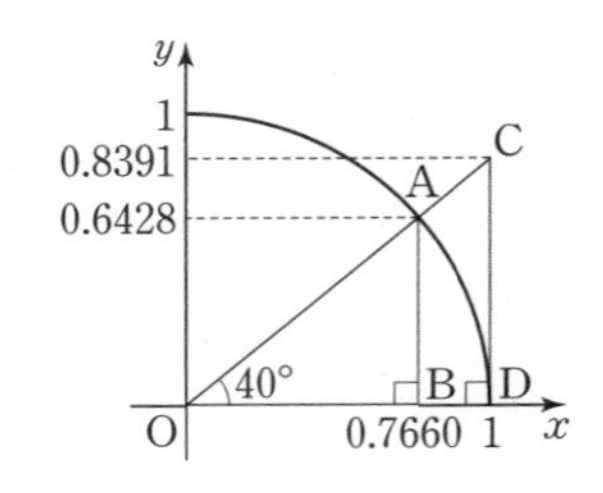

$\sin 40^\circ=\dfrac{\overline{AB}}{\overline{OA}}=\dfrac{\overline{AB}}{1}=\overline{AB}=0.6428$

$\cos 40^\circ=\dfrac{\overline{OB}}{\overline{OA}}=\dfrac{\overline{OB}}{1}=\overline{OB}=0.7660$

$\tan 40^\circ=\dfrac{\overline{CD}}{\overline{OD}}=\dfrac{\overline{CD}}{1}=\overline{CD}=0.8391$

이때 $\triangle$AOB에서

$\angle OAB=180^\circ-(40^\circ+90^\circ)=50^\circ$이므로

$\sin 50^\circ=\dfrac{\overline{OB}}{\overline{OA}}=\dfrac{\overline{OB}}{1}=\overline{OB}=0.7660$

$\cos 50^\circ=\dfrac{\overline{AB}}{\overline{OA}}=\dfrac{\overline{AB}}{1}=\overline{AB}=0.6428$

Lecture

- 반지름의 길이가 1인 사분원에서 예각의 삼각비의 값은 분모가 되는 변의 길이가 1인 직각삼각형을 찾아 구한다.

| 개념 확인 | **2** **오른쪽 그림과 같이 반지름의 길이가 1인 사분원에서 다음 삼각비의 값을 구하시오.**

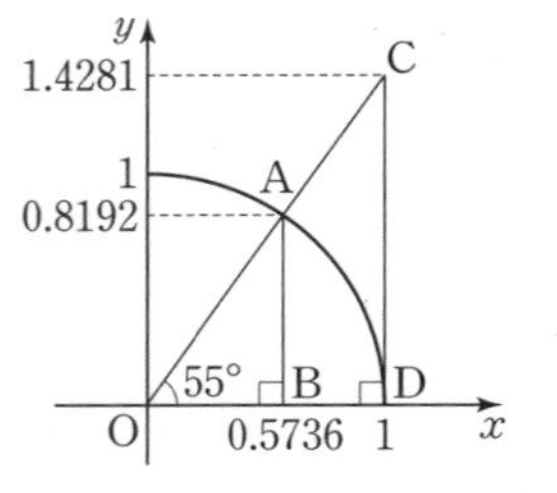

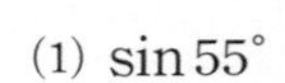

(1) $\sin 55^\circ$　　(2) $\cos 55^\circ$

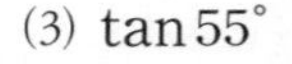

(3) $\tan 55^\circ$　　(4) $\sin 35^\circ$

(5) $\cos 35^\circ$

개념 3 0°, 90°의 삼각비의 값

(1) **0°의 삼각비의 값**

① $\sin 0° = 0$　② $\cos 0° = 1$　③ $\tan 0° = 0$

(2) **90°의 삼각비의 값**

① $\sin 90° = 1$　② $\cos 90° = 0$　③ $\tan 90°$의 값은 정할 수 없다.

0°와 90°의 삼각비의 값을 반지름의 길이가 1인 사분원에서 알아보자.

(1) 오른쪽 그림과 같이 직각삼각형 AOB에서
∠AOB의 크기가 0°에 가까워지면 $\overline{AB}$의 길이는 0에 가까워지고 $\overline{OB}$의 길이는 1에 가까워진다.
➡ $\sin 0° = 0$, $\cos 0° = 1$

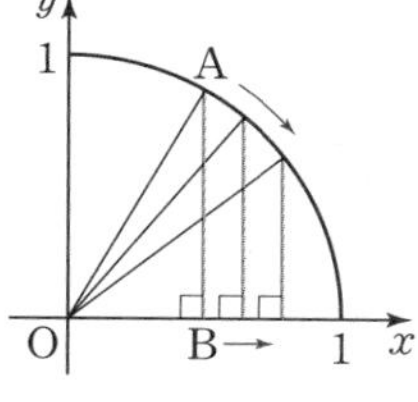

(2) 오른쪽 그림과 같이 직각삼각형 AOB에서
∠AOB의 크기가 90°에 가까워지면 $\overline{AB}$의 길이는 1에 가까워지고 $\overline{OB}$의 길이는 0에 가까워진다.
➡ $\sin 90° = 1$, $\cos 90° = 0$

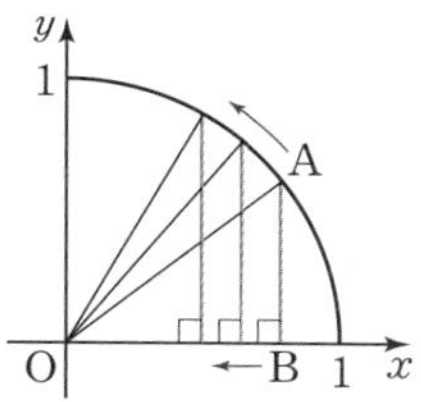

(3) 오른쪽 그림과 같이 직각삼각형 COD에서
∠COD의 크기가 0°에 가까워지면 $\overline{CD}$의 길이는 0에 가까워진다.
➡ $\tan 0° = 0$
∠COD의 크기가 90°에 가까워지면 $\overline{CD}$의 길이는 한없이 커진다.
➡ $\tan 90°$의 값은 정할 수 없다.

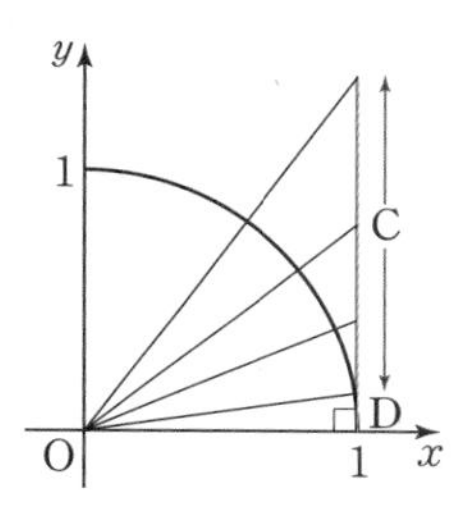

Lecture

● 삼각비의 값의 범위

(1) $0° \le x \le 90°$일 때, x의 값이 증가하면
① $\sin x$의 값은 0에서 1까지 증가
② $\cos x$의 값은 1에서 0까지 감소
③ $\tan x$의 값은 0에서 한없이 증가

(2) $0° \le x < 45°$이면 $\sin x < \cos x$

(3) $x = 45°$이면 $\sin x = \cos x < \tan x$

(4) $45° < x < 90°$이면 $\cos x < \sin x < \tan x$

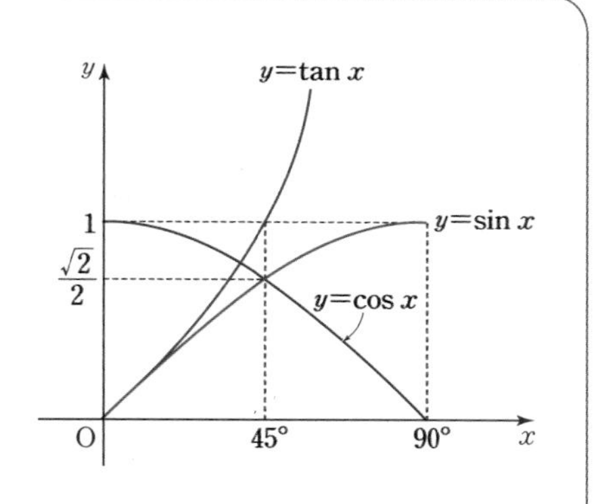

| 개념 확인 | **3** 다음을 계산하시오.

(1) $\sin 90° + \tan 0°$　(2) $\cos 0° - \sin 90°$

(3) $\sin 0° + \cos 90° - \tan 0°$　(4) $(\cos 90° + \sin 90°) \div \cos 0°$

개념 4 삼각비의 표

(1) **삼각비의 표** 0°에서 90° 사이의 각을 1° 간격으로 나누어 삼각비의 값을 소수점 아래 넷째 자리까지 나타낸 표

(2) **삼각비의 표 읽는 방법**

각도의 가로줄과 삼각비의 세로줄이 만나는 곳의 수를 읽는다.

참고 삼각비의 표에 있는 삼각비의 값은 대부분 반올림한 값이지만 등호(=)를 사용하여 나타낸다.

각도	사인(sin)	코사인(cos)	탄젠트(tan)
⋮	⋮	⋮	⋮
22°	0.3746	0.9272	0.4040
23°	0.3907	0.9205	0.4245
24°	0.4067	0.9135	0.4452
⋮	⋮	⋮	⋮

보기 $\sin 22°$의 값은 삼각비의 표에서 22°의 가로줄과 sin의 세로줄이 만나는 곳의 수이므로 0.3746이다.
$\cos 23°$의 값은 삼각비의 표에서 23°의 가로줄과 cos의 세로줄이 만나는 곳의 수이므로 0.9205이다.
$\tan 24°$의 값은 삼각비의 표에서 24°의 가로줄과 tan의 세로줄이 만나는 곳의 수이므로 0.4452이다.

각도	사인(sin)	코사인(cos)	탄젠트(tan)
⋮	⋮	⋮	⋮
22°	0.3746	0.9272	0.4040
23°	0.3907	0.9205	0.4245
24°	0.4067	0.9135	0.4452
⋮	⋮	⋮	⋮

개념 확인 **4** **오른쪽 삼각비의 표를 보고 다음 물음에 답하시오.**

각도	사인(sin)	코사인(cos)	탄젠트(tan)
41°	0.6561	0.7547	0.8693
42°	0.6691	0.7431	0.9004
43°	0.6820	0.7314	0.9325

(1) 다음 삼각비의 값을 구하시오.

① $\sin 42°$

② $\cos 41°$

③ $\tan 43°$

(2) 다음을 만족시키는 x의 크기를 구하시오. (단, $0° < x < 90°$)

① $\sin x = 0.6820$

② $\cos x = 0.7431$

③ $\tan x = 0.9004$

개념 기초

1-1

다음 그림과 같은 직각삼각형 ABC에서 x, y의 값을 각각 구하시오.

(1)

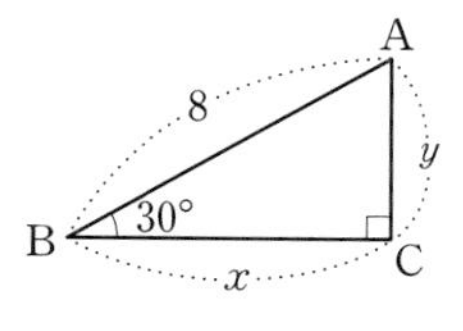

(2)

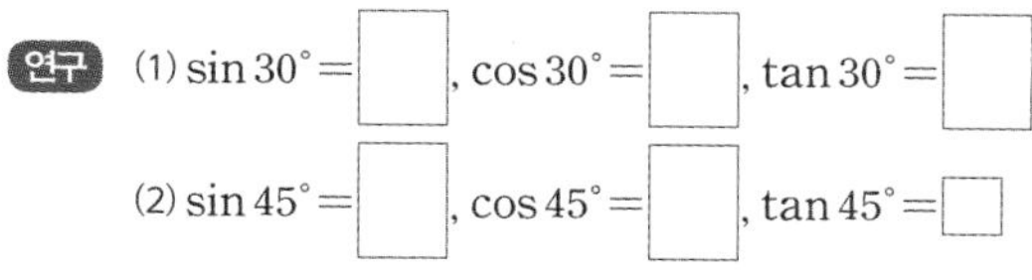

2-1

오른쪽 그림과 같이 반지름의 길이가 1인 사분면에서

$\sin 37° + \tan 37°$의 값을 구하시오.

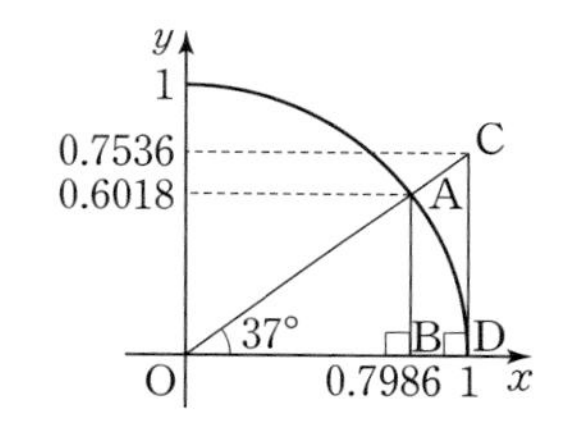

3-1

$\sin 90° - \cos 0° + \tan 0° \times \sin 0°$를 계산하시오.

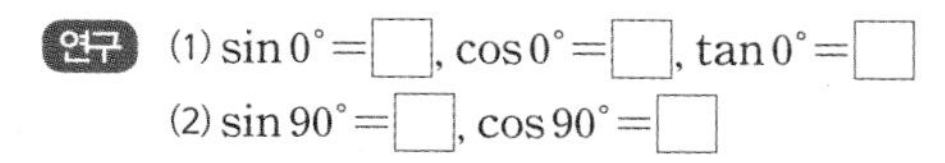

4-1

아래 삼각비의 표를 보고 다음 삼각비의 값을 구하시오.

각도	사인(sin)	코사인(cos)	탄젠트(tan)
66°	0.9135	0.4067	2.2460
67°	0.9205	0.3907	2.3559
68°	0.9272	0.3746	2.4751

(1) $\sin 68°$ (2) $\cos 67°$ (3) $\tan 66°$

쌍둥이 문제

1-2

다음 그림과 같은 직각삼각형 ABC에서 x, y의 값을 각각 구하시오.

(1)

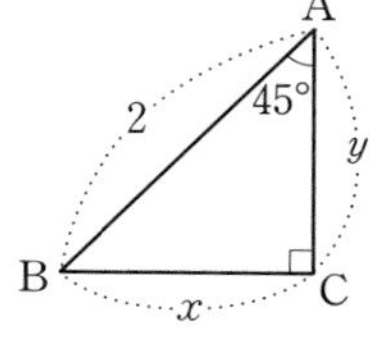

(2)

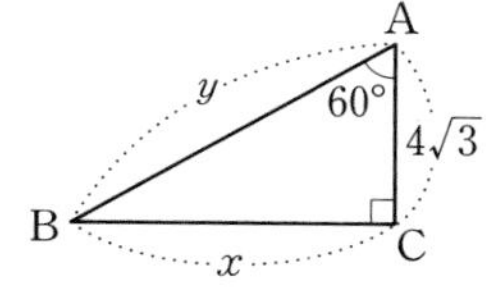

2-2

오른쪽 그림과 같이 반지름의 길이가 1인 사분원에서

$\sin 52° + \cos 52°$의 값을 구하시오.

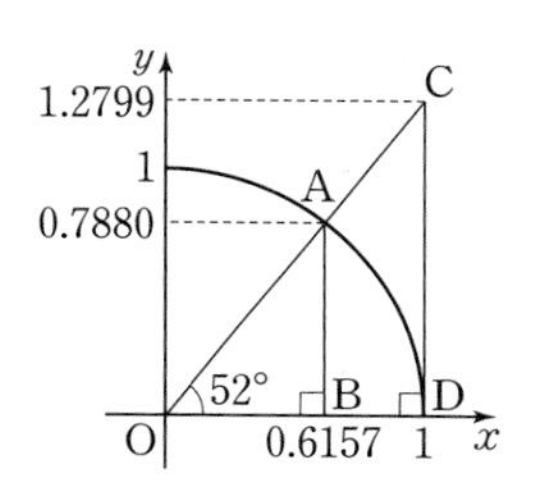

3-2

$\sin 0° \times \cos 90° + \cos 0° - \tan 0°$를 계산하시오.

4-2

아래 삼각비의 표를 보고 다음 삼각비의 값을 구하시오.

각도	사인(sin)	코사인(cos)	탄젠트(tan)
33°	0.5446	0.8387	0.6494
34°	0.5592	0.8290	0.6745
35°	0.5736	0.8192	0.7002

(1) $\sin 34°$ (2) $\cos 33°$ (3) $\tan 35°$

STEP 2 대표 유형으로 개념 잡기

대표 유형 1 특수한 각의 삼각비의 값

(1) $\sin 30° = \frac{1}{2}$, $\sin 45° = \frac{\sqrt{2}}{2}$, $\sin 60° = \frac{\sqrt{3}}{2}$

(2) $\cos 30° = \frac{\sqrt{3}}{2}$, $\cos 45° = \frac{\sqrt{2}}{2}$, $\cos 60° = \frac{1}{2}$

(3) $\tan 30° = \frac{\sqrt{3}}{3}$, $\tan 45° = 1$, $\tan 60° = \sqrt{3}$

1-1 다음 보기 중 옳은 것을 모두 고르시오.

보기

㉠ $\sin 30° = \cos 30° \times \tan 30°$

㉡ $\sin 45° \times \cos 45° \times \tan 45° = 1$

㉢ $\sin 30° \times \cos 30° + \sin 60° \times \cos 60° = \frac{\sqrt{3}}{2}$

풀이 ㉠ $\sin 30° = \frac{1}{2}$, $\cos 30° \times \tan 30° = \frac{\sqrt{3}}{2} \times \frac{\sqrt{3}}{3} = \frac{1}{2}$

$\therefore \sin 30° = \cos 30° \times \tan 30°$

㉡ $\sin 45° \times \cos 45° \times \tan 45° = \frac{\sqrt{2}}{2} \times \frac{\sqrt{2}}{2} \times 1 = \frac{1}{2}$

㉢ $\sin 30° \times \cos 30° + \sin 60° \times \cos 60°$

$= \frac{1}{2} \times \frac{\sqrt{3}}{2} + \frac{\sqrt{3}}{2} \times \frac{1}{2} = \frac{\sqrt{3}}{4} + \frac{\sqrt{3}}{4} = \frac{\sqrt{3}}{2}$

답 ㉠, ㉢

쌍둥이 1-2

다음을 계산하시오.

(1) $\sin 30° \times \cos 60° + \tan 45°$

(2) $\sin 45° \div \cos 45° - \tan 30° \times \sin 60°$

(3) $\tan 60° \times \sin 30° + \cos 30° \div \tan 45°$

대표 유형 2 특수한 각의 삼각비의 값을 이용하여 각의 크기 구하기

특수한 각의 삼각비의 값을 이용하여 각의 크기를 구한다.

예 $0° < x < 90°$일 때, $\sin x = \frac{\sqrt{2}}{2}$이면 $\sin x = \sin 45°$ $\quad \therefore x = 45°$

2-1 $\sin(x+10°) = \frac{1}{2}$일 때, $\cos(x+40°)$의 값을 구하시오. (단, $0° < x+10° < 90°$)

풀이 $\sin 30° = \frac{1}{2}$이므로 $x+10° = 30°$ $\quad \therefore x = 20°$

$\therefore \cos(x+40°) = \cos 60° = \frac{1}{2}$

답 $\frac{1}{2}$

쌍둥이 2-2

$\tan(x+15°) = 1$일 때, $\tan x$의 값을 구하시오.

(단, $0° < x+15° < 90°$)

쌍둥이 2-3

$\cos(2x-10°) = \frac{\sqrt{3}}{2}$일 때, $\sin(2x+5°) \times \tan 3x$의 값을 구하시오. (단, $0° < 2x-10° < 90°$)

대표 유형 3 특수한 각의 삼각비의 값을 이용하여 변의 길이 구하기

3-1의 $\triangle$ABD에서 $\cos 30°$의 값을 이용하여 x의 값을 구한 후 $\sin 30°$의 값을 이용하여 $\overline{AD}$의 길이를 구한다.

3-1 오른쪽 그림의 $\triangle$ABC에서 $\overline{AD}\perp\overline{BC}$일 때, x, y의 값을 각각 구하시오.

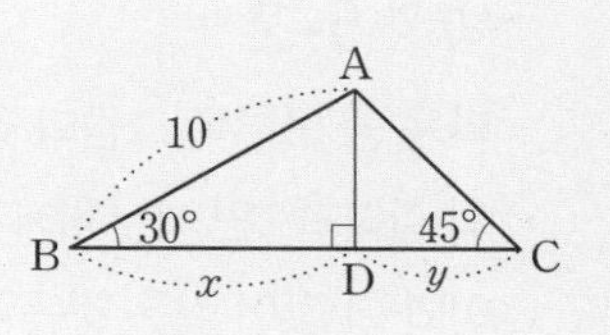

풀이 $\triangle$ABD에서 $\cos 30° = \frac{x}{10}$이므로

$\frac{\sqrt{3}}{2} = \frac{x}{10}$, $2x = 10\sqrt{3}$ $\quad\therefore x = 5\sqrt{3}$

$\sin 30° = \frac{\overline{AD}}{10}$이므로 $\frac{1}{2} = \frac{\overline{AD}}{10}$

$2\overline{AD} = 10$ $\quad\therefore \overline{AD} = 5$

$\triangle$ADC에서 $\tan 45° = \frac{5}{y}$이므로

$1 = \frac{5}{y}$ $\quad\therefore y = 5$

답 $x = 5\sqrt{3}$, $y = 5$

쌍둥이 **3-2**

다음 그림에서 x, y의 값을 각각 구하시오.

(1)

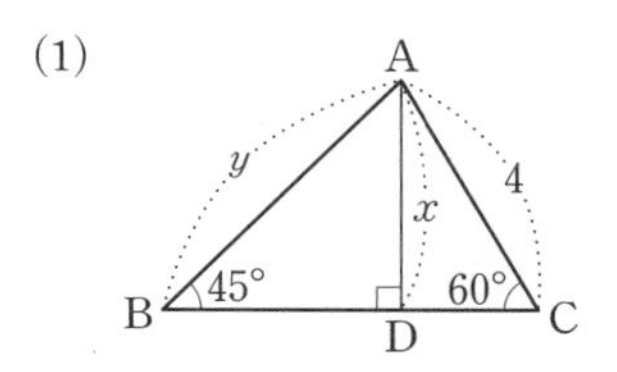

(2)

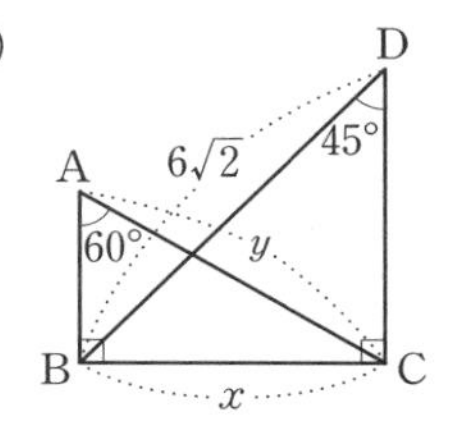

대표 유형 4 직선의 기울기와 삼각비

직선 $y = ax + b$가 x축의 양의 방향과 이루는 각의 크기를 α라 하면

$\tan\alpha = \frac{\overline{OB}}{\overline{OA}} = $(직선의 기울기)$= a$

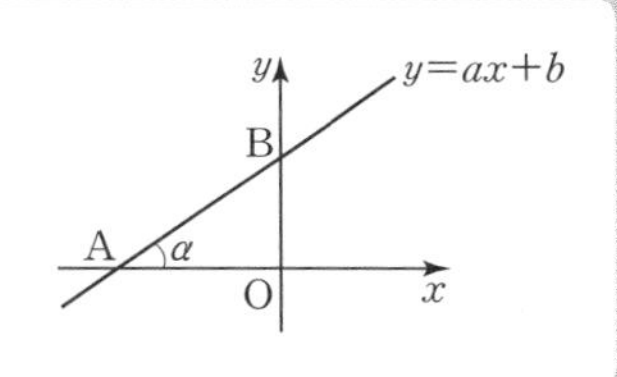

4-1 오른쪽 그림과 같이 x절편이 1이고 x축의 양의 방향과 이루는 각의 크기가 30°인 직선이 있다. 이 직선의 방정식을 구하시오.

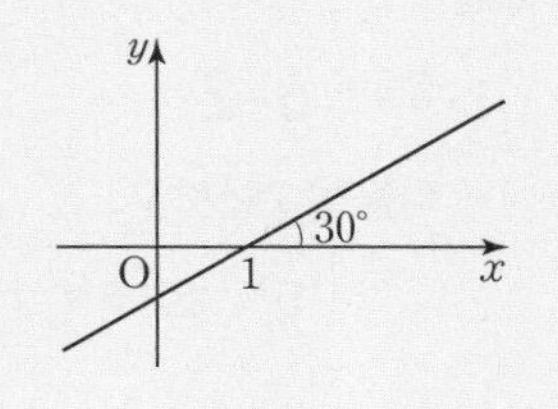

풀이 $\tan 30° = \frac{\sqrt{3}}{3}$이므로 직선의 기울기는 $\frac{\sqrt{3}}{3}$이다.

x절편이 1이므로 $y = \frac{\sqrt{3}}{3}x + b$에 $x = 1$, $y = 0$을 대입하면

$0 = \frac{\sqrt{3}}{3} \times 1 + b$ $\quad\therefore b = -\frac{\sqrt{3}}{3}$

따라서 구하는 직선의 방정식은 $y = \frac{\sqrt{3}}{3}x - \frac{\sqrt{3}}{3}$

답 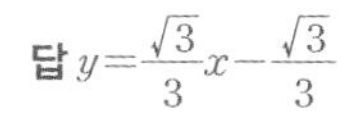 $y = \frac{\sqrt{3}}{3}x - \frac{\sqrt{3}}{3}$

쌍둥이 **4-2**

직선 $y = \sqrt{3}x - 2$가 x축의 양의 방향과 이루는 예각의 크기를 α라 할 때, α의 크기를 구하시오.

쌍둥이 **4-3**

오른쪽 그림과 같이 x절편이 -3이고, x축의 양의 방향과 이루는 각의 크기가 45°인 직선의 방정식을 $y = ax + b$라 할 때, $a + b$의 값을 구하시오.

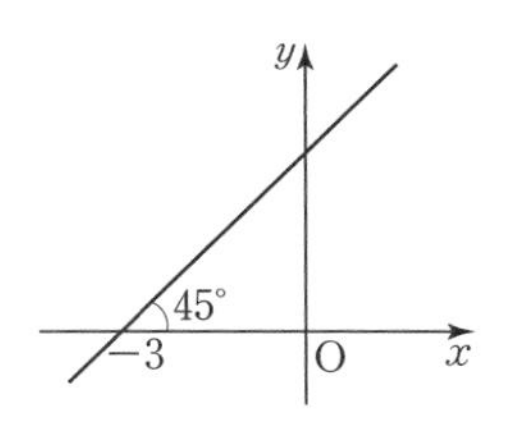

대표 유형 5 사분원을 이용하여 삼각비의 값 구하기

반지름의 길이가 1인 사분원에서 삼각비의 값은 분모가 되는 변의 길이가 1인 직각삼각형을 찾아 구한다.

5-1 오른쪽 그림과 같이 반지름의 길이가 1인 사분원에서 다음 중 옳지 않은 것은?

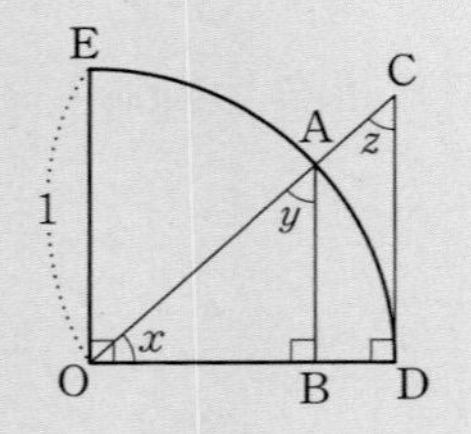

① $\sin x=\overline{AB}$ ② $\sin z=\overline{OB}$
③ $\cos y=\overline{AB}$ ④ $\cos z=\overline{OB}$
⑤ $\tan x=\overline{CD}$

풀이 ① $\sin x=\dfrac{\overline{AB}}{\overline{OA}}=\dfrac{\overline{AB}}{1}=\overline{AB}$

② $\triangle AOB \backsim \triangle COD$ (AA 닮음)이므로 $y=z$

$\therefore \sin z=\sin y=\dfrac{\overline{OB}}{\overline{OA}}=\dfrac{\overline{OB}}{1}=\overline{OB}$

③ $\cos y=\dfrac{\overline{AB}}{\overline{OA}}=\dfrac{\overline{AB}}{1}=\overline{AB}$

④ $\cos z=\cos y=\dfrac{\overline{AB}}{\overline{OA}}=\dfrac{\overline{AB}}{1}=\overline{AB}$

⑤ $\tan x=\dfrac{\overline{CD}}{\overline{OD}}=\dfrac{\overline{CD}}{1}=\overline{CD}$

답 ④

쌍둥이 **5-2**

다음 중 오른쪽 그림과 같이 반지름의 길이가 1인 사분원에서 $\overline{OB}$의 길이와 그 값이 같은 것은?

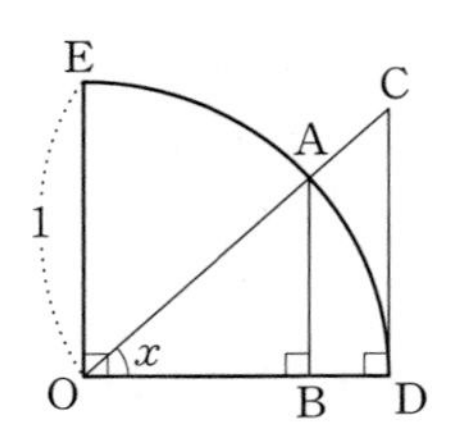

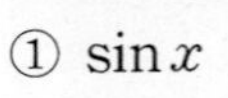
① $\sin x$ ② $\cos x$

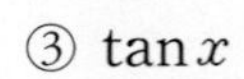
③ $\tan x$ ④ $\dfrac{1}{\sin x}$

⑤ $\dfrac{1}{\cos x}$

대표 유형 6 0°, 90°의 삼각비의 값

(1) $\sin 0^\circ=0$, $\sin 90^\circ=1$ (2) $\cos 0^\circ=1$, $\cos 90^\circ=0$ (3) $\tan 0^\circ=0$, $\tan 90^\circ$의 값은 정할 수 없다.

6-1 다음 중 옳은 것은?

① $\tan 0^\circ=\sin 90^\circ$ ② $\sin 0^\circ+\cos 0^\circ=1$
③ $\sin 0^\circ\times\tan 45^\circ=1$ ④ $\cos 0^\circ\times\sin 30^\circ=0$
⑤ $\tan 30^\circ\times\cos 90^\circ=\dfrac{\sqrt{3}}{3}$

풀이 ① $\tan 0^\circ=0$, $\sin 90^\circ=1$이므로 $\tan 0^\circ\neq\sin 90^\circ$

② $\sin 0^\circ+\cos 0^\circ=0+1=1$

③ $\sin 0^\circ\times\tan 45^\circ=0\times1=0$

④ $\cos 0^\circ\times\sin 30^\circ=1\times\dfrac{1}{2}=\dfrac{1}{2}$

⑤ $\tan 30^\circ\times\cos 90^\circ=\dfrac{\sqrt{3}}{3}\times0=0$

답 ②

쌍둥이 **6-2**

다음을 계산하시오.

(1) $\sin 0^\circ-\cos 0^\circ+\tan 0^\circ$

(2) $\sin 90^\circ\times\tan 60^\circ-\cos 90^\circ$

(3) $(\cos 90^\circ+\sin 0^\circ)\div\tan 45^\circ$

(4) $\sin 90^\circ\times\cos 30^\circ-\cos 0^\circ\times\tan 30^\circ$

대표 유형 7 삼각비의 값의 대소 관계

(1) $0° \le x \le 90°$일 때, x의 값이 증가하면
① $\sin x$의 값은 0에서 1까지 증가
② $\cos x$의 값은 1에서 0까지 감소
③ $\tan x$의 값은 0에서 한없이 증가

(2) $\sin x$, $\cos x$, $\tan x$의 대소 관계
① $0° \le x < 45°$일 때, $\sin x < \cos x$
② $x = 45°$일 때, $\sin x = \cos x < \tan x$
③ $45° < x < 90°$일 때, $\cos x < \sin x < \tan x$

7-1 $0° \le A \le 90°$일 때, 다음 중 옳은 것을 모두 고르면? (정답 2개)

① $\sin A = \cos A$인 A의 값은 없다.
② A의 값이 증가하면 $\sin A$의 값도 증가한다.
③ A의 값이 증가하면 $\cos A$의 값도 증가한다.
④ $0 \le \sin A \le 1$
⑤ $0 \le \tan A \le 1$

풀이 ① $\sin 45° = \cos 45° = \frac{\sqrt{2}}{2}$
즉 $\sin A = \cos A$인 A의 값은 $A = 45°$이다.
③ $0° \le A \le 90°$일 때, A의 값이 증가하면 $\cos A$의 값은 감소한다.
⑤ $0° \le A \le 90°$일 때, A의 값이 증가하면 $\tan A$의 값은 0에서 한없이 커진다.

답 ②, ④

쌍둥이 7-2

다음 중 삼각비의 값의 대소 관계가 옳지 않은 것은?

① $\sin 20° < \sin 30°$
② $\cos 25° < \cos 45°$
③ $\sin 30° = \cos 60°$
④ $\cos 45° < \tan 45°$
⑤ $\tan 30° < \sin 90°$

쌍둥이 7-3

다음 삼각비의 값을 작은 것부터 차례대로 나열하시오.

$\cos 0°$, $\tan 0°$, $\sin 45°$, $\cos 70°$

대표 유형 8 삼각비의 값의 대소 관계를 이용한 식의 계산

근호 안에 삼각비를 포함한 식의 제곱 꼴이 있는 경우에는 제곱근의 성질을 이용하여 주어진 식을 간단히 한다.

참고 $\sqrt{a^2} = \begin{cases} a & (a \ge 0) \\ -a & (a < 0) \end{cases}$

8-1 $0° < x < 90°$일 때,
$\sqrt{(\cos x + 1)^2} - \sqrt{(\cos x - 1)^2}$을 간단히 하시오.

풀이 $0 < \cos x < 1$이므로
$\cos x + 1 > 0$, $\cos x - 1 < 0$
$\therefore \sqrt{(\cos x + 1)^2} - \sqrt{(\cos x - 1)^2}$
$= (\cos x + 1) - \{-(\cos x - 1)\}$
$= \cos x + 1 + \cos x - 1$
$= 2\cos x$

답 $2\cos x$

쌍둥이 8-2

$0° < x < 90°$일 때,
$\sqrt{(\sin x - 1)^2} + \sqrt{(1 - \sin x)^2}$을 간단히 하시오.

대표 유형 9 삼각비의 표를 이용하여 삼각비의 값, 각의 크기 구하기

삼각비의 표에서 구하는 삼각비의 값은 각도의 가로줄과 삼각비의 세로줄이 만나는 곳의 수이다.

9-1 다음 삼각비의 표를 이용하여 $\sin 40° + \cos 41° - \tan 39°$의 값을 구하시오.

각도	사인(sin)	코사인(cos)	탄젠트(tan)
39°	0.6293	0.7771	0.8098
40°	0.6428	0.7660	0.8391
41°	0.6561	0.7547	0.8693

풀이 $\sin 40° + \cos 41° - \tan 39° = 0.6428 + 0.7547 - 0.8098$
$= 0.5877$

답 0.5877

쌍둥이 9-2

다음 삼각비의 표에서 $\sin x = 0.2588$, $\cos y = 0.9703$, $\tan z = 0.2867$을 만족시키는 예각 x, y, z에 대하여 $x+y-z$의 크기를 구하시오.

각도	사인(sin)	코사인(cos)	탄젠트(tan)
14°	0.2419	0.9703	0.2493
15°	0.2588	0.9659	0.2679
16°	0.2756	0.9613	0.2867

대표 유형 10 삼각비의 표를 이용하여 변의 길이 구하기

10-1의 직각삼각형 ABC에서 $\sin 43° = \frac{\overline{AC}}{\overline{BC}}$, $\cos 43° = \frac{\overline{AB}}{\overline{BC}}$

10-1 다음 삼각비의 표를 이용하여 오른쪽 그림의 직각삼각형 ABC에서 x의 값을 구하시오.

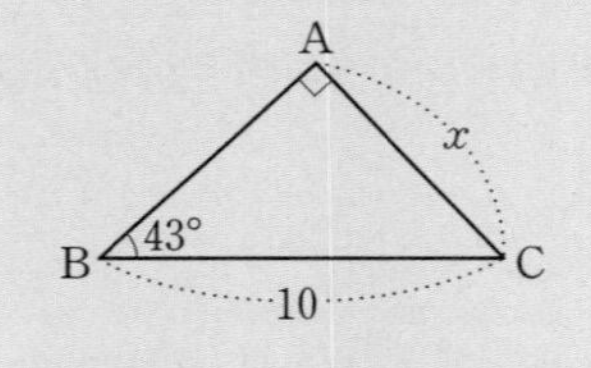

각도	사인(sin)	코사인(cos)	탄젠트(tan)
42°	0.6691	0.7431	0.9004
43°	0.6820	0.7314	0.9325
44°	0.6947	0.7193	0.9657

풀이 $\sin 43° = \frac{\overline{AC}}{\overline{BC}} = \frac{x}{10}$이고
삼각비의 표에서 $\sin 43° = 0.6820$이므로
$0.6820 = \frac{x}{10}$ $\quad \therefore x = 6.82$

답 6.82

쌍둥이 10-2

다음 삼각비의 표를 이용하여 오른쪽 그림의 직각삼각형 ABC에서 x, y의 값을 각각 구하시오.

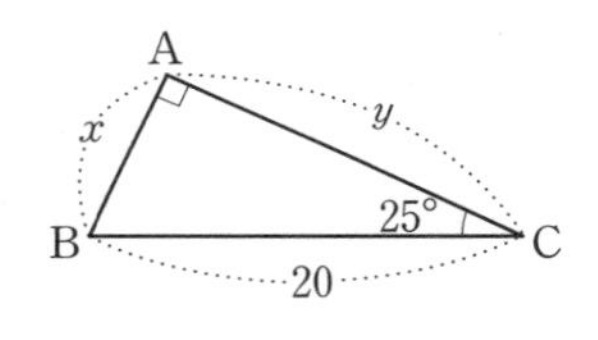

각도	사인(sin)	코사인(cos)	탄젠트(tan)
64°	0.8988	0.4384	2.0503
65°	0.9063	0.4226	2.1445
66°	0.9135	0.4067	2.2460

30°, 45°, 60°의 삼각비의 값

삼각비 \ A	30°	45°	60°
$\sin A$	❶	$\frac{\sqrt{2}}{2}$	❷
$\cos A$	$\frac{\sqrt{3}}{2}$	❸	$\frac{1}{2}$
$\tan A$	$\frac{\sqrt{3}}{3}$	1	❹

답 ❶ $\frac{1}{2}$ ❷ $\frac{\sqrt{3}}{2}$ ❸ $\frac{\sqrt{2}}{2}$ ❹ $\sqrt{3}$

01

다음을 계산하시오.

(1) $2\sin 30° + \tan 45°$

(2) $3\cos 60° - \tan 30° \times \sin 60°$

(3) $\tan 60° \times \cos 45° - \cos 30° \times \sin 45°$

02

$\cos(2x-30°) = \frac{1}{2}$일 때, $\sin x \times \tan x$의 값을 구하시오.

(단, $0° < 2x-30° < 90°$)

03

$\tan(x+30°) = 1$일 때, $\sin 2x + \cos 4x$의 값을 구하시오.

(단, $0° < x+30° < 90°$)

04

오른쪽 그림과 같은 직각삼각형 ABC에서 $\angle C = 30°$, $\overline{AC} = 2\sqrt{3}$일 때, x, y의 값을 각각 구하시오.

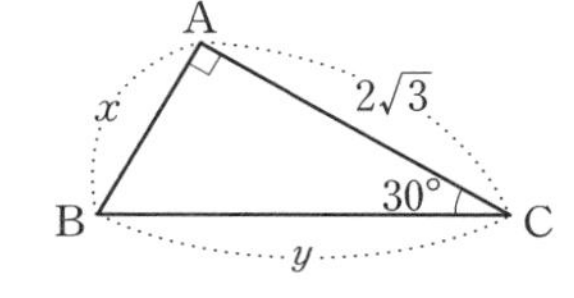

05

서술형

오른쪽 그림에서 $\angle ABC = \angle BCD = 90°$, $\angle BAC = 60°$, $\angle BDC = 45°$, $\overline{CD} = 4\sqrt{3}$일 때, $\overline{AC}$의 길이를 구하시오.

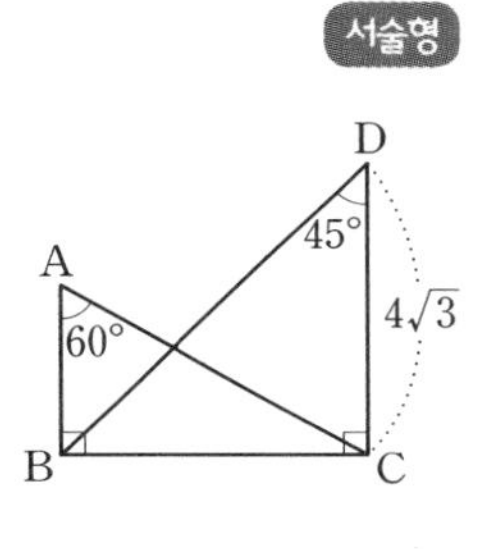

06

오른쪽 그림과 같은 직각삼각형 ABC에서 $\angle ABC = 30°$, $\angle ADC = 45°$이고 $\overline{AC} = 3$일 때, $\overline{BD}$의 길이를 구하시오.

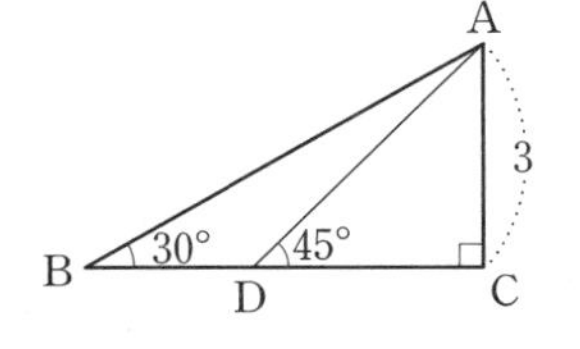

07

오른쪽 그림과 같이 직선 $3x-4y+12=0$의 그래프가 x축의 양의 방향과 이루는 각의 크기를 α라 할 때, $\tan\alpha$의 값을 구하시오.

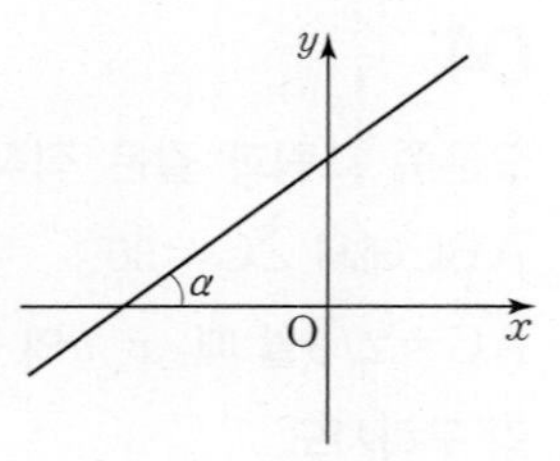

예각의 삼각비의 값

오른쪽 그림과 같이 반지름의 길이가 1인 사분원에서 $\angle AOB=x$일 때,

$\sin x=\overline{AB}$

$\cos x=$ ❶

$\tan x=$ ❷

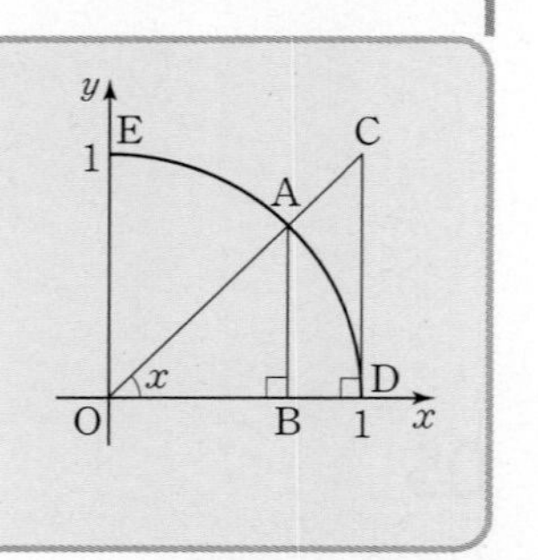

답 ❶ $\overline{OB}$ ❷ $\overline{CD}$

08

오른쪽 그림과 같이 반지름의 길이가 1인 사분원에서 $\cos y+\tan x$의 값을 구하시오.

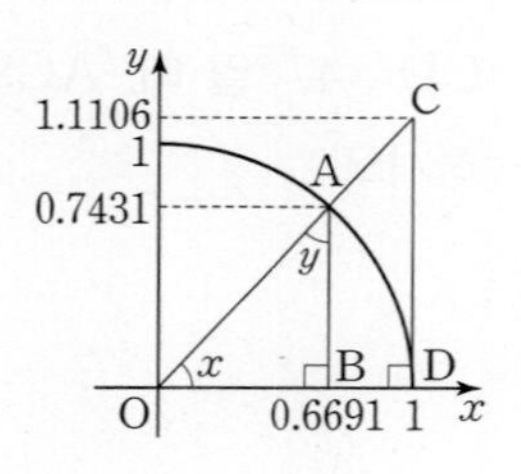

09

다음 중 오른쪽 그림과 같이 반지름의 길이가 1인 사분원에서 $\overline{AB}$의 길이와 그 값이 같은 것을 모두 고르면? (정답 2개)

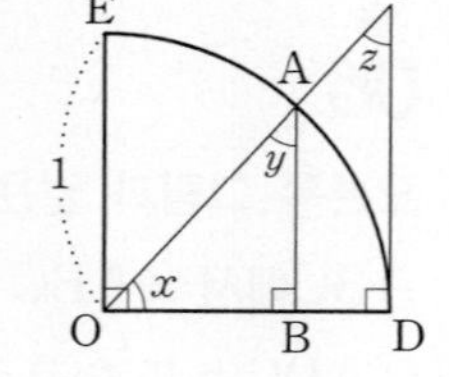

① $\sin x$ ② $\sin y$
③ $\cos x$ ④ $\cos z$ ⑤ $\tan z$

10

창의력

아래 그림의 부채꼴 GOD는 반지름의 길이가 1인 사분원이다. $\angle OEF=\angle x$라 할 때, 다음 중 $\tan x-\sin x$의 값과 길이가 같은 선분은?

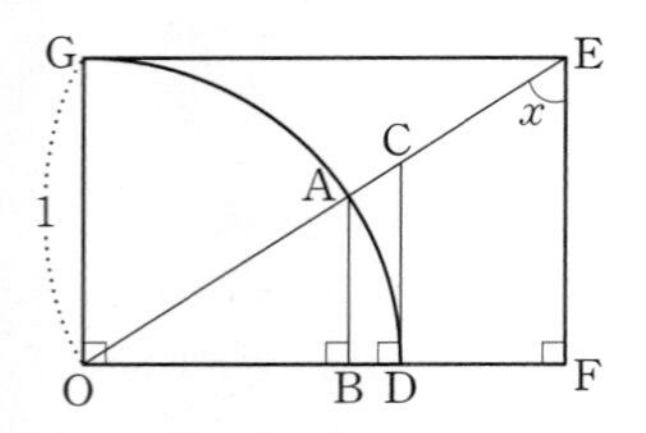

① $\overline{AC}$ ② $\overline{BD}$ ③ $\overline{BF}$
④ $\overline{CD}$ ⑤ $\overline{OD}$

0°, 90°의 삼각비의 값

(1) $\sin 0^\circ=$ ❶, $\cos 0^\circ=$ ❷, $\tan 0^\circ=0$

(2) $\sin 90^\circ=1$, $\cos 90^\circ=$ ❸, $\tan 90^\circ$의 값은 정할 수 없다.

답 ❶ 0 ❷ 1 ❸ 0

11

다음 중 옳지 않은 것은?

① $\cos 90^\circ\times\sin 45^\circ=0$

② $\tan 0^\circ+\sin 30^\circ\times\cos 45^\circ=\dfrac{\sqrt{2}}{4}$

③ $\sin 0^\circ\times\cos 0^\circ+\tan 45^\circ=1$

④ $\cos 0^\circ-\sin 60^\circ\times\cos 30^\circ=\dfrac{3}{4}$

⑤ $\sin 90^\circ\times(2\cos 30^\circ-\cos 90^\circ)=\sqrt{3}$

12

서술형

$\cos 0^\circ\times\tan 60^\circ+\sin 60^\circ\div\sin 90^\circ$의 값을 구하시오.

13

다음 삼각비의 값 중 가장 큰 것은?

① $\cos 0°$ ② $\cos 50°$ ③ $\sin 20°$
④ $\cos 80°$ ⑤ $\tan 55°$

14

$45° < A < 90°$일 때, 다음 중 대소 관계를 바르게 나타낸 것은?

① $\sin A < \cos A < \tan A$ ② $\sin A < \tan A < \cos A$
③ $\cos A < \sin A < \tan A$ ④ $\cos A < \tan A < \sin A$
⑤ $\tan A < \sin A < \cos A$

15

$45° < x < 90°$일 때, $\sqrt{(\cos x - \sin x)^2} + \sqrt{(\sin x + \cos x)^2}$을 간단히 하시오.

16

$0° < x < 45°$일 때,

$\sqrt{\left(\frac{\sqrt{2}}{2} + \cos x\right)^2} - \sqrt{\left(\frac{\sqrt{2}}{2} - \cos x\right)^2}$을 간단히 하시오.

삼각비의 표

17

다음 삼각비의 표에서 $\sin x = 0.4695$, $\tan y = 0.5543$을 만족시키는 예각 x, y에 대하여 $\cos x + \cos y$의 값을 구하시오.

각도	사인(sin)	코사인(cos)	탄젠트(tan)
27°	0.4540	0.8910	0.5095
28°	0.4695	0.8829	0.5317
29°	0.4848	0.8746	0.5543

[18~19] 다음 삼각비의 표를 이용하여 물음에 답하시오.

각도	사인(sin)	코사인(cos)	탄젠트(tan)
48°	0.7431	0.6691	1.1106
49°	0.7547	0.6561	1.1504
50°	0.7660	0.6428	1.1918

18

오른쪽 그림과 같은 직각삼각형 ABC에서 $\overline{AB} = 10$, $\angle B = 42°$일 때, $x + y$의 값을 구하시오.

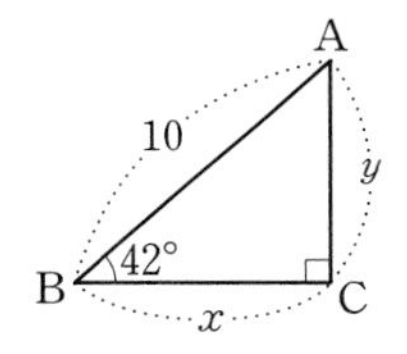

19

융합형

오른쪽 그림과 같이 반지름의 길이가 1인 사분원에서 $\overline{OB} = 0.6428$일 때, 다음을 구하시오.

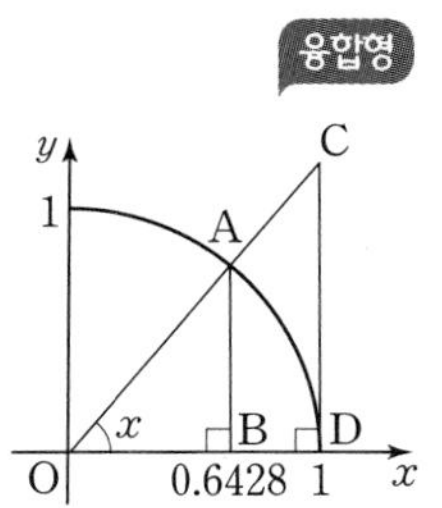

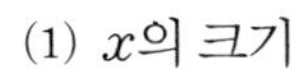
(1) x의 크기

(2) $\overline{AB}$의 길이

(3) $\overline{CD}$의 길이

2 삼각비의 활용

중2	중3	고등학교
•도형의 닮음 •닮음의 활용	• 삼각비의 활용	•삼각함수의 뜻과 그래프 •삼각함수의 미분

학습 목표

- 삼각비를 활용하여 길이, 거리, 높이 등을 구할 수 있다.
- 삼각비를 활용하여 도형의 넓이를 구할 수 있다.

우와~ 날씨 너무 좋다.
근데 이 나무는 엄청 크다. 오래된 나무인가 봐.
여기 안내문에 나무의 길이가 15 m가 된대.
그러면 삼각대를 어디에 세워야 사진에 나무가 다 나올까?
자~ 삼각비를 이용하면 삼각대의 위치를 찾을 수 있어.
A
15 m
B
30°
C
이 직각삼각형 ABC에서
$\overline{BC}=\frac{15}{\tan 30^\circ}=15\div\frac{\sqrt{3}}{3}=15\sqrt{3}$ (m)야.
따라서 삼각대를 나무에서 $15\sqrt{3}$ m 떨어진 곳에 세우면 돼.
저렇게 구하면 되는 거구나.
우리 이쁘게 사진 찍자~.
김치~

1 삼각비의 활용 (1)

개념 1 직각삼각형의 변의 길이

$\angle C=90^\circ$인 직각삼각형 ABC에서

(1) $\angle B$의 크기와 빗변의 길이 c를 알 때

➡ $a=c\cos B$, $b=c\sin B$

(2) $\angle B$의 크기와 밑변의 길이 a를 알 때

➡ $b=a\tan B$, $c=\dfrac{a}{\cos B}$

(3) $\angle B$의 크기와 높이 b를 알 때

➡ $a=\dfrac{b}{\tan B}$, $c=\dfrac{b}{\sin B}$

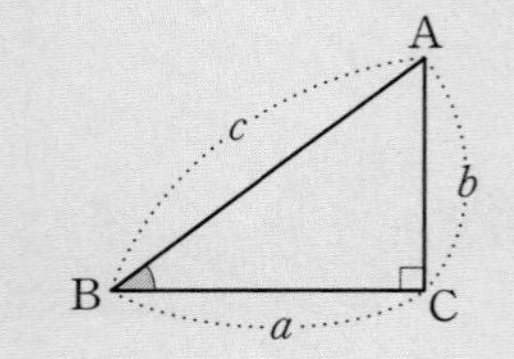

$\sin B=\dfrac{b}{c}$이므로 $b=c\sin B$, $c=\dfrac{b}{\sin B}$

$\cos B=\dfrac{a}{c}$이므로 $a=c\cos B$, $c=\dfrac{a}{\cos B}$

$\tan B=\dfrac{b}{a}$이므로 $b=a\tan B$, $a=\dfrac{b}{\tan B}$

보기 오른쪽 그림과 같은 직각삼각형 ABC에서

$\sin 30^\circ=\dfrac{x}{4}$이므로 $x=4\sin 30^\circ=4\times\dfrac{1}{2}=2$

$\cos 30^\circ=\dfrac{y}{4}$이므로 $y=4\cos 30^\circ=4\times\dfrac{\sqrt{3}}{2}=2\sqrt{3}$

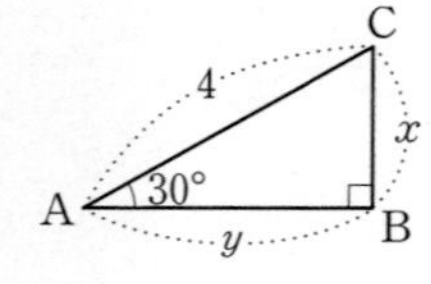

Lecture

- 직각삼각형에서 한 예각의 크기와 한 변의 길이를 알면 삼각비를 이용하여 나머지 두 변의 길이를 구할 수 있다.

| 개념 확인 | **1** **오른쪽 그림과 같이 $\angle B=90^\circ$인 직각삼각형 ABC에서 $\angle C=36^\circ$, $\overline{AC}=10$일 때, 다음 □ 안에 알맞은 수를 써넣으시오.**

(단, $\sin 36^\circ=0.59$, $\cos 36^\circ=0.81$로 계산한다.)

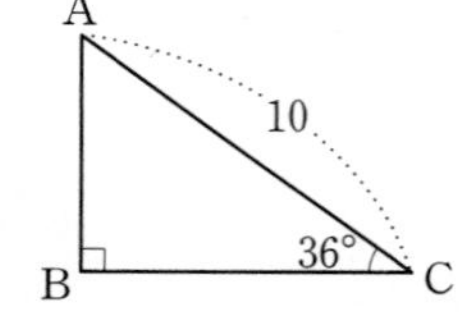

(1) $\sin 36^\circ=\dfrac{\overline{AB}}{10}$이므로

$\overline{AB}=10\sin 36^\circ=10\times$ □ $=$ □

(2) $\cos 36^\circ=\dfrac{\overline{BC}}{10}$이므로

$\overline{BC}=10\cos 36^\circ=10\times$ □ $=$ □

정답과 해설 p.17

개념 2 일반 삼각형의 변의 길이

(1) $\triangle$ABC에서 두 변의 길이 a, c와 그 끼인각 $\angle$B의 크기를 알 때, 꼭짓점 A에서 $\overline{BC}$에 내린 수선의 발을 H라 하면

$\overline{AC}=\sqrt{\overline{AH}^2+\overline{CH}^2}$ ← $\overline{CH}=\overline{BC}-\overline{BH}$

$=\sqrt{(c\sin B)^2+(a-c\cos B)^2}$

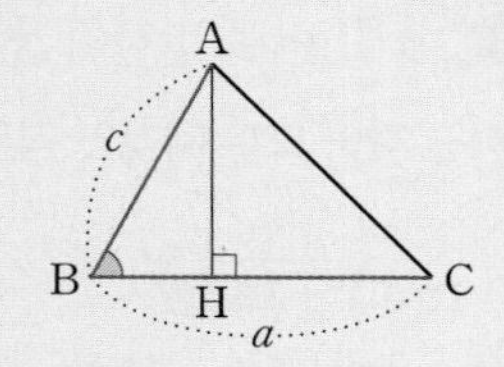

(2) $\triangle$ABC에서 한 변의 길이 a와 그 양 끝 각 $\angle$B, $\angle$C의 크기를 알 때, 두 꼭짓점 B, C에서 대변에 내린 수선의 발을 각각 H, H′이라 하면

$\overline{AB}=\dfrac{\overline{BH}}{\sin A}=\dfrac{a\sin C}{\sin A}$, $\overline{AC}=\dfrac{\overline{CH'}}{\sin A}=\dfrac{a\sin B}{\sin A}$

→ $\angle A=180°-(\angle B+\angle C)$

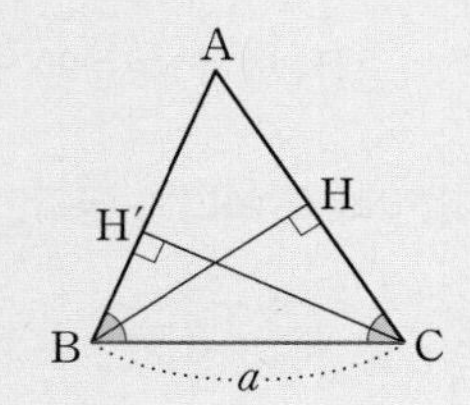

설명 (1) $\triangle$ABH에서 $\overline{AH}=c\sin B$, $\overline{BH}=c\cos B$

이때 $\overline{CH}=\overline{BC}-\overline{BH}=a-c\cos B$이므로

$\overline{AC}=\sqrt{\overline{AH}^2+\overline{CH}^2}=\sqrt{(c\sin B)^2+(a-c\cos B)^2}$

(2) $\triangle$BCH에서 $\overline{BH}=a\sin C$

$\triangle$ABH에서 $\overline{AB}=\dfrac{\overline{BH}}{\sin A}=\dfrac{a\sin C}{\sin A}$

$\triangle$BCH′에서 $\overline{CH'}=a\sin B$

$\triangle$CAH′에서 $\overline{AC}=\dfrac{\overline{CH'}}{\sin A}=\dfrac{a\sin B}{\sin A}$

Lecture

- 일반 삼각형의 변의 길이를 구할 때, 특수한 각의 삼각비를 이용할 수 있도록 보조선을 그어 직각삼각형을 만든다.

개념 확인 **2** **오른쪽 그림과 같이 $\angle C=30°$, $\overline{AC}=10$, $\overline{BC}=8\sqrt{3}$인 $\triangle$ABC에서 $\overline{AH}\perp\overline{BC}$일 때, 다음을 구하시오.**

(1) $\overline{AH}$의 길이 (2) $\overline{CH}$의 길이

(3) $\overline{BH}$의 길이 (4) $\overline{AB}$의 길이

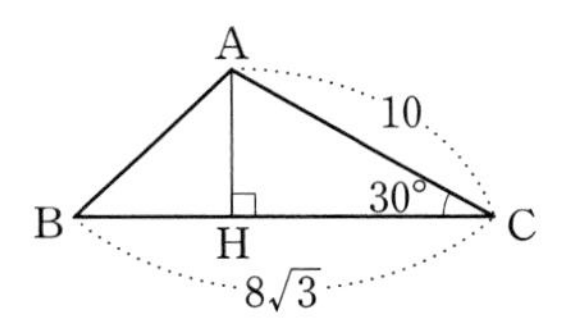

개념 확인 **3** **오른쪽 그림과 같이 $\angle B=45°$, $\angle C=105°$, $\overline{BC}=4$인 $\triangle$ABC에서 $\overline{AB}\perp\overline{CH}$일 때, 다음을 구하시오.**

(1) $\overline{CH}$의 길이 (2) $\overline{AC}$의 길이

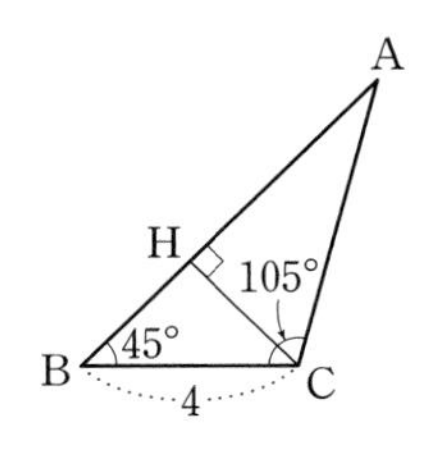

정답과 해설 p.17

개념 3 삼각형의 높이

$\triangle ABC$에서 한 변의 길이 a와 그 양 끝 각 $\angle B$, $\angle C$의 크기를 알 때, $\triangle ABC$의 높이 h는

(1) 주어진 각이 모두 예각인 경우

$$h=\frac{a}{\tan x+\tan y}$$

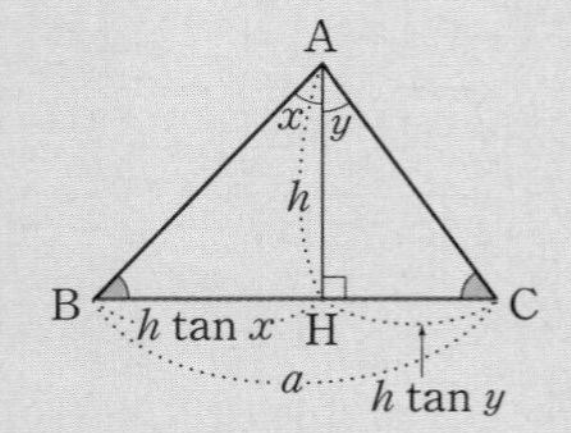

참고 $\triangle ABH$에서 $\angle x=90^\circ-\angle B$

$\triangle AHC$에서 $\angle y=90^\circ-\angle C$

(2) 주어진 각 중 하나가 둔각인 경우

$$h=\frac{a}{\tan x-\tan y}$$

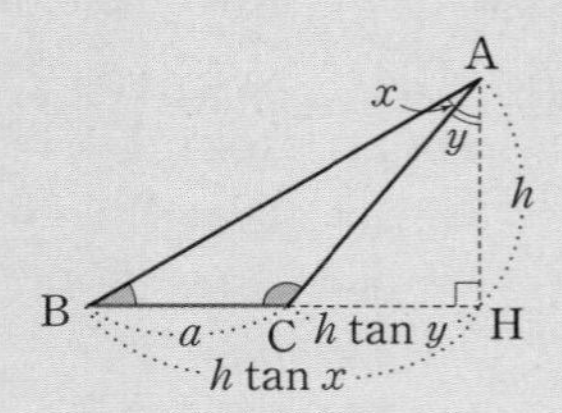

참고 $\triangle ABH$에서 $\angle x=90^\circ-\angle B$

$\triangle ACH$에서 $\angle y=90^\circ-\angle ACH=90^\circ-(180^\circ-\angle BCA)=\angle BCA-90^\circ$

설명 (1) $\triangle ABH$에서 $\overline{BH}=h\tan x$, $\triangle AHC$에서 $\overline{CH}=h\tan y$

$a=\overline{BH}+\overline{CH}=h(\tan x+\tan y)$

$\therefore h=\frac{a}{\tan x+\tan y}$

(2) $\triangle ABH$에서 $\overline{BH}=h\tan x$, $\triangle ACH$에서 $\overline{CH}=h\tan y$

$a=\overline{BH}-\overline{CH}=h(\tan x-\tan y)$

$\therefore h=\frac{a}{\tan x-\tan y}$

일반 삼각형의 높이를 구할 때에는 한 꼭짓점에서 그 대변 또는 대변의 연장선에 수선을 그어 직각삼각형을 그린 후 tan의 값을 이용해.

| 개념 확인 | **4** **오른쪽 그림과 같은 $\triangle ABC$의 높이 h를 구하려고 한다. 다음 물음에 답하시오.**

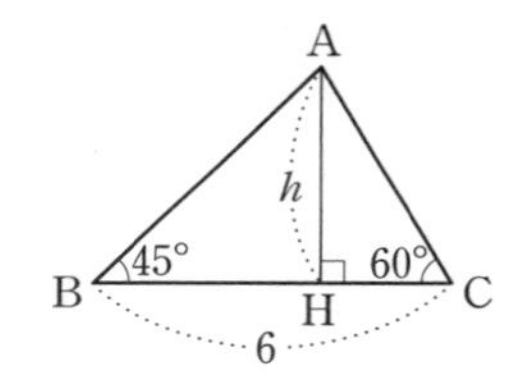

(1) $\overline{BH}$의 길이를 h를 사용하여 나타내시오.

(2) $\overline{CH}$의 길이를 h를 사용하여 나타내시오.

(3) $\overline{BC}=\overline{BH}+\overline{CH}$임을 이용하여 높이 h를 구하시오.

| 개념 확인 | **5** **오른쪽 그림과 같은 $\triangle ABC$의 높이 h를 구하려고 한다. 다음 물음에 답하시오.**

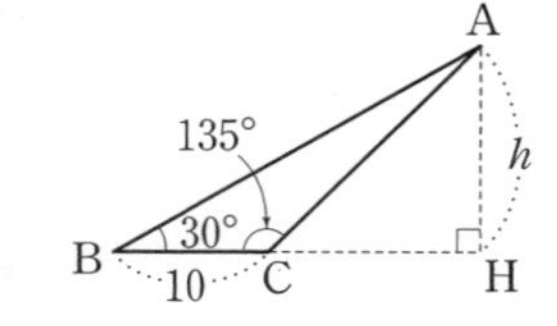

(1) $\overline{BH}$의 길이를 h를 사용하여 나타내시오.

(2) $\overline{CH}$의 길이를 h를 사용하여 나타내시오.

(3) $\overline{BC}=\overline{BH}-\overline{CH}$임을 이용하여 높이 h를 구하시오.

개념 기초

1-1

오른쪽 그림과 같은 직각삼각형 ABC에서 $\angle B=58^\circ$, $\overline{BC}=9$일 때, 다음 중 $\overline{AB}$의 길이를 나타내는 것은?

① $9\sin 58^\circ$　② $9\cos 32^\circ$

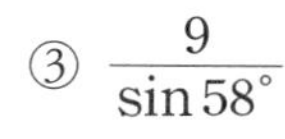

③ $\dfrac{9}{\sin 58^\circ}$　④ $\dfrac{9}{\sin 32^\circ}$

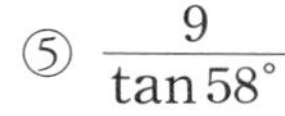

⑤ $\dfrac{9}{\tan 58^\circ}$

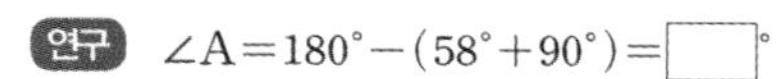

연구 $\angle A=180^\circ-(58^\circ+90^\circ)=\square^\circ$

쌍둥이 문제

1-2

오른쪽 그림과 같은 직각삼각형 ABC에서 $\angle A=65^\circ$, $\overline{AC}=20$일 때, x, y의 값을 각각 구하시오. (단, $\sin 25^\circ=0.42$, $\cos 25^\circ=0.91$로 계산한다.)

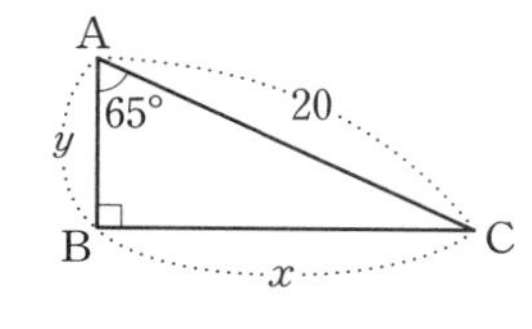

2-1

오른쪽 그림과 같은 $\triangle ABC$에서 $\overline{AH}\perp\overline{BC}$일 때, 다음을 구하시오.

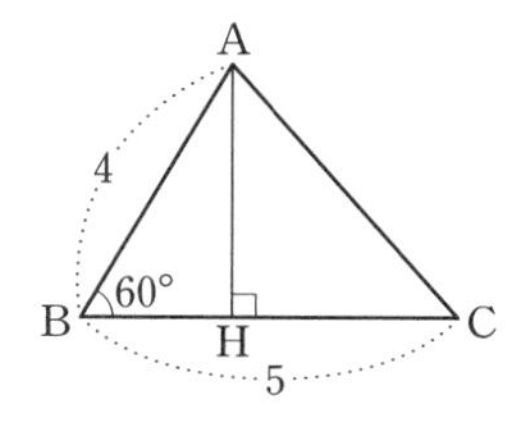

(1) $\overline{AH}$의 길이

(2) $\overline{CH}$의 길이

(3) $\overline{AC}$의 길이

2-2

오른쪽 그림과 같은 $\triangle ABC$에서 $\overline{AC}\perp\overline{BH}$일 때, 다음을 구하시오.

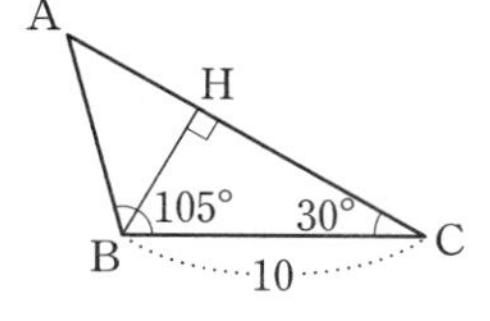

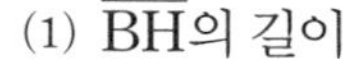

(1) $\overline{BH}$의 길이

(2) $\overline{CH}$의 길이

(3) $\overline{AH}$의 길이

(4) $\overline{AC}$의 길이

3-1

오른쪽 그림과 같은 $\triangle ABC$의 높이 h를 구하려고 한다. 다음 물음에 답하시오.

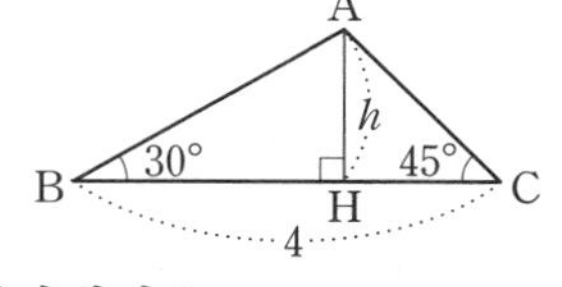

(1) $\overline{BH}$의 길이를 h를 사용하여 나타내시오.

(2) $\overline{CH}$의 길이를 h를 사용하여 나타내시오.

(3) 높이 h를 구하시오.

연구 (3) $\overline{BC}=\overline{BH}+\square$임을 이용한다.

3-2

오른쪽 그림과 같은 $\triangle ABC$의 높이 h를 구하려고 한다. 다음 물음에 답하시오.

(1) $\overline{BH}$의 길이를 h를 사용하여 나타내시오.

(2) $\overline{CH}$의 길이를 h를 사용하여 나타내시오.

(3) 높이 h를 구하시오.

STEP 2 대표 유형으로 개념 잡기

대표 유형 1 직각삼각형의 변의 길이 구하기

직각삼각형의 한 변의 길이와 한 예각의 크기를 알 때, 삼각비를 이용하여 다른 한 변의 길이를 구한다.

1-1 오른쪽 그림과 같이 $\angle A=90^\circ$인 직각삼각형 ABC에서 $\angle B=44^\circ$, $\overline{BC}=10$일 때, x, y의 값을 각각 구하시오.

(단, $\sin 44^\circ=0.69$, $\cos 44^\circ=0.72$로 계산한다.)

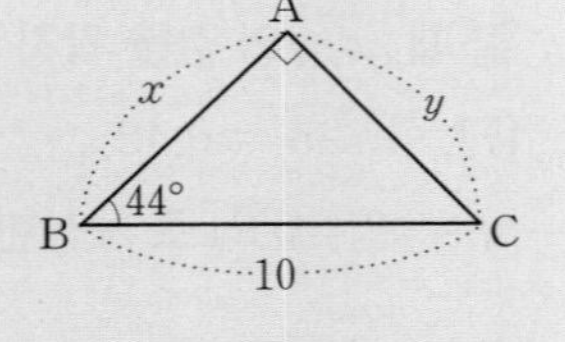

풀이 $\cos 44^\circ=\dfrac{x}{10}$이므로

$x=10\cos 44^\circ=10\times0.72=7.2$

$\sin 44^\circ=\dfrac{y}{10}$이므로

$y=10\sin 44^\circ=10\times0.69=6.9$

답 $x=7.2$, $y=6.9$

쌍둥이 1-2

오른쪽 그림과 같이 $\angle C=90^\circ$인 직각삼각형 ABC에서 $\angle B=40^\circ$, $\overline{BC}=6$일 때, 다음 보기 중 $\overline{AC}$의 길이를 나타내는 것을 모두 고르시오.

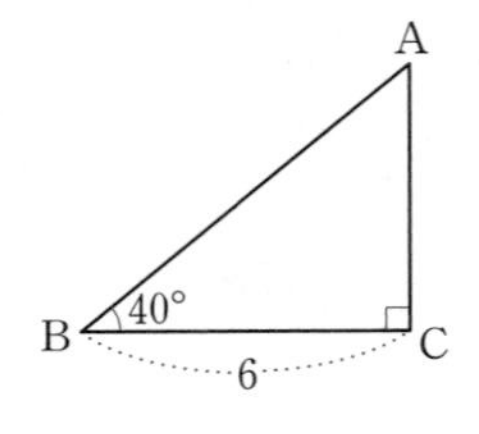

보기

ㄱ $6\tan 40^\circ$ ㄴ $6\tan 50^\circ$

ㄷ $\dfrac{6}{\tan 40^\circ}$ ㄹ $\dfrac{6}{\tan 50^\circ}$

대표 유형 2 직각삼각형의 변의 길이의 활용

① 주어진 그림에서 직각삼각형을 찾는다.

② 삼각비를 이용하여 변의 길이를 구한다.

2-1 오른쪽 그림과 같이 수평면에 대하여 20°만큼 기울어진 비탈길을 자동차가 100 m 올라갔다. 자동차의 앞바퀴가 위치한 지점의 높이 $\overline{AC}$의 길이를 구하시오. (단, $\sin 20^\circ=0.34$, $\cos 20^\circ=0.94$로 계산한다.)

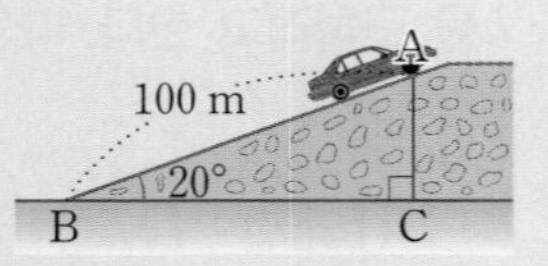

풀이 $\sin 20^\circ=\dfrac{\overline{AC}}{100}$이므로

$\overline{AC}=100\sin 20^\circ=100\times0.34=34\ (\text{m})$

답 34 m

쌍둥이 2-2

오른쪽 그림과 같이 눈높이가 1.5 m인 현우가 나무로부터 10 m 떨어진 곳에 서 있다. 현우가 나무의 꼭대기를 올려다본 각의 크기가 38°일 때, 나무의 높이 $\overline{CH}$의 길이를 구하시오. (단, $\tan 38^\circ=0.78$로 계산한다.)

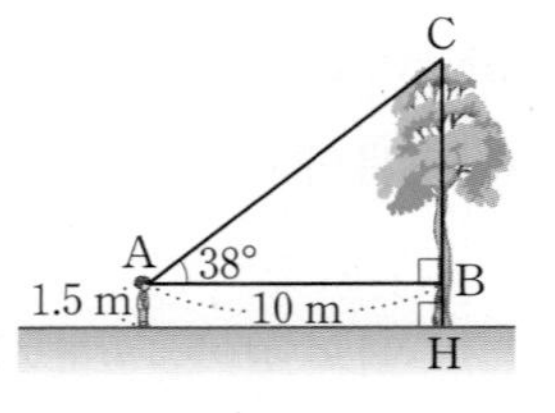

대표 유형 3 두 변의 길이와 그 끼인각의 크기를 알 때, 삼각형의 변의 길이 구하기

구하는 변이 직각삼각형의 빗변이 되도록 한 꼭짓점에서 그 대변에 수선을 긋고 삼각비를 이용한다.

3-1 오른쪽 그림과 같은 $\triangle ABC$에서 $\angle C=45°$, $\overline{AC}=3\sqrt{2}$, $\overline{BC}=8$일 때, $\overline{AB}$의 길이를 구하시오.

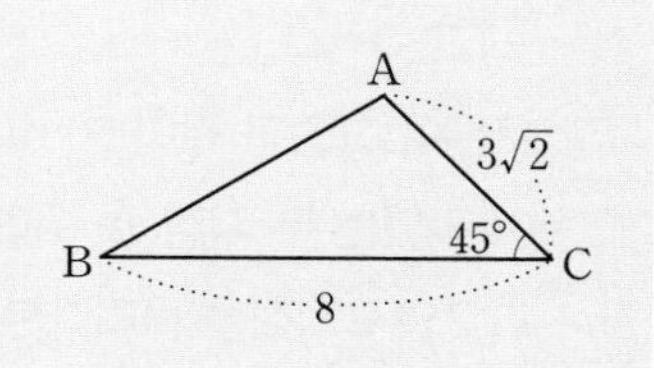

풀이 오른쪽 그림과 같이 꼭짓점 A에서 $\overline{BC}$에 내린 수선의 발을 H라 하면

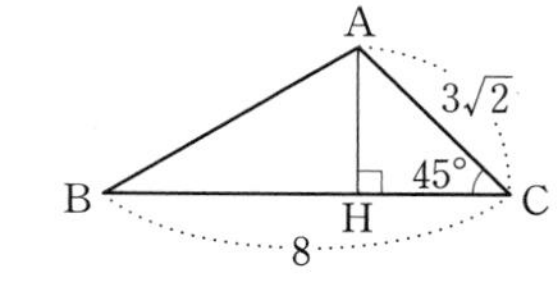

$\triangle AHC$에서

$\overline{AH}=3\sqrt{2}\sin 45°$

$=3\sqrt{2}\times\dfrac{\sqrt{2}}{2}=3$

$\overline{CH}=3\sqrt{2}\cos 45°=3\sqrt{2}\times\dfrac{\sqrt{2}}{2}=3$

$\therefore \overline{BH}=\overline{BC}-\overline{CH}=8-3=5$

따라서 $\triangle ABH$에서 $\overline{AB}=\sqrt{3^2+5^2}=\sqrt{34}$

답 $\sqrt{34}$

쌍둥이 3-2

연못의 양쪽에 위치한 두 지점 A, B 사이의 거리를 구하기 위하여 오른쪽 그림과 같이 측량하였더니 $\angle C=60°$, $\overline{AC}=100$ m, $\overline{BC}=80$ m이었다. 이때 두 지점 A, B 사이의 거리를 구하시오.

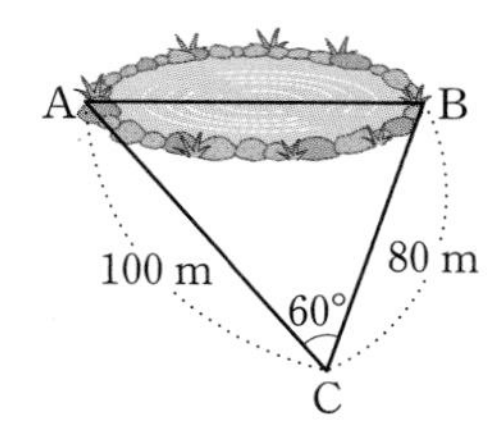

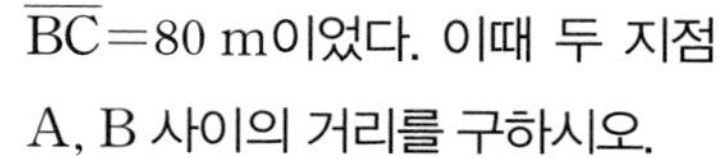

대표 유형 4 한 변의 길이와 그 양 끝 각의 크기를 알 때, 삼각형의 변의 길이 구하기

특수한 각의 삼각비의 값을 이용할 수 있도록 특수한 각이 아닌 꼭짓점에서 그 대변에 수선을 긋고 삼각비를 이용한다.

4-1 오른쪽 그림과 같은 $\triangle ABC$에서 $\angle B=75°$, $\angle C=60°$, $\overline{BC}=20$일 때, $\overline{AB}$의 길이를 구하시오.

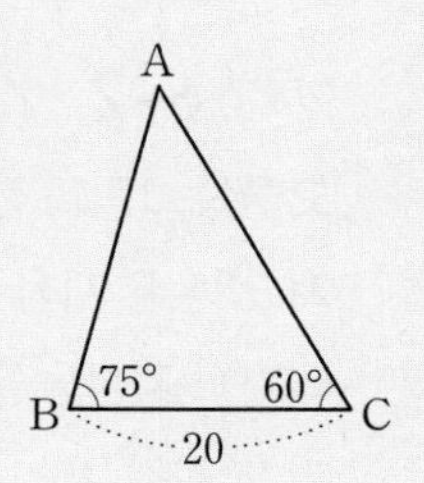

풀이 오른쪽 그림과 같이 꼭짓점 B에서 $\overline{AC}$에 내린 수선의 발을 H라 하면

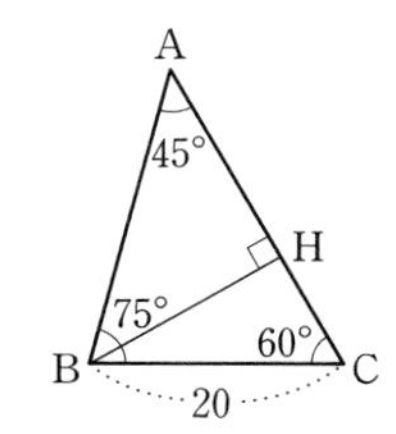

$\triangle BCH$에서

$\overline{BH}=20\sin 60°=20\times\dfrac{\sqrt{3}}{2}=10\sqrt{3}$

$\triangle ABC$에서

$\angle A=180°-(75°+60°)=45°$

따라서 $\triangle ABH$에서 $\sin 45°=\dfrac{10\sqrt{3}}{\overline{AB}}$이므로

$\overline{AB}=\dfrac{10\sqrt{3}}{\sin 45°}=10\sqrt{3}\div\dfrac{\sqrt{2}}{2}=10\sqrt{3}\times\sqrt{2}=10\sqrt{6}$

답 $10\sqrt{6}$

쌍둥이 4-2

강의 양쪽에 위치한 두 지점 A, B 사이의 거리를 구하기 위하여 오른쪽 그림과 같이 측량하였다. 이때 두 지점 A, B 사이의 거리를 구하시오.

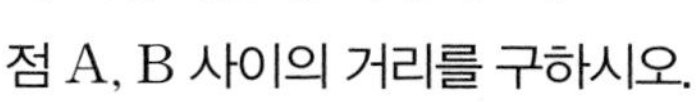

대표 유형 5 주어진 각이 모두 예각일 때, 삼각형의 높이 구하기

5-1에서 $\overline{BH}$, $\overline{CH}$의 길이를 $\overline{AH}$에 대한 식으로 나타낸 후 $\overline{BC}=\overline{BH}+\overline{CH}$임을 이용한다.

5-1 오른쪽 그림과 같은 $\triangle ABC$에서 $\angle B=45°$, $\angle C=30°$, $\overline{BC}=14$이다. $\overline{AH}\perp\overline{BC}$일 때, $\overline{AH}$의 길이를 구하시오.

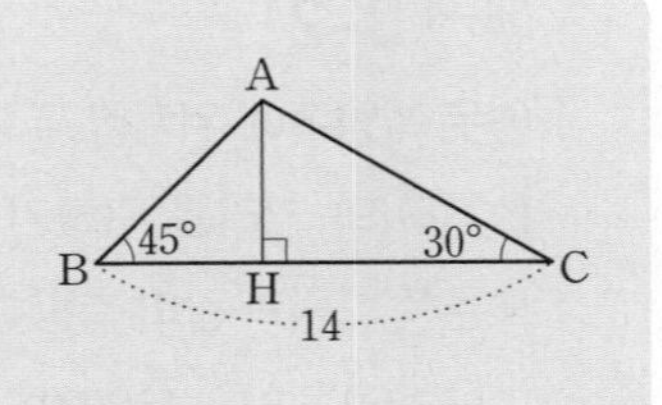

풀이 오른쪽 그림과 같이 $\overline{AH}=h$라 하면

$\triangle ABH$에서 $\angle BAH=45°$이므로

$\overline{BH}=h\tan 45°=h$

$\triangle AHC$에서 $\angle CAH=60°$이므로

$\overline{CH}=h\tan 60°=\sqrt{3}h$

이때 $\overline{BC}=\overline{BH}+\overline{CH}$이므로 $14=h+\sqrt{3}h$

$(\sqrt{3}+1)h=14 \qquad \therefore h=\dfrac{14}{\sqrt{3}+1}=7(\sqrt{3}-1)$

따라서 $\overline{AH}$의 길이는 $7(\sqrt{3}-1)$이다.

답 $7(\sqrt{3}-1)$

쌍둥이 5-2

오른쪽 그림과 같이 50 m 떨어져 있는 두 지점 A, B에서 기구의 C지점을 올려다본 각의 크기가 각각 60°, 30°일 때, 지면에서 기구까지의 높이 $\overline{CH}$의 길이를 구하시오.

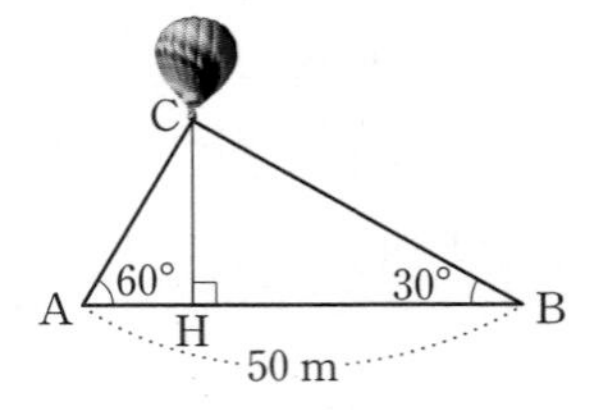

대표 유형 6 주어진 각 중 하나가 둔각일 때, 삼각형의 높이 구하기

6-1에서 $\overline{BH}$, $\overline{CH}$의 길이를 $\overline{AH}$에 대한 식으로 나타낸 후 $\overline{BC}=\overline{BH}-\overline{CH}$임을 이용한다.

6-1 오른쪽 그림과 같은 $\triangle ABC$에서 $\angle B=30°$, $\angle C=135°$, $\overline{BC}=4$이다. 꼭짓점 A에서 $\overline{BC}$의 연장선에 내린 수선의 발을 H라 할 때, $\overline{AH}$의 길이를 구하시오.

풀이 오른쪽 그림과 같이 $\overline{AH}=h$라 하면

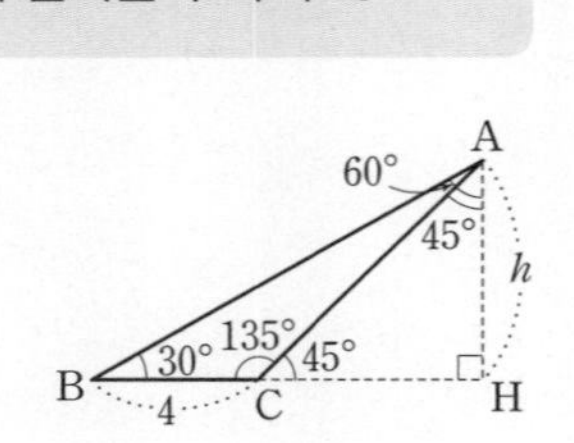

$\triangle ABH$에서 $\angle BAH=60°$이므로

$\overline{BH}=h\tan 60°=\sqrt{3}h$

$\triangle ACH$에서 $\angle CAH=45°$이므로

$\overline{CH}=h\tan 45°=h$

이때 $\overline{BC}=\overline{BH}-\overline{CH}$이므로 $4=\sqrt{3}h-h$

$(\sqrt{3}-1)h=4 \qquad \therefore h=\dfrac{4}{\sqrt{3}-1}=2(\sqrt{3}+1)$

따라서 $\overline{AH}$의 길이는 $2(\sqrt{3}+1)$이다.

답 $2(\sqrt{3}+1)$

쌍둥이 6-2

오른쪽 그림과 같이 100 m 떨어져 있는 두 지점 A, B에서 산 꼭대기 C 지점을 올려다본 각의 크기가 각각 45°, 60°일 때, 산의 높이 $\overline{CH}$의 길이를 구하시오.

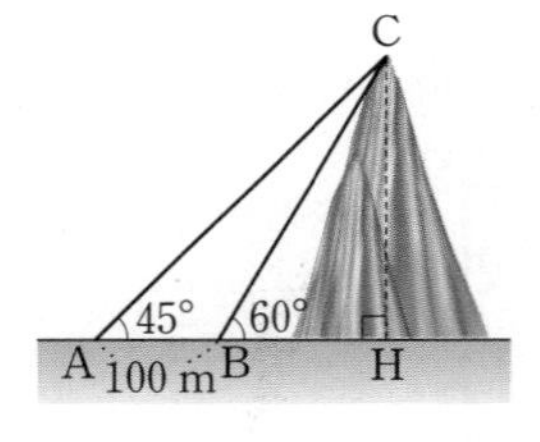

직각삼각형의 변의 길이

∠C=90°인 직각삼각형 ABC에서

(1) ∠B의 크기와 빗변의 길이 c를 알 때,

$a=c\cos B$, $b=$ ❶

(2) ∠B의 크기와 밑변의 길이 a를 알 때,

$b=$ ❷, $c=\dfrac{a}{\cos B}$

(3) ∠B의 크기와 높이 b를 알 때,

$a=\dfrac{b}{❸}$, $c=\dfrac{b}{\sin B}$

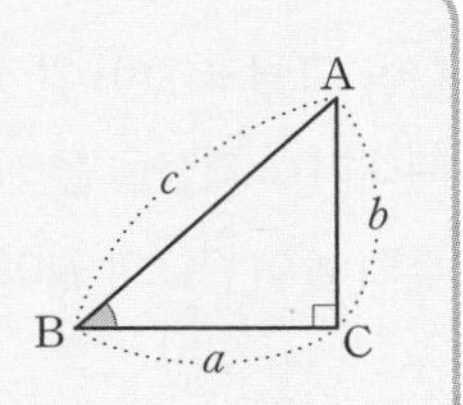

답 ❶ $c\sin B$ ❷ $a\tan B$ ❸ $\tan B$

01

오른쪽 그림과 같이 ∠C=90°인 직각삼각형 ABC에서 $\overline{AB}=8$일 때, 다음 중 $\overline{AC}$의 길이를 나타낸 것은?

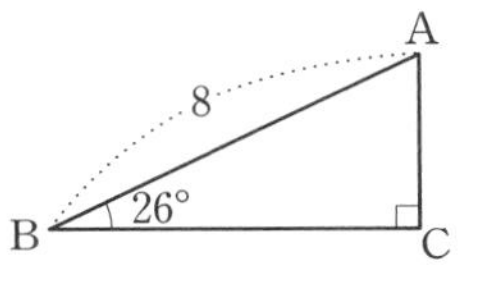

① $\dfrac{8}{\sin 26°}$ ② $\dfrac{8}{\cos 26°}$
③ $8\sin 64°$ ④ $8\cos 64°$
⑤ $8\tan 64°$

02

융합형

오른쪽 그림의 사각뿔에서 밑면은 한 변의 길이가 6 cm인 정사각형이고 옆면은 모두 합동인 이등변삼각형이다. ∠OAH=60°일 때, 다음을 구하시오.

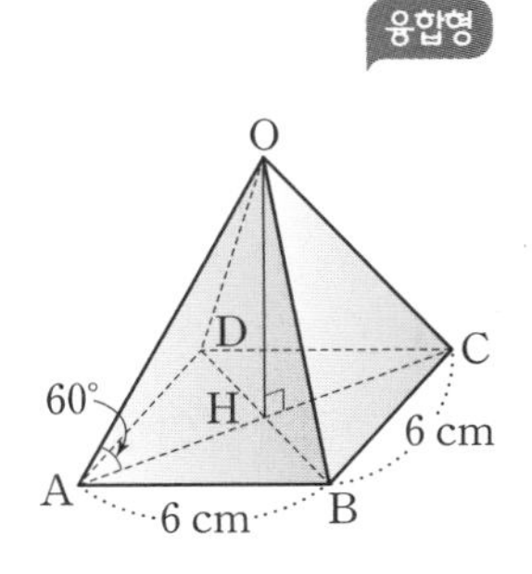

(1) $\overline{AH}$의 길이

(2) $\overline{OH}$의 길이

(3) 사각뿔의 부피

03

창의력

오른쪽 그림과 같이 지면에 수직으로 서 있던 나무가 부러져서 꼭대기 부분이 지면에 닿아 있다. ∠C=30°, $\overline{BC}=3\sqrt{3}$ m일 때, 부러지기 전 나무의 높이를 구하시오.

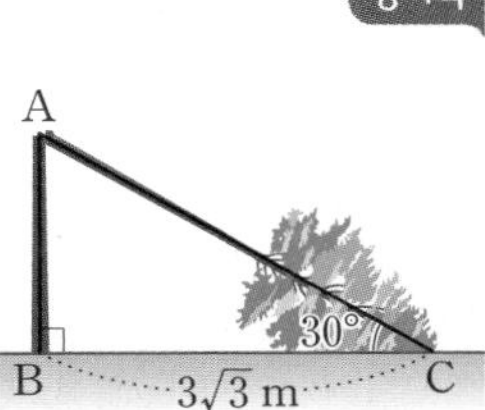

★

04

서술형

오른쪽 그림과 같이 세정이가 가로등으로부터 5 m 떨어진 지점에서 가로등 꼭대기를 올려다본 각의 크기가 25°이다. 세정이의 눈높이가 1.6 m일 때, 이 가로등의 높이를 구하시오.

(단, $\tan 25°=0.47$로 계산한다.)

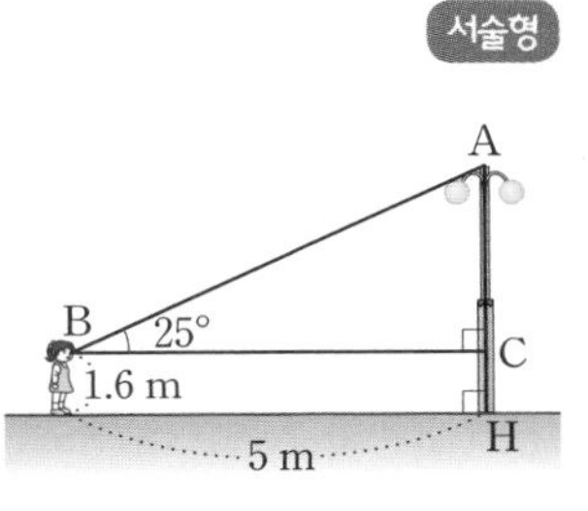

05

융합형

오른쪽 그림과 같이 스포츠 센터와 방송국 건물 사이의 거리가 20 m이고 스포츠 센터 건물의 옥상에서 방송국 건물을 올려다본 각의 크기는 30°, 내려다본 각의 크기는 45°일 때, 방송국 건물의 높이를 구하시오.

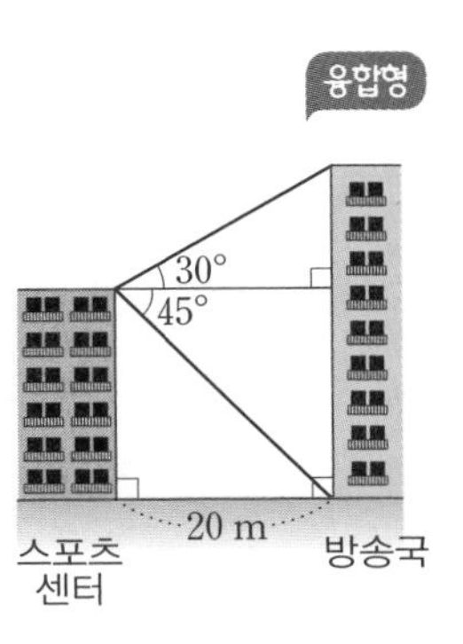

일반 삼각형의 변의 길이

06

오른쪽 그림과 같은 $\triangle ABC$에서 $\angle B=60^\circ$, $\overline{AB}=4\sqrt{3}$, $\overline{BC}=6\sqrt{3}$일 때, $\overline{AC}$의 길이를 구하시오.

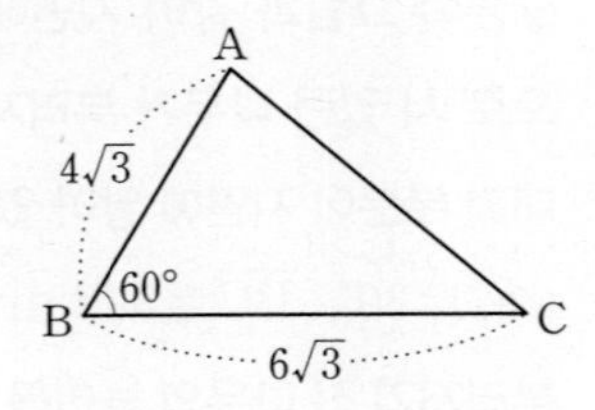

07

서술형

오른쪽 그림과 같은 $\triangle ABC$에서 $\angle B=30^\circ$, $\angle C=105^\circ$, $\overline{BC}=8$ cm일 때, $\overline{AB}$의 길이를 구하시오.

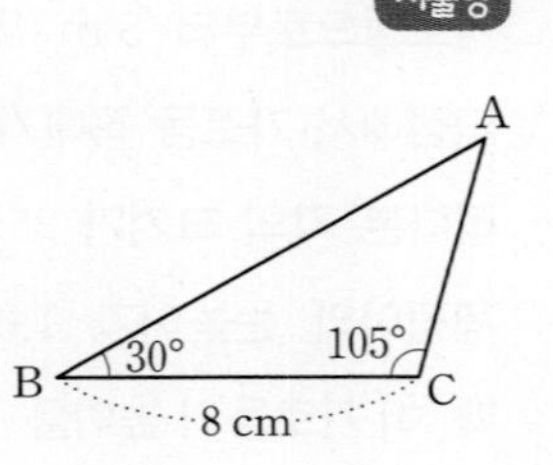

08

오른쪽 그림과 같은 $\triangle ABC$에서 $\angle A=60^\circ$, $\angle B=75^\circ$, $\overline{BC}=6$일 때, $\overline{AC}$의 길이를 구하시오.

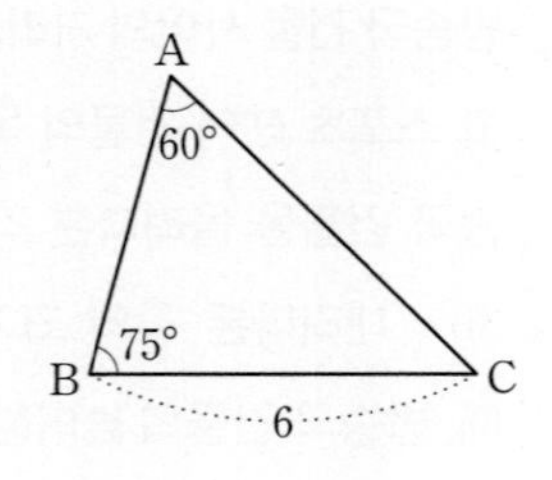

삼각형의 높이

09

다음 그림과 같이 20 m 떨어져 있는 두 지점 A, B에서 나무 꼭대기 C 지점을 올려다본 각의 크기가 각각 30°, 45°일 때, 나무의 높이 $\overline{CH}$의 길이를 구하시오.

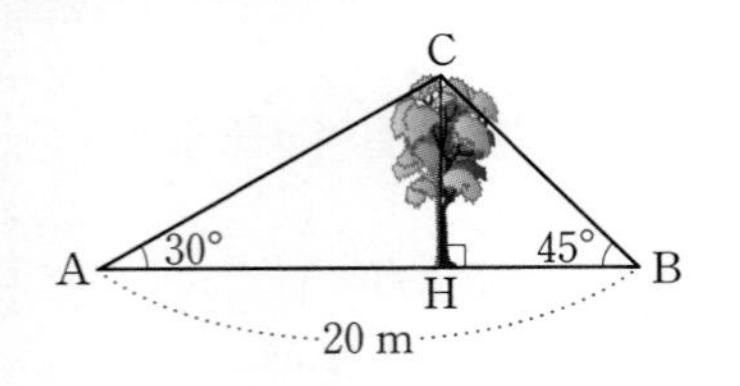

10

오른쪽 그림과 같은 $\triangle ABC$에서 $\angle B=30^\circ$, $\angle C=120^\circ$, $\overline{BC}=8$이다. 꼭짓점 A에서 $\overline{BC}$의 연장선에 내린 수선의 발을 H라 할 때, $\overline{AH}$의 길이를 구하시오.

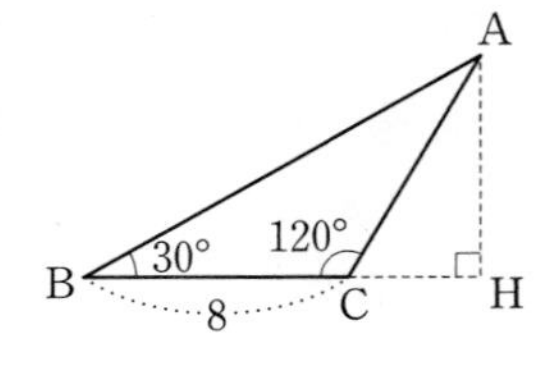

11

융합형

다음 그림과 같이 굴뚝의 높이를 구하기 위하여 측량하였더니 $\angle B=25^\circ$, $\angle ACH=40^\circ$, $\overline{BC}=9$ m이었을 때, 굴뚝의 높이 $\overline{AH}$의 길이를 구하시오. (단, $\tan 50^\circ=1.2$, $\tan 65^\circ=2.1$로 계산한다.)

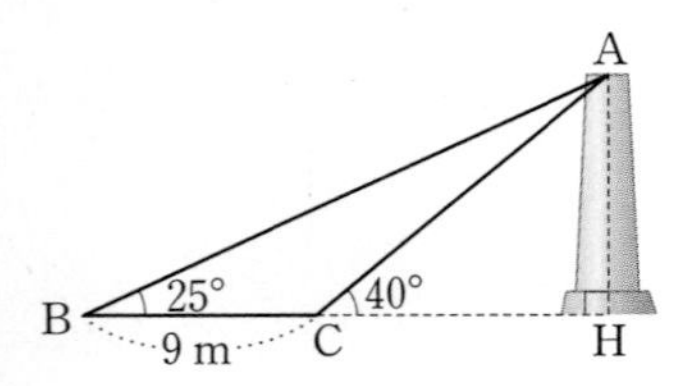

2 삼각비의 활용 (2)

개념 동영상

개념 1 삼각형의 넓이

$\triangle$ABC에서 두 변의 길이 a, c와 그 끼인각 $\angle$B의 크기를 알 때, $\triangle$ABC의 넓이 S는

(1) $\angle$B가 예각인 경우

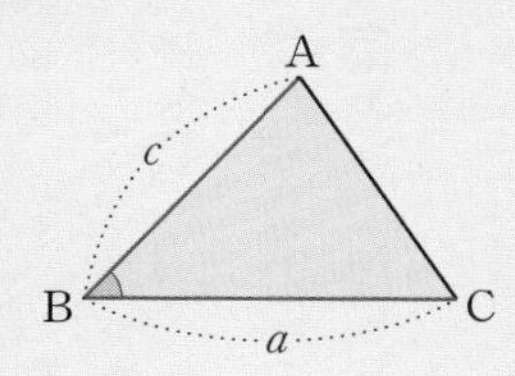

➡ $S=\frac{1}{2}ac\sin B$

(2) $\angle$B가 둔각인 경우

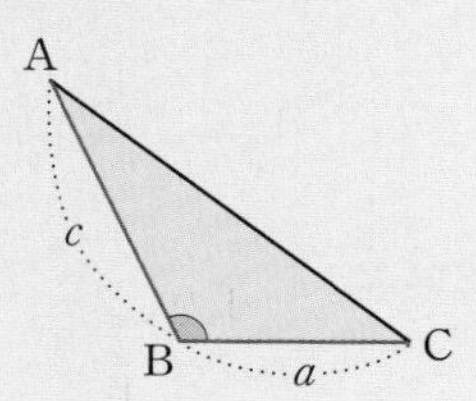

➡ $S=\frac{1}{2}ac\sin(180°-B)$

참고 $\angle B=90°$이면 $S=\frac{1}{2}ac\sin 90°=\frac{1}{2}ac$

설명 (1) 오른쪽 그림과 같은 $\triangle$ABC의 꼭짓점 A에서 $\overline{\text{BC}}$에 내린 수선의 발을 H라 하고 $\overline{\text{AH}}=h$라 하면

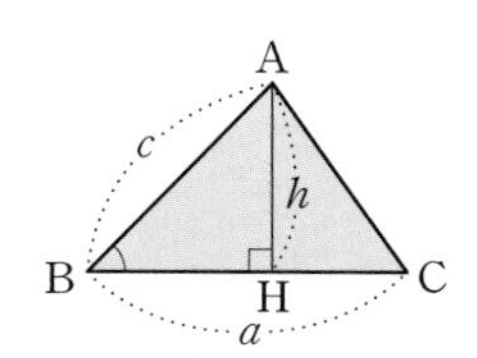

$\triangle$ABH에서 $\sin B=\frac{h}{c}$이므로 $h=c\sin B$

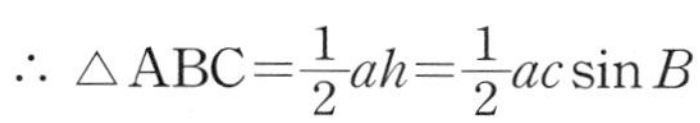

$\therefore$ $\triangle ABC=\frac{1}{2}ah=\frac{1}{2}ac\sin B$

(2) 오른쪽 그림과 같은 $\triangle$ABC의 꼭짓점 A에서 $\overline{\text{BC}}$의 연장선에 내린 수선의 발을 H라 하고 $\overline{\text{AH}}=h$라 하면

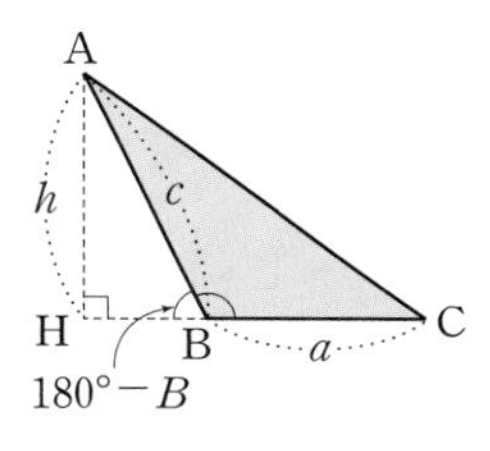

$\triangle$AHB에서 $\sin(180°-B)=\frac{h}{c}$이므로 $h=c\sin(180°-B)$

$\therefore$ $\triangle ABC=\frac{1}{2}ah=\frac{1}{2}ac\sin(180°-B)$

Lecture

- $\triangle$ABC에서 두 변의 길이 a, c와 그 끼인각 $\angle$B의 크기를 알 때

(1) $\angle$B가 예각인 경우

➡ $\triangle ABC=\frac{1}{2}ac\sin B$

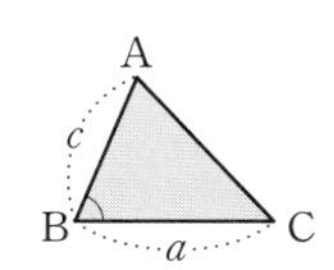

(2) $\angle$B가 둔각인 경우

➡ $\triangle ABC=\frac{1}{2}ac\sin(180°-B)$

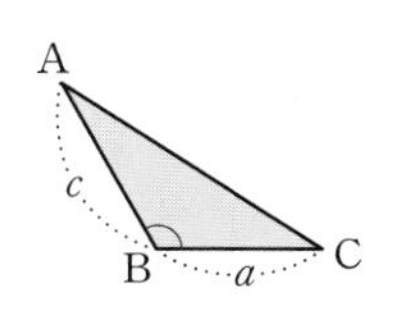

| 개념 확인 | **1** **다음 그림과 같은 $\triangle$ABC의 넓이를 구하시오.**

(1)

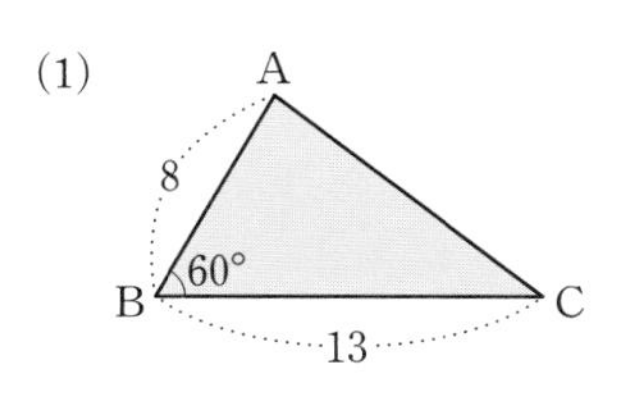

(2)

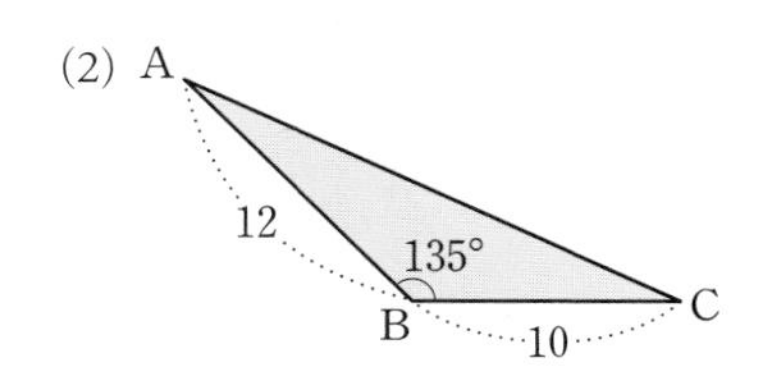

개념 2 평행사변형의 넓이

평행사변형 ABCD에서 이웃하는 두 변의 길이 a, b와 그 끼인각 $\angle x$의 크기를 알 때, 평행사변형 ABCD의 넓이 S는

(1) $\angle x$가 예각인 경우

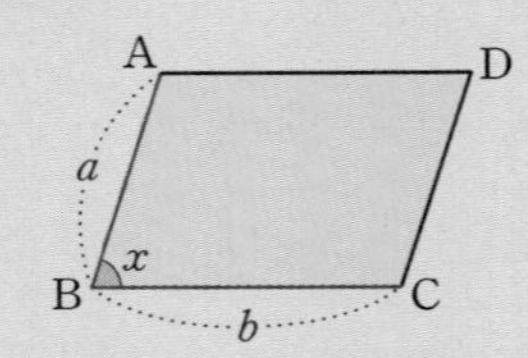

➡ $S=ab\sin x$

(2) $\angle x$가 둔각인 경우

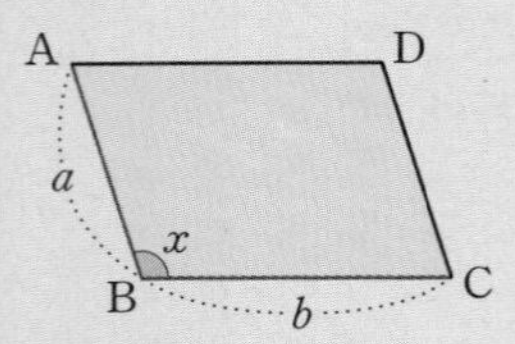

➡ $S=ab\sin(180^\circ-x)$

오른쪽 그림과 같이 평행사변형 ABCD의 대각선 AC를 그으면

$\square ABCD=2\triangle ABC=2\times\frac{1}{2}ab\sin x=ab\sin x$

이때 $\angle x$가 둔각이면

$\square ABCD=2\triangle ABC=2\times\frac{1}{2}ab\sin(180^\circ-x)=ab\sin(180^\circ-x)$

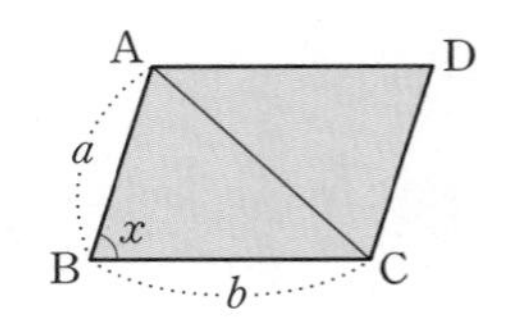

평행사변형의 넓이는
한 대각선에 의하여 이등분돼.

Lecture

- 평행사변형 ABCD에서 이웃하는 두 변의 길이 a, b와 그 끼인각 $\angle x$의 크기를 알 때

(1) $\angle x$가 예각인 경우

➡ $\square ABCD=ab\sin x$

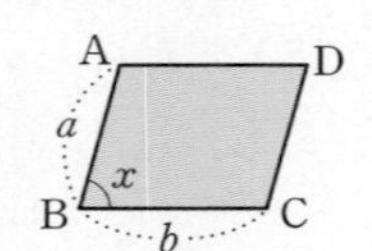

(2) $\angle x$가 둔각인 경우

➡ $\square ABCD=ab\sin(180^\circ-x)$

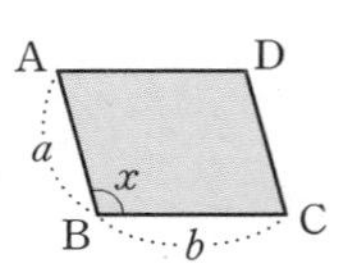

| 개념 확인 | 2 **다음 그림과 같은 평행사변형 ABCD의 넓이를 구하시오.**

(1)

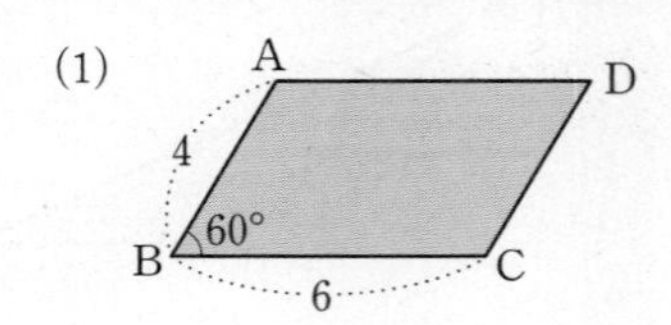

(2) A, D, B, C, 150°, 9, 12

개념 3 사각형의 넓이

개념 동영상

□ABCD에서 두 대각선의 길이 a, b와 두 대각선이 이루는 각 $\angle x$의 크기를 알 때, 사각형 ABCD의 넓이 S는

(1) $\angle x$가 예각인 경우

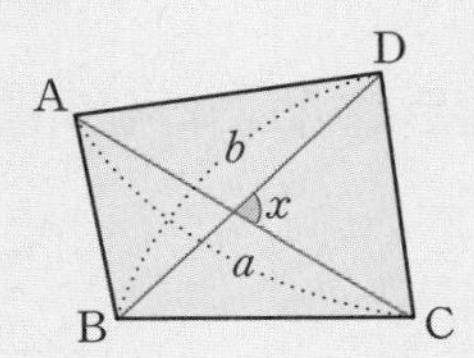

➡ $S=\frac{1}{2}ab\sin x$

(2) $\angle x$가 둔각인 경우

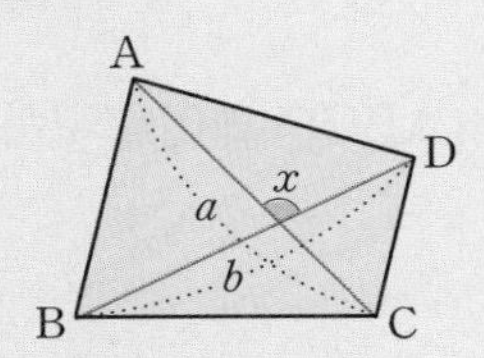

➡ $S=\frac{1}{2}ab\sin(180°-x)$

설명 오른쪽 그림과 같이 네 점 A, B, C, D를 지나고 대각선 AC, BD에 평행한 직선을 그어 이들이 만나는 점을 각각 E, F, G, H라 하면

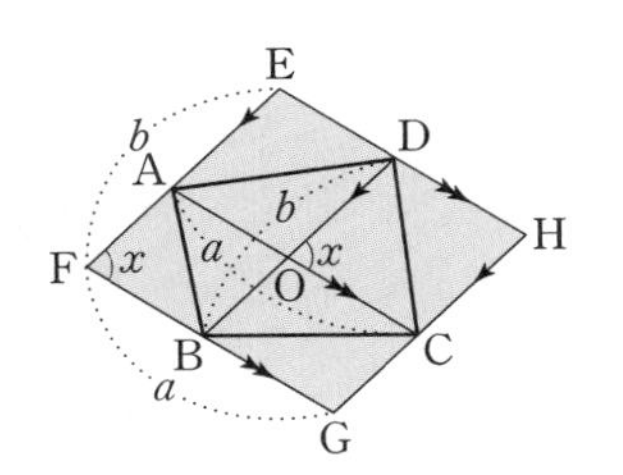

$\square ABCD=\frac{1}{2}\square EFGH=\frac{1}{2}ab\sin x$

└→ 이웃하는 두 변의 길이가 a, b이고 그 끼인각의 크기가 x인 평행사변형

이때 $\angle x$가 둔각이면

$\square ABCD=\frac{1}{2}\square EFGH=\frac{1}{2}ab\sin(180°-x)$

$\overline{AC}/\!/\overline{FG}$이므로
$\angle OBG=\angle DOC=\angle x$ (동위각)
$\overline{EF}/\!/\overline{DB}$이므로
$\angle AFB=\angle OBG=\angle x$ (동위각)

Lecture

● □ABCD에서 두 대각선의 길이 a, b와 두 대각선이 이루는 각 $\angle x$의 크기를 알 때

(1) $\angle x$가 예각인 경우

➡ $\square ABCD=\frac{1}{2}ab\sin x$

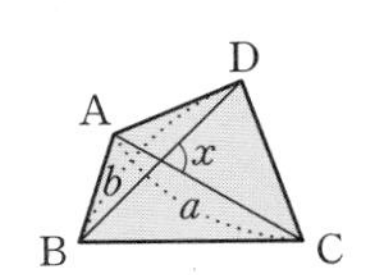

(2) $\angle x$가 둔각인 경우

➡ $\square ABCD=\frac{1}{2}ab\sin(180°-x)$

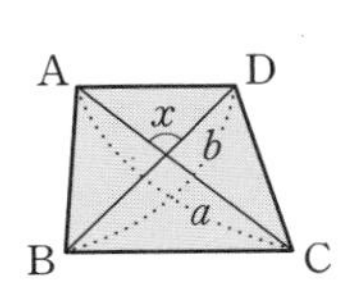

개념 확인 3 다음 그림과 같은 사각형 ABCD의 넓이를 구하시오.

(1)

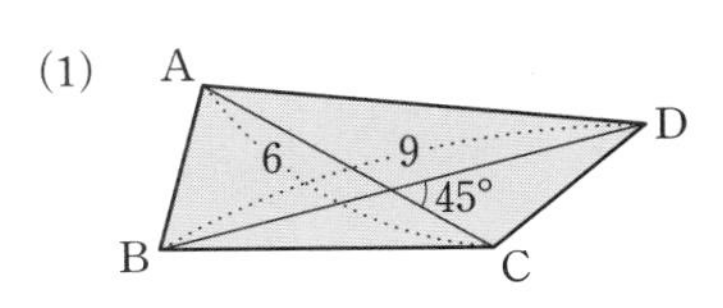

(2)

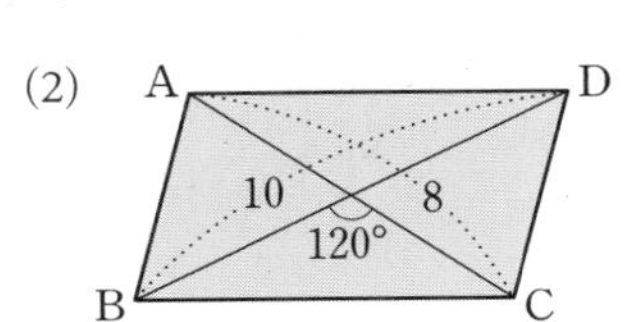

개념 기초

1-1

다음 그림과 같은 $\triangle ABC$의 넓이를 구하시오.

(1)

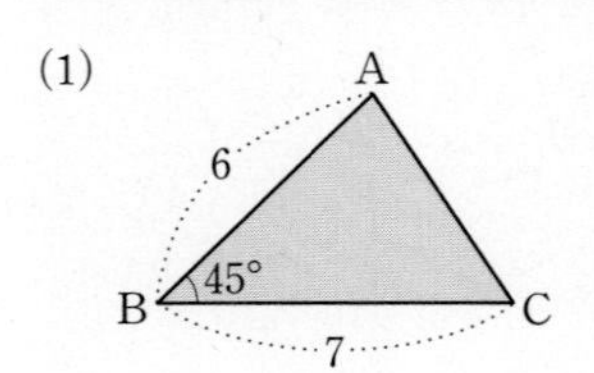

(2)

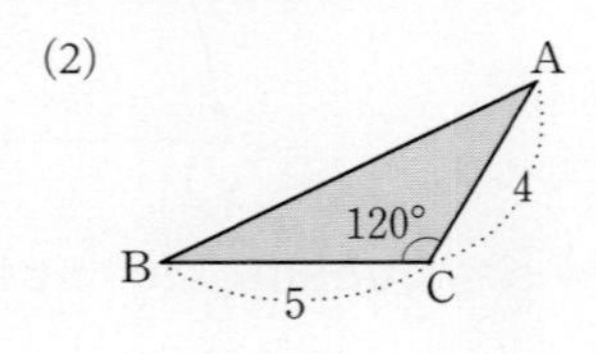

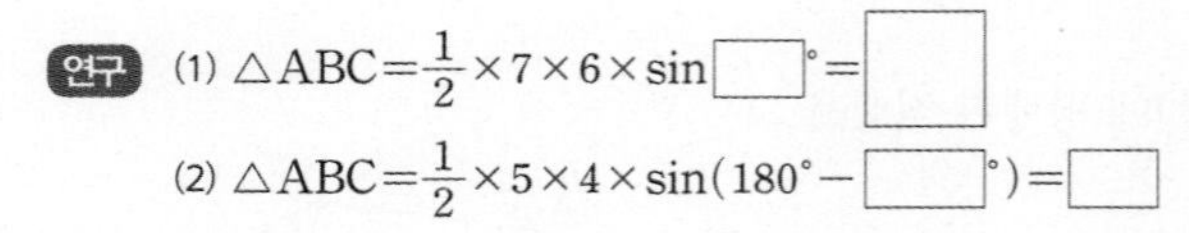

연구 (1) $\triangle ABC = \frac{1}{2} \times 7 \times 6 \times \sin \square° = \square$

(2) $\triangle ABC = \frac{1}{2} \times 5 \times 4 \times \sin(180° - \square°) = \square$

쌍둥이 문제

1-2

다음 그림과 같은 $\triangle ABC$의 넓이를 구하시오.

(1)

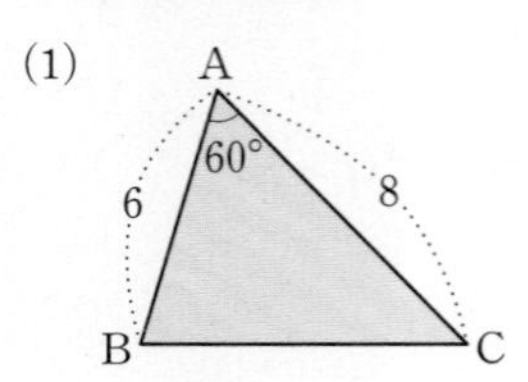

(2)

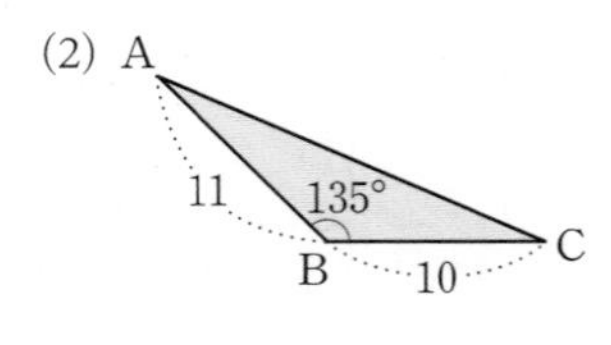

2-1

다음 그림과 같은 평행사변형 ABCD의 넓이를 구하시오.

(1)

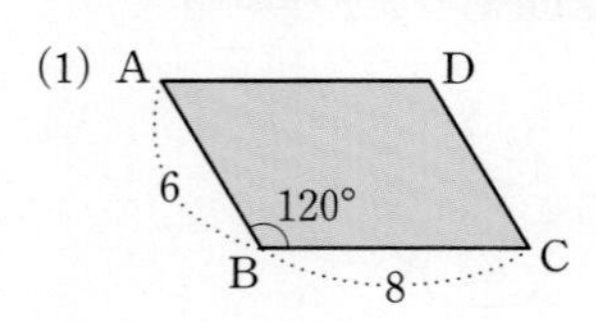

(2)

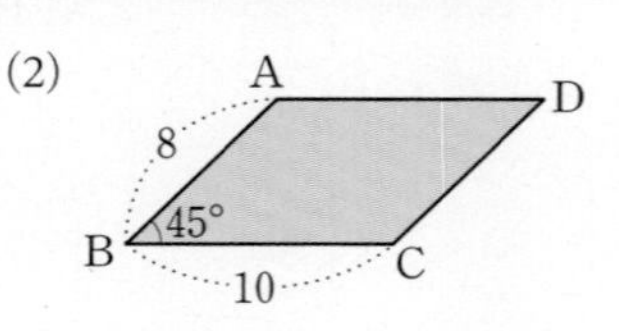

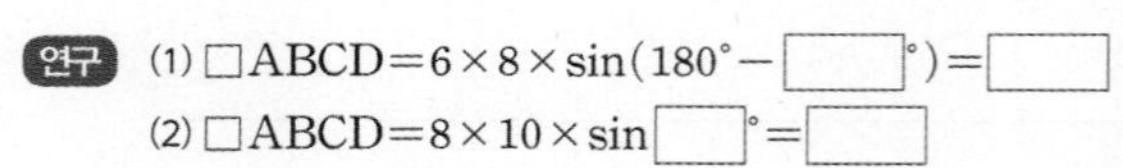

연구 (1) $\square ABCD = 6 \times 8 \times \sin(180° - \square°) = \square$

(2) $\square ABCD = 8 \times 10 \times \sin \square° = \square$

2-2

다음 그림과 같은 평행사변형 ABCD의 넓이를 구하시오.

(1)

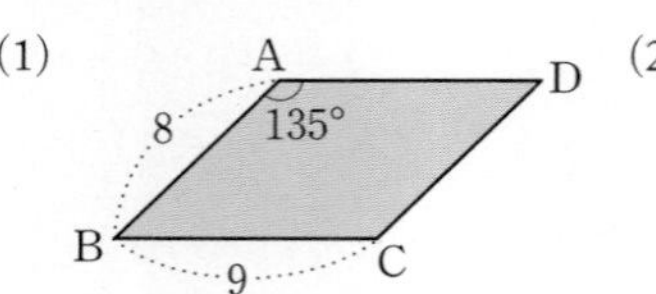

(2)

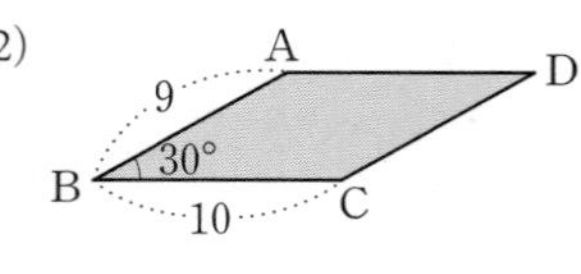

3-1

다음 그림과 같은 사각형 ABCD의 넓이를 구하시오.

(1)

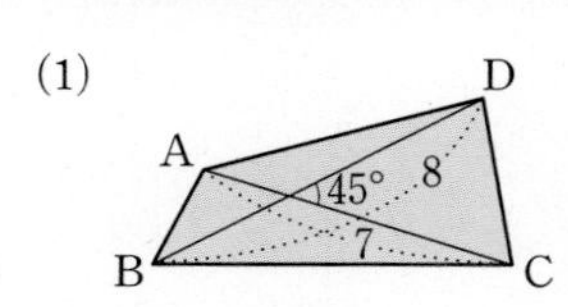

(2)

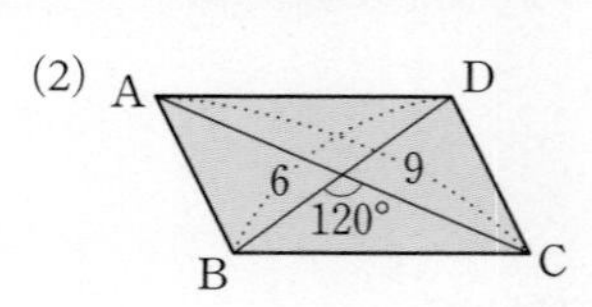

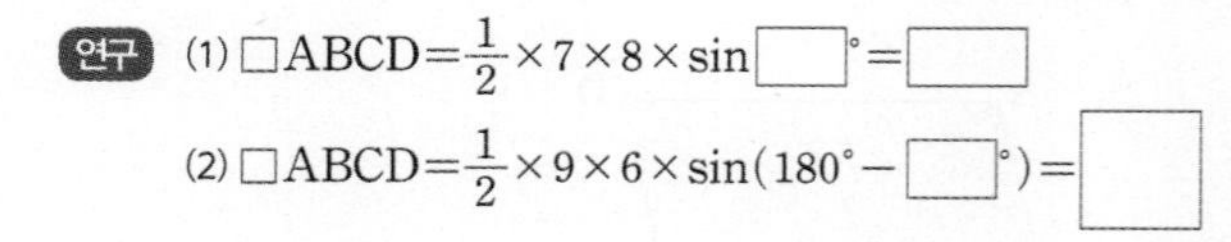

연구 (1) $\square ABCD = \frac{1}{2} \times 7 \times 8 \times \sin \square° = \square$

(2) $\square ABCD = \frac{1}{2} \times 9 \times 6 \times \sin(180° - \square°) = \square$

3-2

다음 그림과 같은 사각형 ABCD의 넓이를 구하시오.

(1)

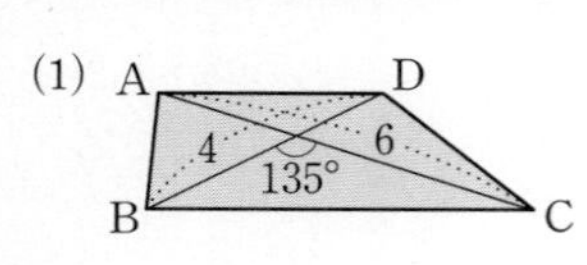

(2)

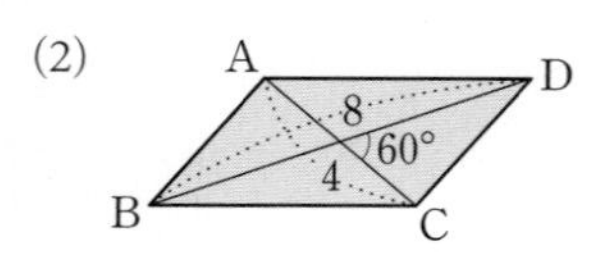

STEP 2 대표 유형으로 개념 잡기

대표 유형 1 예각삼각형의 넓이

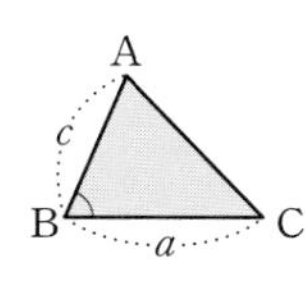

➡ $\triangle ABC=\frac{1}{2}ac\sin B$

1-1 오른쪽 그림과 같이 $\overline{AB}=4\sqrt{2}\text{ cm}$, $\angle B=30^\circ$인 $\triangle ABC$의 넓이가 $6\sqrt{3}\text{ cm}^2$일 때, $\overline{BC}$의 길이를 구하시오.

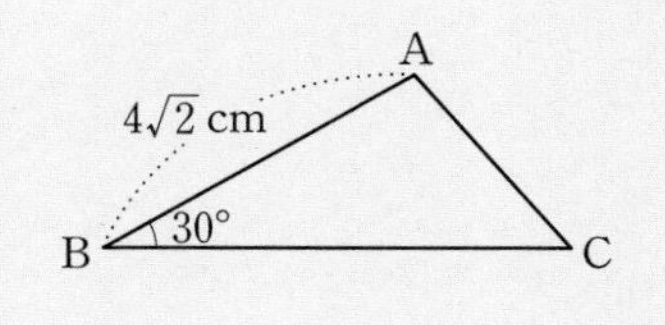

풀이 $\triangle ABC=\frac{1}{2}\times\overline{BC}\times4\sqrt{2}\times\sin30^\circ$

$=\frac{1}{2}\times\overline{BC}\times4\sqrt{2}\times\frac{1}{2}=\sqrt{2}\,\overline{BC}\ (\text{cm}^2)$

즉 $\sqrt{2}\,\overline{BC}=6\sqrt{3}$이므로 $\overline{BC}=3\sqrt{6}\ (\text{cm})$

답 $3\sqrt{6}\text{ cm}$

쌍둥이 **1-2**

오른쪽 그림과 같이 $\overline{AB}=4$, $\overline{BC}=6$인 $\triangle ABC$의 넓이가 $6\sqrt{2}$일 때, $\angle B$의 크기를 구하시오. (단, $0^\circ<\angle B<90^\circ$)

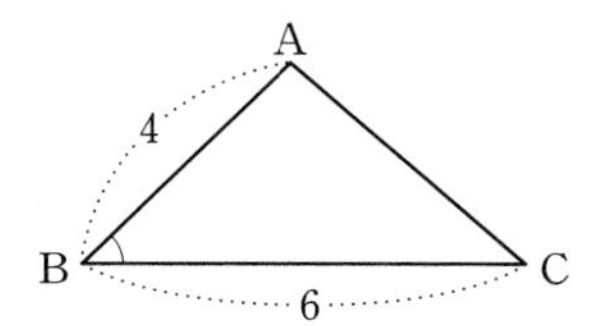

대표 유형 2 둔각삼각형의 넓이

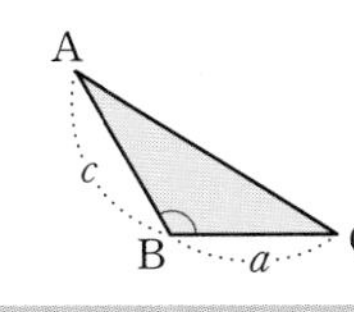

➡ $\triangle ABC=\frac{1}{2}ac\sin(180^\circ-B)$

2-1 오른쪽 그림과 같이 $\overline{AC}=\overline{BC}$인 이등변삼각형 ABC에서 $\overline{BC}=4$, $\angle B=30^\circ$일 때, $\triangle ABC$의 넓이를 구하시오.

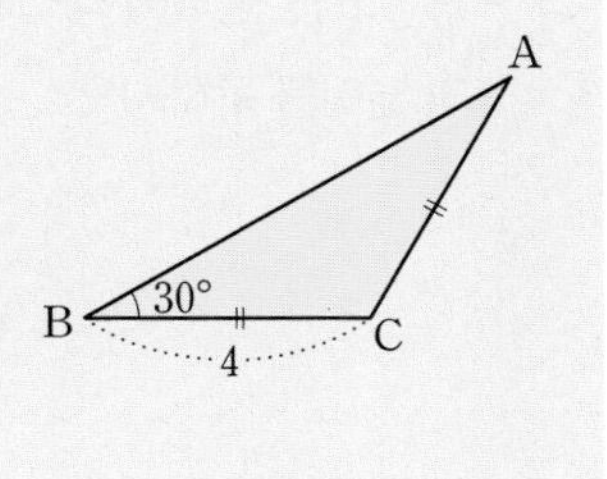

풀이 $\angle A=\angle B=30^\circ$이므로

$\angle C=180^\circ-(30^\circ+30^\circ)=120^\circ$

$\therefore\ \triangle ABC=\frac{1}{2}\times4\times4\times\sin(180^\circ-120^\circ)$

$=\frac{1}{2}\times4\times4\times\sin60^\circ$

$=\frac{1}{2}\times4\times4\times\frac{\sqrt{3}}{2}=4\sqrt{3}$

답 $4\sqrt{3}$

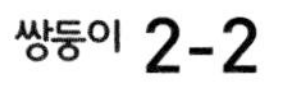

쌍둥이 **2-2**

오른쪽 그림과 같이 $\overline{BC}=5\text{ cm}$, $\angle B=135^\circ$인 $\triangle ABC$의 넓이가 $5\sqrt{2}\text{ cm}^2$일 때, $\overline{AB}$의 길이를 구하시오.

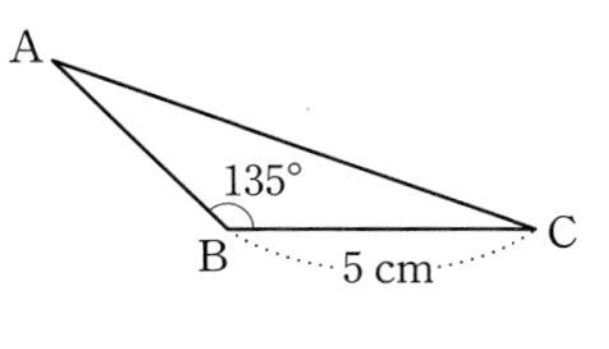

대표 유형 3 다각형의 넓이

사각형에 대각선을 그어 2개의 삼각형으로 나누어 각각의 넓이를 구한 후 더한다.

3-1 오른쪽 그림과 같은 □ABCD의 넓이를 구하시오.

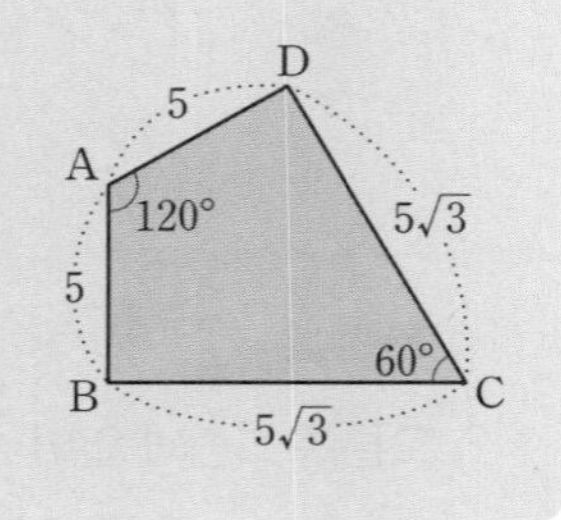

풀이 오른쪽 그림과 같이 $\overline{BD}$를 그으면

□ABCD

$=\triangle ABD+\triangle DBC$

$=\frac{1}{2}\times5\times5\times\sin(180^\circ-120^\circ)$

$\quad+\frac{1}{2}\times5\sqrt{3}\times5\sqrt{3}\times\sin60^\circ$

$=\frac{1}{2}\times5\times5\times\frac{\sqrt{3}}{2}+\frac{1}{2}\times5\sqrt{3}\times5\sqrt{3}\times\frac{\sqrt{3}}{2}$

$=\frac{25\sqrt{3}}{4}+\frac{75\sqrt{3}}{4}=25\sqrt{3}$

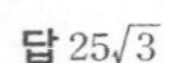

답 $25\sqrt{3}$

쌍둥이 3-2

오른쪽 그림과 같은 □ABCD의 넓이를 구하시오.

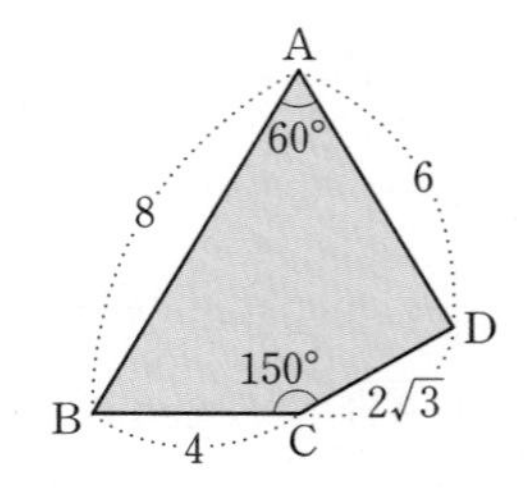

대표 유형 4 정다각형의 넓이

정다각형에 보조선을 그어 여러 개의 이등변삼각형으로 나눈다.

4-1 오른쪽 그림과 같이 지름의 길이가 12 cm인 원 O에 내접하는 정팔각형의 넓이를 구하시오.

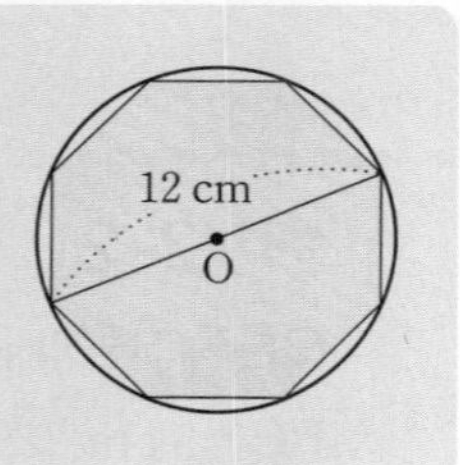

풀이 오른쪽 그림과 같이 정팔각형은 8개의 합동인 이등변삼각형으로 나누어진다.

이때 $\angle AOB=\frac{360^\circ}{8}=45^\circ$이므로

구하는 정팔각형의 넓이는

$8\times\left(\frac{1}{2}\times6\times6\times\sin45^\circ\right)$

$=8\times\left(\frac{1}{2}\times6\times6\times\frac{\sqrt{2}}{2}\right)$

$=72\sqrt{2}\ (\text{cm}^2)$

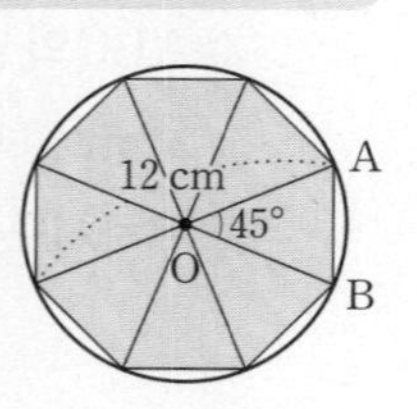

답 $72\sqrt{2}\ \text{cm}^2$

쌍둥이 4-2

오른쪽 그림과 같이 반지름의 길이가 10 cm인 원 O에 내접하는 정육각형의 넓이를 구하시오.

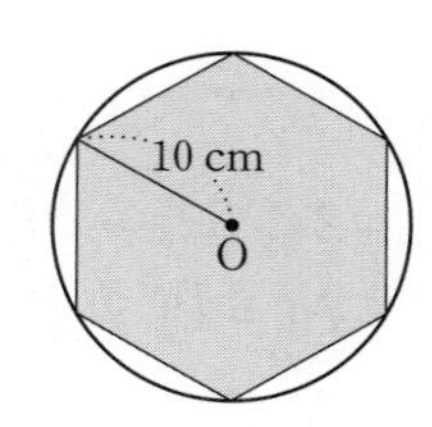

대표 유형 5 평행사변형의 넓이

평행사변형 ABCD에서

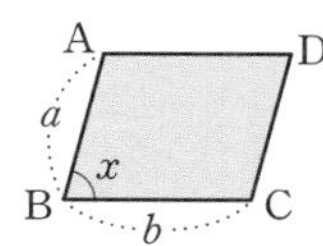

$\angle x$가 예각인 경우

➡ $\square ABCD = ab\sin x$

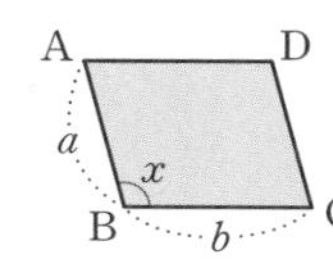

$\angle x$가 둔각인 경우

➡ $\square ABCD = ab\sin(180^\circ - x)$

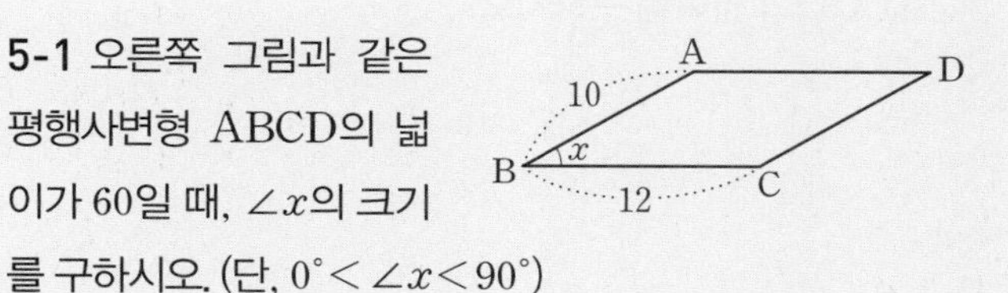

5-1 오른쪽 그림과 같은 평행사변형 ABCD의 넓이가 60일 때, $\angle x$의 크기를 구하시오. (단, $0^\circ < \angle x < 90^\circ$)

풀이 $\square ABCD = 10 \times 12 \times \sin x = 120\sin x$

즉 $120\sin x = 60$이므로 $\sin x = \frac{1}{2}$

이때 $0^\circ < \angle x < 90^\circ$이므로 $\angle x = 30^\circ$

답 30°

쌍둥이 5-2

오른쪽 그림과 같이 $\angle A = 120^\circ$이고 넓이가 $18\sqrt{3}\text{ cm}^2$인 마름모 ABCD의 한 변의 길이를 구하시오.

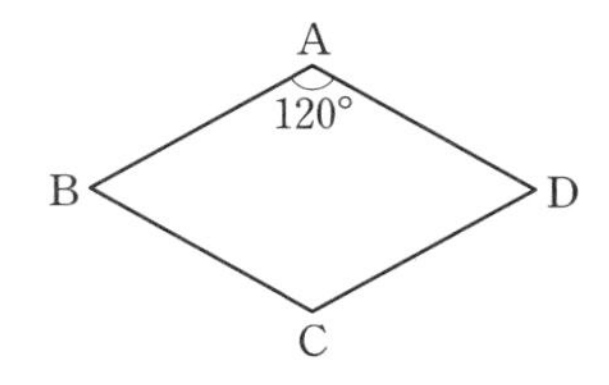

대표 유형 6 사각형의 넓이

사각형 ABCD에서

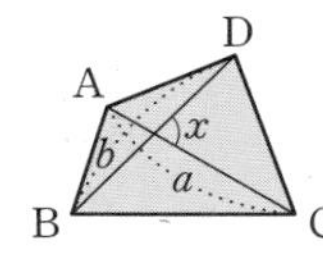

$\angle x$가 예각인 경우

➡ $\square ABCD = \frac{1}{2}ab\sin x$

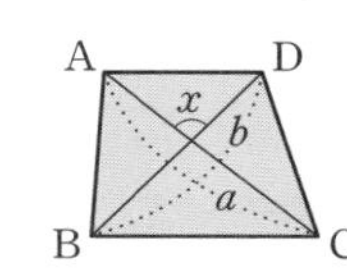

$\angle x$가 둔각인 경우

➡ $\square ABCD = \frac{1}{2}ab\sin(180^\circ - x)$

6-1 오른쪽 그림과 같은 등변사다리꼴 ABCD에서 $\overline{BD} = 4\sqrt{3}$이고 두 대각선이 이루는 각의 크기가 120°일 때, $\square ABCD$의 넓이를 구하시오.

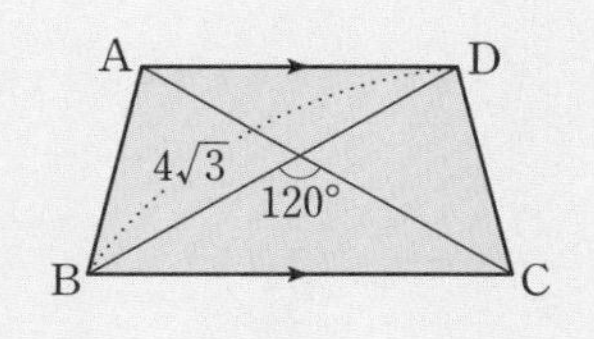

풀이 등변사다리꼴의 두 대각선의 길이는 같으므로

$\overline{AC} = \overline{BD} = 4\sqrt{3}$

$\therefore \square ABCD = \frac{1}{2} \times 4\sqrt{3} \times 4\sqrt{3} \times \sin(180^\circ - 120^\circ)$

$= \frac{1}{2} \times 4\sqrt{3} \times 4\sqrt{3} \times \sin 60^\circ$

$= \frac{1}{2} \times 4\sqrt{3} \times 4\sqrt{3} \times \frac{\sqrt{3}}{2}$

$= 12\sqrt{3}$

답 $12\sqrt{3}$

쌍둥이 6-2

오른쪽 그림과 같이 $\overline{AC} = 14$, $\overline{BD} = 10$인 사각형 ABCD의 넓이가 $35\sqrt{2}$일 때, 두 대각선이 이루는 예각의 크기를 구하시오.

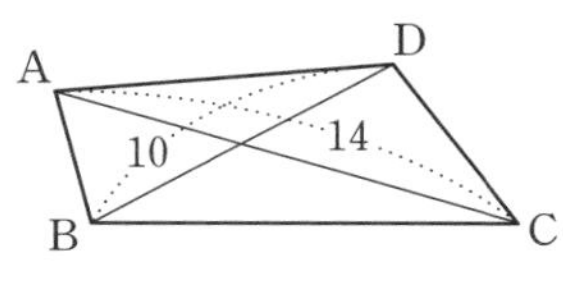

STEP 3 개념 뛰어넘기

삼각형의 넓이

$\triangle ABC$의 넓이를 S라 하면

(1) $\angle B$가 예각일 때 (2) $\angle B$가 둔각일 때

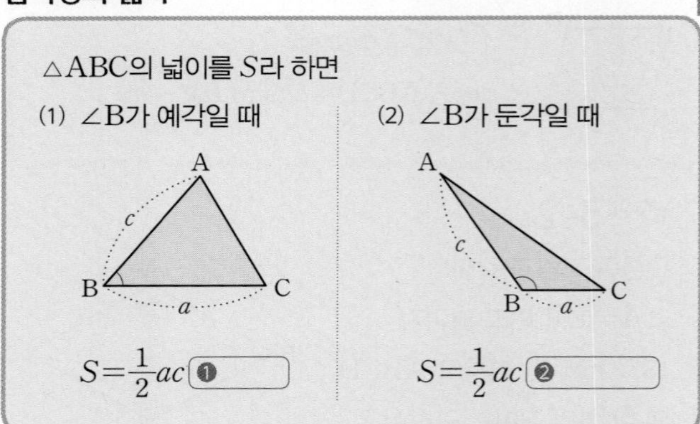

$S=\frac{1}{2}ac$ ❶ $S=\frac{1}{2}ac$ ❷

답 ❶ $\sin B$ ❷ $\sin(180°-B)$

01

오른쪽 그림과 같이 $\overline{AB}=\sqrt{10}$, $\angle B=30°$인 $\triangle ABC$의 넓이가 $2\sqrt{5}$일 때, $\overline{BC}$의 길이를 구하시오.

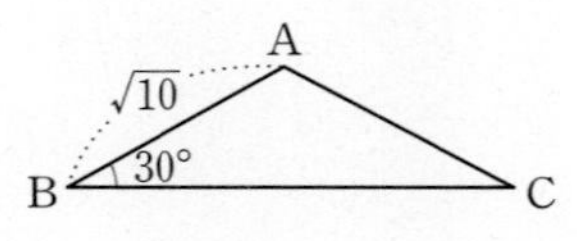

★ 02 서술형

오른쪽 그림과 같이 $\overline{AB}=12$, $\overline{BC}=8$인 $\triangle ABC$의 넓이가 $24\sqrt{2}$일 때, $\angle x$의 크기를 구하시오. (단, $90°<\angle x<180°$)

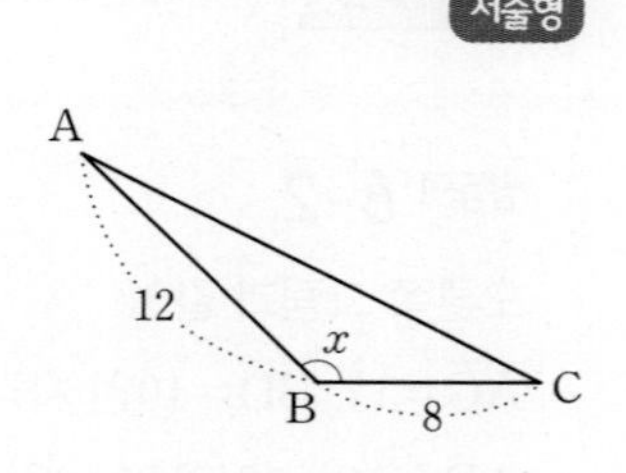

03 융합형

오른쪽 그림과 같은 $\triangle ABC$에서 $\overline{AB}=9$ cm, $\overline{BC}=12$ cm, $\angle B=60°$이고 점 G가 $\triangle ABC$의 무게중심일 때, $\triangle AGC$의 넓이를 구하시오.

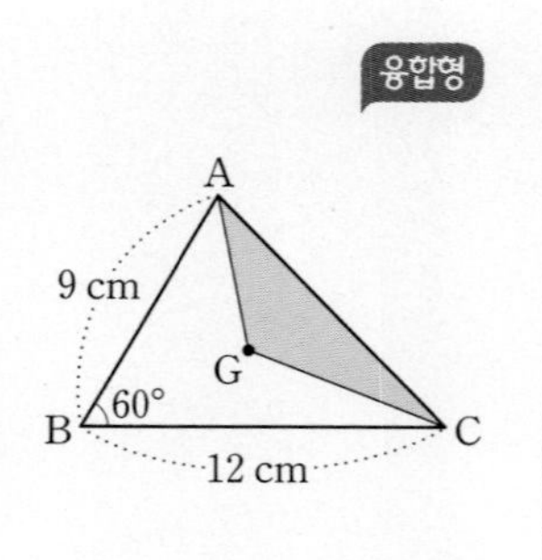

04 창의력

오른쪽 그림과 같은 $\square ABCD$에서 $\overline{AB}=8$, $\overline{CD}=9$이고 $\angle B=60°$, $\angle ACD=30°$일 때, $\square ABCD$의 넓이를 구하시오.

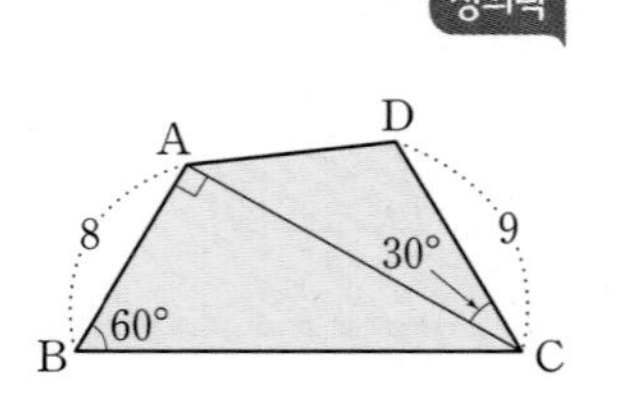

★ 05

오른쪽 그림과 같은 $\square ABCD$에서 $\angle B=60°$, $\angle D=120°$이고 $\overline{AB}=4$, $\overline{BC}=5$, $\overline{AD}=\overline{CD}=\sqrt{7}$일 때, $\square ABCD$의 넓이를 구하시오.

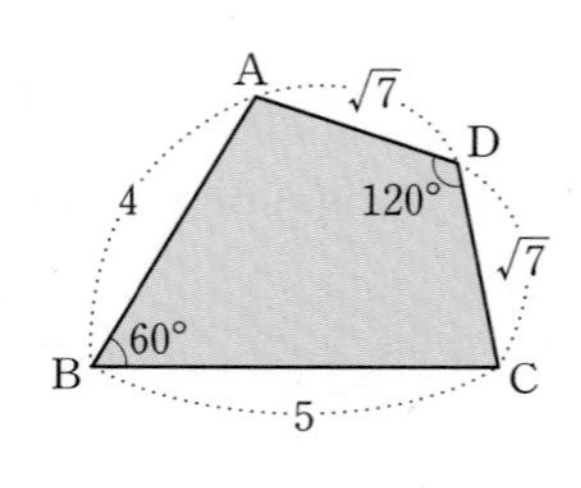

06 서술형

오른쪽 그림과 같이 반지름의 길이가 6 cm인 원 O에서 $\angle OAC=30°$일 때, 색칠한 부분의 넓이를 구하시오.

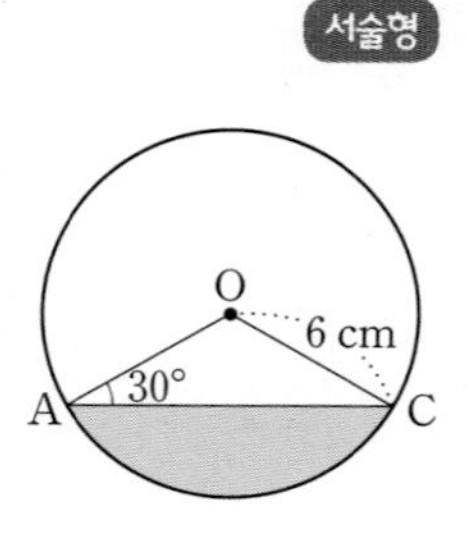

07

창의력

오른쪽 그림과 같은 △ABC에서 $\overline{AB}=12$, $\overline{AC}=8$이고, $\angle BAC=60^\circ$이다. $\overline{AD}$가 ∠A의 이등분선일 때, $\overline{AD}$의 길이를 구하려고 한다. 다음 물음에 답하시오.

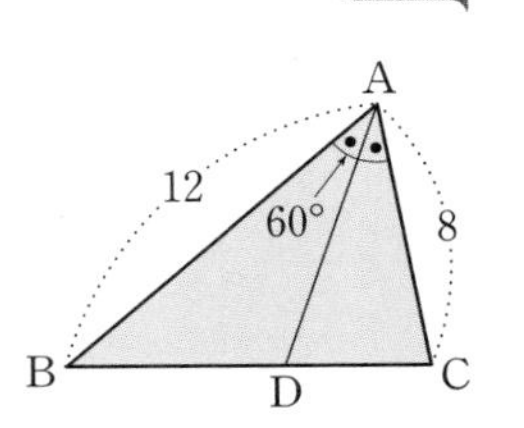

(1) △ABC의 넓이를 구하시오.

(2) $\overline{AD}=x$로 놓고 △ABD와 △ADC의 넓이를 x의 식으로 각각 나타내시오.

(3) △ABC=△ABD+△ADC임을 이용하여 x의 값을 구하시오.

사각형의 넓이

$\angle x$가 예각일 때, □ABCD의 넓이를 S라 하면

(1) 평행사변형 ABCD (2) 사각형 ABCD

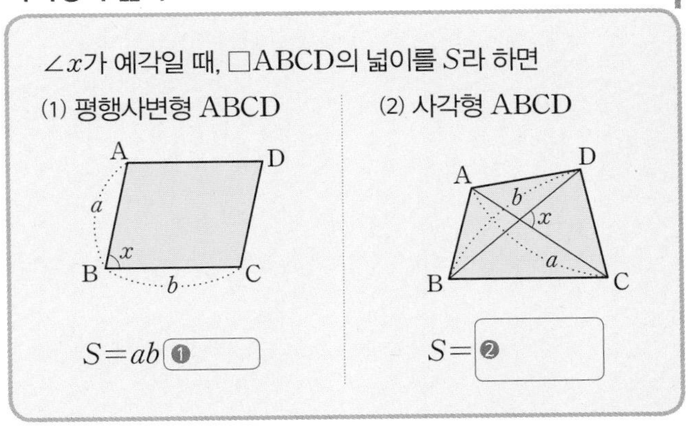

답 ❶ $\sin x$ ❷ $\frac{1}{2}ab\sin x$

08

오른쪽 그림과 같이 $\angle A=135^\circ$이고 한 변의 길이가 4 cm인 마름모 ABCD의 넓이를 구하시오.

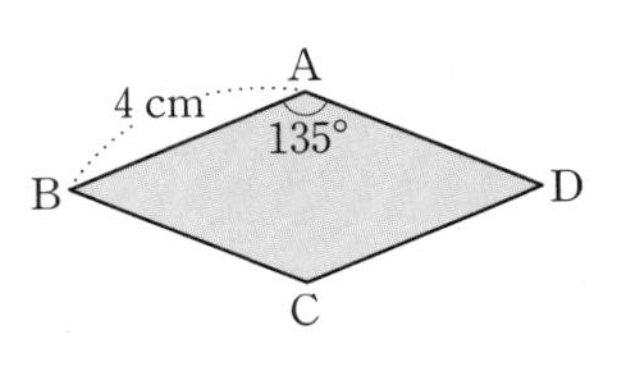

09

오른쪽 그림과 같이 $\overline{AB}=3\sqrt{3}$, $\overline{BC}=4\sqrt{6}$인 평행사변형 ABCD의 넓이가 $18\sqrt{6}$일 때, ∠B의 크기를 구하시오.

(단, $0^\circ<\angle B<90^\circ$)

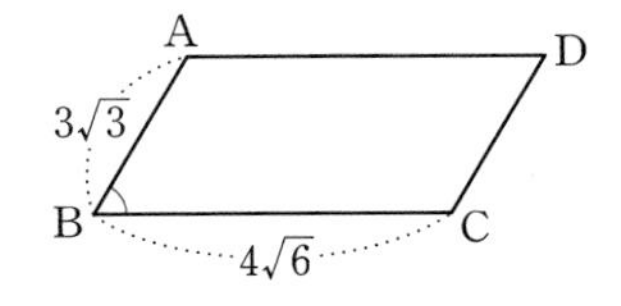

★ 10

서술형

오른쪽 그림과 같은 평행사변형 ABCD에서 점 M이 $\overline{BC}$의 중점일 때, △AMC의 넓이를 구하시오.

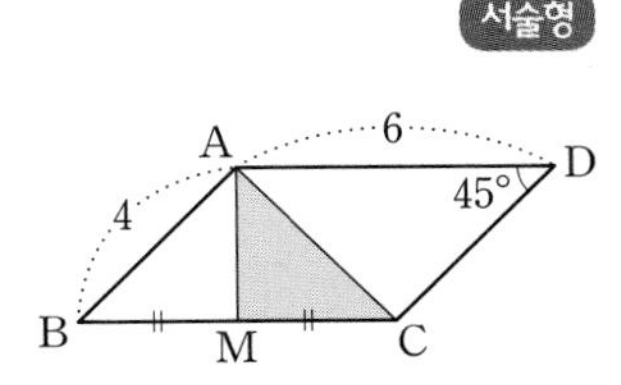

11

오른쪽 그림과 같은 사각형 ABCD의 넓이를 구하시오.

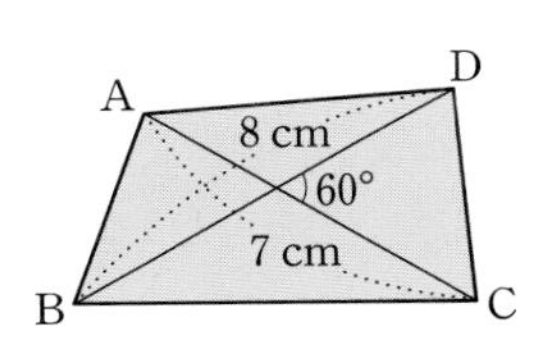

★ 12

오른쪽 그림과 같이 $\overline{BD}=6$이고 두 대각선이 이루는 각의 크기가 150°인 사각형 ABCD의 넓이가 $9\sqrt{2}$일 때, $\overline{AC}$의 길이를 구하시오.

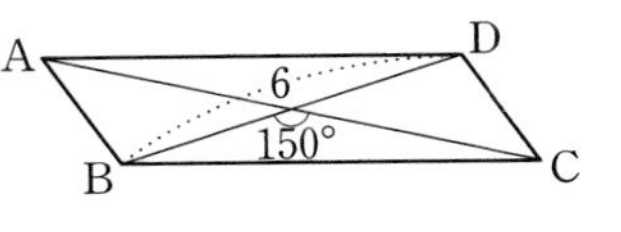

3 원과 직선

중2	중3	고등학교
•삼각형과 사각형의 성질 •도형의 닮음 •닮음의 활용	• **원과 직선**	•원의 방정식

학습 목표

- 현의 수직이등분선의 성질을 이해한다.
- 원의 접선의 성질을 이해한다.

1 원의 현

- 개념 1 원의 중심과 현의 수직이등분선
- 개념 2 원의 중심과 현의 길이

2 원의 접선

- 개념 1 원의 접선의 길이
- 개념 2 삼각형의 내접원과 원에 외접하는 사각형

내가 피자를 만들었어.
똑같이 3등분했으니
다들 먹어 봐.
정말 세 조각 모두
크기가 똑같아?
나를 의심하다니…
자 봐! 중심각의 크기가
같지? 그러면 피자의
넓이도 모두 같아.
그래? 맛있겠다.
먹자, 먹어.
난 끝부분은 맛이
없더라. 잘라 봐야지.
나도, 나도
어~. 네가 자른 거랑
내가 자른 거랑
호의 길이가 같네.
현의 길이도
같은 것 같아.
한 원 또는 합동인 두 원에서
중심각의 크기와 호의 길이, 현의
길이 사이의 관계는 이와 같아.
한 원 또는 합동인 두 원에서
크기가 같은 두 중심각에 대한
현의 길이와 호의 길이는 각각 같다.
⇨ $\angle AOB = \angle COD$이면 $\overline{AB} = \overline{CD}$
⇨ $\angle AOB = \angle COD$이면 $\overset{\frown}{AB} = \overset{\frown}{CD}$
A
B
O
C
D

1 원의 현

개념 동영상

개념 1 원의 중심과 현의 수직이등분선

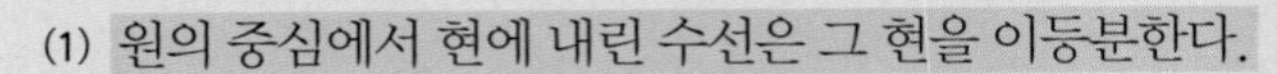

(1) 원의 중심에서 현에 내린 수선은 그 현을 이등분한다.

➡ $\overline{AB}\perp\overline{OM}$이면 $\overline{AM}=\overline{BM}$ → $\overline{AB}=2\overline{AM}=2\overline{BM}$

(2) 원에서 현의 수직이등분선은 그 원의 중심을 지난다.

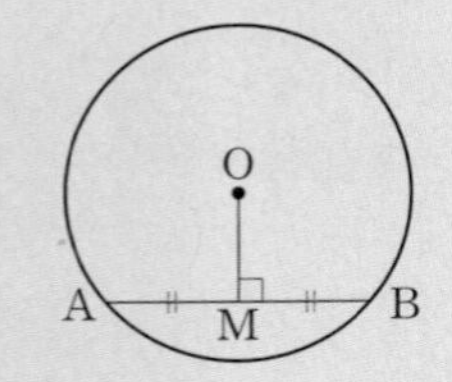

보충

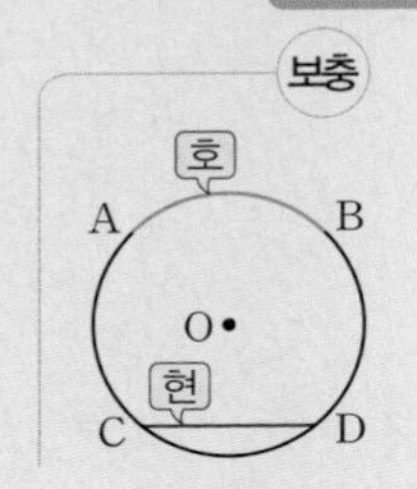

설명 (1) 오른쪽 그림과 같은 원의 중심 O에서 현 AB에 내린 수선의 발을 M이라 하면

$\triangle OAM$과 $\triangle OBM$에서

$\angle OMA=\angle OMB=90°$, $\overline{OA}=\overline{OB}$ (반지름), $\overline{OM}$은 공통

따라서 $\triangle OAM\equiv\triangle OBM$ (RHS 합동)이므로

→두 직각삼각형에서 빗변의 길이와 다른 한 변의 길이가 각각 같으면 두 직각삼각형은 RHS 합동이다.

$\overline{AM}=\overline{BM}$

즉 원의 중심 O에서 현 AB에 내린 수선 OM은 현 AB를 이등분한다.

(2) 오른쪽 그림과 같은 원 O에서 현 AB의 중점을 M이라 하면

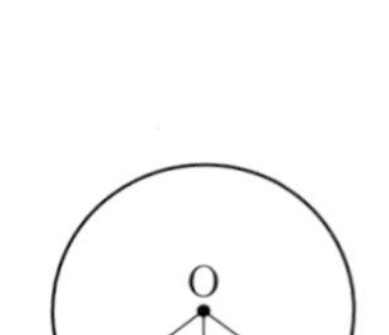

$\triangle OAM$과 $\triangle OBM$에서

$\overline{AM}=\overline{BM}$, $\overline{OA}=\overline{OB}$ (반지름), $\overline{OM}$은 공통

따라서 $\triangle OAM\equiv\triangle OBM$ (SSS 합동)이므로

→두 삼각형에서 세 변의 길이가 각각 같으면 두 삼각형은 SSS 합동이다.

$\angle OMA=\angle OMB$

이때 $\angle OMA+\angle OMB=180°$이므로 $\angle OMA=\angle OMB=90°$

$\therefore \overline{OM}\perp\overline{AB}$

즉 원에서 현 AB의 수직이등분선은 원의 중심 O를 지난다.

Lecture

● 원의 중심과 현의 수직이등분선

(1) $\overline{AB}\perp\overline{OM}$이면 $\overline{AM}=\overline{BM}=\frac{1}{2}\overline{AB}$

(2) $\triangle OAM$에서 $\overline{OA}^2=\overline{AM}^2+\overline{OM}^2$

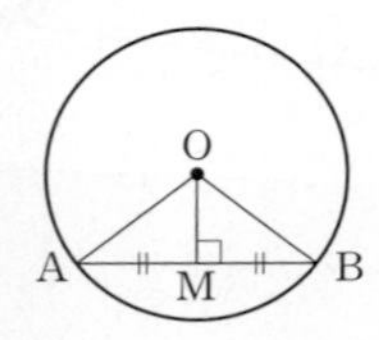

| 개념 확인 | 1 **다음 그림의 원 O에서 x의 값을 구하시오.**

(1)

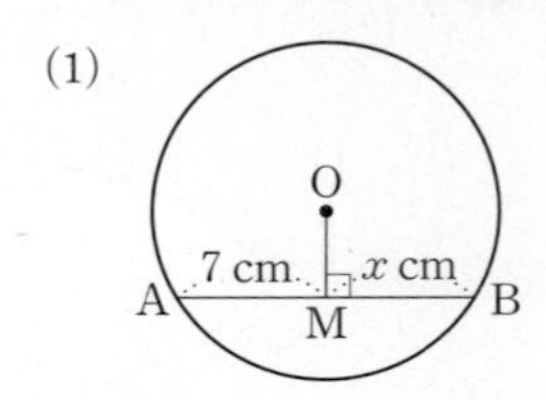

(2)

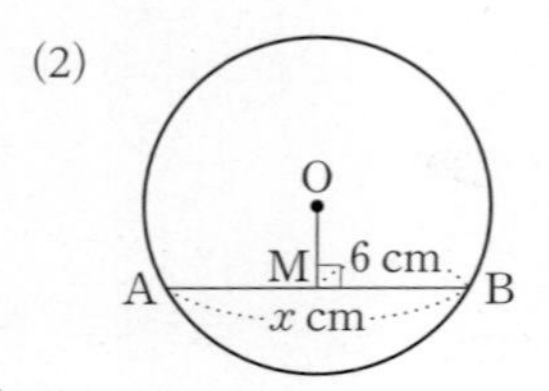

개념 2 원의 중심과 현의 길이

개념 동영상

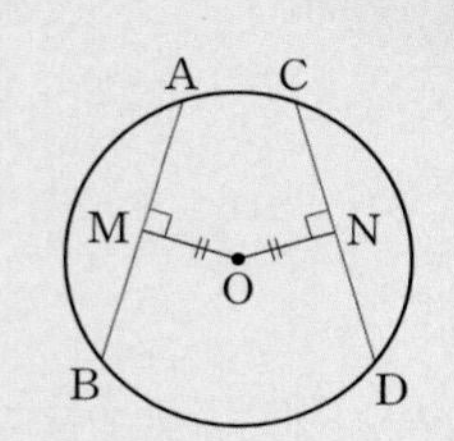

한 원 또는 합동인 두 원에서

(1) 원의 중심으로부터 같은 거리에 있는 두 현의 길이는 서로 같다.
➡ $\overline{\mathrm{OM}}=\overline{\mathrm{ON}}$이면 $\overline{\mathrm{AB}}=\overline{\mathrm{CD}}$

(2) 길이가 같은 두 현은 원의 중심으로부터 같은 거리에 있다.
➡ $\overline{\mathrm{AB}}=\overline{\mathrm{CD}}$이면 $\overline{\mathrm{OM}}=\overline{\mathrm{ON}}$

(1) 오른쪽 그림과 같이 원의 중심 O에서 두 현 AB, CD에 내린 수선의 발을 각각 M, N이라 하면 △OAM과 △OCN에서

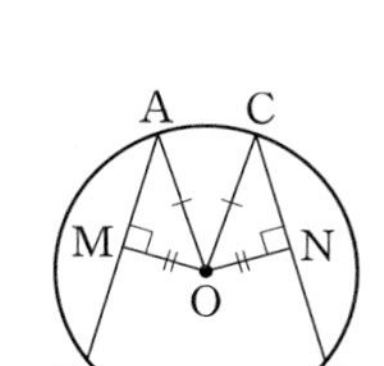

$\angle\mathrm{OMA}=\angle\mathrm{ONC}=90°$, $\overline{\mathrm{OA}}=\overline{\mathrm{OC}}$ (반지름), $\overline{\mathrm{OM}}=\overline{\mathrm{ON}}$
따라서 △OAM≡△OCN (RHS 합동)이므로
$\overline{\mathrm{AM}}=\overline{\mathrm{CN}}$
이때 $\overline{\mathrm{AB}}=2\overline{\mathrm{AM}}$, $\overline{\mathrm{CD}}=2\overline{\mathrm{CN}}$이므로 $\overline{\mathrm{AB}}=\overline{\mathrm{CD}}$
즉 원의 중심 O로부터 같은 거리에 있는 두 현 AB, CD의 길이는 서로 같다.

(2) 오른쪽 그림과 같이 원의 중심 O에서 길이가 같은 두 현 AB, CD에 내린 수선의 발을 각각 M, N이라 하면

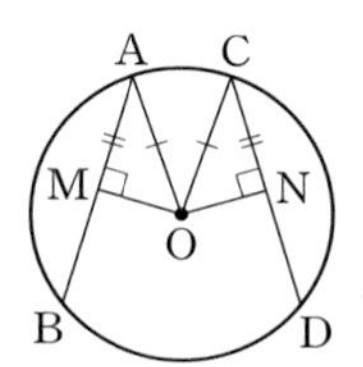

$\overline{\mathrm{AM}}=\overline{\mathrm{BM}}$, $\overline{\mathrm{CN}}=\overline{\mathrm{DN}}$이고 $\overline{\mathrm{AB}}=\overline{\mathrm{CD}}$이므로 $\overline{\mathrm{AM}}=\overline{\mathrm{CN}}$
△OAM과 △OCN에서
$\angle\mathrm{OMA}=\angle\mathrm{ONC}=90°$, $\overline{\mathrm{OA}}=\overline{\mathrm{OC}}$ (반지름), $\overline{\mathrm{AM}}=\overline{\mathrm{CN}}$
따라서 △OAM≡△OCN (RHS 합동)이므로
$\overline{\mathrm{OM}}=\overline{\mathrm{ON}}$
즉 길이가 같은 두 현 AB, CD는 원의 중심 O로부터 같은 거리에 있다.

Lecture

- 원의 중심과 현의 길이
  (1) $\overline{\mathrm{OM}}=\overline{\mathrm{ON}}$이면 $\overline{\mathrm{AB}}=\overline{\mathrm{CD}}$, $\overline{\mathrm{AM}}=\overline{\mathrm{BM}}=\overline{\mathrm{CN}}=\overline{\mathrm{DN}}$
  (2) $\overline{\mathrm{AB}}=\overline{\mathrm{CD}}$이면 $\overline{\mathrm{OM}}=\overline{\mathrm{ON}}$

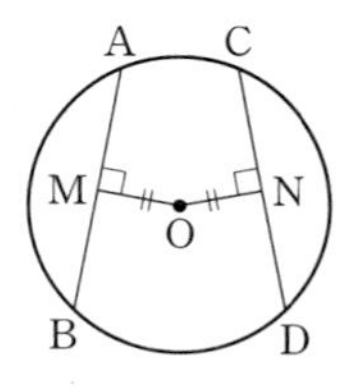

3 원과 직선

개념 확인 2 다음 그림의 원 O에서 x의 값을 구하시오.

(1)

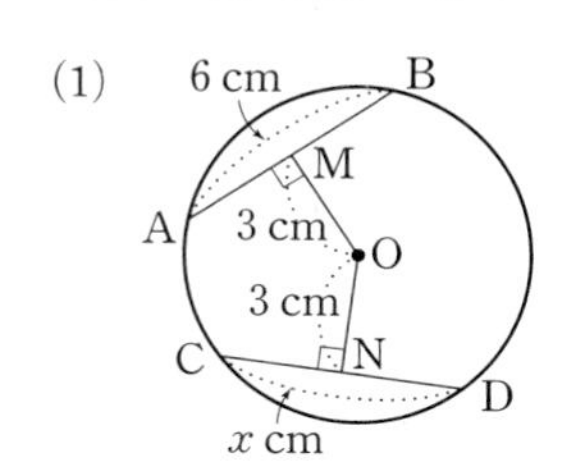

(2)

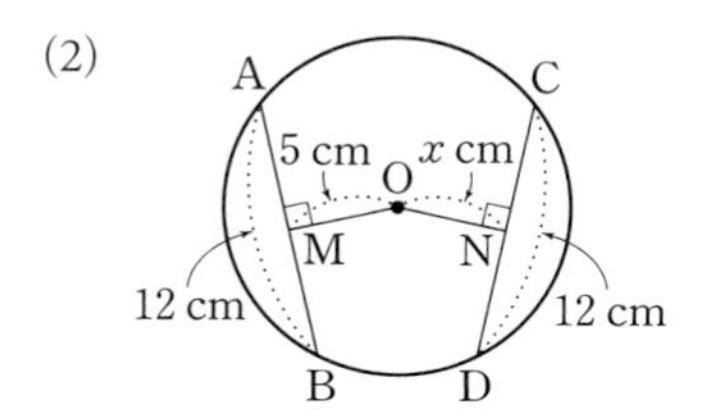

개념 기초

1-1

다음 그림의 원 O에서 x의 값을 구하시오.

(1)

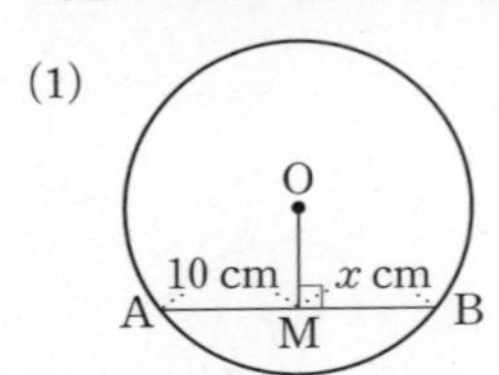

(2)

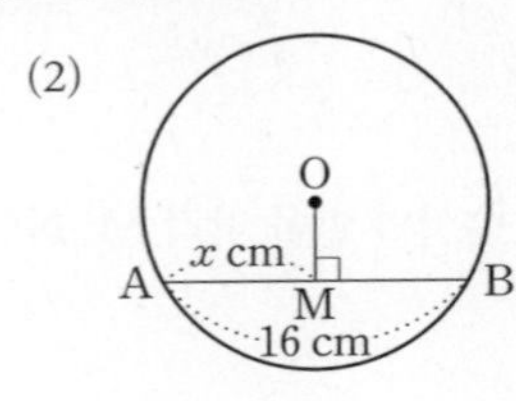

연구 $\overline{AB}\perp\overline{OM}$이면 $\overline{AM}=$☐

쌍둥이 문제

1-2

다음 그림의 원 O에서 x의 값을 구하시오.

(1)

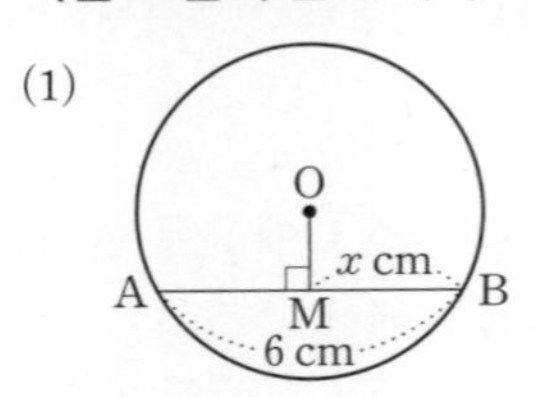

(2)

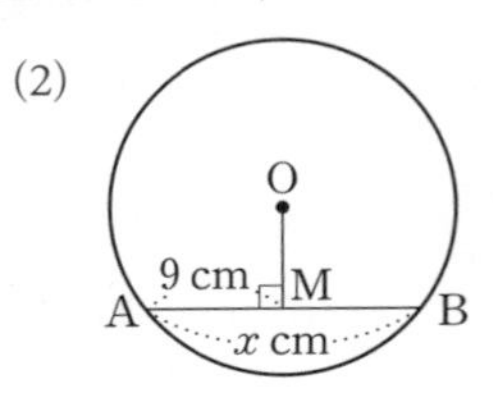

2-1

다음 그림의 원 O에서 x의 값을 구하시오.

(1)

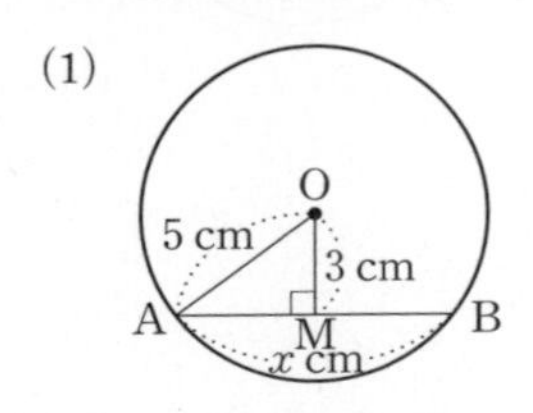

(2)

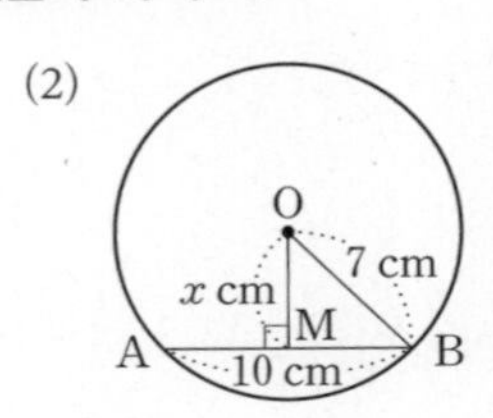

연구 △OAM에서 $\overline{OA}^2=\overline{AM}^2+$☐^{2}

2-2

다음 그림의 원 O에서 x의 값을 구하시오.

(1)

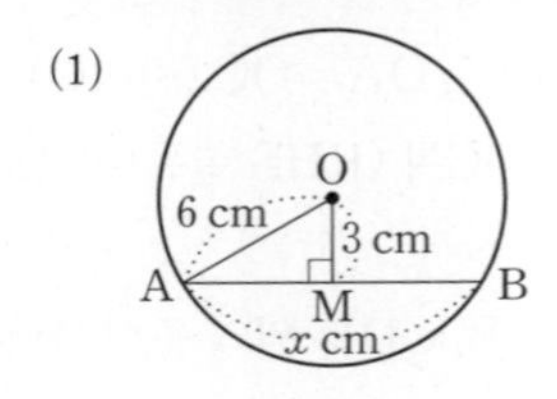

(2)

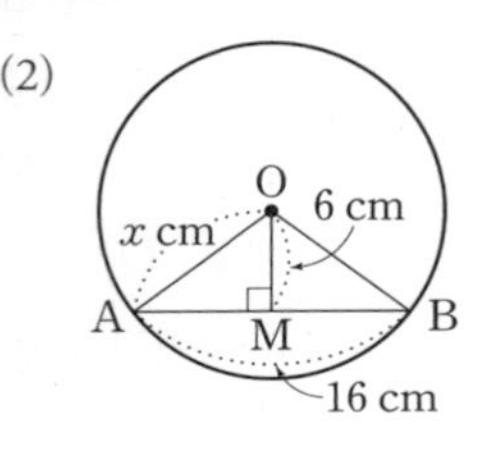

3-1

다음 그림의 원 O에서 x의 값을 구하시오.

(1)

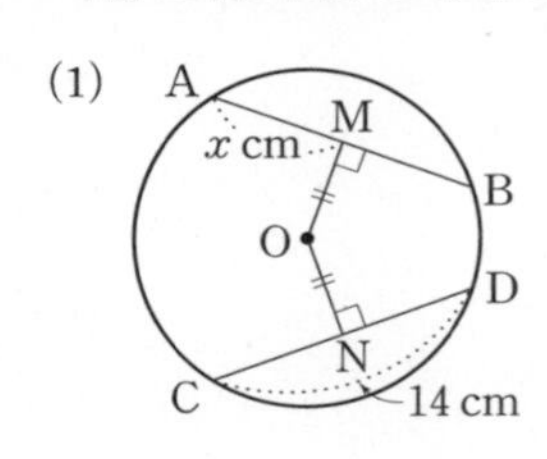

(2)

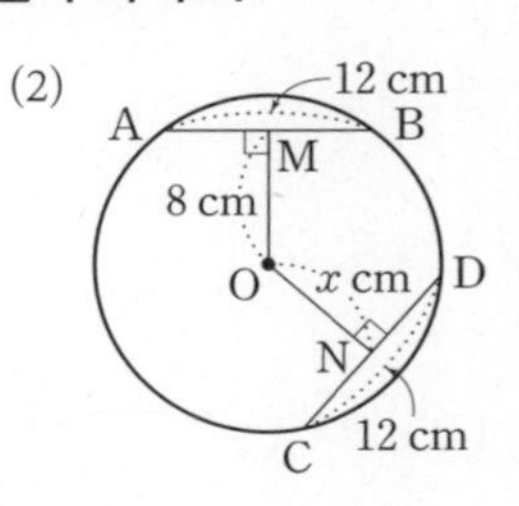

연구 (1) $\overline{OM}=\overline{ON}$이면 $\overline{AB}=$☐
(2) $\overline{AB}=\overline{CD}$이면 $\overline{OM}=$☐

3-2

다음 그림의 원 O에서 x의 값을 구하시오.

(1)

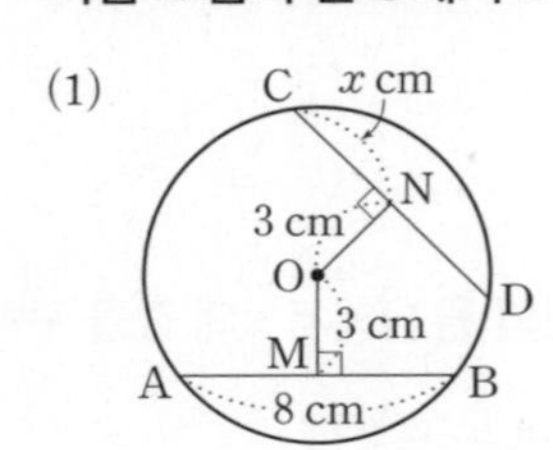

(2)

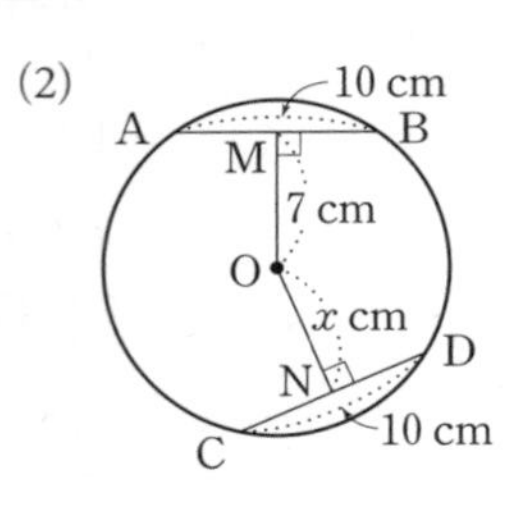

대표 유형 1 원의 중심과 현의 수직이등분선 (1)

- 원의 중심에서 현에 내린 수선은 그 현을 이등분한다.
- **1-1**에서 $\overline{OM}=\overline{OC}-\overline{MC}$, $\overline{OB}^2=\overline{MB}^2+\overline{OM}^2$

1-1 오른쪽 그림의 원 O에서 $\overline{AB}\perp\overline{OC}$이고 $\overline{AM}=4\text{ cm}$, $\overline{CM}=3\text{ cm}$일 때, $\overline{OB}$의 길이를 구하시오.

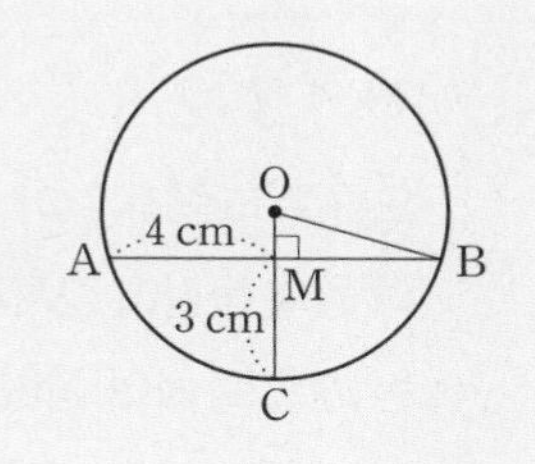

풀이 $\overline{AB}\perp\overline{OC}$이므로 $\overline{BM}=\overline{AM}=4\text{ cm}$

$\overline{OB}=x\text{ cm}$라 하면 $\overline{OC}=\overline{OB}=x\text{ cm}$

$\therefore \overline{OM}=(x-3)\text{ cm}$

$\triangle$OMB에서

$x^2=4^2+(x-3)^2$, $6x=25$ $\quad\therefore x=\frac{25}{6}$

따라서 $\overline{OB}$의 길이는 $\frac{25}{6}\text{ cm}$이다.

답 $\frac{25}{6}\text{ cm}$

쌍둥이 1-2

다음 그림의 원 O에서 $\overline{AB}\perp\overline{OC}$일 때, x의 값을 구하시오.

(1)

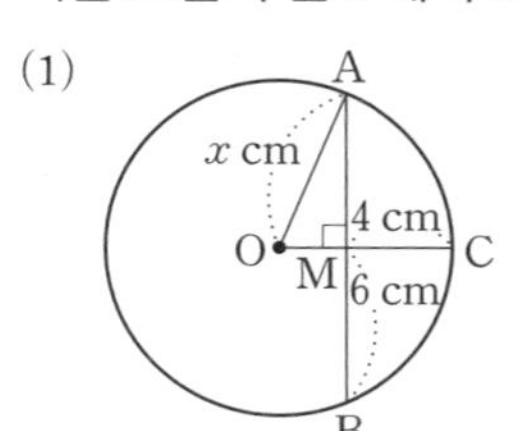

(2)

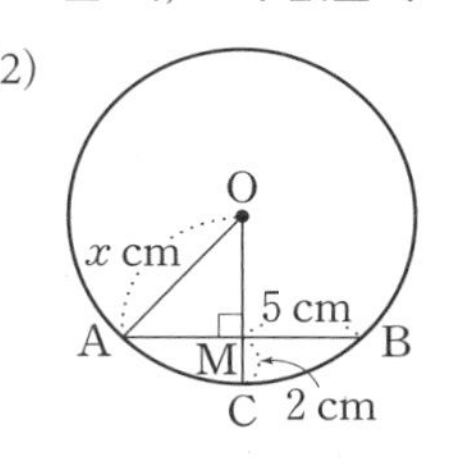

대표 유형 2 원의 중심과 현의 수직이등분선 (2)

- 원에서 현의 수직이등분선은 그 원의 중심을 지난다.
- 원의 일부분이 주어졌을 때, 원의 중심을 찾아 원의 반지름의 길이를 r로 놓고 피타고라스 정리를 이용한다.

2-1 오른쪽 그림에서 $\widehat{AB}$는 원의 일부분이다. $\overline{AB}\perp\overline{CD}$이고 $\overline{AD}=\overline{BD}$일 때, 이 원의 반지름의 길이를 구하시오.

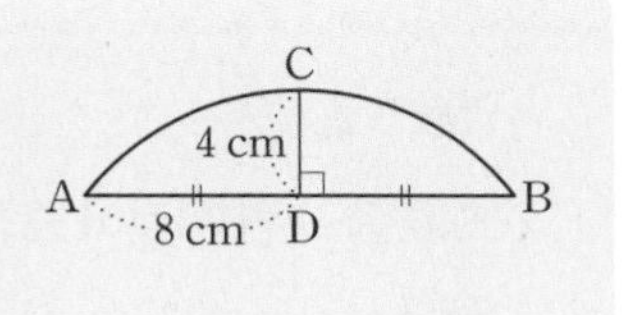

풀이 $\overline{AB}\perp\overline{CD}$, $\overline{AD}=\overline{BD}$이므로 $\overline{CD}$의 연장선은 오른쪽 그림과 같이 원의 중심을 지난다. 원의 중심을 O, 원의 반지름의 길이를 $r\text{ cm}$라 하면

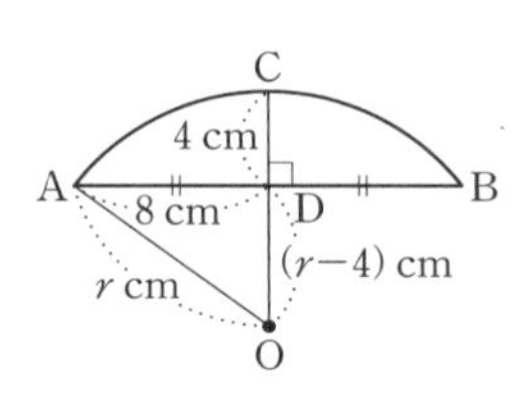

$\overline{OD}=(r-4)\text{ cm}$

$\triangle$AOD에서

$r^2=8^2+(r-4)^2$, $8r=80$ $\quad\therefore r=10$

따라서 원의 반지름의 길이는 10 cm이다.

답 10 cm

쌍둥이 2-2

오른쪽 그림에서 $\widehat{AB}$는 원의 일부분이다. $\overline{AB}\perp\overline{CD}$이고 $\overline{AD}=\overline{BD}$일 때, 이 원의 반지름의 길이를 구하시오.

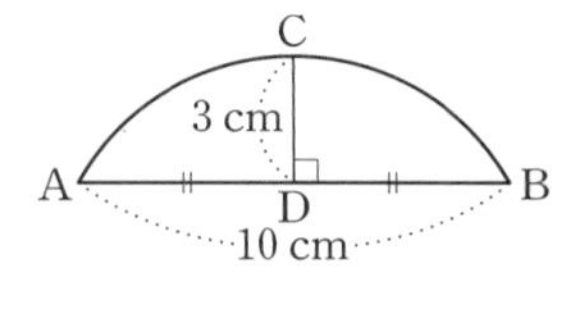

대표 유형 3 원의 중심과 현의 수직이등분선 (3)

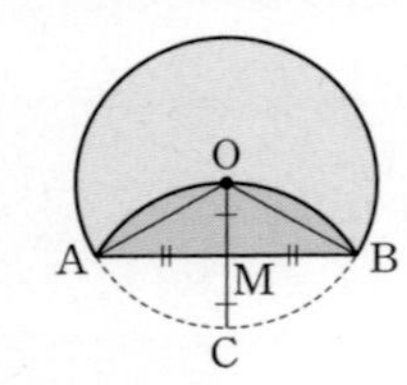

➡ (1) $\overline{AM}=\overline{BM}=\frac{1}{2}\overline{AB}$

(2) $\overline{OM}=\overline{CM}=\frac{1}{2}\overline{OC}$

(3) $\overline{OA}^2=\overline{AM}^2+\overline{OM}^2$

3-1 오른쪽 그림과 같이 반지름의 길이가 8 cm인 원 O 위의 한 점이 원의 중심에 겹쳐지도록 $\overline{AB}$를 접는 선으로 하여 접었다. 이때 $\overline{AB}$의 길이를 구하시오.

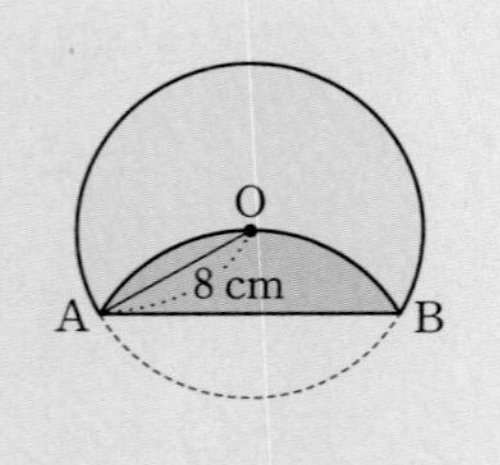

풀이 오른쪽 그림과 같이 원의 중심 O에서 $\overline{AB}$에 내린 수선의 발을 M이라 하면

$\overline{OM}=\frac{1}{2}\times 8=4$ (cm)

△OAM에서

$\overline{AM}=\sqrt{8^2-4^2}=4\sqrt{3}$ (cm)

$\therefore \overline{AB}=2\overline{AM}=2\times 4\sqrt{3}=8\sqrt{3}$ (cm)

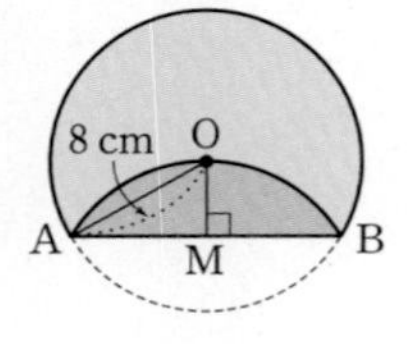

답 $8\sqrt{3}$ cm

쌍둥이 3-2

오른쪽 그림과 같이 원 O 위의 한 점이 원의 중심에 겹쳐지도록 $\overline{AB}$를 접는 선으로 하여 접었다. $\overline{AB}=6$ cm일 때, 원 O의 반지름의 길이를 구하시오.

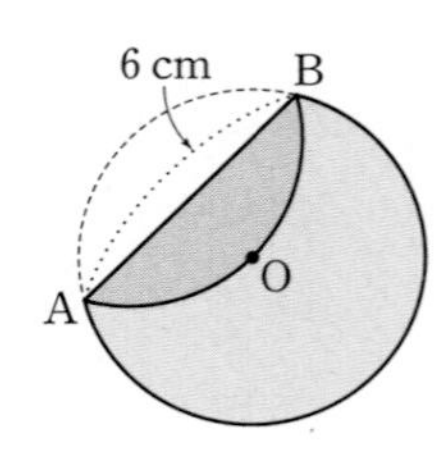

대표 유형 4 원의 중심과 현의 수직이등분선 (4)

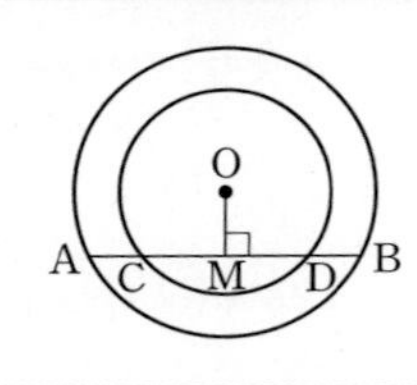

➡ $\overline{AM}=\overline{BM}$, $\overline{CM}=\overline{DM}$

4-1 오른쪽 그림과 같이 중심이 같은 두 원에서 $\overline{AB}=20$ cm, $\overline{CD}=8$ cm일 때, $\overline{AC}$의 길이를 구하시오.

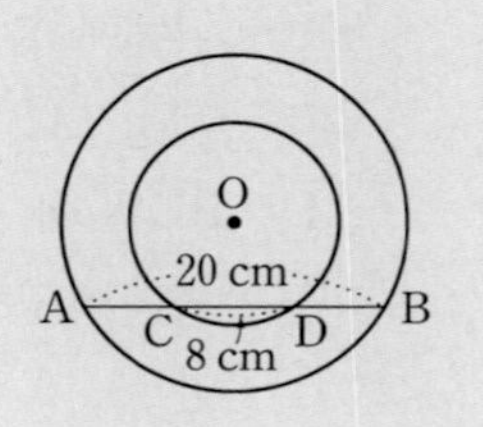

풀이 오른쪽 그림과 같이 원의 중심 O에서 $\overline{AB}$에 내린 수선의 발을 M이라 하면

$\overline{AM}=\frac{1}{2}\overline{AB}=\frac{1}{2}\times 20=10$ (cm)

$\overline{CM}=\frac{1}{2}\overline{CD}=\frac{1}{2}\times 8=4$ (cm)

$\therefore \overline{AC}=\overline{AM}-\overline{CM}=10-4=6$ (cm)

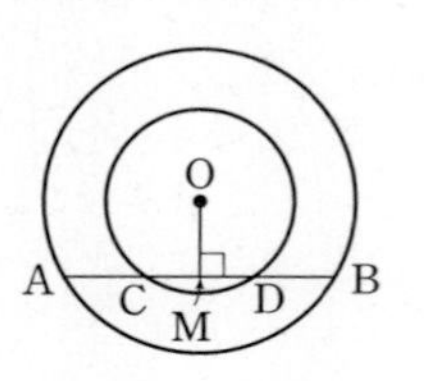

답 6 cm

쌍둥이 4-2

오른쪽 그림과 같이 중심이 같은 두 원에서 $\overline{AB}=30$ cm이고 $\overline{AB}:\overline{CD}=5:2$일 때, $\overline{AC}$의 길이를 구하시오.

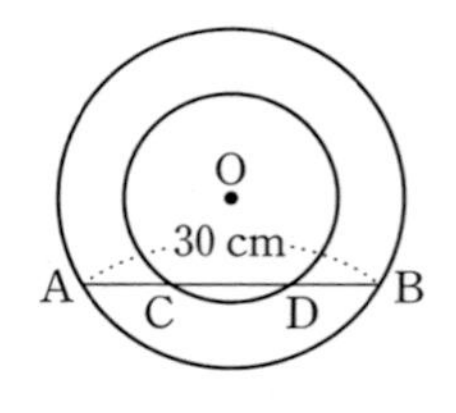

대표 유형 5 원의 중심과 현의 길이 (1)

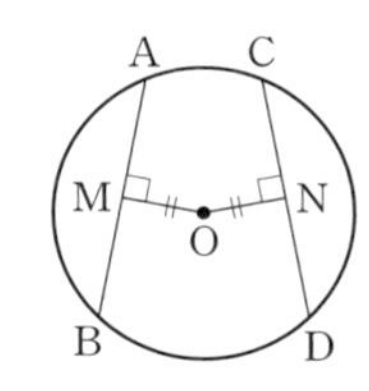

➡ (1) $\overline{OM}=\overline{ON}$이면 $\overline{AB}=\overline{CD}$
(2) $\overline{AB}=\overline{CD}$이면 $\overline{OM}=\overline{ON}$

5-1 오른쪽 그림의 원 O에서 $\overline{OA}=13$ cm, $\overline{OM}=\overline{ON}=5$ cm 일 때, $\overline{CD}$의 길이를 구하시오.

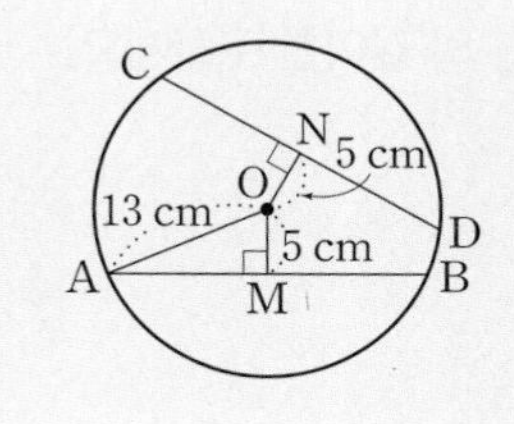

풀이 $\triangle OAM$에서
$\overline{AM}=\sqrt{13^2-5^2}=12$ (cm)
$\overline{AB}\perp\overline{OM}$이므로
$\overline{AB}=2\overline{AM}=2\times12=24$ (cm)
$\overline{OM}=\overline{ON}$이므로 $\overline{CD}=\overline{AB}=24$ cm

답 24 cm

쌍둥이 5-2

다음 그림의 원 O에서 x의 값을 구하시오.

(1)
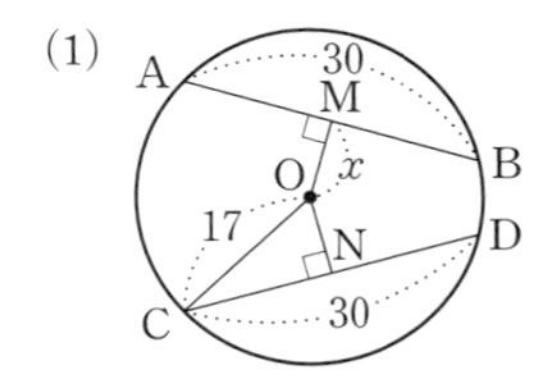

(2)
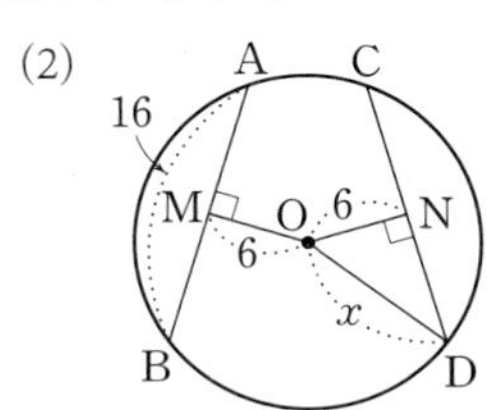

대표 유형 6 원의 중심과 현의 길이 (2)

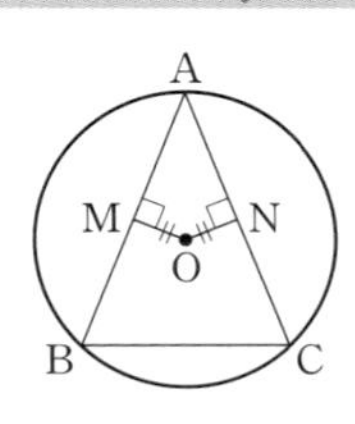

➡ (1) $\overline{OM}=\overline{ON}$이면 $\overline{AB}=\overline{AC}$이므로 $\triangle ABC$는 $\overline{AB}=\overline{AC}$인 이등변삼각형이다.
(2) $\angle ABC=\angle ACB$

6-1 오른쪽 그림의 원 O에서 $\overline{AB}\perp\overline{OM}$, $\overline{AC}\perp\overline{ON}$이고 $\overline{OM}=\overline{ON}$이다. $\angle ABC=64^\circ$일 때, $\angle BAC$의 크기를 구하시오.

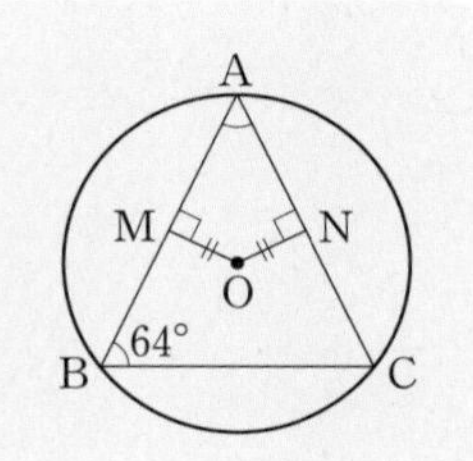

풀이 $\overline{OM}=\overline{ON}$이므로 $\overline{AB}=\overline{AC}$
즉 $\triangle ABC$는 $\overline{AB}=\overline{AC}$인 이등변삼각형이므로
$\angle ACB=\angle ABC=64^\circ$
$\therefore \angle BAC=180^\circ-(64^\circ+64^\circ)=52^\circ$

답 52°

쌍둥이 6-2

다음 그림의 원 O에서 $\overline{AB}\perp\overline{OM}$, $\overline{AC}\perp\overline{ON}$이고 $\overline{OM}=\overline{ON}$일 때, $\angle x$의 크기를 구하시오.

(1)
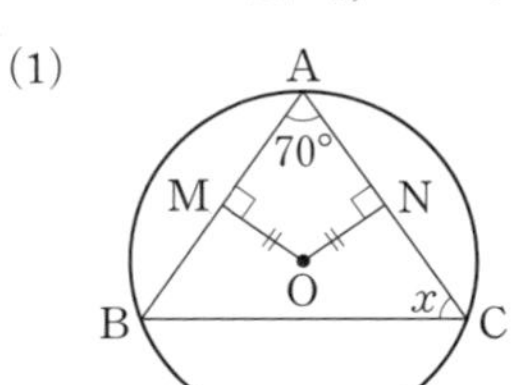

(2)
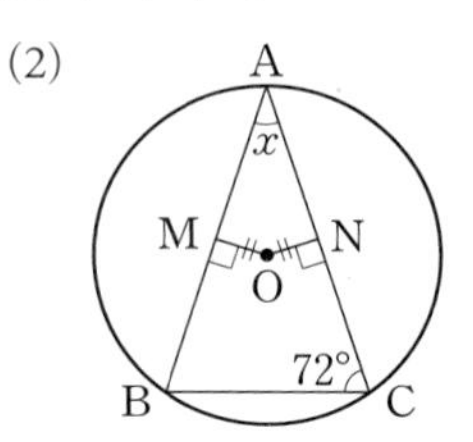

원의 중심과 현의 수직이등분선

(1) 원의 중심에서 현에 내린 수선은 그 현을 ❶ ______ 한다.

(2) 원에서 현의 수직이등분선은 그 원의 ❷ ______ 을 지난다.

답 ❶ 이등분 ❷ 중심

01

오른쪽 그림의 원 O에서 $\overline{AB}\perp\overline{OM}$이고 $\overline{OA}=2\text{ cm}$, $\overline{OM}=1\text{ cm}$일 때, $\overline{AB}$의 길이를 구하시오.

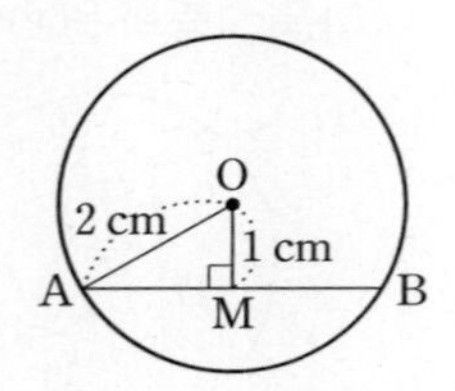

02

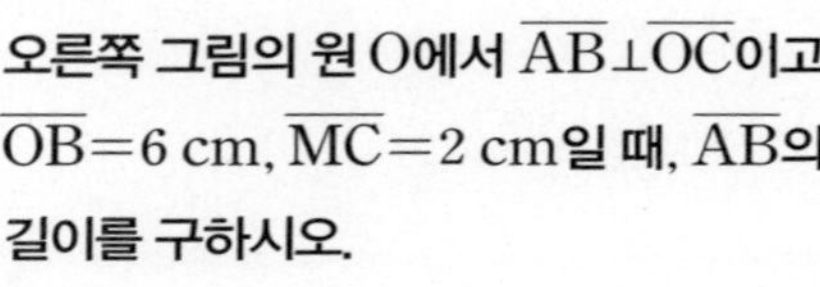

오른쪽 그림의 원 O에서 $\overline{AB}\perp\overline{OC}$이고 $\overline{OB}=6\text{ cm}$, $\overline{MC}=2\text{ cm}$일 때, $\overline{AB}$의 길이를 구하시오.

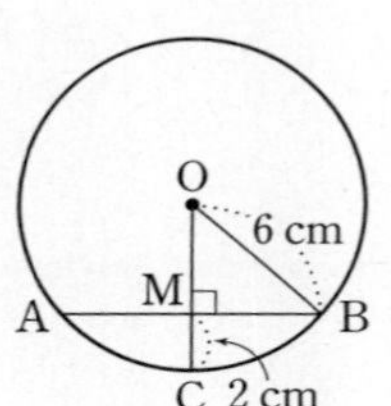

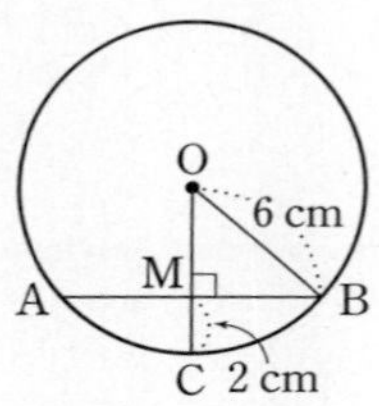

03

서술형

오른쪽 그림의 원 O에서 $\overline{AB}\perp\overline{OC}$이고 $\overline{MB}=8\text{ cm}$, $\overline{MC}=5\text{ cm}$일 때, 원 O의 반지름의 길이를 구하시오.

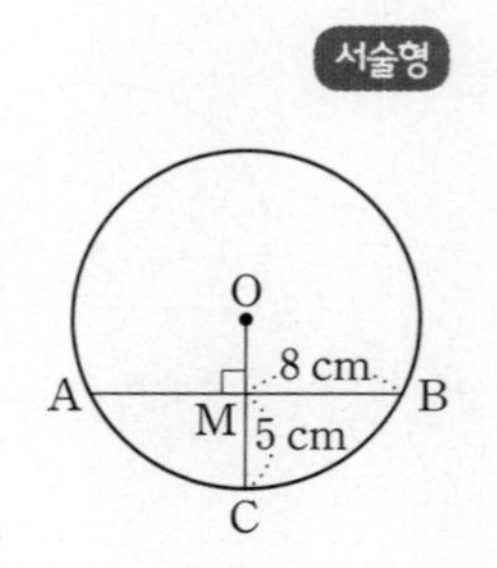

04

오른쪽 그림에서 $\widehat{AB}$는 반지름의 길이가 13 cm인 원의 일부분이다. $\overline{AB}\perp\overline{CD}$, $\overline{AD}=\overline{BD}$이고 $\overline{AB}=24\text{ cm}$일 때, $\overline{CD}$의 길이를 구하시오.

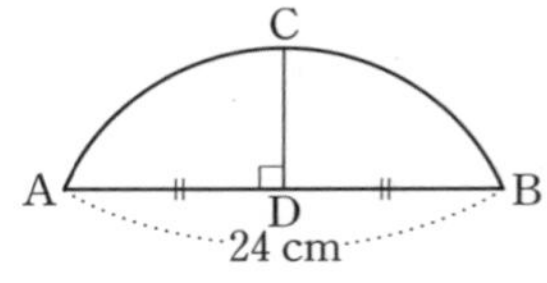

05

창의 융합

오른쪽 그림은 깨진 원 모양의 접시의 일부분이다. $\overline{AB}\perp\overline{CD}$이고 $\overline{AD}=\overline{BD}$, $\overline{AB}=8\text{ cm}$, $\overline{CD}=2\text{ cm}$일 때, 원래 접시의 지름의 길이를 구하시오.

06

오른쪽 그림과 같이 반지름의 길이가 10 cm인 원 O 위의 한 점이 원의 중심에 겹쳐지도록 $\overline{AB}$를 접는 선으로 하여 접었다. 이때 $\overline{AB}$의 길이를 구하시오.

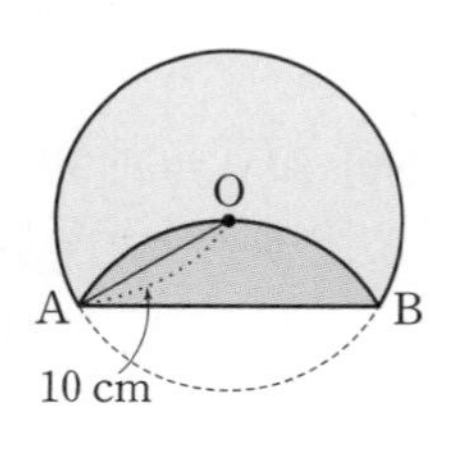

07

오른쪽 그림과 같이 중심이 같은 두 원에서 $\overline{AB}=18$ cm, $\overline{CD}=6$ cm일 때, $\overline{BD}$의 길이를 구하시오.

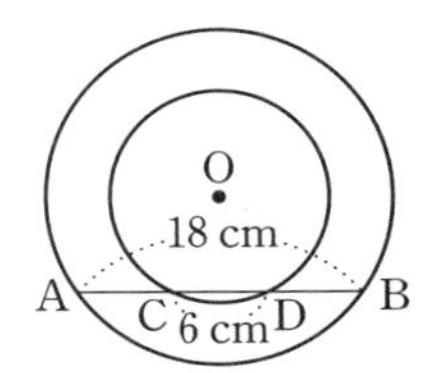

원의 중심과 현의 길이

한 원 또는 합동인 두 원에서

(1) 원의 중심으로부터 같은 거리에 있는 두 현의 길이는 서로 ❶ (　　).

(2) 길이가 같은 두 현은 원의 중심으로부터 같은 거리에 있다.

답 ❶ 같다

08

오른쪽 그림의 원 O에서 $\overline{AB}\perp\overline{OM}$, $\overline{CD}\perp\overline{ON}$이고 $\overline{AB}=\overline{CD}=14$ cm, $\overline{OC}=9$ cm일 때, $\overline{OM}$의 길이를 구하시오.

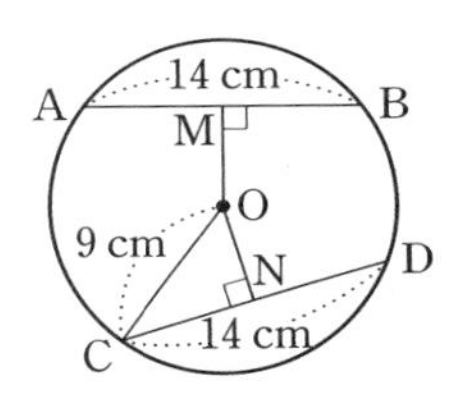

09

서술형

오른쪽 그림과 같은 원 O에서 $\overline{AB}\perp\overline{OM}$, $\overline{AB}=\overline{CD}$이다. $\overline{OC}=12$ cm, $\overline{OM}=8$ cm일 때, $\triangle$ODC의 넓이를 구하시오.

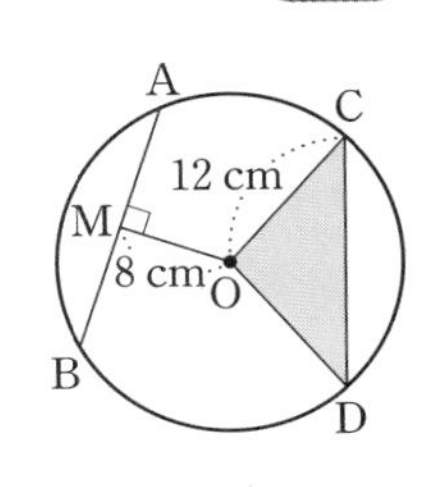

10

창의력

오른쪽 그림과 같이 반지름의 길이가 10 cm인 원 O에서 $\overline{AB}=\overline{CD}=16$ cm이고 $\overline{AB}/\!/\overline{CD}$일 때, 두 현 AB, CD 사이의 거리를 구하시오.

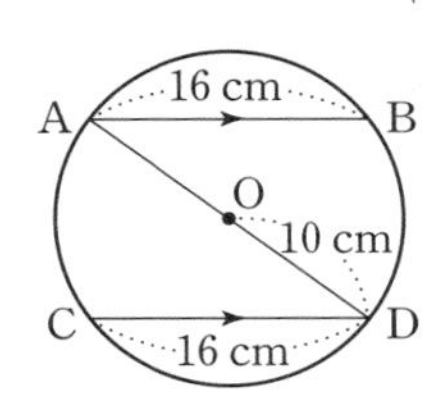

11

오른쪽 그림의 원 O에서 $\overline{AB}\perp\overline{OM}$, $\overline{AC}\perp\overline{ON}$이고 $\overline{OM}=\overline{ON}$이다. $\angle ABC=68°$일 때, $\angle x$의 크기를 구하시오.

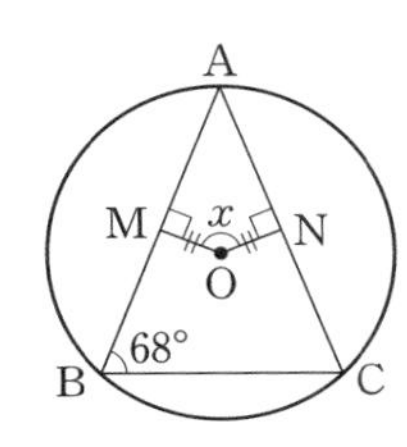

12

융합형

오른쪽 그림의 원 O에서 $\overline{AB}\perp\overline{OD}$, $\overline{BC}\perp\overline{OE}$, $\overline{AC}\perp\overline{OF}$이고, $\overline{OD}=\overline{OE}=\overline{OF}$일 때, 다음 물음에 답하시오.

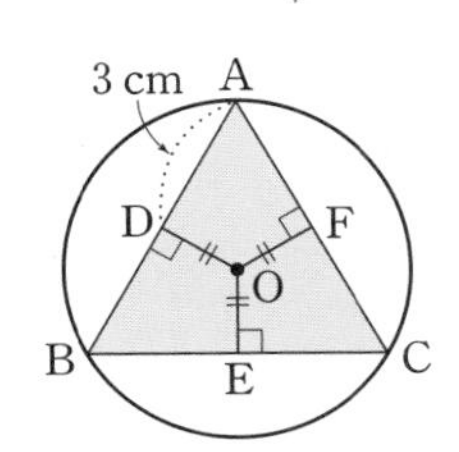

(1) $\triangle$ABC는 어떤 삼각형인지 말하시오.

(2) $\triangle$ABC의 넓이를 구하시오.

2 원의 접선

개념 동영상

개념 1 원의 접선의 길이

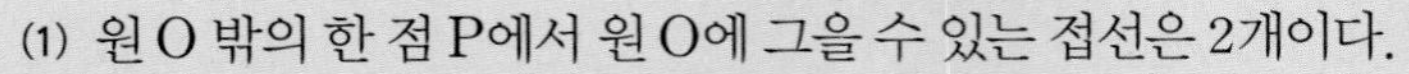

(1) 원 O 밖의 한 점 P에서 원 O에 그을 수 있는 접선은 2개이다.

(2) 원 O 밖의 한 점 P에서 원 O에 그은 두 접선의 접점을 각각 A, B라 할 때, $\overline{PA}$, $\overline{PB}$의 길이를 점 P에서 원 O에 그은 접선의 길이라 한다.

(3) 원 밖의 한 점에서 그 원에 그은 두 접선의 길이는 같다.

➡ $\overline{PA}=\overline{PB}$

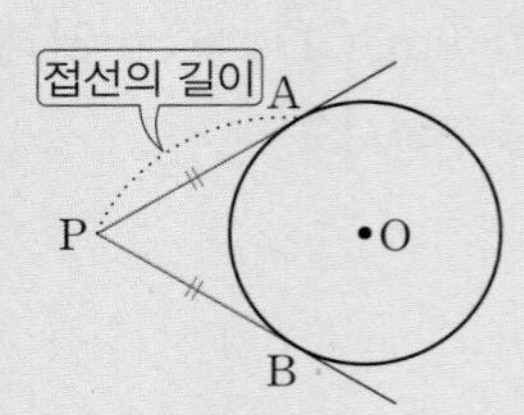

설명 (3) 오른쪽 그림의 $\triangle PAO$와 $\triangle PBO$에서
$\angle PAO=\angle PBO=90°$, $\overline{OP}$는 공통,
$\overline{OA}=\overline{OB}$
따라서 $\triangle PAO \equiv \triangle PBO$ (RHS 합동)이므로
$\overline{PA}=\overline{PB}$

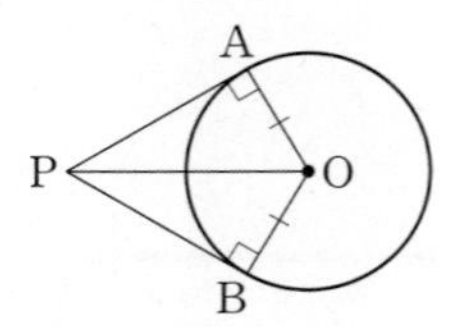

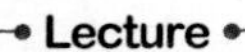

Lecture

- 원 O 밖의 한 점 P에서 원 O에 접선을 그었을 때, 두 접선의 접점을 각각 A, B라 하면 다음이 성립한다.

(1)

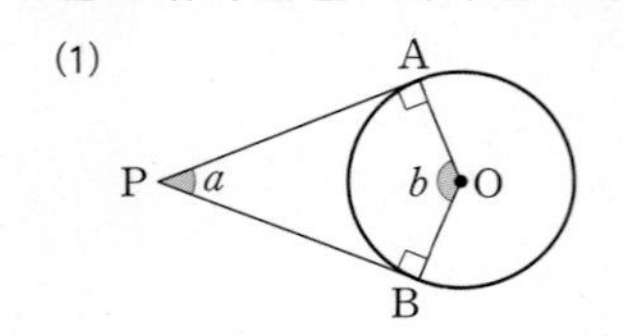

$\angle PAO=\angle PBO=90°$이므로
$\angle a+\angle b=180°$

(2)

$\triangle PAO \equiv \triangle PBO$ (RHS 합동)
이므로 $\overline{PA}=\overline{PB}$

(3)

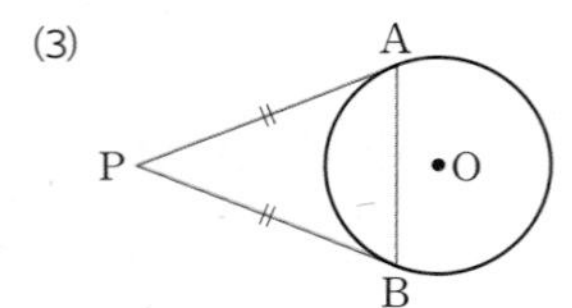

$\overline{PA}=\overline{PB}$이므로
$\triangle PBA$는 이등변삼각형

개념 확인 1 다음 그림에서 $\overline{PA}$, $\overline{PB}$는 원 O의 접선이고 두 점 A, B는 접점일 때, x의 값을 구하시오.

(1)

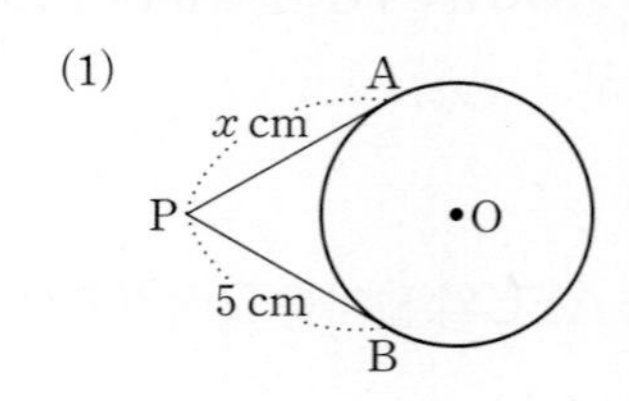

(2)

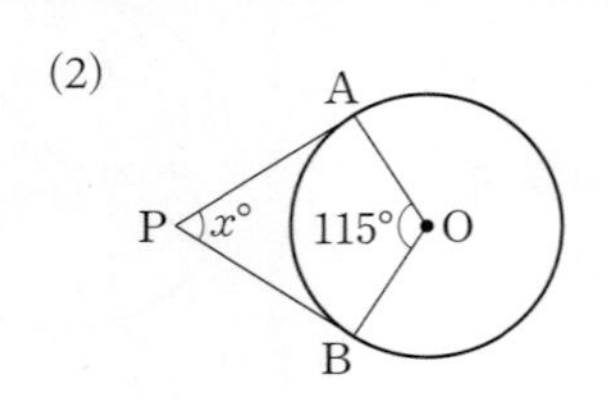

개념 2 삼각형의 내접원과 원에 외접하는 사각형

(1) 삼각형의 내접원

반지름의 길이가 r인 원 O가 $\triangle$ABC의 내접원이고 세 점 D, E, F가 접점일 때,

① $\overline{AD}=\overline{AF}$, $\overline{BD}=\overline{BE}$, $\overline{CE}=\overline{CF}$

② ($\triangle$ABC의 둘레의 길이)$=a+b+c=2(x+y+z)$
 └→ $\overline{AF}=\overline{AD}=x$, $\overline{BD}=\overline{BE}=y$, $\overline{CE}=\overline{CF}=z$이므로 $a=y+z$, $b=x+z$, $c=x+y$

③ $\triangle ABC=\frac{1}{2}r(a+b+c)$

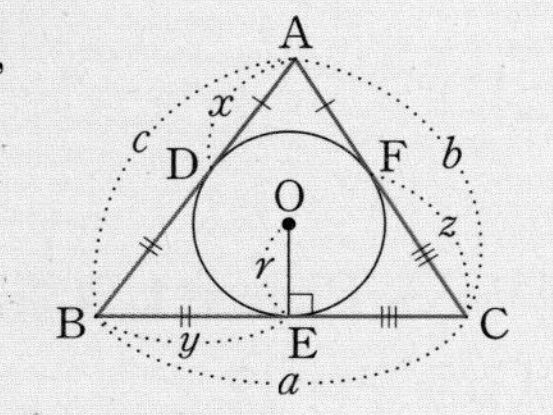

(2) 원에 외접하는 사각형

① 원에 외접하는 사각형의 두 쌍의 대변의 길이의 합은 같다.
➡ $\overline{AB}+\overline{CD}=\overline{AD}+\overline{BC}$

② 두 쌍의 대변의 길이의 합이 같은 사각형은 원에 외접한다.

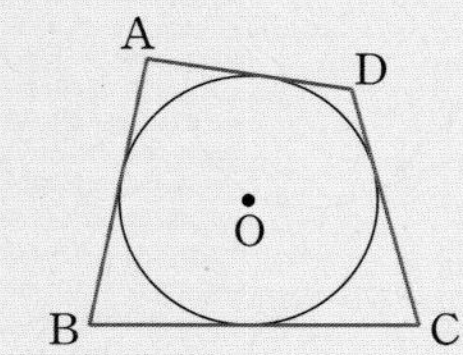

(1) ③ 오른쪽 그림의 $\triangle$ABC에서

$$\triangle ABC=\triangle ABO+\triangle BCO+\triangle CAO$$
$$=\frac{1}{2}cr+\frac{1}{2}ar+\frac{1}{2}br$$
$$=\frac{1}{2}r(a+b+c)$$
└→ $\triangle$ABC의 둘레의 길이

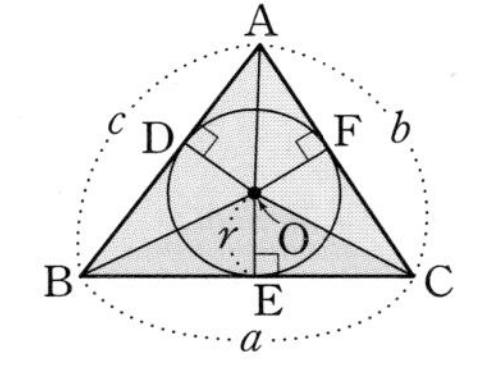

(2) ① 오른쪽 그림과 같이 원 O에 외접하는 □ABCD의 네 접점을 각각 P, Q, R, S라 하면

$\overline{AP}=\overline{AS}$, $\overline{BP}=\overline{BQ}$, $\overline{CQ}=\overline{CR}$, $\overline{DR}=\overline{DS}$

$$\therefore \overline{AB}+\overline{CD}=(\overline{AP}+\overline{BP})+(\overline{CR}+\overline{DR})$$
$$=(\overline{AS}+\overline{BQ})+(\overline{CQ}+\overline{DS})$$
$$=(\overline{AS}+\overline{DS})+(\overline{BQ}+\overline{CQ})$$
$$=\overline{AD}+\overline{BC}$$

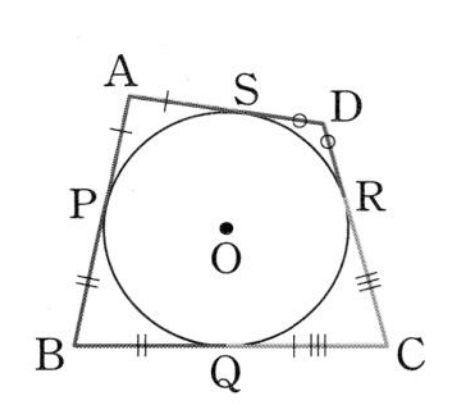

| 개념 확인 | 2 다음 그림에서 원 O는 $\triangle$ABC의 내접원이고 세 점 D, E, F는 접점일 때, x, y, z의 값을 각각 구하시오.

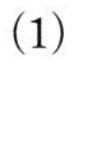

(1)

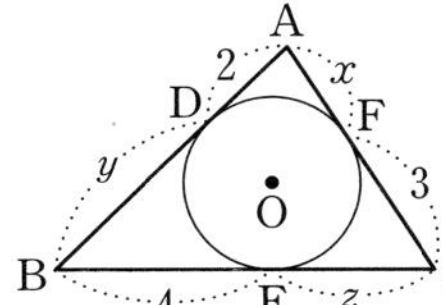

(2)

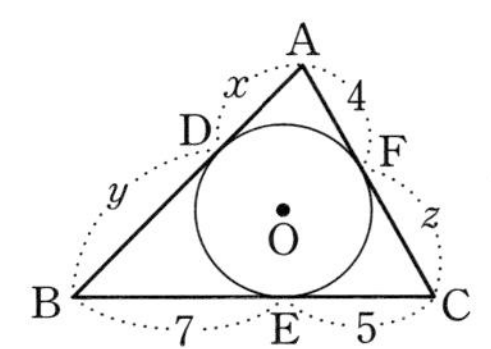

| 개념 확인 | 3 다음 그림에서 □ABCD가 원 O에 외접할 때, x의 값을 구하시오.

(1)

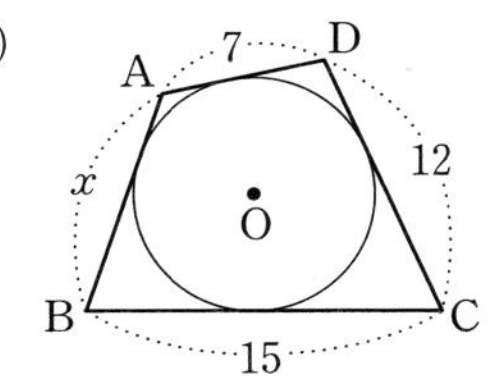

(2)

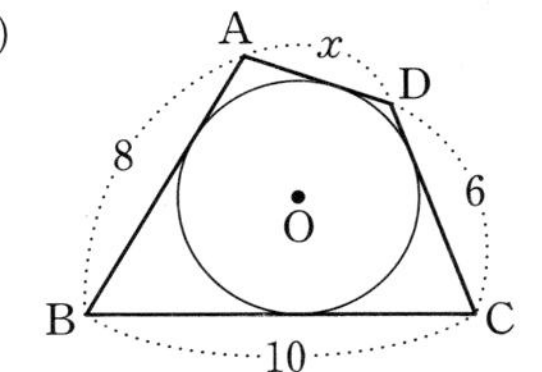

개념 기초

1-1

다음 그림에서 $\overline{PA}$, $\overline{PB}$는 원 O의 접선이고 두 점 A, B는 접점일 때, x의 값을 구하시오.

(1)
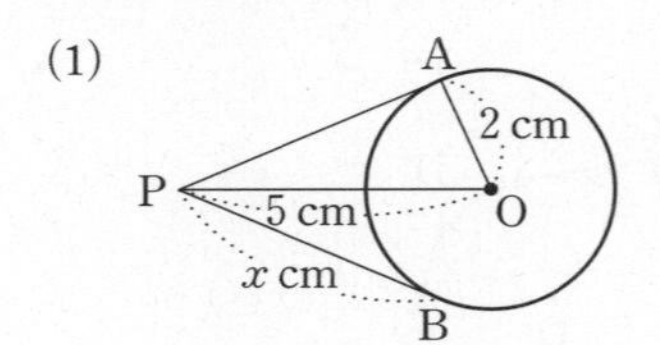

(2)
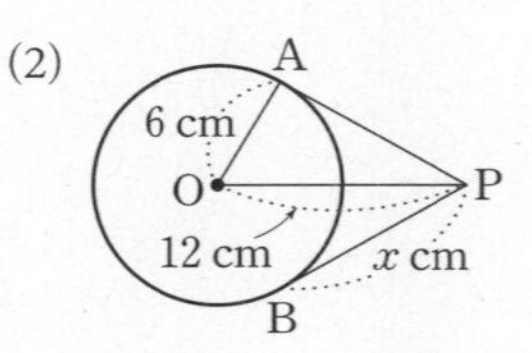

(3)
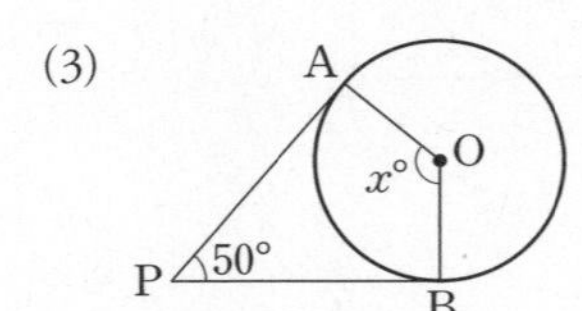

(4)
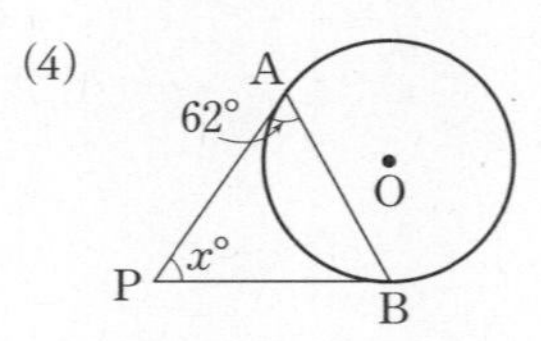

연구 원 O 밖의 한 점 P에서 원 O에 그은 두 접선의 접점을 각각 A, B라 할 때, $\overline{PA}=$□이고 $\angle PAO=\angle PBO=$□°이다.

쌍둥이 문제

1-2

다음 그림에서 $\overline{PA}$, $\overline{PB}$는 원 O의 접선이고 두 점 A, B는 접점일 때, x의 값을 구하시오.

(1)
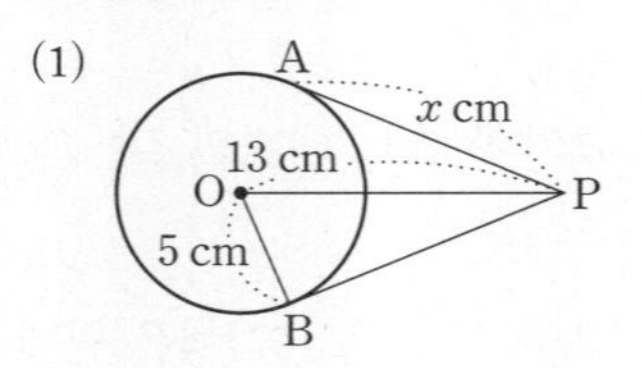

(2)
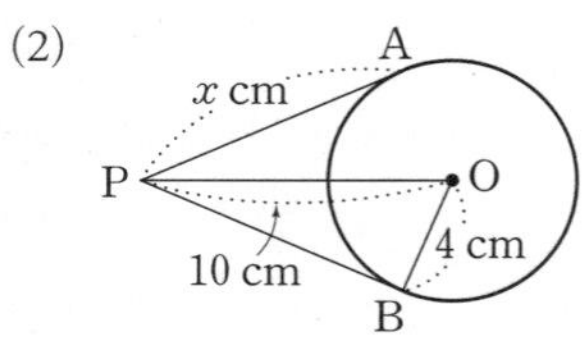

(3)
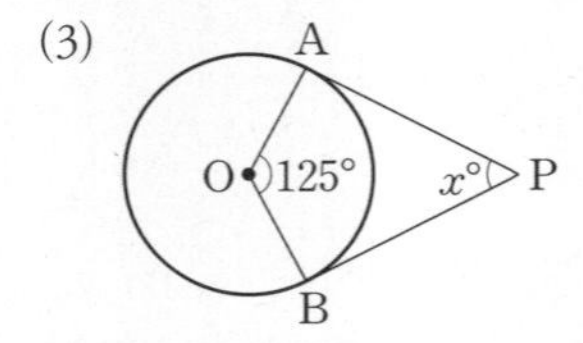

(4)
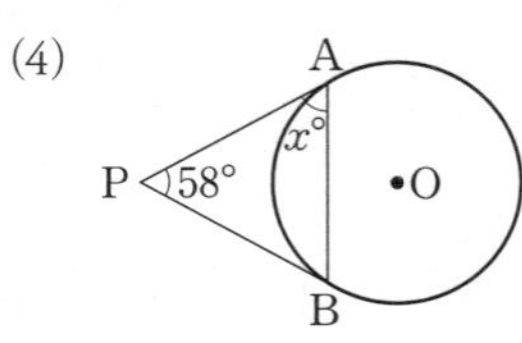

2-1

오른쪽 그림에서 원 O는 △ABC의 내접원이고 세 점 D, E, F는 접점일 때, $\overline{BC}$의 길이를 구하시오.

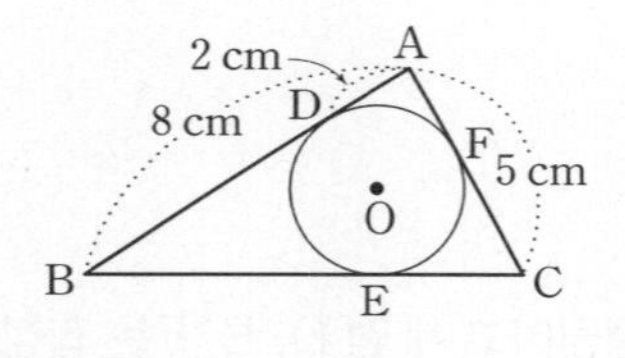

연구 원 O가 △ABC의 내접원이고 세 점 D, E, F가 접점일 때, $\overline{AD}=\overline{AF}$, $\overline{BD}=$□, □$=\overline{CF}$이다.

2-2

오른쪽 그림에서 원 O는 △ABC의 내접원이고 세 점 D, E, F는 접점일 때, $\overline{AB}$의 길이를 구하시오.

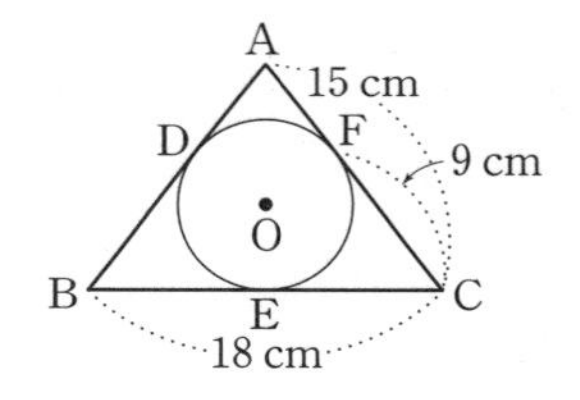

3-1

오른쪽 그림에서 □ABCD가 원 O에 외접하고 네 점 P, Q, R, S는 접점일 때, $\overline{AP}$의 길이를 구하시오.

연구 $\overline{AB}+\overline{CD}=$□$+\overline{BC}$

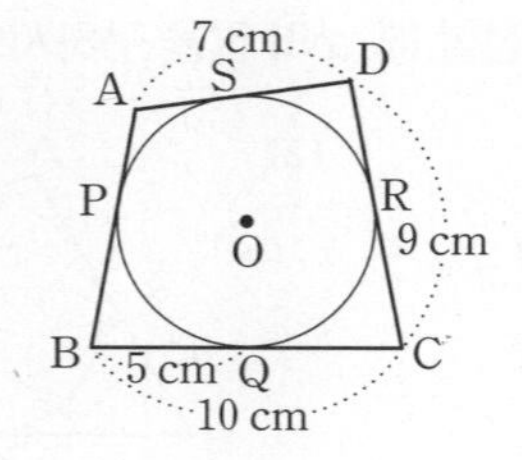

3-2

오른쪽 그림에서 □ABCD가 원 O에 외접하고 네 점 P, Q, R, S는 접점일 때, $\overline{PB}+\overline{DR}$의 값을 구하시오.

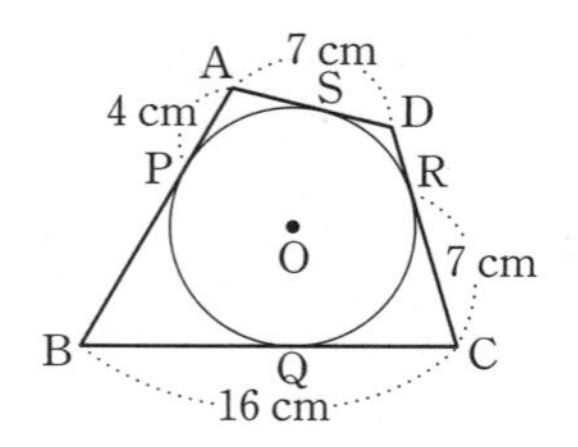

대표 유형 1 원의 접선의 성질 (1)

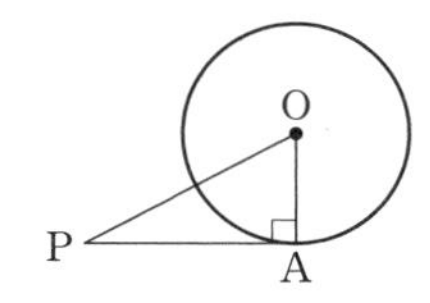

➡ (1) $\overline{OA}\perp\overline{PA}$
(2) $\overline{PO}^2=\overline{PA}^2+\overline{OA}^2$

1-1 오른쪽 그림에서 $\overline{PA}$는 원 O의 접선이고 점 A는 접점이다. $\overline{PA}=12$ cm, $\overline{PB}=6$ cm일 때, 원 O의 반지름의 길이를 구하시오.

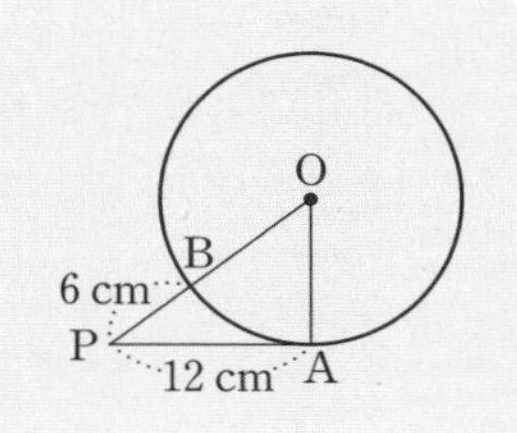

풀이 원 O의 반지름의 길이를 r cm라 하면
$\angle PAO=90^\circ$이므로 $\triangle OPA$에서
$(r+6)^2=12^2+r^2$, $12r=108$ $\quad\therefore r=9$
따라서 원 O의 반지름의 길이는 9 cm이다.

답 9 cm

쌍둥이 1-2

오른쪽 그림에서 $\overline{PA}$는 원 O의 접선이고 점 A는 접점이다. $\overline{OA}=8$ cm, $\overline{PB}=9$ cm일 때, $\triangle OAP$의 넓이를 구하시오.

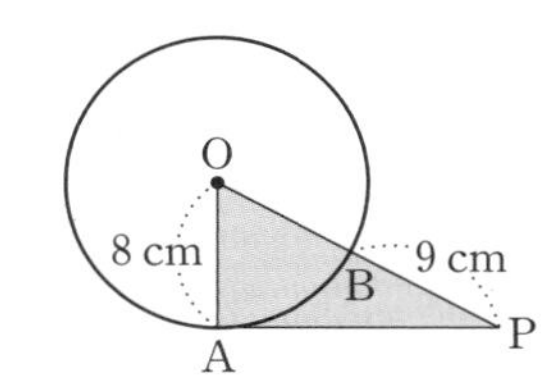

대표 유형 2 원의 접선의 성질 (2)

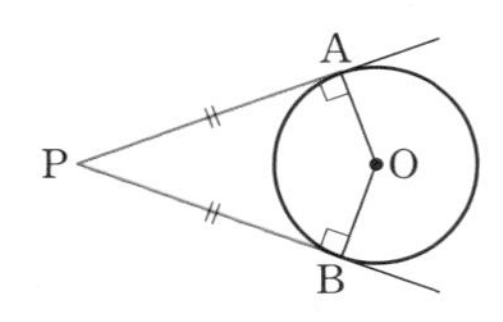

➡ (1) $\angle PAO=\angle PBO=90^\circ$
(2) $\angle APB+\angle AOB=180^\circ$
(3) $\overline{PA}=\overline{PB}$

2-1 오른쪽 그림에서 $\overrightarrow{PA}$, $\overrightarrow{PB}$는 원 O의 접선이고 두 점 A, B는 접점이다. $\overline{OA}=6$ cm, $\angle APB=40^\circ$일 때, 색칠한 부분의 넓이를 구하시오.

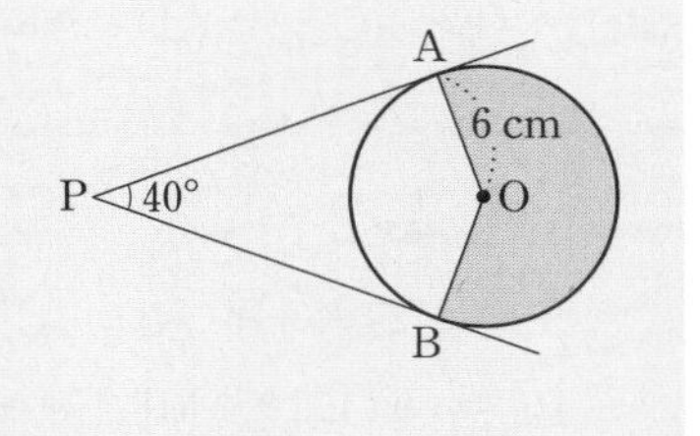

풀이 $\angle PAO=\angle PBO=90^\circ$이므로 □APBO에서
$\angle AOB=360^\circ-(90^\circ+40^\circ+90^\circ)=140^\circ$
따라서 색칠한 부분은 중심각의 크기가 $360^\circ-140^\circ=220^\circ$인 부채꼴이므로 구하는 넓이는
$\pi\times6^2\times\frac{220}{360}=22\pi\ (\text{cm}^2)$

답 22π cm²

쌍둥이 2-2

오른쪽 그림에서 $\overrightarrow{PA}$, $\overrightarrow{PB}$는 원 O의 접선이고 두 점 A, B는 접점이다. $\angle OAB=23^\circ$일 때, $\angle APB$의 크기를 구하시오.

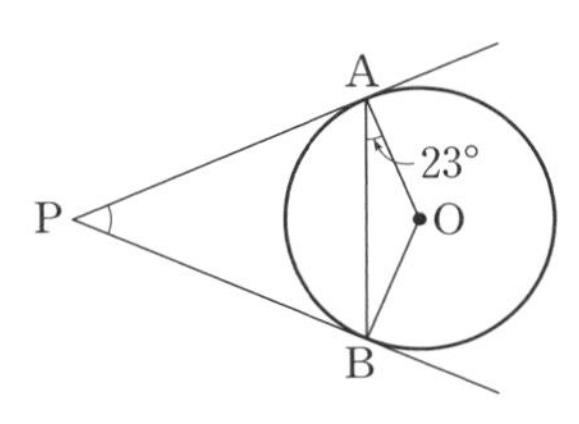

대표 유형 3 원의 접선의 성질 (3)

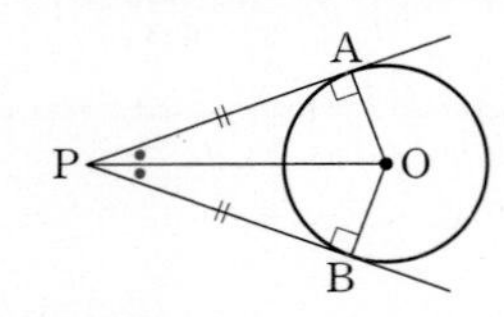

➡ (1) $\triangle APO \equiv \triangle BPO$ (RHS 합동)

(2) $\angle APO = \angle BPO = \frac{1}{2}\angle APB$

3-1 오른쪽 그림에서 $\overline{PA}$, $\overline{PB}$는 원 O의 접선이고 두 점 A, B는 접점일 때, $\overline{OA}$의 길이를 구하시오.

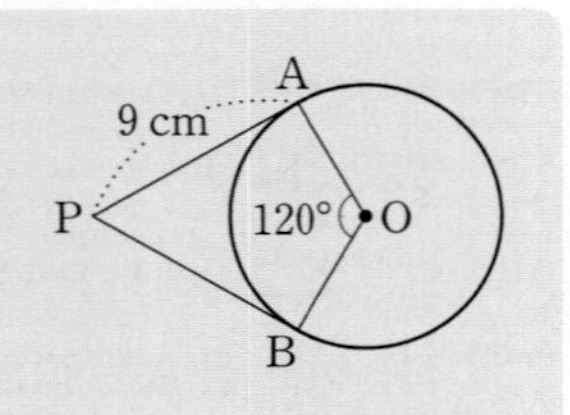

풀이 $\angle PAO = \angle PBO = 90^\circ$이므로 □APBO에서

$\angle APB = 360^\circ - (90^\circ + 120^\circ + 90^\circ) = 60^\circ$

오른쪽 그림과 같이 $\overline{PO}$를 그으면

$\triangle APO \equiv \triangle BPO$ (RHS 합동)

$\angle APO = \frac{1}{2}\angle APB$

$= \frac{1}{2} \times 60^\circ = 30^\circ$

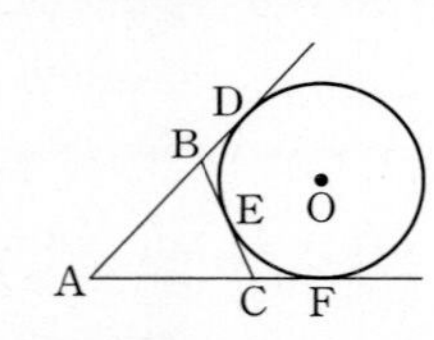

따라서 $\triangle APO$에서

$\overline{OA} = \overline{PA}\tan 30^\circ = 9 \times \frac{\sqrt{3}}{3} = 3\sqrt{3}$ (cm)

답 $3\sqrt{3}$ cm

쌍둥이 **3-2**

오른쪽 그림에서 $\overline{PA}$, $\overline{PB}$는 원 O의 접선이고 두 점 A, B는 접점일 때, $\overline{AB}$의 길이를 구하시오.

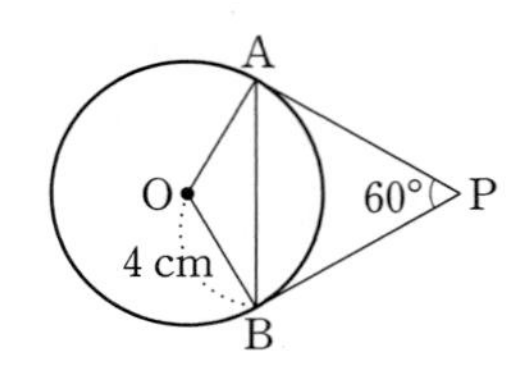

대표 유형 4 원의 접선의 성질의 활용

➡ (1) $\overline{BD} = \overline{BE}$, $\overline{CE} = \overline{CF}$

(2) ($\triangle ABC$의 둘레의 길이) $= \overline{AB} + \overline{BC} + \overline{CA} = \overline{AB} + (\overline{BE} + \overline{CE}) + \overline{CA}$

$= (\overline{AB} + \overline{BD}) + (\overline{CF} + \overline{CA}) = \overline{AD} + \overline{AF} = 2\overline{AD}$ ← $\overline{AD} = \overline{AF}$

4-1 오른쪽 그림에서 $\overline{AD}$, $\overline{AF}$, $\overline{BC}$는 원 O의 접선이고 세 점 D, E, F는 접점일 때, $\overline{BD}$의 길이를 구하시오.

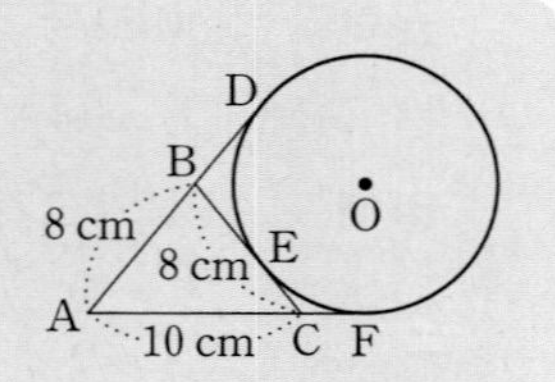

풀이 $\overline{AD} + \overline{AF} = (\overline{AB} + \overline{BD}) + (\overline{AC} + \overline{CF})$

$= (\overline{AB} + \overline{BE}) + (\overline{AC} + \overline{CE})$

$= \overline{AB} + (\overline{BE} + \overline{CE}) + \overline{AC}$

$= \overline{AB} + \overline{BC} + \overline{AC} = 8 + 8 + 10 = 26$ (cm)

이때 $\overline{AD} = \overline{AF}$이므로 $2\overline{AD} = 26$ $\quad \therefore \overline{AD} = 13$ (cm)

$\therefore \overline{BD} = \overline{AD} - \overline{AB} = 13 - 8 = 5$ (cm)

답 5 cm

쌍둥이 **4-2**

오른쪽 그림에서 $\overline{AD}$, $\overline{AF}$, $\overline{BC}$는 원 O의 접선이고 세 점 D, E, F는 접점일 때, $\overline{BC}$의 길이를 구하시오.

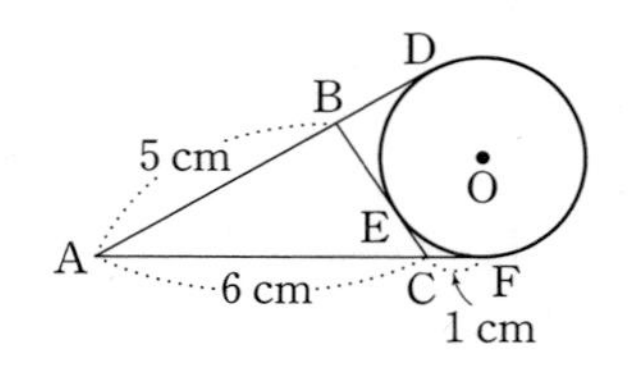

대표 유형 5 반원에서 접선의 성질 활용

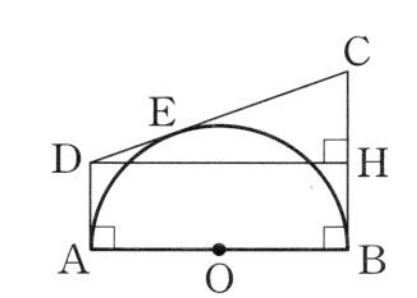

➡ (1) $\overline{DE}=\overline{DA}$, $\overline{CE}=\overline{CB}$
(2) $\overline{AB}=\overline{DH}=\sqrt{\overline{DC}^2-\overline{CH}^2}$

5-1 오른쪽 그림에서 $\overline{AB}$는 반원 O의 지름이고 $\overline{AD}$, $\overline{BC}$, $\overline{CD}$는 반원 O의 접선일 때, $\overline{AB}$의 길이를 구하시오.

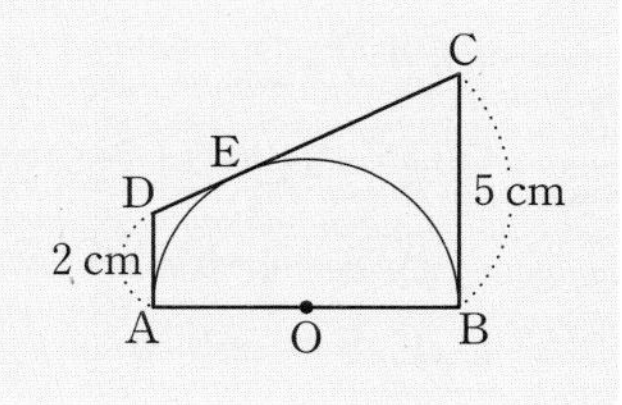

풀이 $\overline{DE}=\overline{DA}=2$ cm, $\overline{CE}=\overline{CB}=5$ cm이므로
$\overline{DC}=\overline{DE}+\overline{EC}=2+5=7$ (cm)
오른쪽 그림과 같이 꼭짓점 D에서 $\overline{BC}$에 내린 수선의 발을 H라 하면
$\overline{HB}=\overline{DA}=2$ cm이므로
$\overline{CH}=\overline{CB}-\overline{HB}=5-2=3$ (cm)

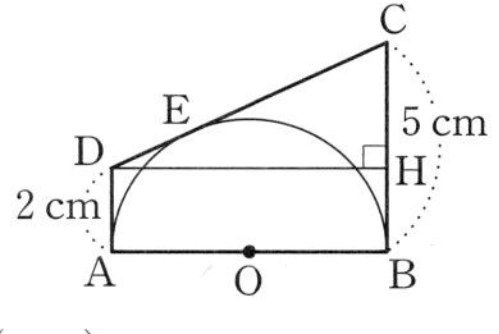

△CDH에서 $\overline{DH}=\sqrt{7^2-3^2}=2\sqrt{10}$ (cm)
∴ $\overline{AB}=\overline{DH}=2\sqrt{10}$ cm

답 $2\sqrt{10}$ cm

쌍둥이 5-2

오른쪽 그림에서 $\overline{AB}$는 반원 O의 지름이고 $\overline{AD}$, $\overline{BC}$, $\overline{CD}$는 반원 O의 접선일 때, 사다리꼴 ABCD의 넓이를 구하시오.

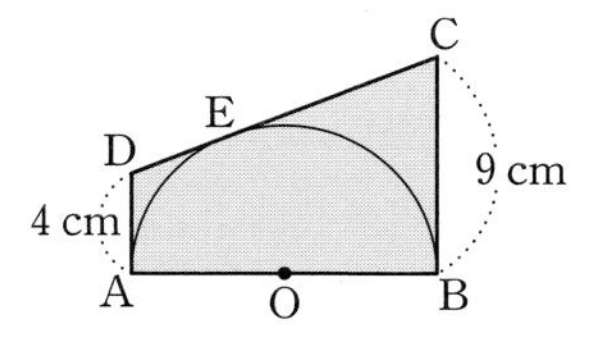

대표 유형 6 중심이 같은 두 원에서 접선의 성질의 활용

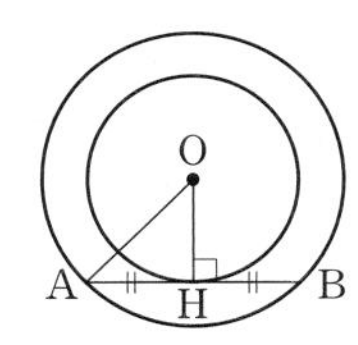

➡ (1) $\overline{AB}\perp\overline{OH}$
(2) $\overline{AH}=\overline{BH}$
(3) $\overline{OA}^2=\overline{AH}^2+\overline{OH}^2$

6-1 오른쪽 그림과 같이 중심이 같고 반지름의 길이가 각각 8 cm, 12 cm인 두 원이 있다. 작은 원 위의 점 H에서 그은 접선이 큰 원과 만나는 두 점을 각각 A, B라 할 때, $\overline{AB}$의 길이를 구하시오.

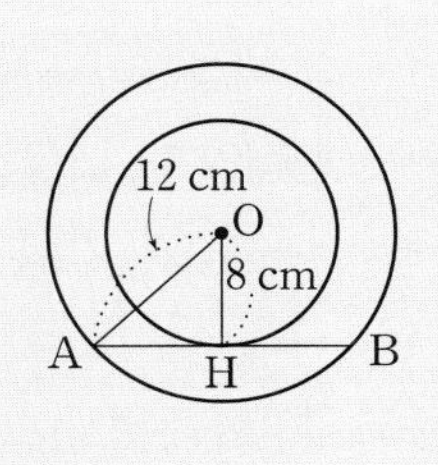

풀이 $\overline{AB}$는 작은 원의 접선이므로 $\overline{AB}\perp\overline{OH}$
△OAH에서 $\overline{AH}=\sqrt{12^2-8^2}=4\sqrt{5}$ (cm)
∴ $\overline{AB}=2\overline{AH}=2\times4\sqrt{5}=8\sqrt{5}$ (cm)

답 $8\sqrt{5}$ cm

쌍둥이 6-2

오른쪽 그림과 같이 중심이 같은 두 원에서 큰 원의 현 AB는 작은 원의 접선이고 점 H는 접점이다. 큰 원과 작은 원의 반지름의 길이의 비는 2 : 1이고 $\overline{AB}=6\sqrt{3}$ cm일 때, 큰 원의 반지름의 길이를 구하시오.

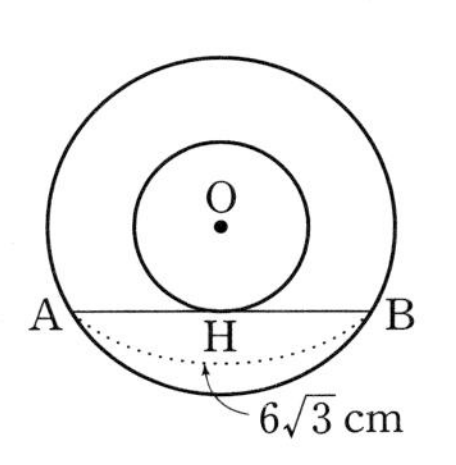

대표 유형 7 삼각형의 내접원

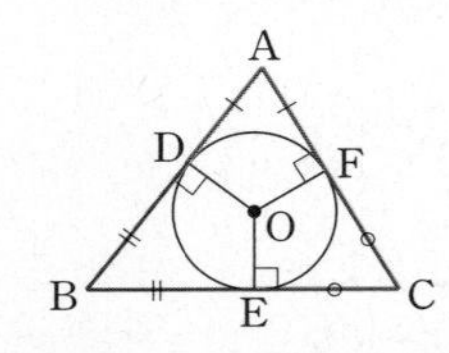

➡ $\overline{AD}=\overline{AF}$, $\overline{BD}=\overline{BE}$, $\overline{CE}=\overline{CF}$

7-1 오른쪽 그림에서 원 O는 △ABC의 내접원이고 세 점 D, E, F는 접점일 때, $\overline{AD}$의 길이를 구하시오.

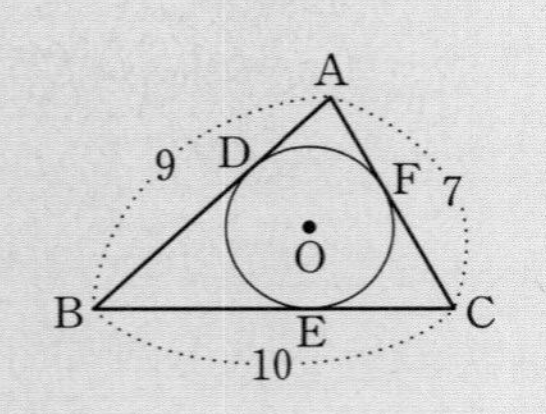

풀이 $\overline{AD}=x$라 하면

$\overline{AF}=\overline{AD}=x$이므로

$\overline{BE}=\overline{BD}=9-x$, $\overline{CE}=\overline{CF}=7-x$

이때 $\overline{BC}=\overline{BE}+\overline{CE}$이므로

$10=(9-x)+(7-x)$, $2x=6$ $\quad\therefore x=3$

따라서 $\overline{AD}$의 길이는 3이다. **답** 3

쌍둥이 7-2

오른쪽 그림에서 원 O는 △ABC의 내접원이고 세 점 D, E, F는 접점일 때, $\overline{CE}$의 길이를 구하시오.

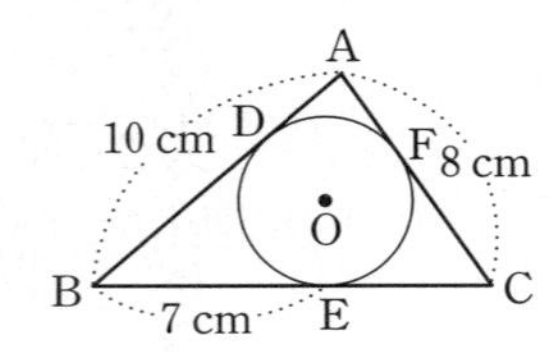

대표 유형 8 직각삼각형의 내접원

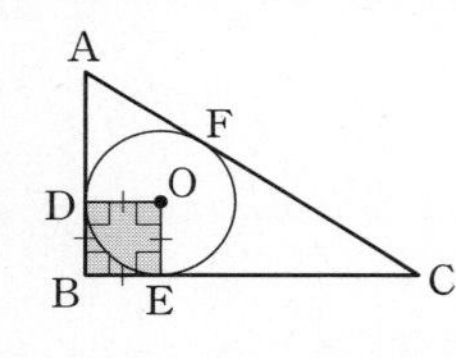

➡ (1) □DBEO는 정사각형이다.

(2) □DBEO의 한 변의 길이는 내접원 O의 반지름의 길이와 같다.

8-1 오른쪽 그림에서 원 O는 $\angle A=90^\circ$인 직각삼각형 ABC의 내접원이고 세 점 D, E, F는 접점일 때, 원 O의 반지름의 길이를 구하시오.

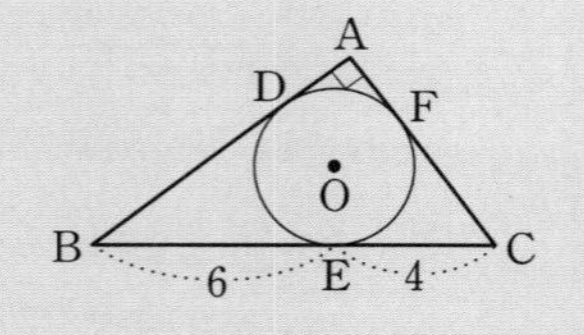

풀이 원 O의 반지름의 길이를 r라 하면

□ADOF는 정사각형이므로

$\overline{AD}=\overline{AF}=r$

$\overline{BD}=\overline{BE}=6$, $\overline{CF}=\overline{CE}=4$이므로

$\overline{AB}=r+6$, $\overline{AC}=r+4$

△ABC에서 $(r+6)^2+(r+4)^2=10^2$, $r^2+10r-24=0$

$(r-2)(r+12)=0$ $\quad\therefore r=2\ (\because r>0)$

따라서 원 O의 반지름의 길이는 2이다. **답** 2

쌍둥이 8-2

오른쪽 그림에서 원 O는 $\angle B=90^\circ$인 직각삼각형 ABC의 내접원이고 세 점 D, E, F는 접점일 때, 다음을 구하시오.

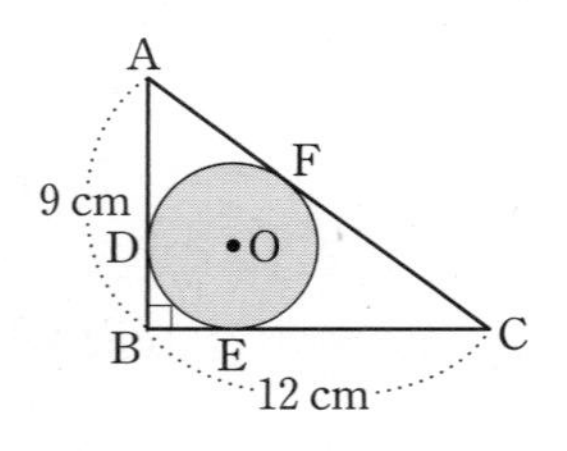

(1) $\overline{AC}$의 길이

(2) 원 O의 넓이

대표 유형 9 원에 외접하는 사각형의 성질

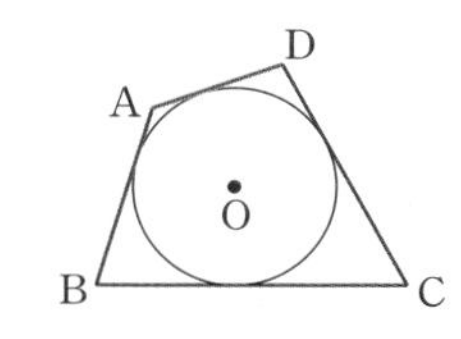

➡ $\overline{AB}+\overline{CD}=\overline{AD}+\overline{BC}$

9-1 오른쪽 그림에서 □ABCD는 등변사다리꼴이고, 원 O에 외접한다. 이때 $\overline{AD}$의 길이를 구하시오.

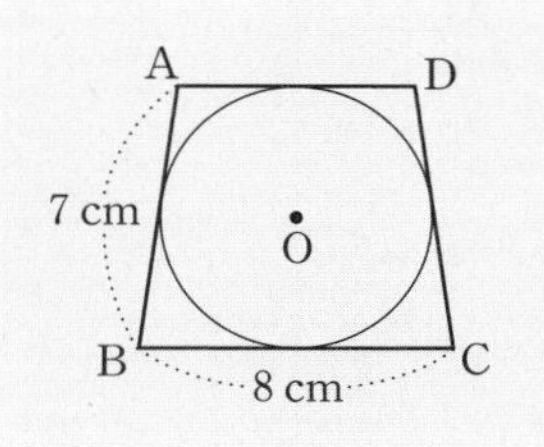

풀이 □ABCD가 등변사다리꼴이므로 $\overline{CD}=\overline{AB}=7$ cm
$\overline{AB}+\overline{CD}=\overline{AD}+\overline{BC}$이므로
$7+7=\overline{AD}+8$ $\quad\therefore \overline{AD}=6$ (cm)

답 6 cm

쌍둥이 9-2

오른쪽 그림에서 원 O는 둘레의 길이가 46 cm인 □ABCD의 내접원이다. 이때 $\overline{AB}$, $\overline{AD}$의 길이를 각각 구하시오.

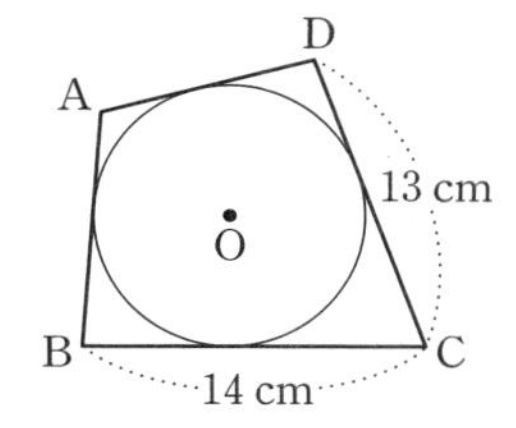

대표 유형 10 원에 외접하는 사각형의 성질의 활용

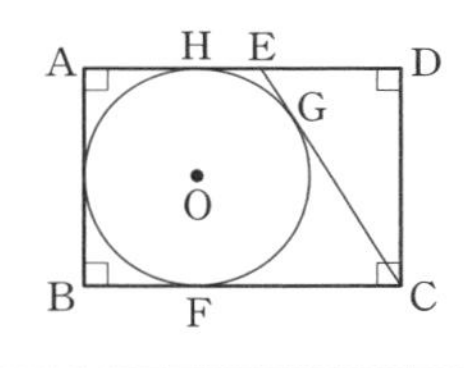

➡ (1) $\overline{EH}=\overline{EG}$, $\overline{CF}=\overline{CG}$
(2) □ABCE가 원 O에 외접하므로 $\overline{AB}+\overline{CE}=\overline{AE}+\overline{BC}$
(3) △ECD에서 $\overline{CE}^2=\overline{ED}^2+\overline{CD}^2$

10-1 오른쪽 그림과 같이 원 O가 직사각형 ABCD의 세 변과 접하고 $\overline{CE}$는 원 O의 접선이다. 이때 $\overline{CE}$의 길이를 구하시오.

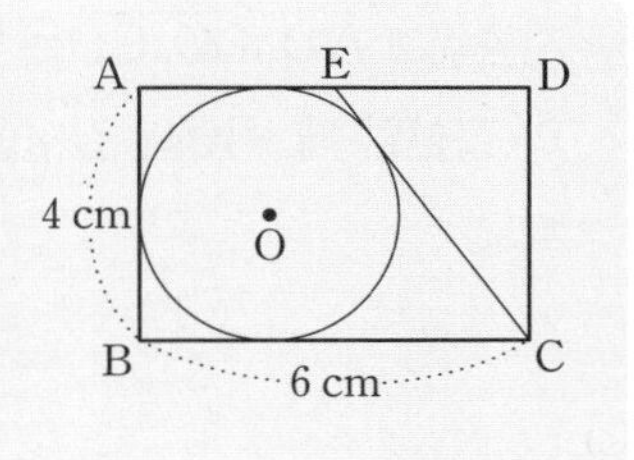

풀이 $\overline{CE}=x$ cm라 하면 □ABCE가 원 O에 외접하므로
$\overline{AB}+\overline{CE}=\overline{AE}+\overline{BC}$에서
$4+x=\overline{AE}+6$
$\therefore \overline{AE}=x-2$ (cm)
$\overline{ED}=6-(x-2)=8-x$ (cm)
△ECD에서 $x^2=(8-x)^2+4^2$
$16x=80$ $\quad\therefore x=5$
따라서 $\overline{CE}$의 길이는 5 cm이다.

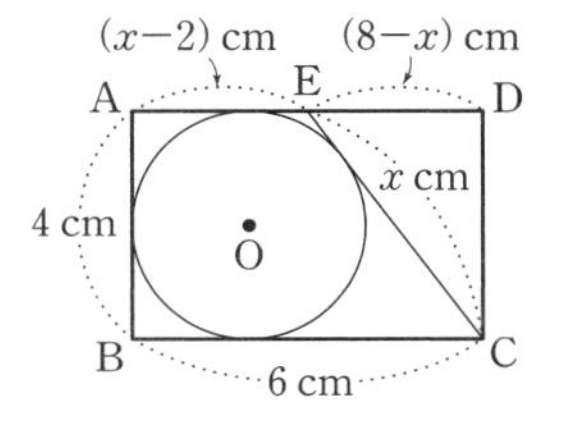

답 5 cm

쌍둥이 10-2

오른쪽 그림에서 원 O는 직사각형 ABCD의 세 변과 접하고 $\overline{BE}$는 원 O의 접선이다. 이때 $\overline{ED}$의 길이를 구하시오.

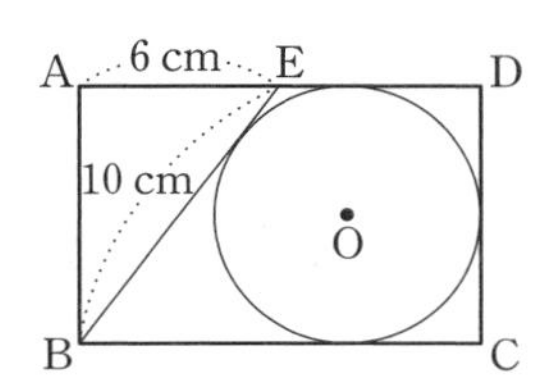

STEP 3 개념 뛰어넘기

원의 접선

(1) 원 밖의 한 점에서 그 원에 그을 수 있는 접선은 ❶ 개 뿐이다.

(2) 원 밖의 한 점에서 그 원에 그은 두 접선의 길이는 ❷ .

답 ❶ 2 ❷ 같다

01

오른쪽 그림에서 $\overline{PA}$, $\overline{PB}$는 원 O의 접선이고 두 점 A, B는 접점이다. $\angle P=42°$일 때, $\angle OAB$의 크기를 구하시오.

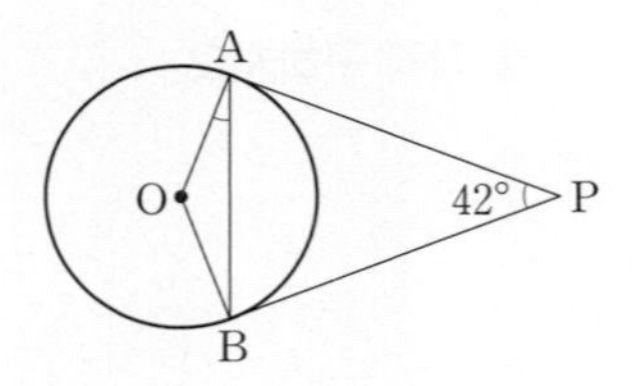

02

오른쪽 그림에서 $\overline{PA}$, $\overline{PB}$는 원 O의 접선이고 두 점 A, B는 접점일 때, □APBO의 둘레의 길이를 구하시오.

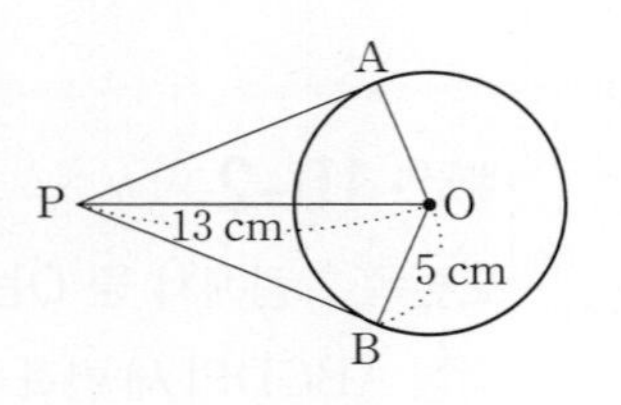

03

오른쪽 그림에서 $\overline{PA}$, $\overline{PB}$는 원 O의 접선이고 두 점 A, B는 접점일 때, $\overline{PA}$의 길이를 구하시오.

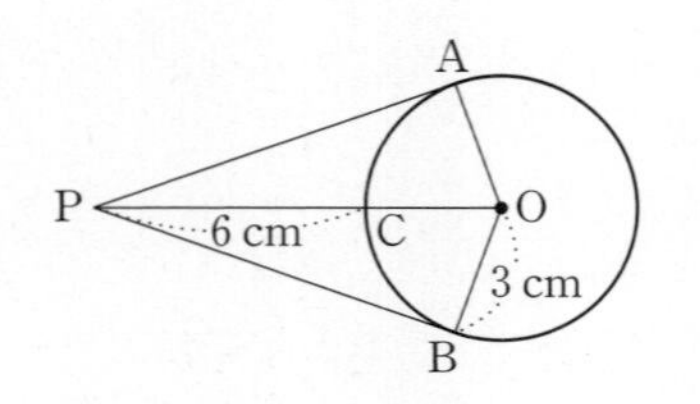

04

융합형

오른쪽 그림에서 $\overline{PA}$, $\overline{PB}$는 원 O의 접선이고 두 점 A, B는 접점일 때, 색칠한 부분의 넓이를 구하시오.

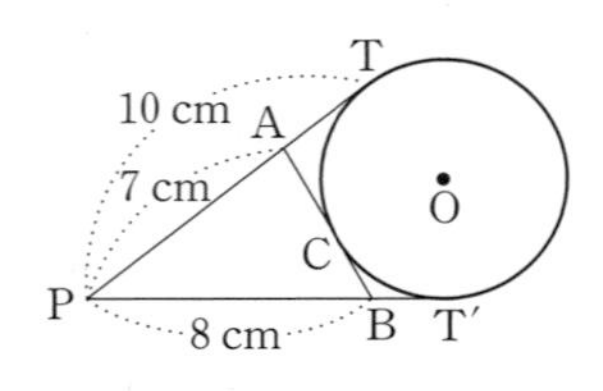

05

오른쪽 그림에서 $\overline{PT}$, $\overline{PT'}$, $\overline{AB}$는 원 O의 접선이고 세 점 T, T′, C는 접점일 때, $\overline{AB}$의 길이를 구하시오.

06

서술형

오른쪽 그림에서 $\overline{AB}$는 반원 O의 지름이고 $\overline{AD}$, $\overline{BC}$, $\overline{CD}$는 반원 O의 접선일 때, $\overline{BC}$의 길이를 구하시오.

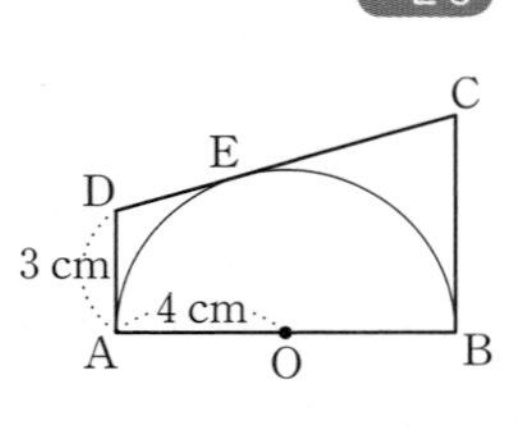

07

창의력

오른쪽 그림과 같이 중심이 같은 두 원에서 작은 원의 접선이 큰 원과 만나는 점을 각각 A, B라 하자. $\overline{AB}=14$ cm일 때, 색칠한 부분의 넓이를 구하시오.

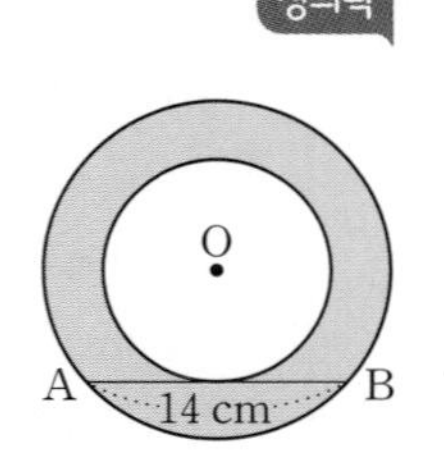

삼각형의 내접원과 원에 외접하는 사각형

(1) 삼각형의 내접원

① ($\triangle ABC$의 둘레의 길이)

$=a+b+c$

$=$ ❶ $(x+y+z)$

② $\triangle ABC$

$=\frac{1}{2}r(a+b+c)$

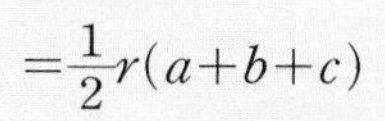

(2) 원에 외접하는 사각형

① 원에 외접하는 사각형의 두 쌍의 대변의 길이의 합은 같다.

➡ $\overline{AB}+\overline{CD}$

$=$ ❷ $+\overline{BC}$

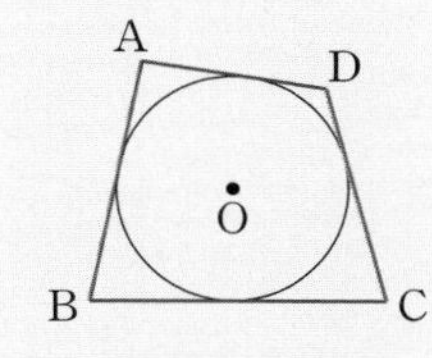

② 두 쌍의 대변의 길이의 합이 같은 사각형은 원에 외접한다.

답 ❶ 2 ❷ $\overline{AD}$

08

오른쪽 그림에서 원 O는 $\triangle ABC$의 내접원이고 세 점 D, E, F는 접점일 때, $\overline{AC}$의 길이를 구하시오.

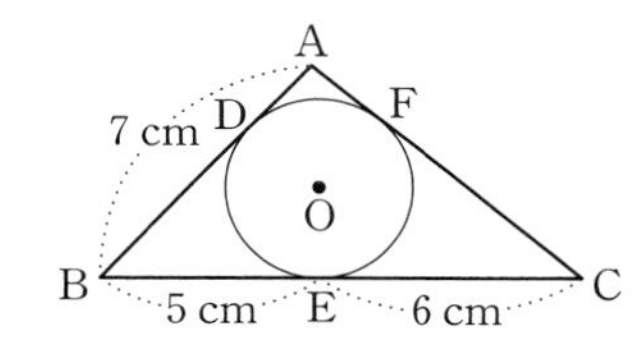

09

오른쪽 그림에서 원 O는 $\triangle ABC$의 내접원이고 세 점 D, E, F는 접점일 때, $\overline{AD}$의 길이를 구하시오.

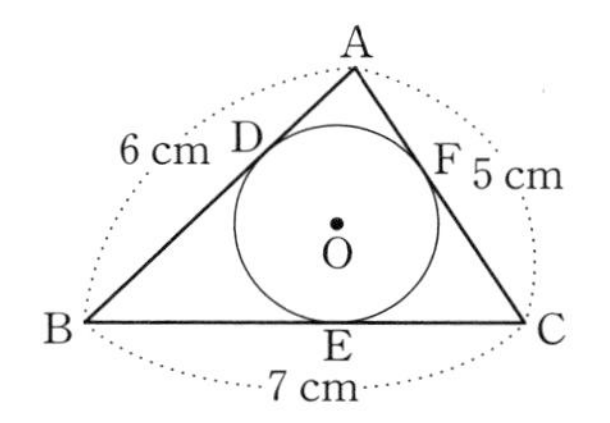

★

10

서술형

오른쪽 그림에서 원 O는 $\angle B=90°$인 직각삼각형 ABC의 내접원이고 세 점 D, E, F는 접점이다. 이때 원 O의 둘레의 길이를 구하시오.

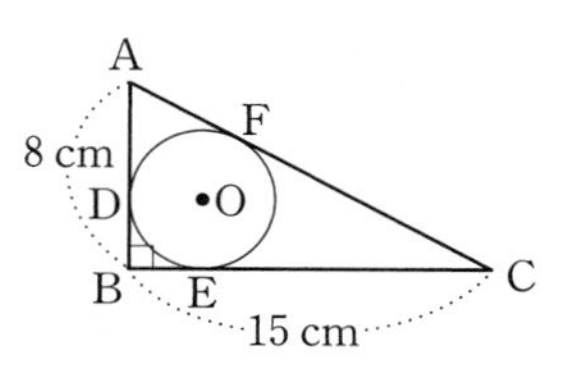

11

창의 융합

오른쪽 그림과 같이 $\angle A=\angle B=90°$, $\overline{CD}=15$ cm인 사다리꼴 ABCD가 반지름의 길이가 6 cm인 원 O에 외접할 때, □ABCD의 넓이를 구하시오.

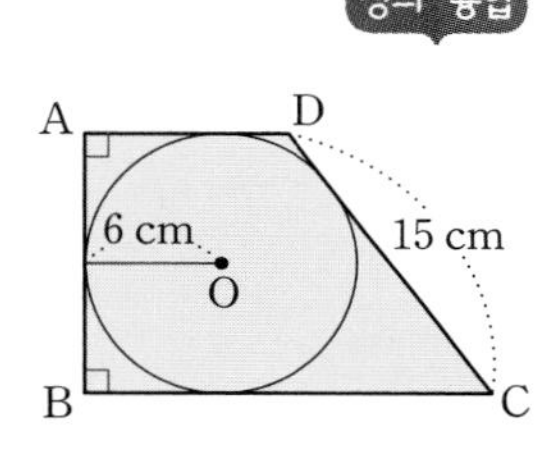

12

오른쪽 그림에서 원 O는 직사각형 ABCD의 세 변과 접하고 $\overline{CI}$는 원의 접선이다. $\overline{AB}=6$ cm, $\overline{AD}=10$ cm일 때, $\overline{EI}$의 길이를 구하시오.

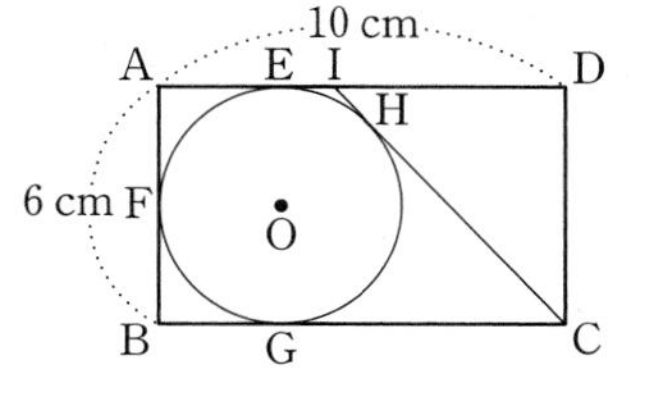

4 원주각

중2	중3	고등학교
•삼각형과 사각형의 성질 •도형의 닮음 •닮음의 활용	• **원주각**	•원의 방정식

학습 목표

- 원주각의 뜻을 이해하고, 원주각과 중심각의 크기 사이의 관계를 이해한다.
- 원주각의 크기와 호의 길이 사이의 관계를 이해한다.
- 접선과 현이 이루는 각의 성질을 이해한다.

오늘 우리 동네에서
영화 촬영한대!
우와! 진짜?
구경가자!
저기 봐!
벌써 촬영 중이야.
바닥에 원 모양의
레일을 깔고 이동차로
움직이며 촬영한다~
왜 레일을
원 모양으로 깔지?
그건 바로
원주각의 성질을
이용한 거야!
맞아!
원주각의 크기가
일정하게 유지되기 때문이지!
Q
P
R
A
B
원에서 한 호에 대한 모든 원주각
의 크기는 일정하다.
⇨ ∠APB=∠AQB=∠ARB
이런 영화 촬영에도
원주각의 성질을 이용하다니…
그것도 몰랐니?

1 원주각

개념 1 원주각과 중심각의 크기

(1) **원주각**

원 O에서 호 AB 위에 있지 않은 원 위의 한 점 P에 대하여 ∠APB를 호 AB에 대한 원주각이라 한다.

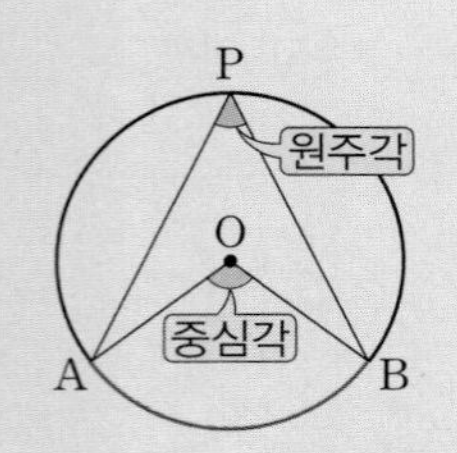

(2) **원주각과 중심각 사이의 관계**

한 원에서 한 호에 대한 원주각의 크기는 그 호에 대한 중심각의 크기의 $\frac{1}{2}$이다.

➡ $\angle APB=\frac{1}{2}\angle AOB$

용어
- 중심각
부채꼴 AOB에서 두 반지름 OA, OB가 이루는 각
➡ ∠AOB

설명 (2) 오른쪽 그림과 같이 $\overline{PO}$의 연장선과 원 O의 교점을 Q라 하면
△OPA, △OPB는 이등변삼각형이므로
$\angle AOB=\angle AOQ+\angle BOQ=2\angle APQ+2\angle BPQ$
$=2(\angle APQ+\angle BPQ)=2\angle APB$
$\therefore \angle APB=\frac{1}{2}\angle AOB$

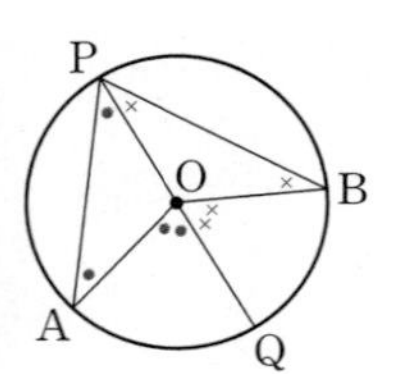

원주각의 크기
2배 ↓ ↑ $\frac{1}{2}$배
중심각의 크기

보기 오른쪽 그림의 원 O에서
$\angle x=\frac{1}{2}\angle AOB=\frac{1}{2}\times 100°=50°$

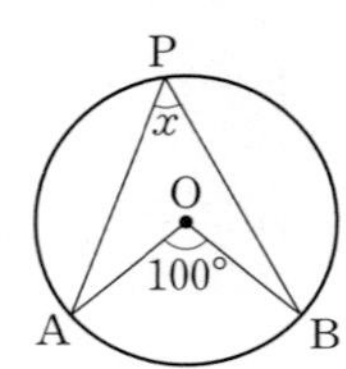

Lecture
- 원 O에서 호 AB에 대한 중심각 ∠AOB는 하나이지만 호 AB에 대한 원주각 ∠APB는 점 P의 위치에 따라 무수히 많다.

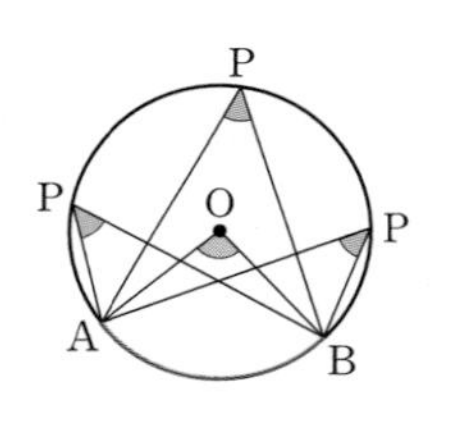

| 개념 확인 | **1** **다음 그림의 원 O에서 ∠x의 크기를 구하시오.**

(1)

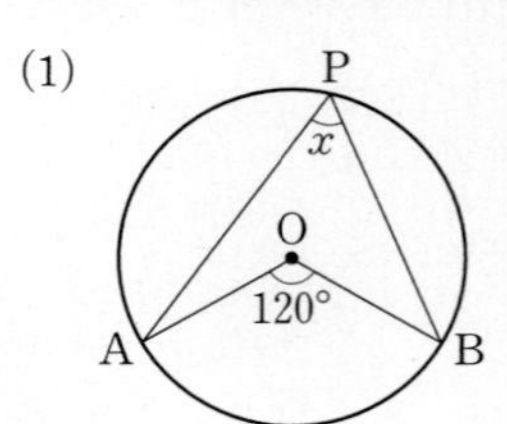

(2)

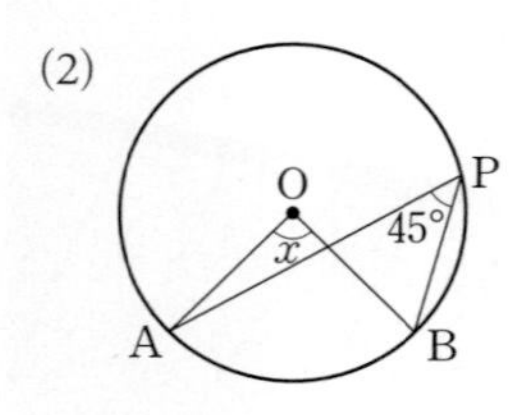

정답과 해설 p.30

개념 2 원주각의 성질

(1) 한 원에서 한 호에 대한 원주각의 크기는 모두 같다.

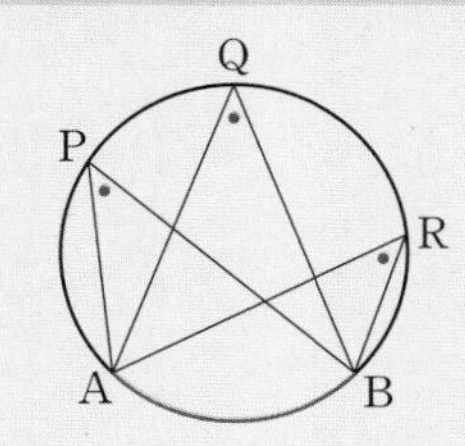

➡ $\angle APB = \angle AQB = \angle ARB$

(2) 반원에 대한 원주각의 크기는 90°이다.

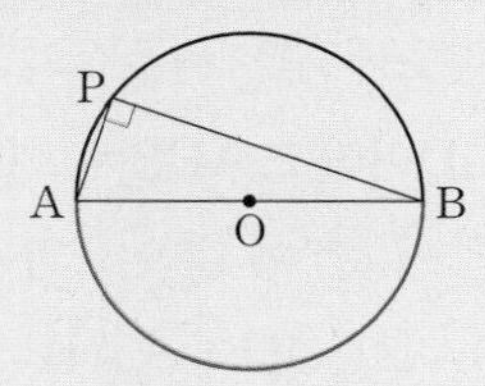

➡ $\angle APB = 90^\circ$

(2) 오른쪽 그림의 원 O에서 $\overline{AB}$가 지름일 때, 호 AB에 대한 중심각 ∠AOB의 크기는 180°이므로 호 AB에 대한 원주각 ∠APB의 크기는

$\angle APB = \frac{1}{2}\angle AOB = \frac{1}{2} \times 180^\circ = 90^\circ$

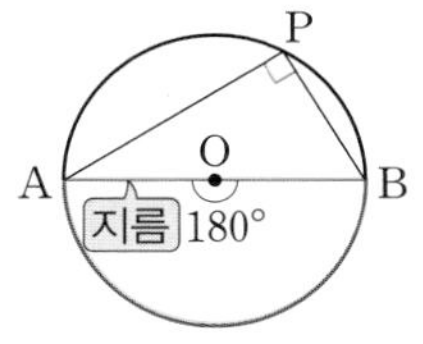

보기 (1) 오른쪽 그림의 원 O에서

$\overset{\frown}{CD}$에 대한 원주각의 크기는 같으므로

$\angle x = \angle DBC = 56^\circ$

$\overset{\frown}{AB}$에 대한 원주각의 크기는 같으므로

$\angle y = \angle ADB = 32^\circ$

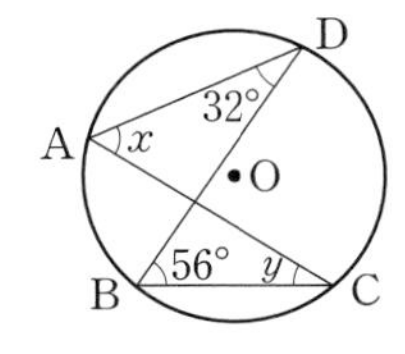

(2) 오른쪽 그림의 원 O에서

$\overline{AB}$가 원 O의 지름이므로 $\angle x = 90^\circ$

△ABC에서 $\angle y = 180^\circ - (90^\circ + 34^\circ) = 56^\circ$

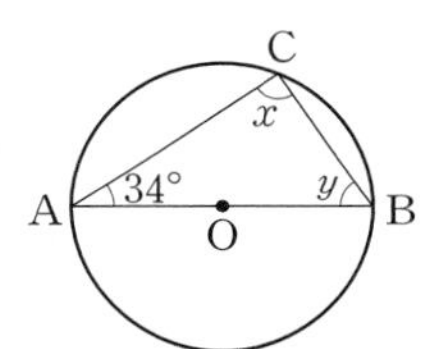

Lecture

- $\angle APB = \angle AQB$
  $= \angle ARB$
  $= \frac{1}{2}\angle AOB$

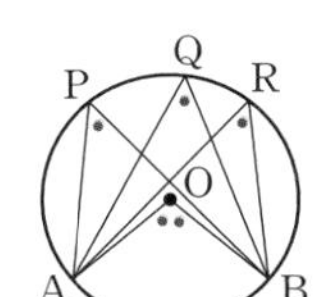

- $\angle APB = 90^\circ$

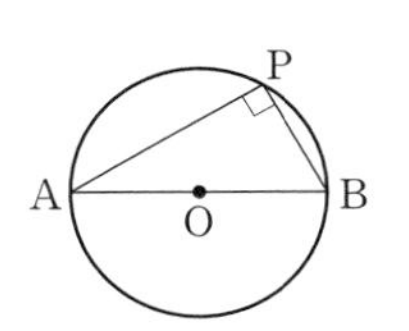

| 개념 확인 | **2** 다음 그림의 원 O에서 ∠x의 크기를 구하시오.

(1)

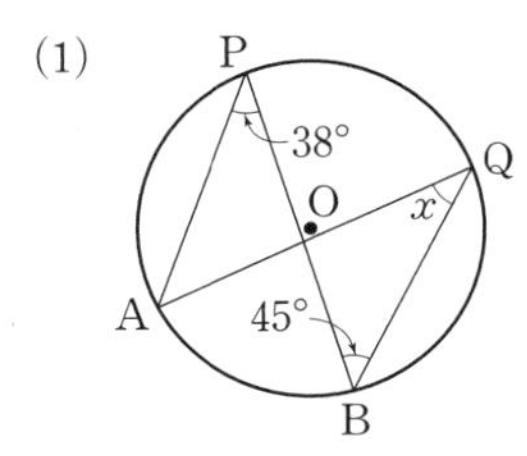

(2)

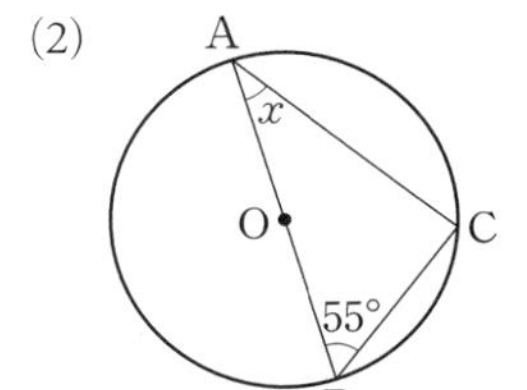

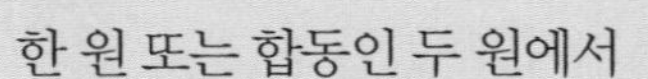

개념 3 원주각의 크기와 호의 길이

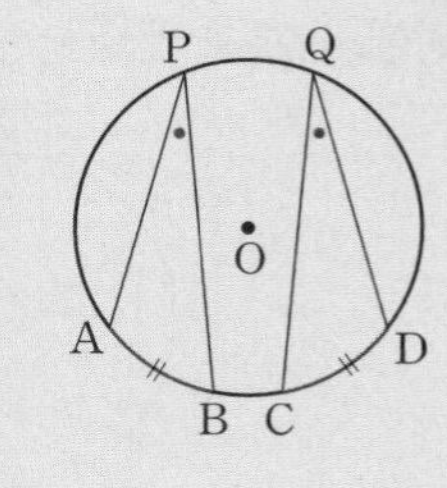

한 원 또는 합동인 두 원에서

(1) 길이가 같은 호에 대한 원주각의 크기는 같다.

➡ $\widehat{AB}=\widehat{CD}$이면 $\angle APB=\angle CQD$

(2) 크기가 같은 원주각에 대한 호의 길이는 같다.

➡ $\angle APB=\angle CQD$이면 $\widehat{AB}=\widehat{CD}$

(3) 원주각의 크기는 호의 길이에 정비례한다.

참고 중심각의 크기는 현의 길이에 정비례하지 않으므로 원주각의 크기는 현의 길이에 정비례하지 않는다.

설명 (1) 오른쪽 그림의 원 O에서 $\widehat{AB}=\widehat{CD}$이면 $\angle AOB=\angle COD$

이때 원주각의 크기는 중심각의 크기의 $\frac{1}{2}$이므로

$\angle APB=\frac{1}{2}\angle AOB$, $\angle CQD=\frac{1}{2}\angle COD$

$\therefore \angle APB=\angle CQD$

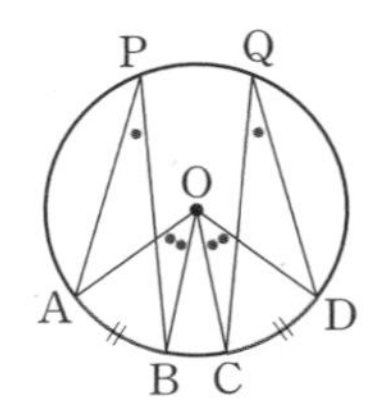

(2) 원 O에서 $\angle APB=\angle CQD$이면

$\angle AOB=2\angle APB$, $\angle COD=2\angle CQD$이므로

$\angle AOB=\angle COD$

$\therefore \widehat{AB}=\widehat{CD}$

Lecture

- 한 원 또는 합동인 두 원에서 원주각의 크기는 호의 길이에 정비례하므로 원주각의 크기가 2배, 3배, 4배, …가 되면 호의 길이도 2배, 3배, 4배, …가 된다.

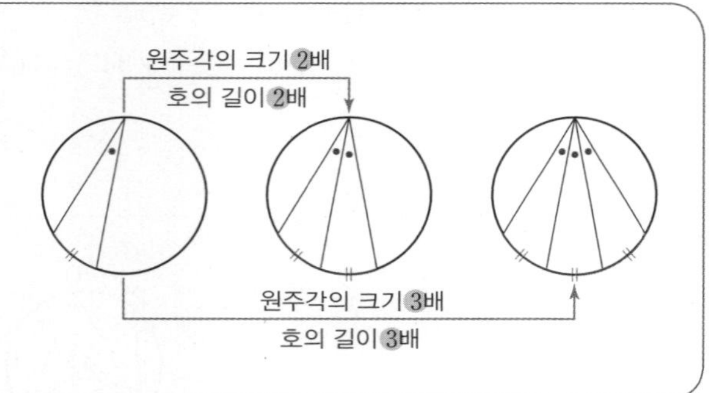

‖ 개념 확인 ‖ **3** 다음 그림에서 x의 값을 구하시오.

(1)

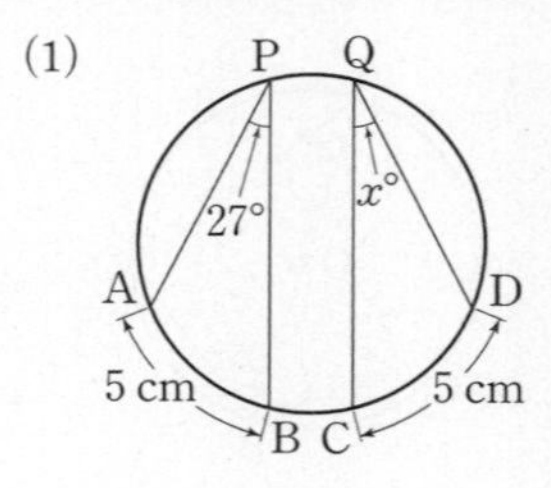

(2)

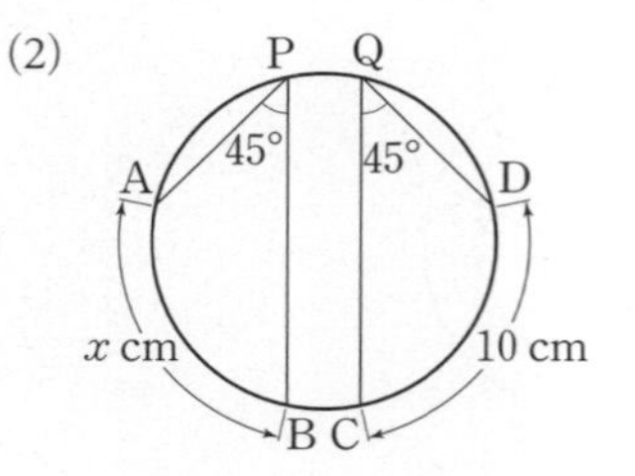

(3)

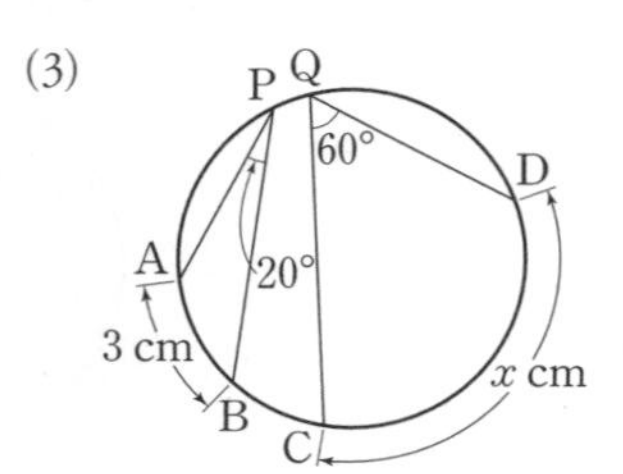

정답과 해설 p.30

개념 4 네 점이 한 원 위에 있을 조건

두 점 C, D가 직선 AB에 대하여 같은 쪽에 있을 때

$\angle ACB = \angle ADB$이면 네 점 A, B, C, D는 한 원 위에 있다.

 네 점 A, B, C, D가 한 원 위에 있으면 $\angle ACB = \angle ADB$ ($\because \widehat{AB}$에 대한 원주각)이다.

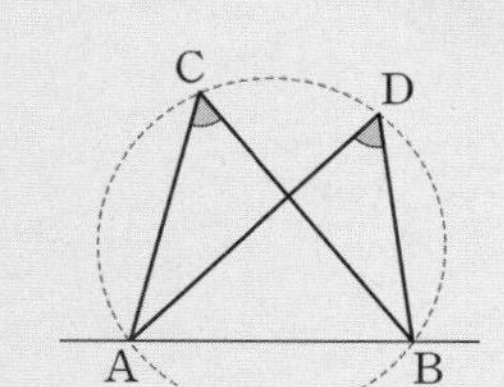

설명

(1) 점 D가 원의 내부에 있는 경우

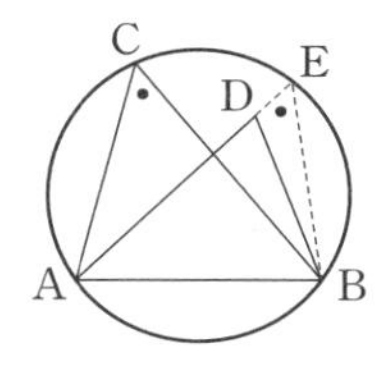

$\angle ADB = \angle DEB + \angle DBE$
$= \angle ACB + \angle DBE$
$\therefore \angle ACB < \angle ADB$

(2) 점 D가 원 위에 있는 경우

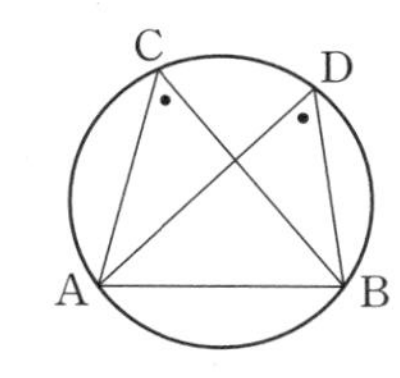

$\angle ACB = \angle ADB$

(3) 점 D가 원의 외부에 있는 경우

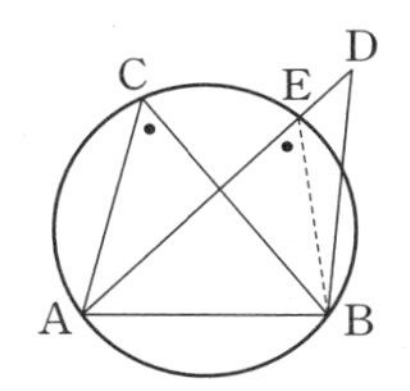

$\angle ADB = \angle AEB - \angle DBE$
$= \angle ACB - \angle DBE$
$\therefore \angle ACB > \angle ADB$

⇨ (1)~(3)에 의하여 점 D가 원 위에 있을 때에만 $\angle ACB = \angle ADB$임을 확인할 수 있다.
따라서 $\angle ACB = \angle ADB$이면 네 점 A, B, C, D는 한 원 위에 있다.

Lecture

- 두 점 C, D가 직선 AB에 대하여 같은 쪽에 있을 때
  $\angle ACB = \angle ADB$이면
  ➡ 네 점 A, B, C, D는 한 원 위에 있다.
  ➡ 사각형 ABDC는 원에 내접한다.

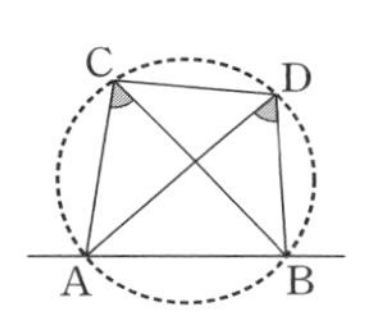

4 원주각

| 개념 확인 | **4** **다음 보기 중 네 점 A, B, C, D가 한 원 위에 있는 것을 모두 고르시오.**

보기

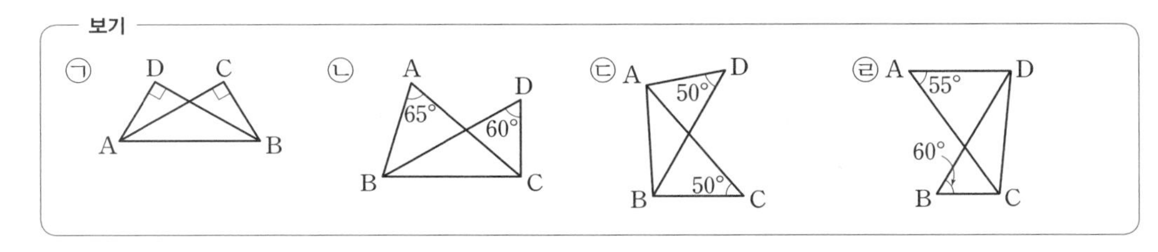

STEP 1 기초 개념 드릴

개념 기초

1-1

다음 그림의 원 O에서 $\angle x$의 크기를 구하시오.

(1)

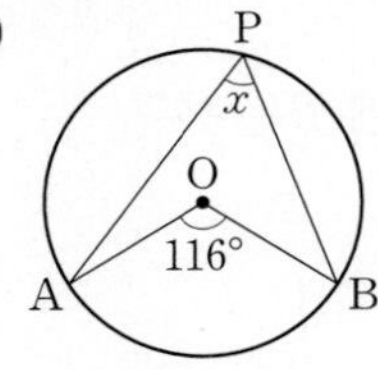

(2)

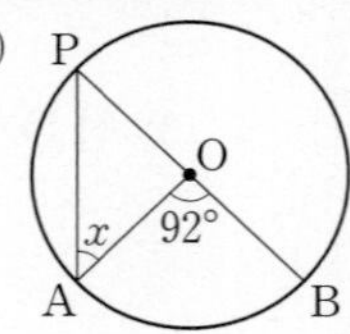

(3)

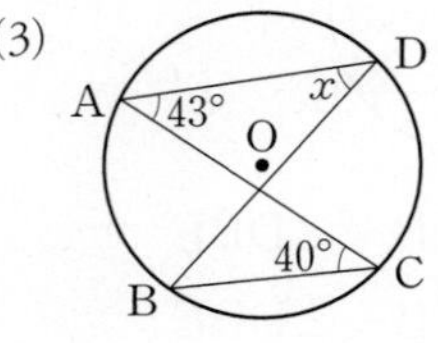

(4)

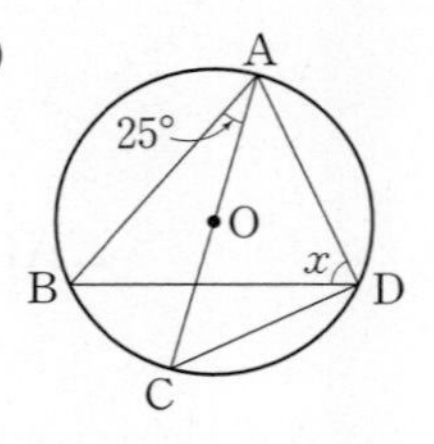

연구 (1) 한 원에서 한 호에 대한 원주각의 크기는 그 호에 대한 중심각의 크기의 ☐이다.

(2) 한 원에서 한 호에 대한 원주각의 크기는 모두 같다.

(3) 반원에 대한 원주각의 크기는 ☐이다.

2-1

다음 그림에서 x의 값을 구하시오.

(1)

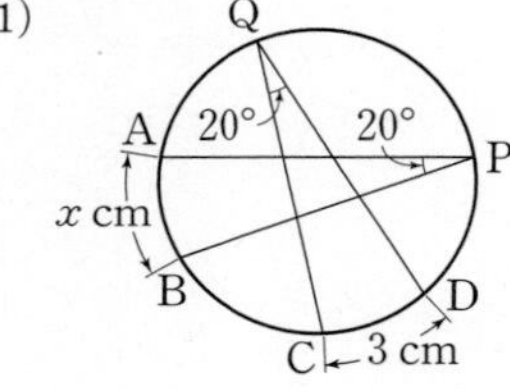

(2)

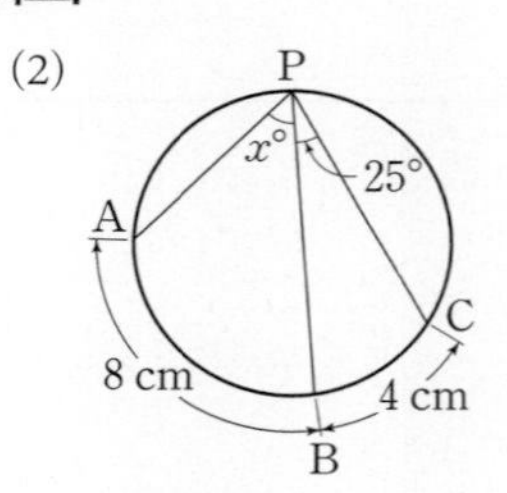

연구 원주각의 크기는 호의 길이에 ☐한다.

3-1

다음 그림에서 네 점 A, B, C, D가 한 원 위에 있을 때, $\angle x$의 크기를 구하시오.

(1)

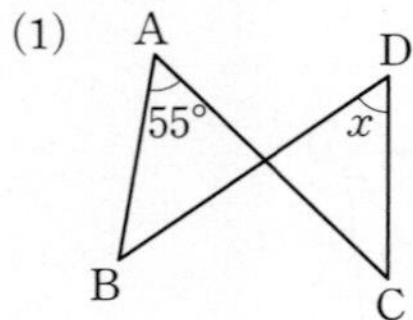

(2)

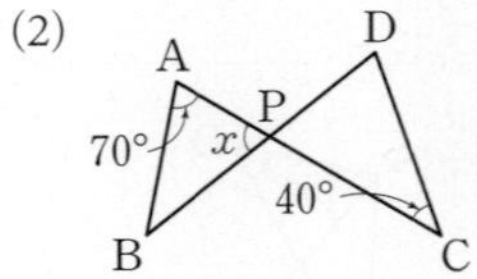

쌍둥이 문제

1-2

다음 그림의 원 O에서 $\angle x$의 크기를 구하시오.

(1)

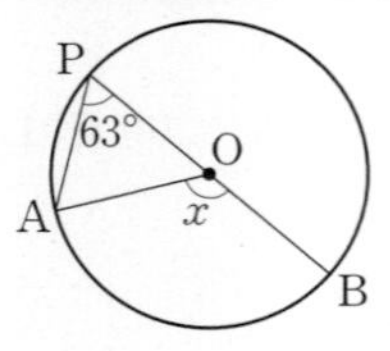

(2)

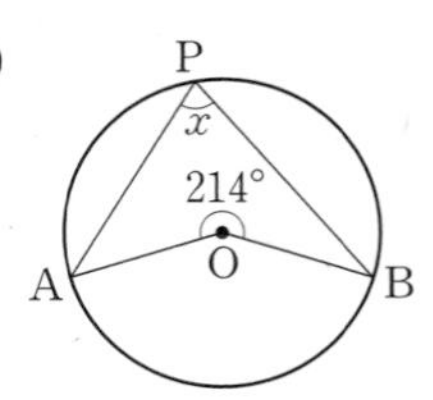

(3)

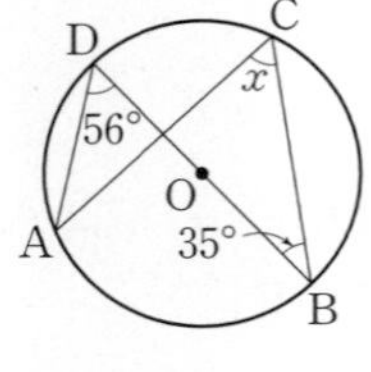

(4)

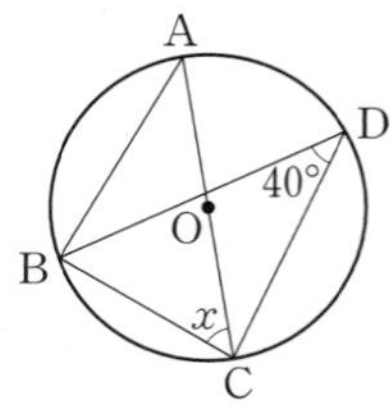

2-2

다음 그림에서 x의 값을 구하시오.

(1)

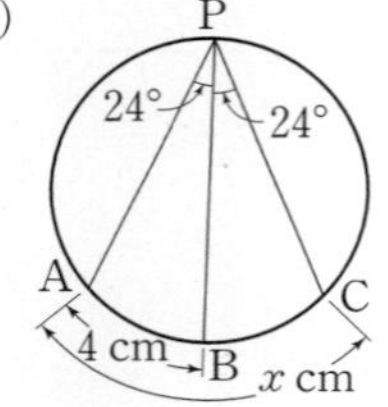

(2)

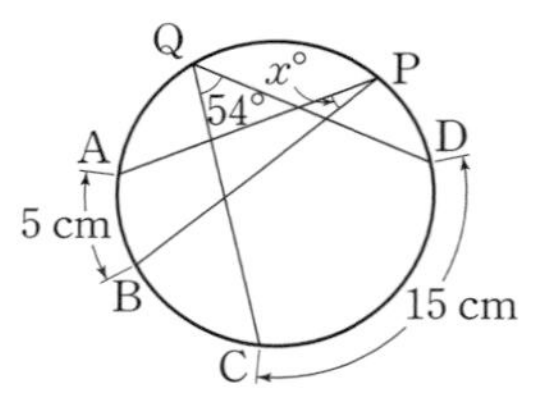

3-2

다음 그림에서 네 점 A, B, C, D가 한 원 위에 있을 때, $\angle x$의 크기를 구하시오.

(1)

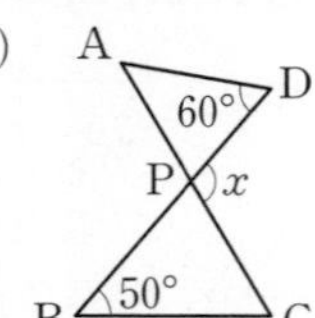

(2)

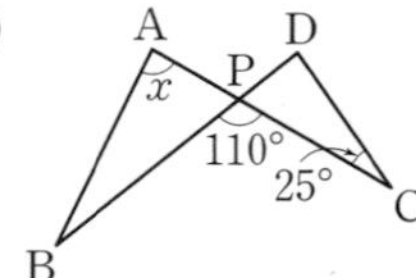

STEP 2 대표 유형으로 개념 잡기

대표 유형 1 원주각과 중심각의 크기 (1)

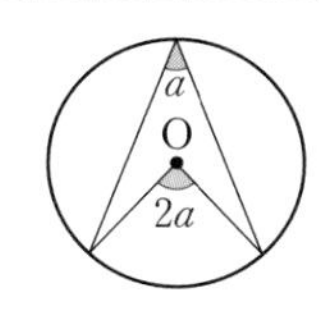

➡ (원주각의 크기) $=\frac{1}{2}\times$ (중심각의 크기)

1-1 오른쪽 그림의 원 O에서 $\angle\mathrm{AOC}=120°$, $\angle\mathrm{BQC}=25°$일 때, $\angle x$의 크기를 구하시오.

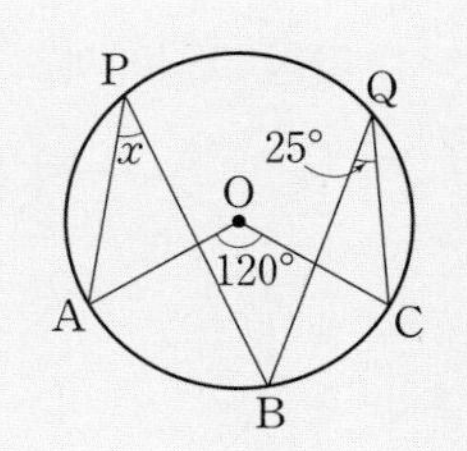

풀이 오른쪽 그림과 같이 $\overline{\mathrm{OB}}$를 그으면

$\angle\mathrm{BOC}=2\angle\mathrm{BQC}=2\times25°=50°$

$\angle\mathrm{AOB}=120°-50°=70°$이므로

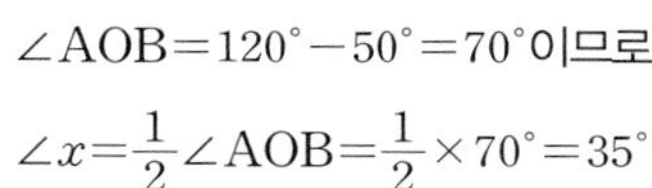

$\angle x=\frac{1}{2}\angle\mathrm{AOB}=\frac{1}{2}\times70°=35°$

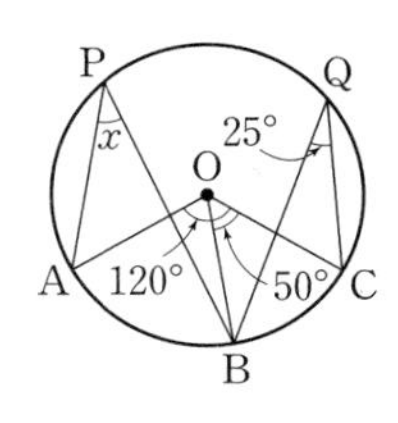

답 35°

쌍둥이 1-2

오른쪽 그림의 원 O에서 $\angle\mathrm{BCD}=60°$일 때, $\angle x$, $\angle y$의 크기를 각각 구하시오.

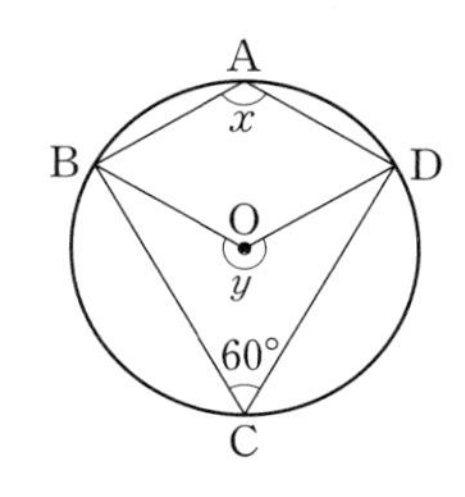

쌍둥이 1-3

오른쪽 그림의 원 O에서 $\angle\mathrm{APB}=28°$, $\angle\mathrm{BQC}=35°$일 때, $\angle x$의 크기를 구하시오.

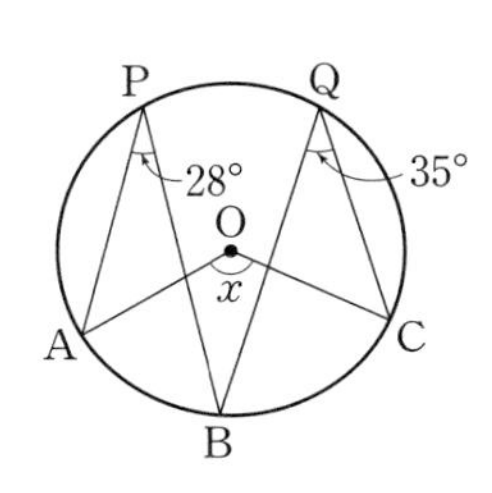

대표 유형 2 원주각과 중심각의 크기 (2)

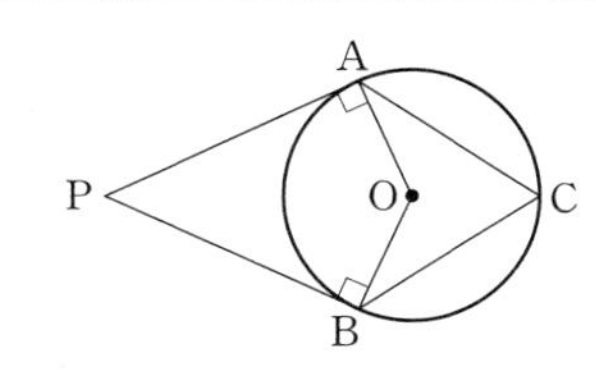

➡ (1) $\angle\mathrm{PAO}=\angle\mathrm{PBO}=90°$, $\angle\mathrm{APB}+\angle\mathrm{AOB}=180°$

(2) $\angle\mathrm{ACB}=\frac{1}{2}\angle\mathrm{AOB}$

2-1 오른쪽 그림에서 $\overline{\mathrm{PA}}$, $\overline{\mathrm{PB}}$는 원 O의 접선이고 두 점 A, B는 접점이다. $\angle\mathrm{ACB}=63°$일 때, $\angle x$의 크기를 구하시오.

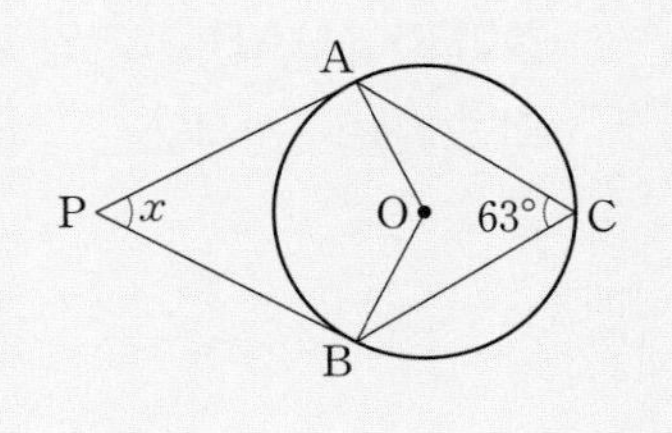

풀이 $\angle\mathrm{AOB}=2\angle\mathrm{ACB}=2\times63°=126°$

$\angle\mathrm{PAO}=\angle\mathrm{PBO}=90°$이므로

□APBO에서

$\angle x=360°-(90°+126°+90°)=54°$

답 54°

쌍둥이 2-2

오른쪽 그림에서 $\overline{\mathrm{PA}}$, $\overline{\mathrm{PB}}$는 원 O의 접선이고 두 점 A, B는 접점이다. $\angle\mathrm{P}=58°$일 때, $\angle x$의 크기를 구하시오.

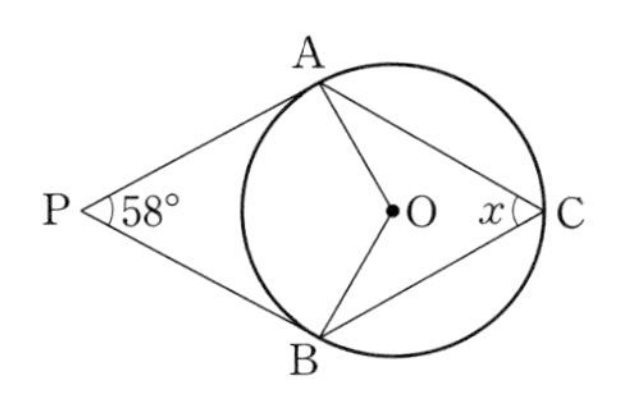

대표 유형 3 원주각의 성질

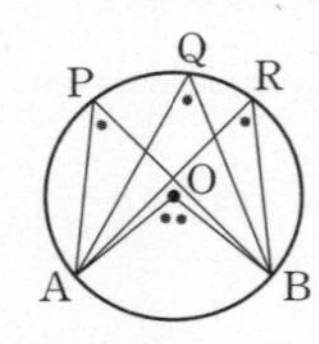

➡ $\angle APB = \angle AQB = \angle ARB$

3-1 오른쪽 그림에서 $\angle ACB = 35^\circ$, $\angle DAC = 28^\circ$일 때, $\angle x$, $\angle y$의 크기를 각각 구하시오.

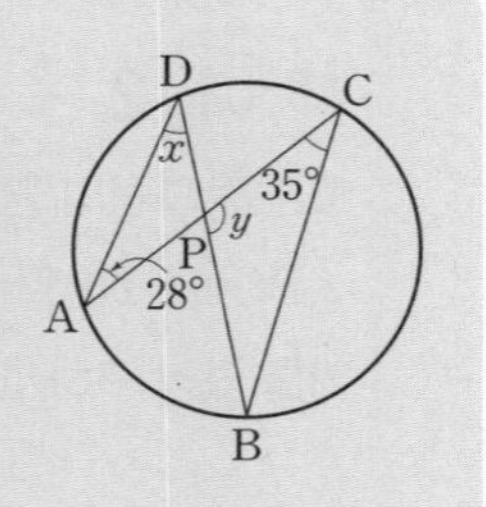

풀이 $\angle x = \angle ACB = 35^\circ$

$\triangle DAP$에서

$\angle DPA = 180^\circ - (28^\circ + 35^\circ) = 117^\circ$

$\therefore \angle y = \angle DPA = 117^\circ$

답 $\angle x = 35^\circ$, $\angle y = 117^\circ$

쌍둥이 3-2

다음 그림에서 $\angle x$, $\angle y$의 크기를 각각 구하시오.

(1)

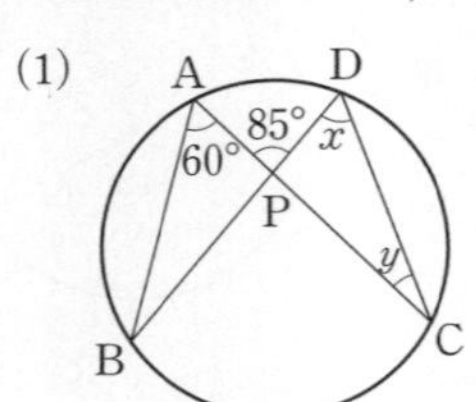

(2)

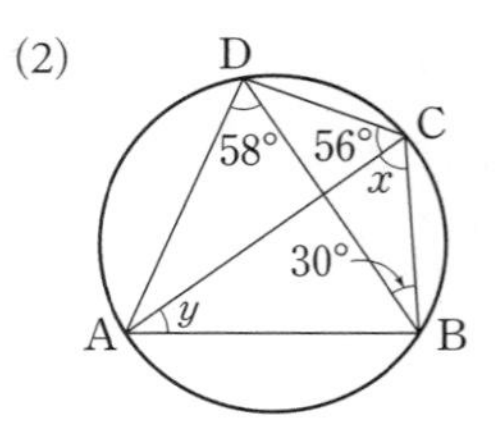

대표 유형 4 반원에 대한 원주각

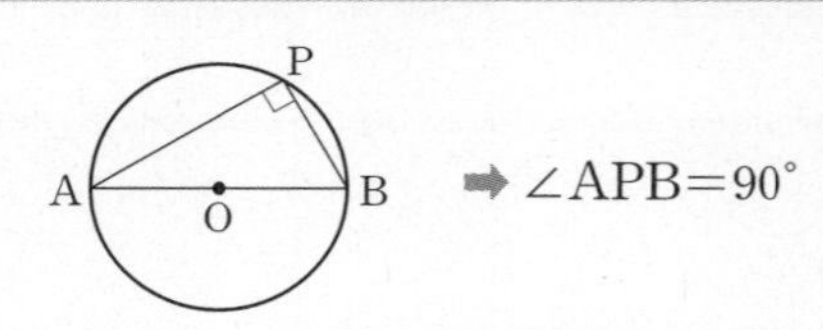

➡ $\angle APB = 90^\circ$

4-1 오른쪽 그림에서 $\overline{AB}$는 원 O의 지름이고 $\angle ACE = 65^\circ$일 때, $\angle x$의 크기를 구하시오.

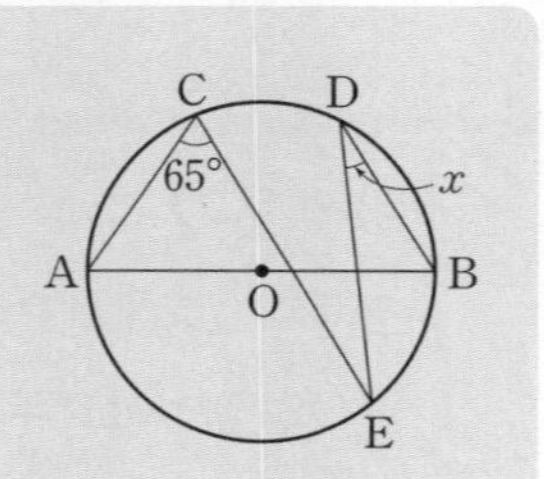

풀이 오른쪽 그림과 같이 $\overline{AD}$를 그으면

$\angle ADE = \angle ACE = 65^\circ$

이때 $\overline{AB}$는 원 O의 지름이므로

$\angle ADB = 90^\circ$

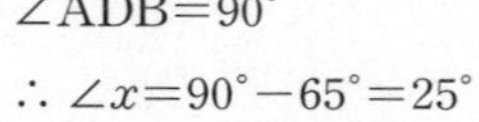

$\therefore \angle x = 90^\circ - 65^\circ = 25^\circ$

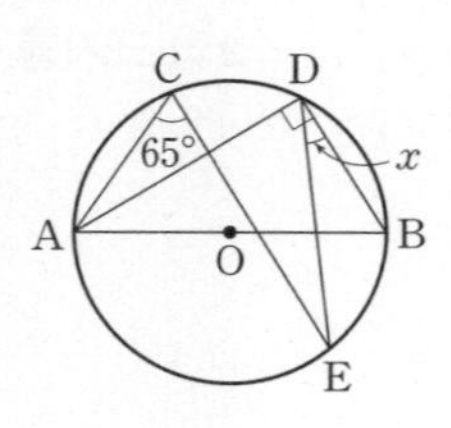

답 25°

쌍둥이 4-2

오른쪽 그림에서 $\overline{AB}$는 원 O의 지름이고 $\angle DAB = 27^\circ$일 때, $\angle x$의 크기를 구하시오.

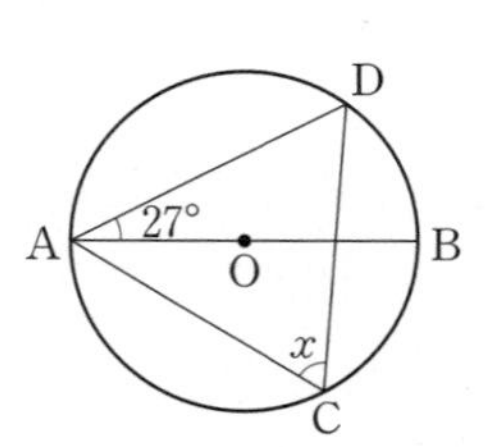

대표 유형 5 원주각과 삼각비의 값

5-1에서 $\overline{BO}$의 연장선을 그어 반원에 대한 원주각의 크기가 90°임을 이용한다.

5-1 오른쪽 그림과 같이 반지름의 길이가 4인 원 O에 $\triangle ABC$가 내접한다. $\overline{BC}=5$일 때, $\sin A$의 값을 구하시오.

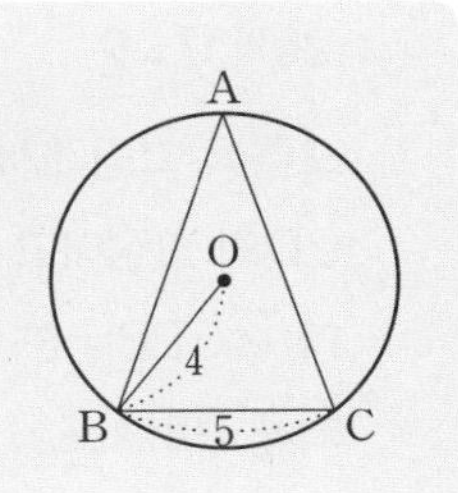

쌍둥이 5-2

오른쪽 그림과 같이 $\angle A=60^\circ$, $\overline{BC}=6\text{ cm}$인 $\triangle ABC$의 외접원 O의 반지름의 길이를 구하시오.

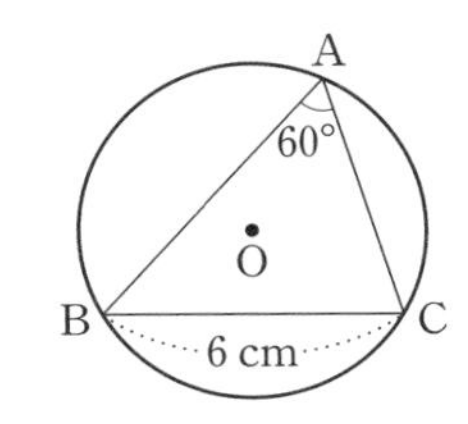

풀이 오른쪽 그림과 같이 $\overline{BO}$의 연장선이 원 O와 만나는 점을 D라 하면 $\overline{BD}$는 원 O의 지름이므로

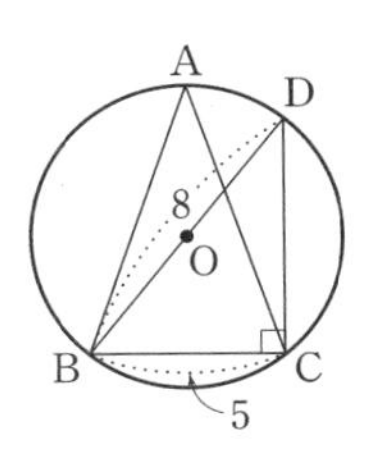

$\angle BCD=90^\circ$

$\angle BAC=\angle BDC$이므로 $\triangle DBC$에서

$\sin A=\sin D=\dfrac{\overline{BC}}{\overline{BD}}=\dfrac{5}{8}$

답 $\dfrac{5}{8}$

대표 유형 6 원주각의 크기와 호의 길이 (1)

한 원 또는 합동인 두 원에서 길이가 같은 호에 대한 원주각의 크기는 모두 같다.

6-1 오른쪽 그림에서 $\widehat{AB}=\widehat{BC}$이고 $\angle ABD=45^\circ$, $\angle BDC=43^\circ$일 때, $\angle x$의 크기를 구하시오.

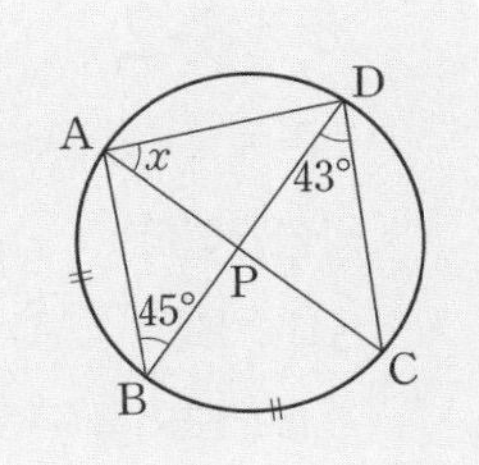

쌍둥이 6-2

오른쪽 그림에서 $\widehat{AB}=\widehat{CD}$이고 $\angle DBC=33^\circ$일 때, $\angle x$의 크기를 구하시오.

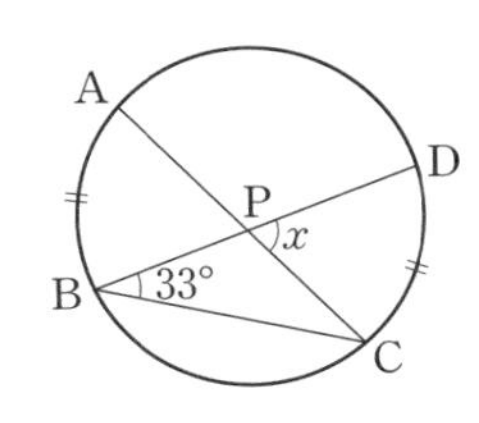

풀이 $\angle BAC=\angle BDC=43^\circ$

$\widehat{AB}=\widehat{BC}$이므로 $\angle ADB=\angle BDC=43^\circ$

$\triangle ABD$에서

$(43^\circ+\angle x)+45^\circ+43^\circ=180^\circ$

$\therefore \angle x=49^\circ$

답 49°

대표 유형 7 원주각의 크기와 호의 길이 (2)

원주각의 크기는 호의 길이에 정비례한다.

7-1 오른쪽 그림에서 점 P는 두 현 AC, BD의 교점이다. $\widehat{BC}=4$ cm, $\angle ABD=20°$, $\angle BPC=60°$일 때, $\widehat{AD}$의 길이를 구하시오.

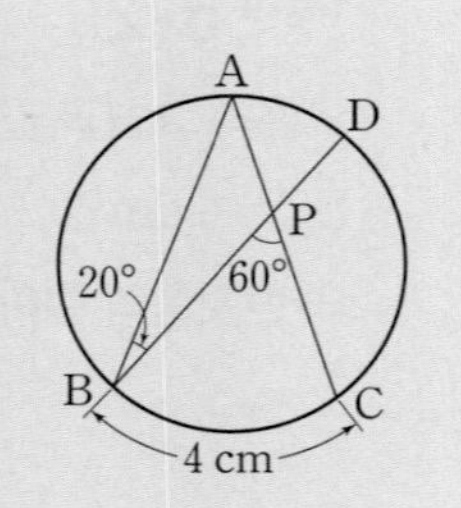

풀이 $\triangle ABP$에서

$\angle BAP=60°-20°=40°$

$\angle ABD : \angle BAC=\widehat{AD} : \widehat{BC}$이므로

$20° : 40°=\widehat{AD} : 4$, $1 : 2=\widehat{AD} : 4$

$2\widehat{AD}=4$ $\therefore \widehat{AD}=2$ (cm)

답 2 cm

쌍둥이 7-2

오른쪽 그림에서 점 P는 두 현 AB, CD의 교점이고 $\widehat{BC} : \widehat{AD}=3 : 2$이다. $\angle CPB=85°$일 때, $\angle CAB$의 크기를 구하시오.

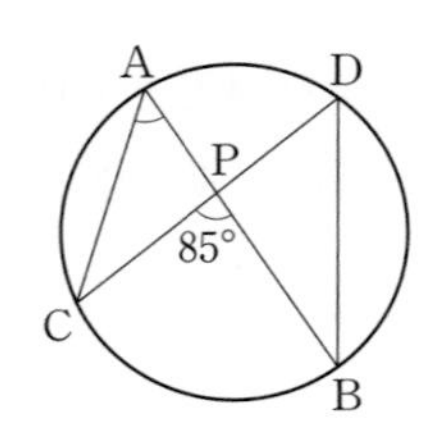

쌍둥이 7-3

오른쪽 그림에서 두 현 AB, CD의 연장선이 만나는 점을 P, 현 AD, BC의 교점을 Q라 하자. $\angle P=60°$, $\widehat{AC} : \widehat{BD}=1 : 4$일 때, $\angle BQD$의 크기를 구하시오.

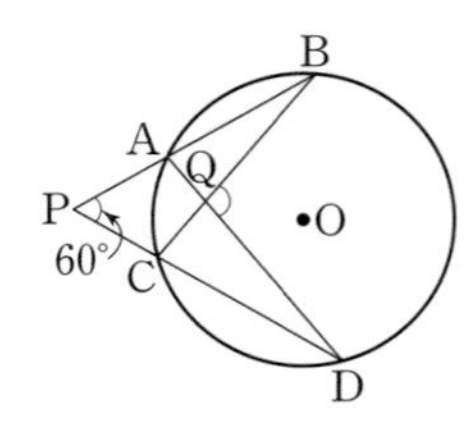

대표 유형 8 원주각의 크기와 호의 길이 (3)

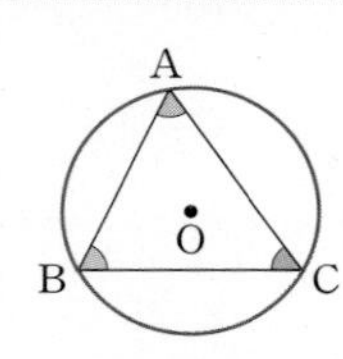

➡ $\widehat{AB} : \widehat{BC} : \widehat{CA}=l : m : n$이면

$\angle ACB : \angle BAC : \angle ABC=l : m : n$

$\therefore \angle ACB=180° \times \dfrac{l}{l+m+n}$, $\angle BAC=180° \times \dfrac{m}{l+m+n}$, $\angle ABC=\dfrac{n}{l+m+n}$

8-1 오른쪽 그림에서 원 O는 $\triangle ABC$의 외접원이다. $\widehat{AB} : \widehat{BC} : \widehat{CA}=3 : 4 : 5$일 때, $\angle ABC$의 크기를 구하시오.

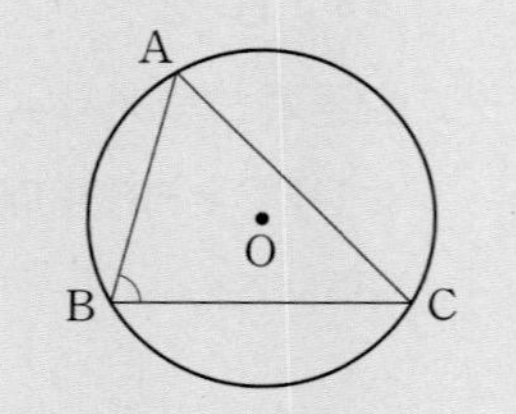

풀이 $\widehat{AB} : \widehat{BC} : \widehat{CA}=3 : 4 : 5$이므로

$\angle ACB : \angle BAC : \angle ABC=3 : 4 : 5$

$\therefore \angle ABC=180° \times \dfrac{5}{3+4+5}$

$=180° \times \dfrac{5}{12}=75°$

답 75°

쌍둥이 8-2

오른쪽 그림에서 원 O는 $\triangle ABC$의 외접원이다. $\widehat{AB} : \widehat{BC} : \widehat{CA}=4 : 3 : 3$일 때, $\angle x$의 크기를 구하시오.

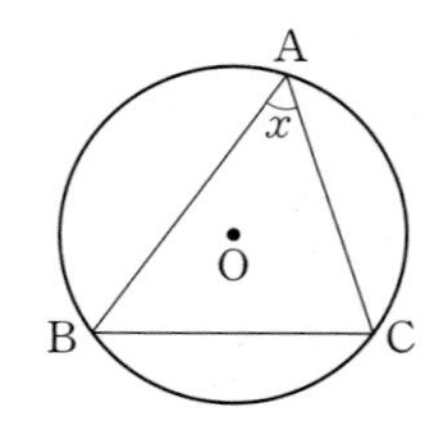

대표 유형 9 원주각의 크기와 호의 길이 (4)

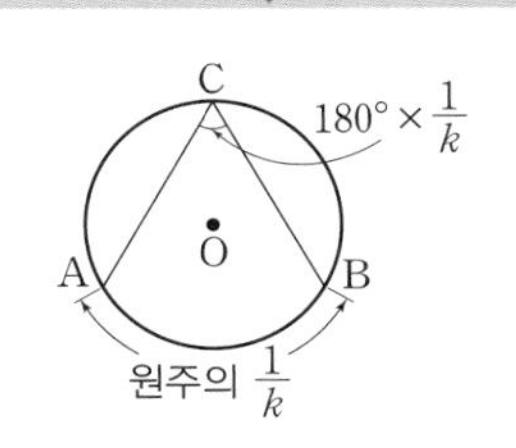

➡ 한 원에서 모든 호에 대한 원주각의 크기의 합은 180°이므로
호 AB의 길이가 원주의 $\frac{1}{k}$이면 $\angle ACB = 180° \times \frac{1}{k}$

9-1 오른쪽 그림에서 점 P는 두 현 AC, BD의 교점이다. $\widehat{AB}$의 길이는 원주의 $\frac{1}{5}$이고 $\widehat{CD}$의 길이는 원주의 $\frac{1}{3}$일 때, $\angle x$의 크기를 구하시오.

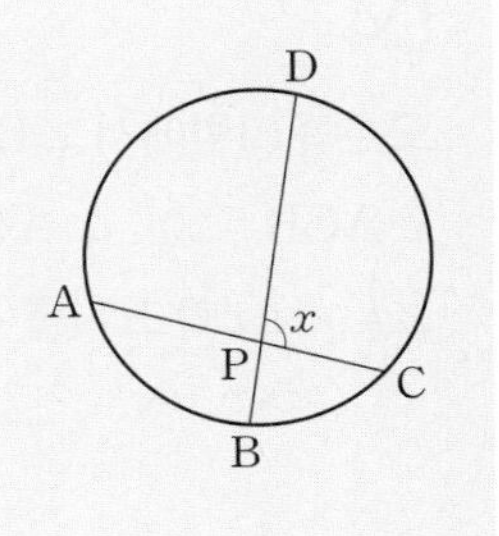

풀이 오른쪽 그림과 같이 $\overline{AD}$를 그으면

$\widehat{AB}$의 길이는 원주의 $\frac{1}{5}$이므로

$\angle ADB = 180° \times \frac{1}{5} = 36°$

$\widehat{CD}$의 길이는 원주의 $\frac{1}{3}$이므로

$\angle DAC = 180° \times \frac{1}{3} = 60°$

$\triangle DAP$에서 $\angle x = 36° + 60° = 96°$

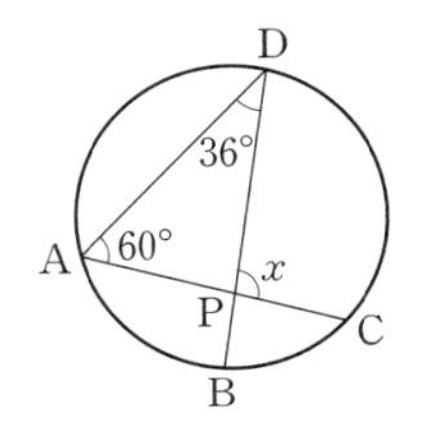

답 96°

쌍둥이 9-2

오른쪽 그림에서 점 P는 두 현 AC, BD의 교점이다. $\widehat{AD}$의 길이가 원주의 $\frac{1}{12}$이고 $\widehat{AD} : \widehat{BC} = 1 : 3$일 때, $\angle x$의 크기를 구하시오.

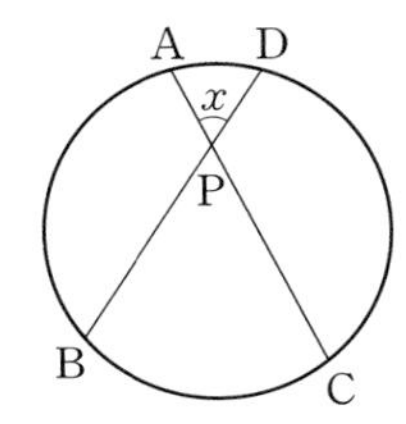

대표 유형 10 네 점이 한 원 위에 있을 조건

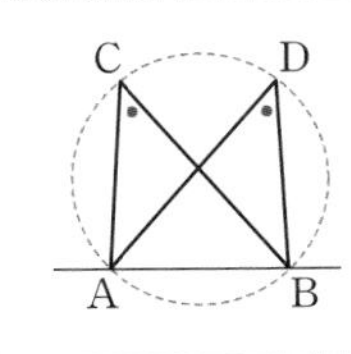

➡ $\angle ACB = \angle ADB$이면
네 점 A, B, C, D는 한 원 위에 있다.

10-1 오른쪽 그림에서 네 점 A, B, C, D가 한 원 위에 있고 $\angle ADC = 105°$, $\angle ACB = 70°$일 때, $\angle x$의 크기를 구하시오.

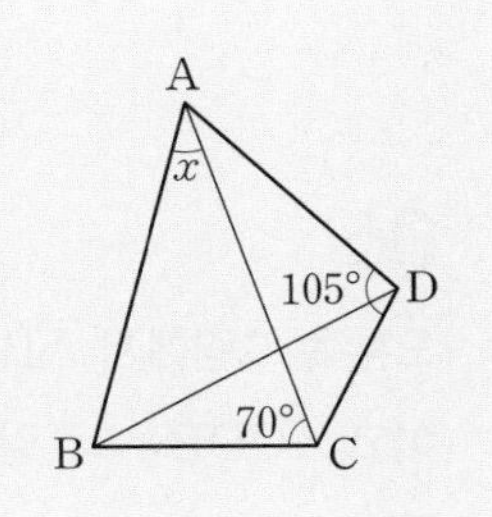

풀이 네 점 A, B, C, D가 한 원 위에 있으므로

$\angle ADB = \angle ACB = 70°$

이때 $\angle BDC = 105° - 70° = 35°$이므로

$\angle x = \angle BDC = 35°$

답 35°

쌍둥이 10-2

오른쪽 그림에서 네 점 A, B, C, D가 한 원 위에 있고 $\angle P = 50°$, $\angle PDB = 30°$일 때, $\angle x + \angle y$의 크기를 구하시오.

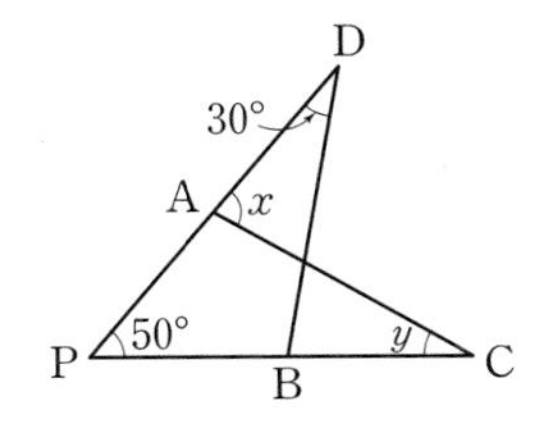

STEP 3 개념 뛰어넘기

원주각과 중심각의 크기

한 원에서 한 호에 대한 원주각의 크기는 그 호에 대한 중심각의 크기의 ❶ ☐ 이다.

답 ❶ $\frac{1}{2}$

★
01

오른쪽 그림의 원 O에서 $\angle AEB = 32°$, $\angle AOC = 132°$일 때, $\angle BDC$의 크기를 구하시오.

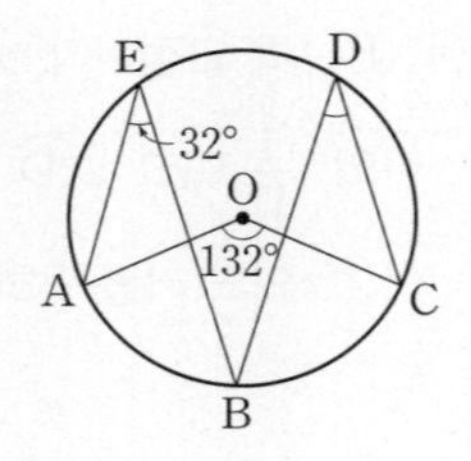

02

오른쪽 그림과 같이 반지름의 길이가 6 cm인 원 O에서 $\angle BAC = 55°$일 때, 색칠한 부분의 넓이를 구하시오.

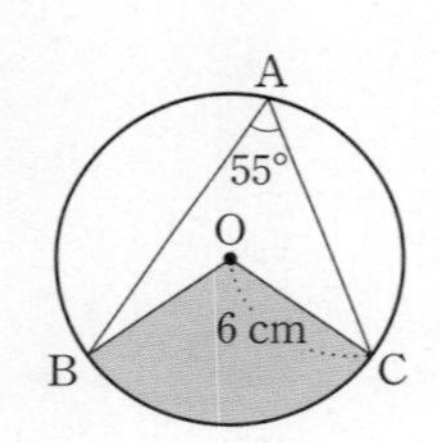

03

다음 그림에서 $\overline{PA}$, $\overline{PB}$는 원 O의 접선이고, 두 점 A, B는 접점이다. $\angle P = 50°$일 때, $\angle x$의 크기를 구하시오.

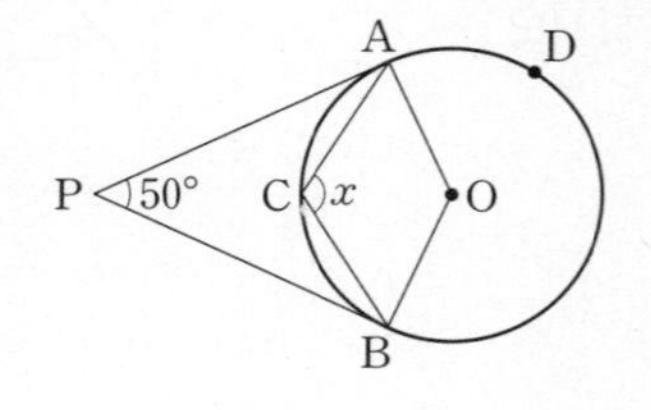

원주각의 성질

(1) 한 원에서 한 호에 대한 원주각의 크기는 모두 같다.
(2) 반원에 대한 원주각의 크기는 ❶ ☐ 이다.

답 ❶ 90°

04

서술형

오른쪽 그림에서 $\angle BAC = 45°$, $\angle ACB = 20°$, $\angle ACD = 60°$일 때, $\angle y - \angle x$의 크기를 구하시오.

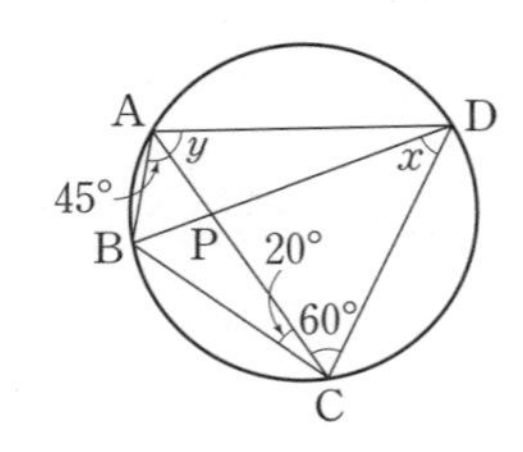

★
05

오른쪽 그림에서 점 P는 두 현 AC, BD의 교점이다. $\angle DAC = 20°$, $\angle AQB = 35°$일 때, $\angle x$의 크기를 구하시오.

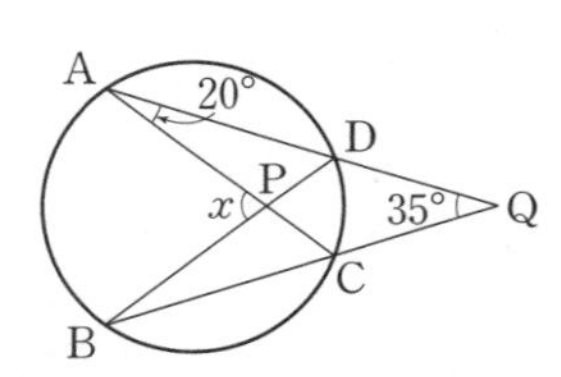

06

오른쪽 그림에서 $\overline{AB}$는 원 O의 지름이고 $\angle CDB = 53°$일 때, $\angle x$의 크기를 구하시오.

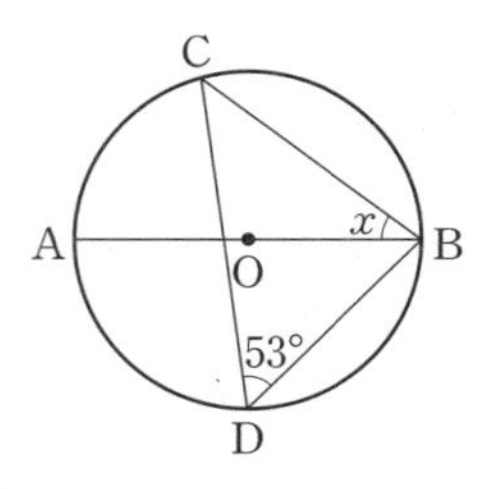

★
07

오른쪽 그림에서 $\overline{AB}$는 반원 O의 지름이고 $\angle COD=56°$일 때, $\angle x$의 크기를 구하시오.

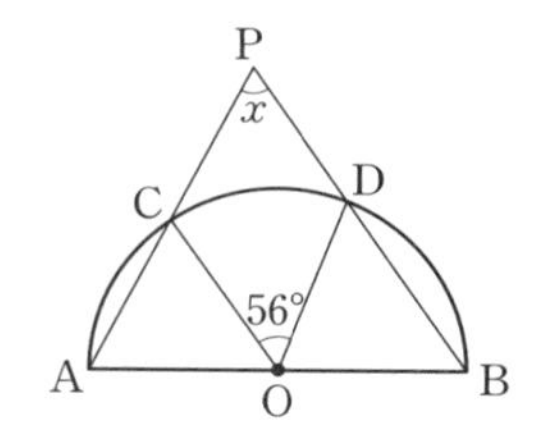

08

융합형

오른쪽 그림과 같이 원 O에 내접하는 $\triangle ABC$에서 $\tan A=\frac{\sqrt{5}}{2}$, $\overline{BC}=2\sqrt{5}$일 때, 원 O의 반지름의 길이를 구하시오.

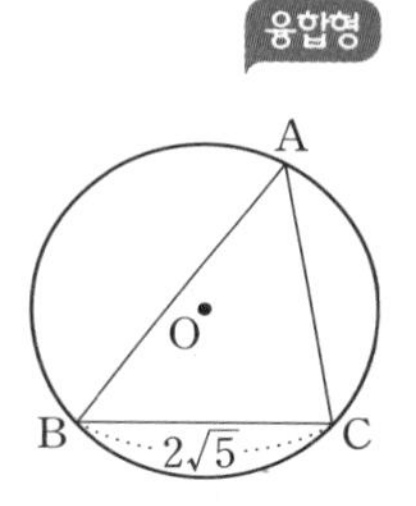

09

서술형

오른쪽 그림과 같이 반지름의 길이가 5 cm인 원 O에 내접하는 $\triangle ABC$에서 $\angle CBA=30°$일 때, $\triangle ABC$의 둘레의 길이를 구하시오.

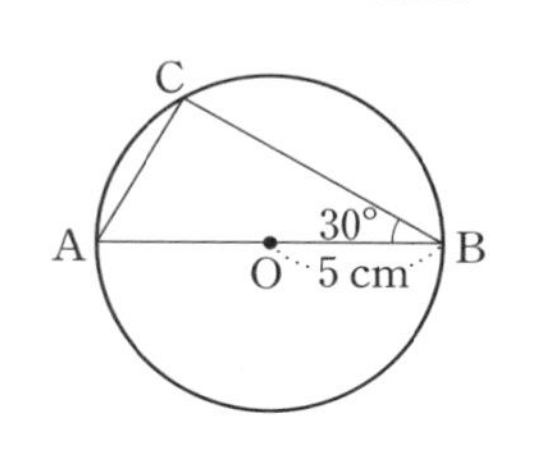

원주각의 크기와 호의 길이

(1) 길이가 같은 호에 대한 원주각의 크기는 같다.
(2) 크기가 같은 원주각에 대한 호의 길이는 ❶ .
(3) 원주각의 크기는 호의 길이에 ❷ 한다.

답 ❶ 같다 ❷ 정비례

10

오른쪽 그림에서 $\overline{BD}$는 원 O의 지름이고 $\widehat{AB}=\widehat{BC}$이다. $\angle ADB=28°$일 때, $\angle x$의 크기를 구하시오.

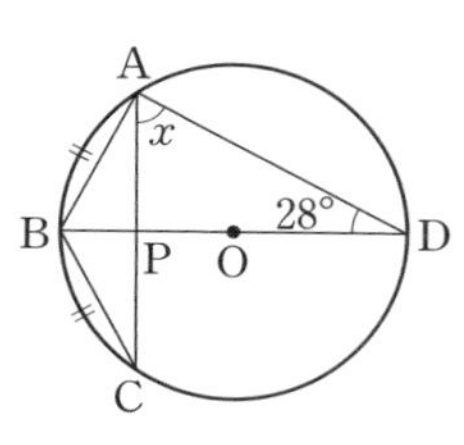

11

오른쪽 그림에서 $\overline{AB}$는 원 O의 지름이고 $\widehat{CD}=\widehat{DB}$이다. $\angle DAB=32°$일 때, $\angle x$의 크기를 구하시오.

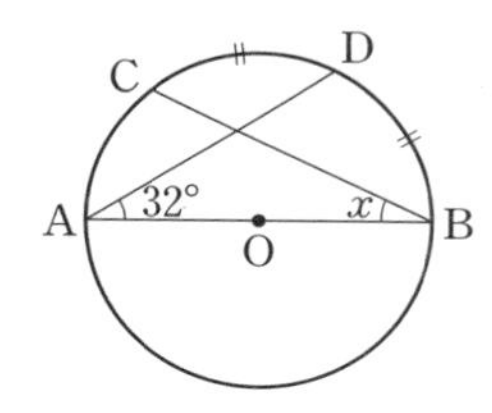

★
12

오른쪽 그림의 원에서 점 P는 두 현 AC, BD의 교점이다. $\widehat{BC}=15$ cm, $\angle ABD=30°$, $\angle BPC=75°$일 때, $\widehat{AD}$의 길이를 구하시오.

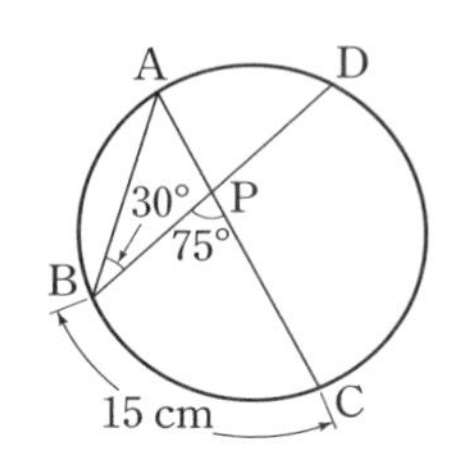

4 원주각

13

오른쪽 그림의 원 O에서 $\widehat{AB}=12\text{ cm}$, $\widehat{CD}=3\text{ cm}$, $\angle AOB=96^\circ$일 때, $\angle x$의 크기를 구하시오.

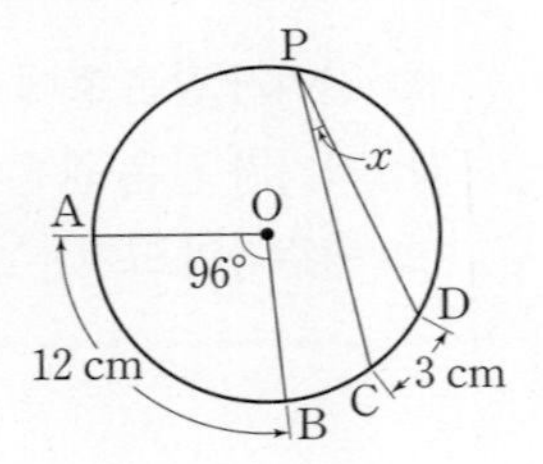

14

오른쪽 그림의 원 O에서 점 P는 두 현 AB, CD의 연장선의 교점이다. $\widehat{AB}=\widehat{AC}=\widehat{CD}$, $\angle BPD=40^\circ$일 때, $\angle x$의 크기를 구하시오.

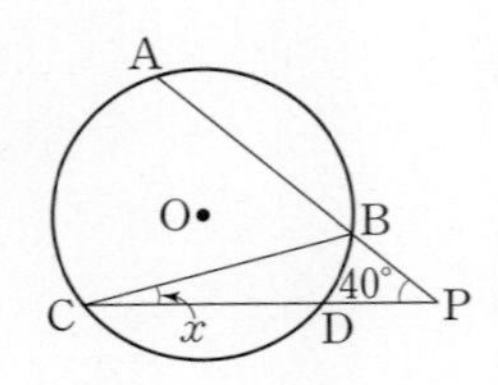

★

15

오른쪽 그림에서 원 O는 △ABC의 외접원이다. $\widehat{AB}:\widehat{BC}:\widehat{CA}=3:2:4$일 때, $\angle x$의 크기를 구하시오.

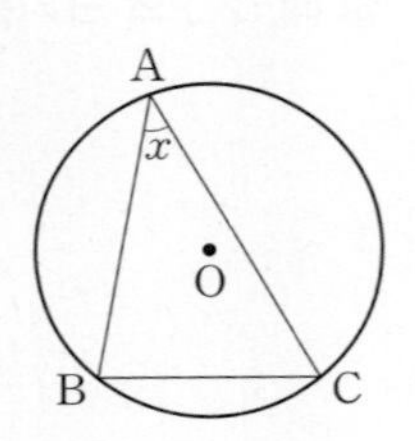

16

오른쪽 그림의 원 O에서 $\widehat{AC}$의 길이는 원주의 $\frac{1}{12}$이고 $\angle CPA=36^\circ$일 때, $\angle DOB$의 크기를 구하시오.

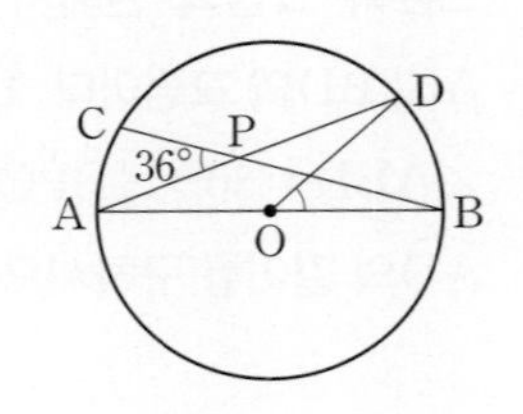

17

서술형

오른쪽 그림에서 점 P는 두 현 AC, BD의 교점이다. $\widehat{AB}$의 길이는 원주의 $\frac{1}{10}$이고 $\widehat{AB}:\widehat{CD}=2:5$일 때, $\angle x$의 크기를 구하시오.

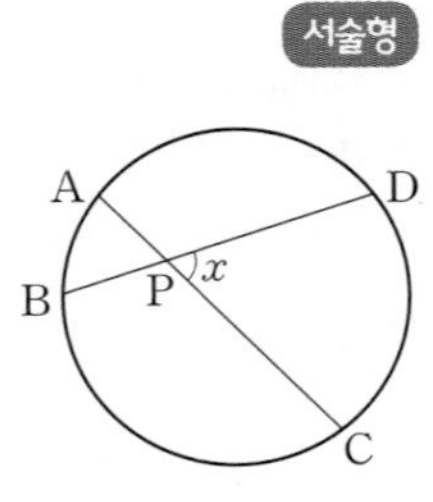

네 점이 한 원 위에 있을 조건

18

다음 중 네 점 A, B, C, D가 한 원 위에 있지 않은 것을 모두 고르면? (정답 2개)

①
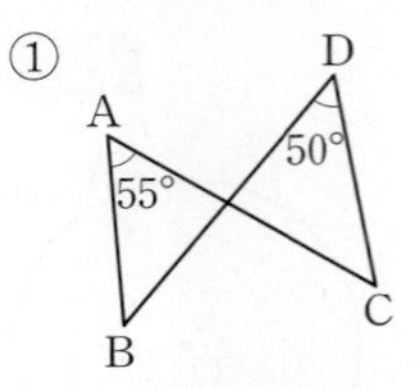

②
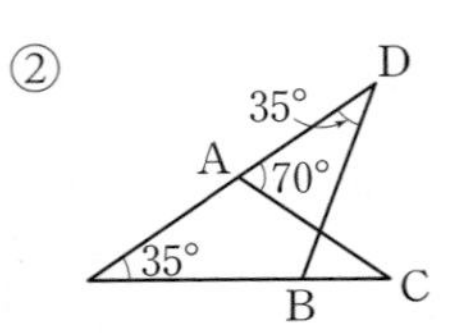

③
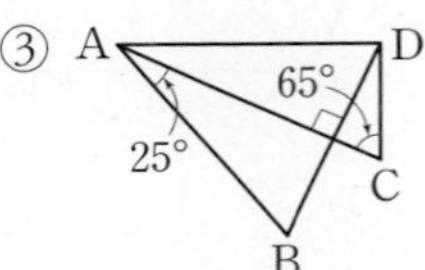

④
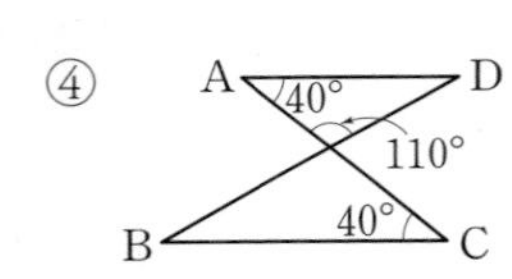

⑤
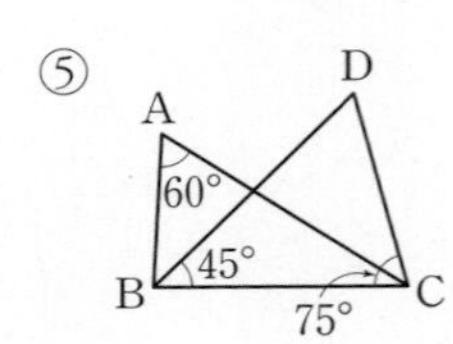

19

오른쪽 그림에서 네 점 A, B, C, D가 한 원 위에 있을 때, $\angle x$의 크기를 구하시오.

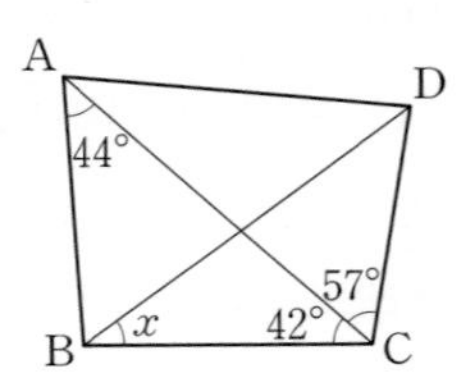

2 원과 사각형

개념 동영상

개념 1 원에 내접하는 사각형의 성질

(1) 원에 내접하는 사각형 ABCD에서 한 쌍의 대각의 크기의 합은 180°이다.

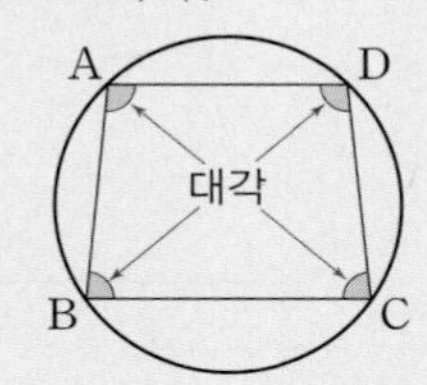

➡ $\angle A+\angle C=180°$, $\angle B+\angle D=180°$

(2) 원에 내접하는 사각형 ABCD의 한 외각의 크기는 그 외각에 이웃한 내각에 대한 대각의 크기와 같다.

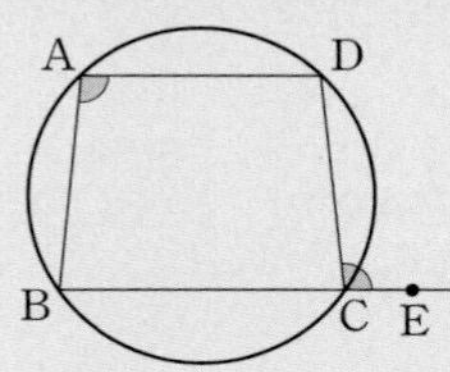

➡ $\angle DCE=\angle A$

(1) 오른쪽 그림과 같이 □ABCD가 원 O에 내접할 때,

$\angle A=\frac{1}{2}\angle x$, $\angle DCB=\frac{1}{2}\angle y$

이때 $\angle x+\angle y=360°$이므로

$\angle A+\angle DCB=\frac{1}{2}(\angle x+\angle y)=\frac{1}{2}\times 360°=180°$

마찬가지 방법으로 $\angle B+\angle D=180°$

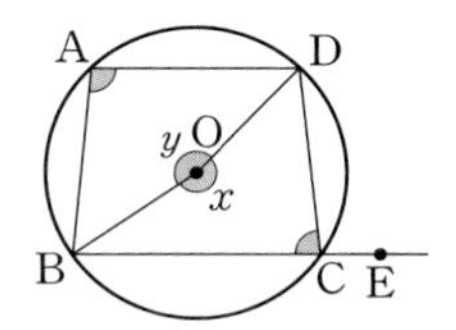

(2) (1)에 의하여 $\angle A+\angle DCB=180°$

이때 $\angle DCE+\angle DCB=180°$이므로 $\angle DCE=\angle A$

Lecture

● 외접사각형과 내접사각형

(1) 외접사각형

① 사각형의 모든 변은 원의 접선이다.

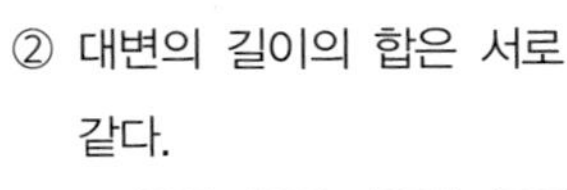

② 대변의 길이의 합은 서로 같다.

➡ $\overline{AB}+\overline{CD}=\overline{AD}+\overline{BC}$

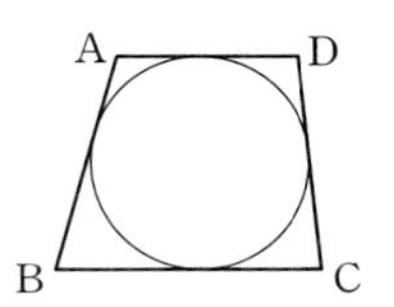

(2) 내접사각형

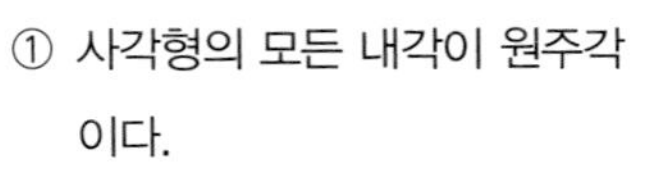

① 사각형의 모든 내각이 원주각이다.

② 대각의 크기의 합은 180°이다.

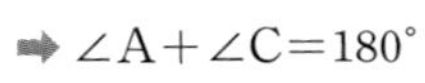

➡ $\angle A+\angle C=180°$

$\angle B+\angle D=180°$

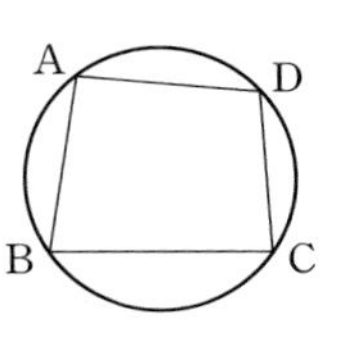

| 개념 확인 | **1** **다음 그림과 같이 □ABCD가 원에 내접할 때, $\angle x$, $\angle y$의 크기를 각각 구하시오.**

(1)

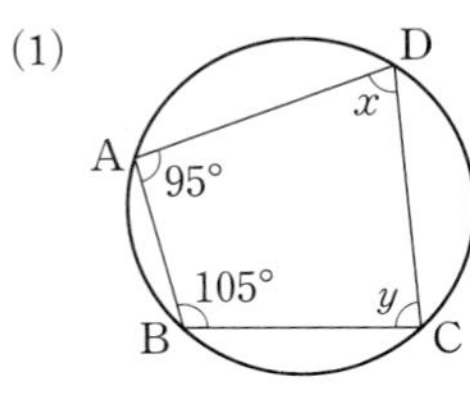

(2)

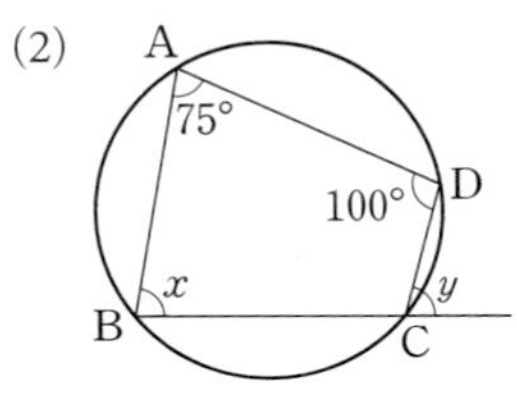

정답과 해설 p.34

개념 동영상

개념 2 사각형이 원에 내접하기 위한 조건

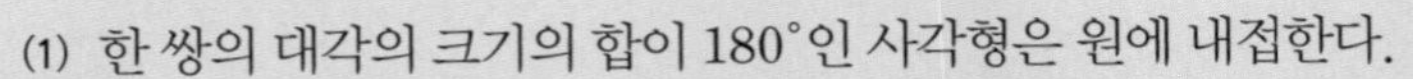

(1) 한 쌍의 대각의 크기의 합이 180°인 사각형은 원에 내접한다.

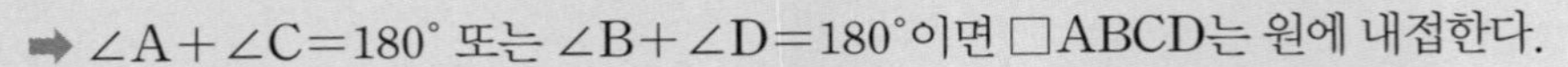

➡ $\angle A+\angle C=180^\circ$ 또는 $\angle B+\angle D=180^\circ$이면 □ABCD는 원에 내접한다.

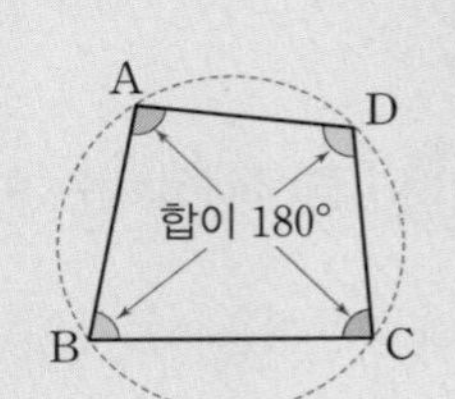

(2) 한 외각의 크기와 그 외각에 이웃한 내각에 대한 대각의 크기가 같은 사각형은 원에 내접한다.

➡ $\angle DCE=\angle A$이면 □ABCD는 원에 내접한다.

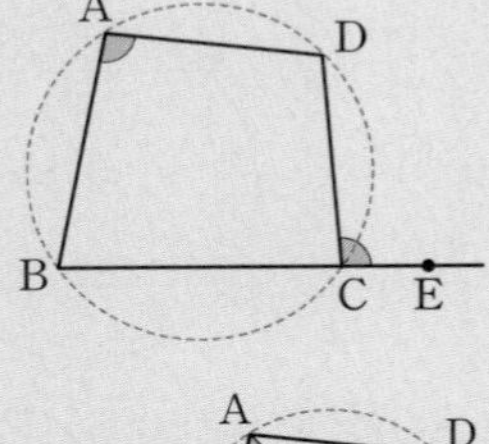

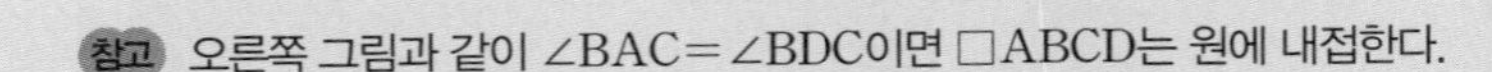

참고 오른쪽 그림과 같이 $\angle BAC=\angle BDC$이면 □ABCD는 원에 내접한다.

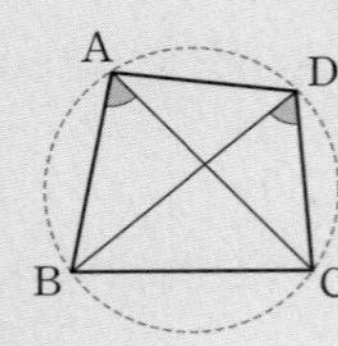

보기 (1) 오른쪽 그림과 같은 □ABCD가 원에 내접하려면
$115^\circ+\angle x=180^\circ$이어야 하므로
$\angle x=180^\circ-115^\circ=65^\circ$

(2) 오른쪽 그림과 같은 □ABCD가 원에 내접하려면
$\angle x=\angle DCE$이어야 하므로
$\angle x=\angle DCE=128^\circ$

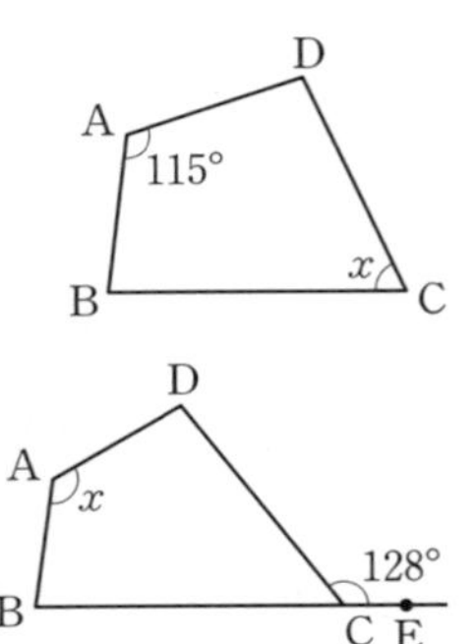

Lecture

- 항상 원에 내접하는 사각형

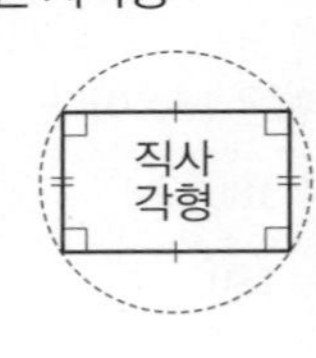

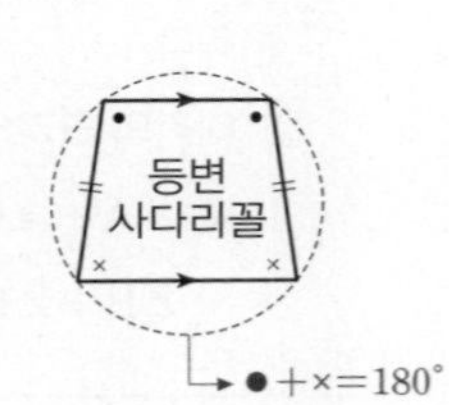

한 쌍의 대각의 크기의 합이 180°인 사각형은 항상 원에 내접해.

개념 확인 2 다음 보기 중 □ABCD가 원에 내접하는 것을 모두 고르시오.

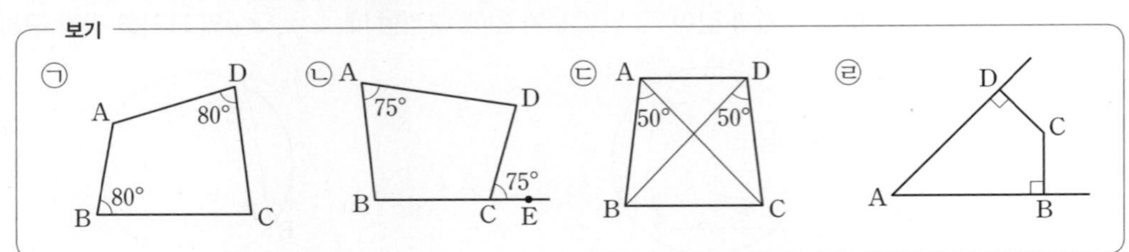

개념 기초

1-1

다음 그림에서 □ABCD가 원에 내접할 때, $\angle x$, $\angle y$의 크기를 각각 구하시오.

(1)

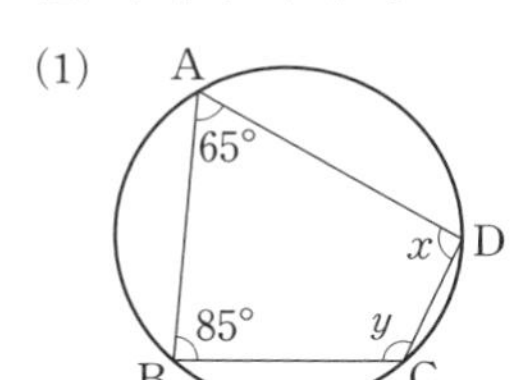

(2)

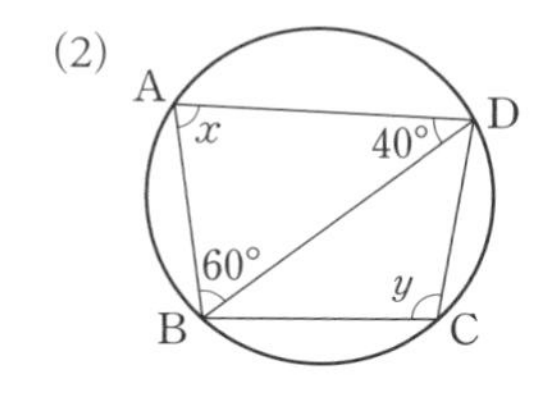

연구 원에 내접하는 사각형에서 한 쌍의 대각의 크기의 합은 ☐이다.

쌍둥이 문제

1-2

다음 그림에서 □ABCD가 원에 내접할 때, $\angle x$, $\angle y$의 크기를 각각 구하시오.

(1)

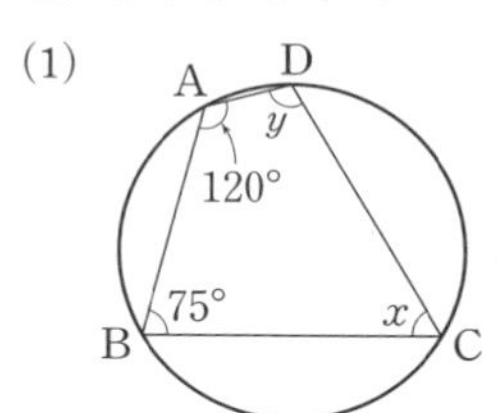

(2)

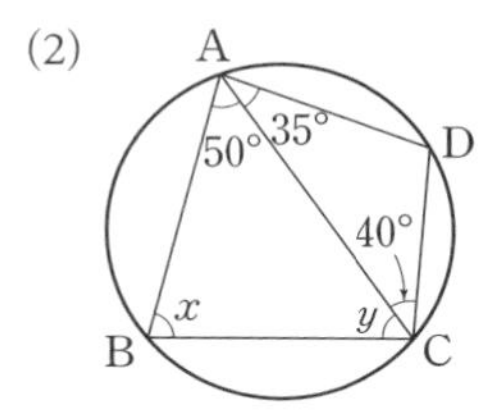

2-1

다음 그림에서 □ABCD가 원에 내접할 때, $\angle x$, $\angle y$의 크기를 각각 구하시오.

(1)

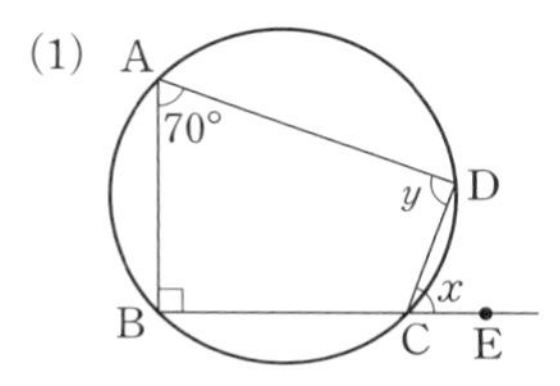

(2)

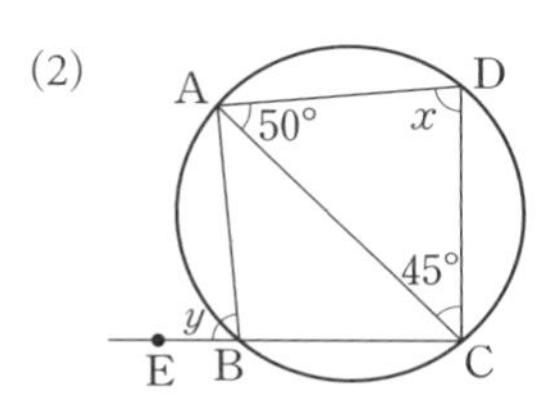

연구 원에 내접하는 사각형의 한 외각의 크기는 그 외각에 이웃한 내각에 대한 대각의 크기와 같다.

2-2

다음 그림에서 □ABCD가 원에 내접할 때, $\angle x$, $\angle y$의 크기를 각각 구하시오.

(1)

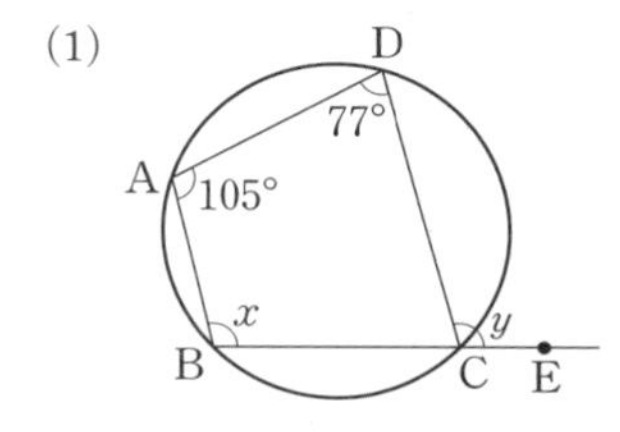

(2)

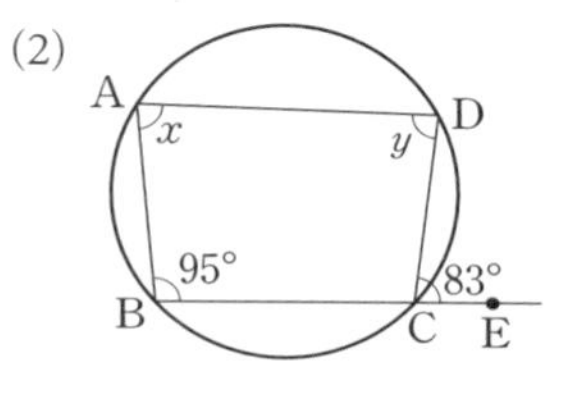

3-1

다음 보기 중 □ABCD가 원에 내접하는 것을 모두 고르시오.

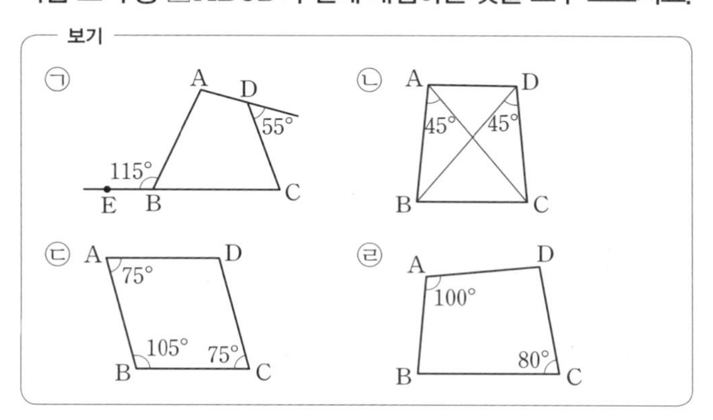

3-2

다음 보기 중 □ABCD가 원에 내접하는 것을 모두 고르시오.

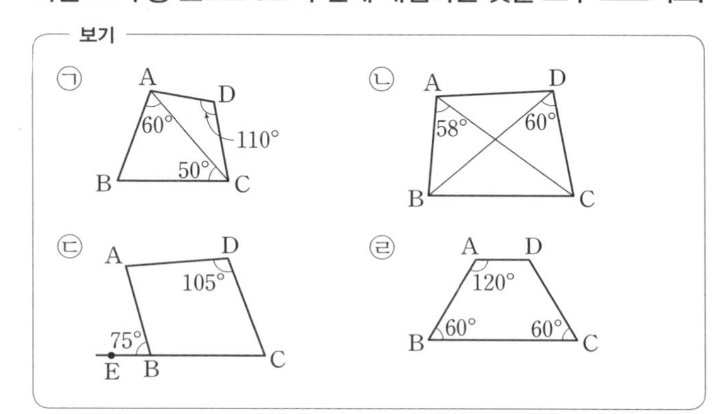

대표 유형 1 원에 내접하는 사각형의 성질 (1)

원에 내접하는 사각형에서 한 쌍의 대각의 크기의 합은 180°이다.

➡ $\angle A+\angle C=180°$

$\angle B+\angle D=180°$

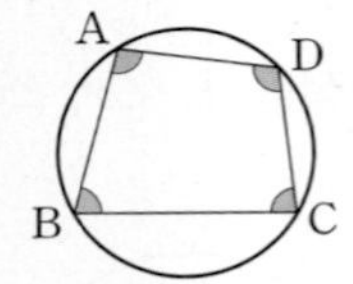

1-1 오른쪽 그림과 같이 □ABCD가 원 O에 내접하고 $\overline{BC}$는 원 O의 지름일 때, $\angle x$, $\angle y$의 크기를 각각 구하시오.

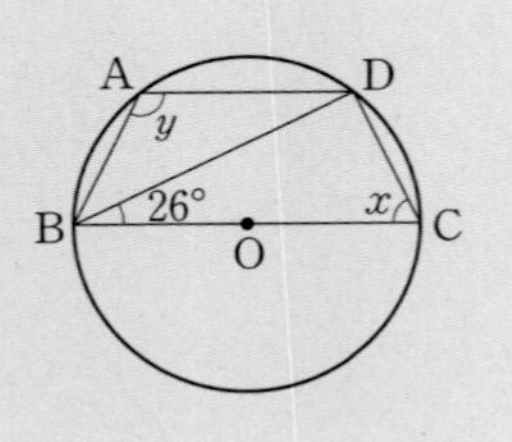

풀이 $\overline{BC}$는 원 O의 지름이므로 $\angle BDC=90°$

△DBC에서 $\angle x=180°-(26°+90°)=64°$

□ABCD가 원 O에 내접하므로

$\angle y+64°=180°$ $\therefore \angle y=116°$

답 $\angle x=64°$, $\angle y=116°$

쌍둥이 1-2

다음 그림과 같이 □ABCD가 원에 내접할 때, $\angle x$, $\angle y$의 크기를 각각 구하시오.

(1)

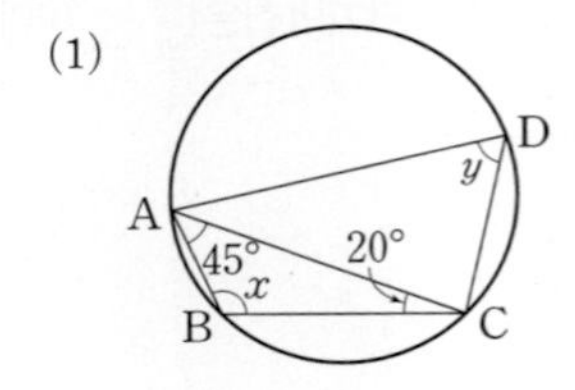

(2)

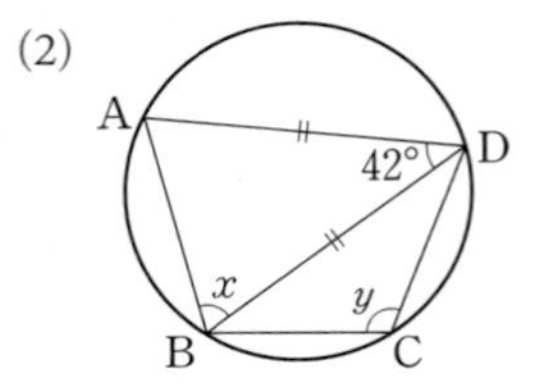

대표 유형 2 원에 내접하는 사각형의 성질 (2)

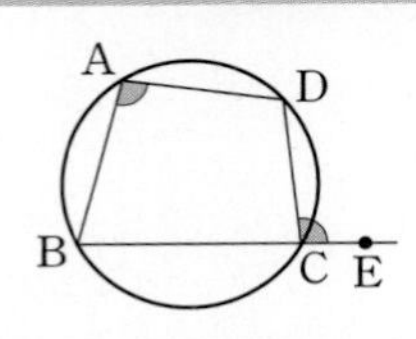

➡ $\angle DCE=\angle A$

2-1 오른쪽 그림과 같이 □ABCD가 원에 내접할 때, $\angle x$, $\angle y$의 크기를 각각 구하시오.

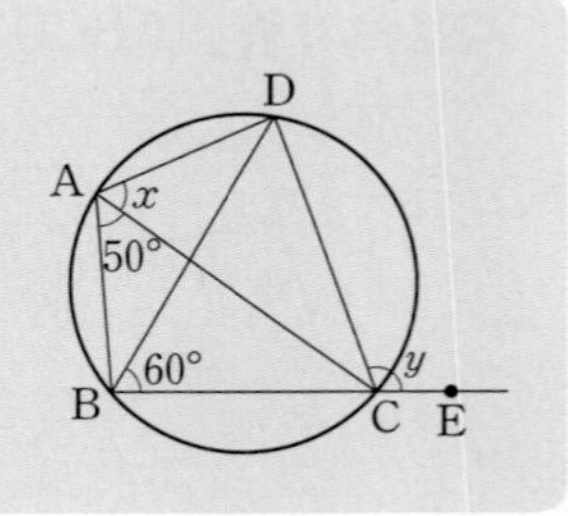

풀이 한 호에 대한 원주각의 크기는 같으므로

$\angle x=\angle DBC=60°$

□ABCD가 원에 내접하므로

$\angle y=\angle DAB=60°+50°=110°$

답 $\angle x=60°$, $\angle y=110°$

쌍둥이 2-2

다음 그림과 같이 □ABCD가 원 O에 내접할 때, $\angle x$의 크기를 구하시오.

(1)

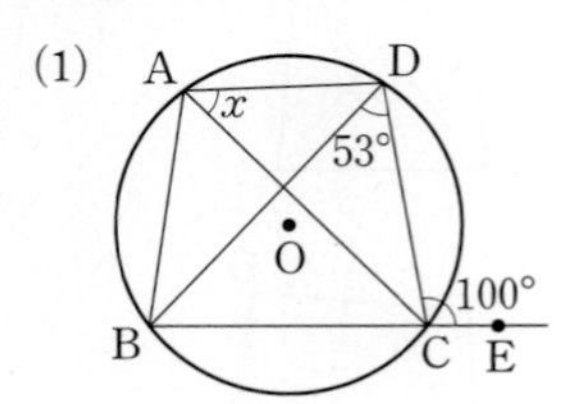

(2)

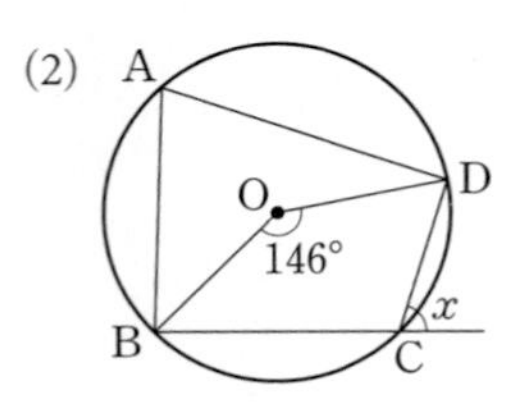

대표 유형 3 원에 내접하는 사각형의 성질의 활용

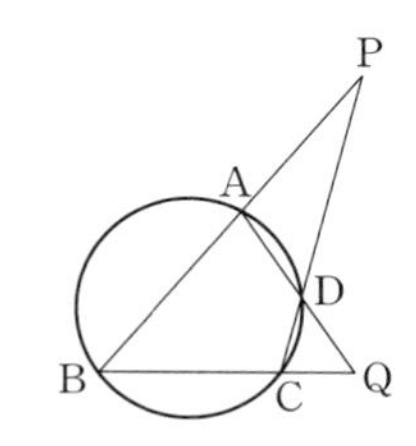

➡ (1) □ABCD가 원에 내접하므로

$\angle CDQ = \angle B$

(2) △PBC에서 $\angle PCQ = \angle PBC + \angle BPC$

3-1 오른쪽 그림에서 □ABCD는 원에 내접하고 $\overline{AB}$와 $\overline{CD}$의 연장선의 교점을 P, $\overline{AD}$와 $\overline{BC}$의 연장선의 교점을 Q라 하자. $\angle APD = 38°$, $\angle DQC = 20°$일 때, $\angle x$의 크기를 구하시오.

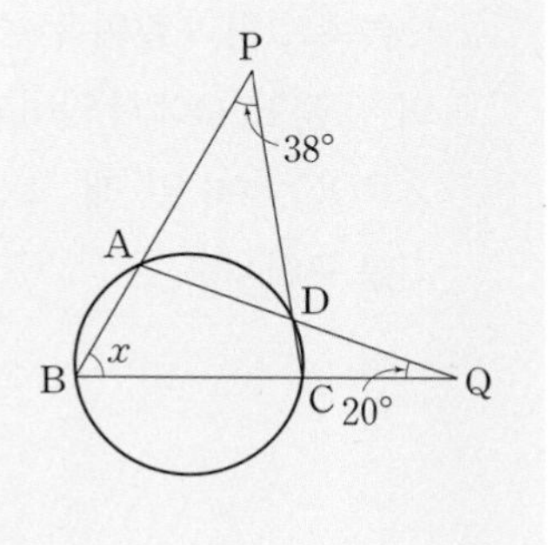

풀이 □ABCD가 원에 내접하므로

$\angle CDQ = \angle ABC = \angle x$

△PBC에서 $\angle PCQ = \angle x + 38°$

△DCQ에서 $\angle x + (\angle x + 38°) + 20° = 180°$

$2\angle x = 122°$ $\therefore \angle x = 61°$

답 61°

쌍둥이 **3-2**

오른쪽 그림에서 □ABCD는 원에 내접하고 $\overline{AB}$와 $\overline{CD}$의 연장선의 교점을 P, $\overline{BC}$와 $\overline{AD}$의 연장선의 교점을 Q라 하자. $\angle ADC = 44°$, $\angle AQB = 40°$일 때, $\angle x$의 크기를 구하시오.

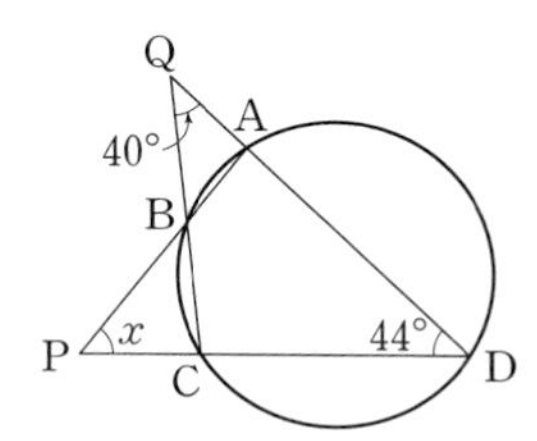

대표 유형 4 원에 내접하는 다각형

오각형이 원에 내접할 때에는 보조선을 그어서 오각형을 사각형과 삼각형으로 나눈다.

4-1 오른쪽 그림에서 오각형 ABCDE는 원 O에 내접하고 $\angle ABC = 110°$, $\angle COD = 70°$일 때, $\angle x$의 크기를 구하시오.

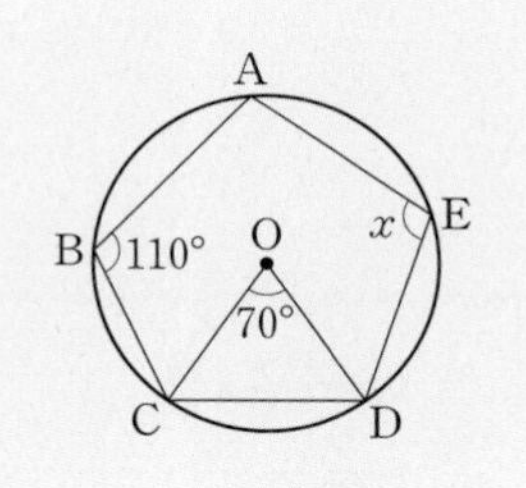

풀이 오른쪽 그림과 같이 $\overline{CE}$를 그으면

$\angle CED = \frac{1}{2}\angle COD$

$= \frac{1}{2} \times 70° = 35°$

□ABCE가 원 O에 내접하므로

$110° + \angle AEC = 180°$ $\therefore \angle AEC = 70°$

$\therefore \angle x = \angle AEC + \angle CED = 70° + 35° = 105°$

답 105°

쌍둥이 **4-2**

오른쪽 그림에서 오각형 ABCDE는 원 O에 내접하고 $\angle ABC = 120°$, $\angle AED = 85°$일 때, $\angle x$의 크기를 구하시오.

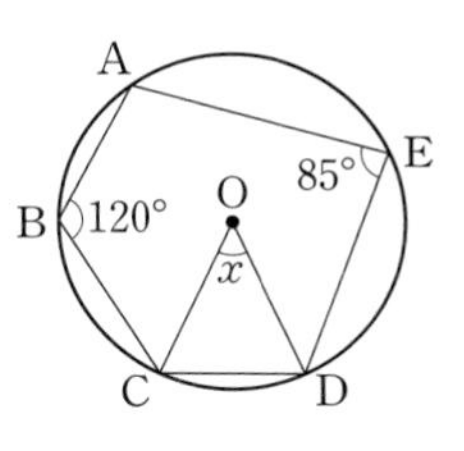

대표 유형 5 두 원에 내접하는 사각형

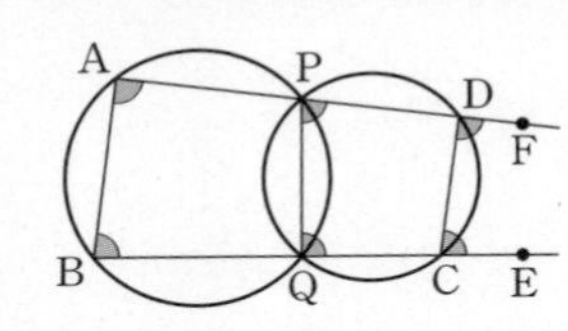

➡ (1) $\angle BAP = \angle PQC = \angle CDF$

(2) $\angle ABQ = \angle QPD = \angle DCE$

(3) $\overline{AB} /\!/ \overline{DC}$

5-1 오른쪽 그림과 같이 두 원 O, O′이 두 점 P, Q에서 만나고 $\angle ABQ = 80°$일 때, $\angle x$의 크기를 구하시오.

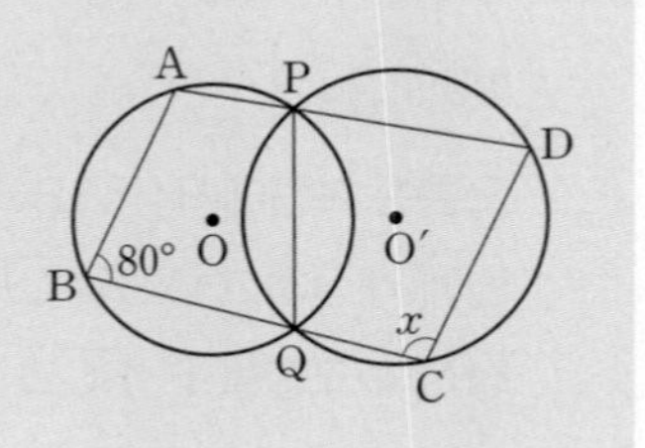

풀이 □ABQP가 원 O에 내접하므로

$\angle QPD = \angle ABQ = 80°$

□PQCD가 원 O′에 내접하므로

$80° + \angle x = 180°$　　$\therefore \angle x = 100°$

답 100°

쌍둥이 5-2

오른쪽 그림과 같이 두 원 O, O′이 두 점 P, Q에서 만나고 $\angle PDC = 96°$일 때, $\angle x$의 크기를 구하시오.

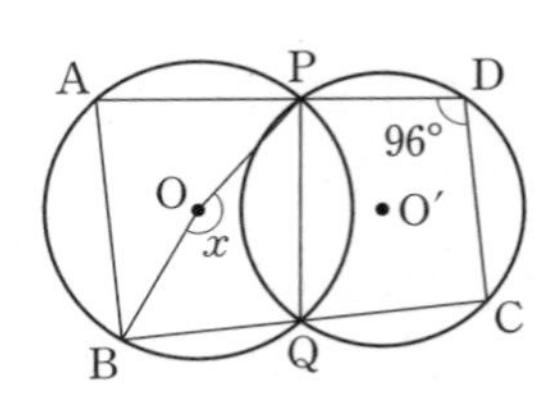

대표 유형 6 사각형이 원에 내접하기 위한 조건

다음 중 하나를 만족하면 □ABCD가 원에 내접한다.

(1)

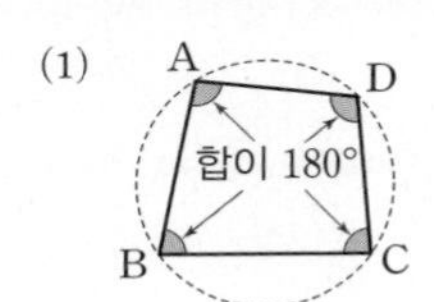

➡ $\angle A + \angle C = 180°$ 또는 $\angle B + \angle D = 180°$

(2)

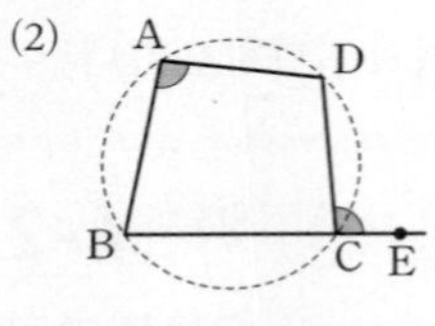

➡ $\angle DCE = \angle A$

(3)

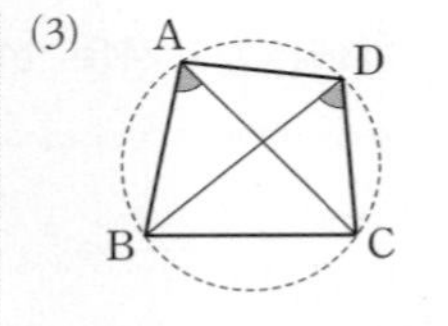

➡ $\angle BAC = \angle BDC$

6-1 오른쪽 그림의 □ABCD에서 $\angle ABC$의 크기를 구하시오.

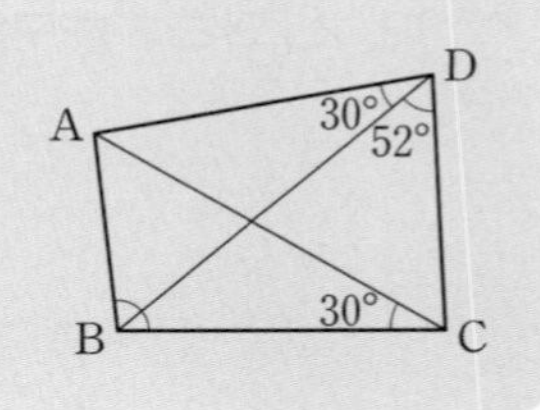

풀이 $\angle ADB = \angle ACB = 30°$이므로 □ABCD는 원에 내접한다.

즉 $\angle ABC + \angle ADC = 180°$이므로

$\angle ABC + (30° + 52°) = 180°$　　$\therefore \angle ABC = 98°$

답 98°

쌍둥이 6-2

다음 중 □ABCD가 원에 내접하는 것을 모두 고르면? (정답 2개)

①
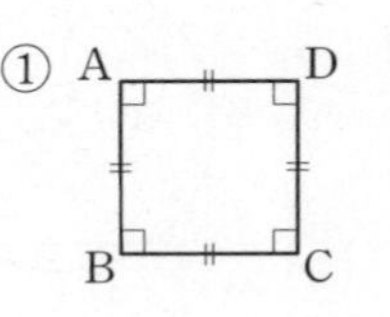

②
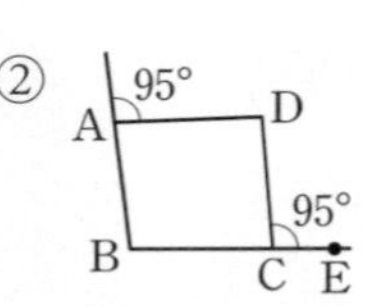

③
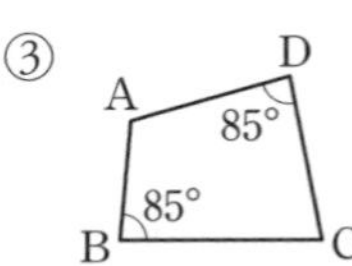

④
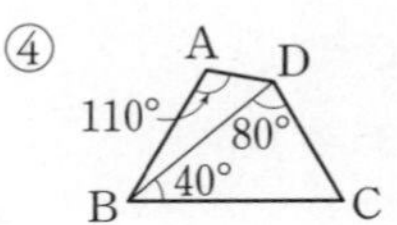

⑤
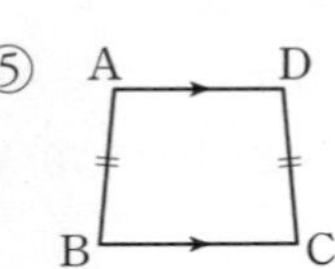

STEP 3 개념 뛰어넘기

원에 내접하는 사각형의 성질

□ABCD가 원에 내접할 때,

(1) $\angle A+\angle C=180°$,
$\angle B+\angle D=$ ❶

(2) $\angle DCE=$ ❷

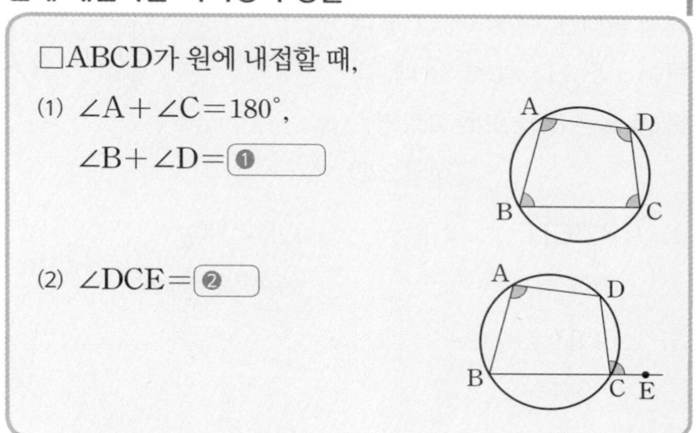

답 ❶ 180° ❷ ∠A

01

오른쪽 그림과 같이 □ABCD는 원 O에 내접하고 $\angle BCD=110°$일 때, $\angle x+\angle y$의 크기를 구하시오.

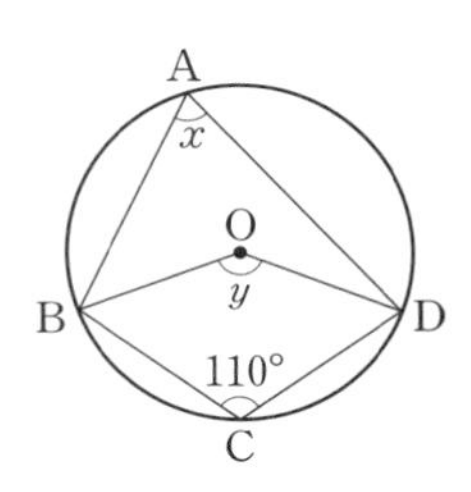

★ 02

오른쪽 그림과 같이 □ABCD가 원 O에 내접하고 $\overline{BC}$는 원 O의 지름이다. $\angle ADC=112°$일 때, $\angle x$의 크기를 구하시오.

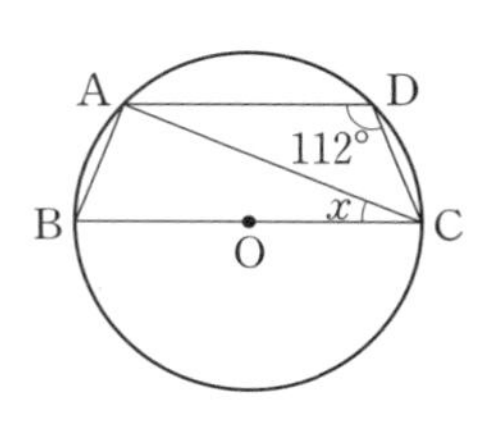

03

서술형

오른쪽 그림과 같이 □ABCD, □BCDE는 각각 원 O에 내접하고 $\angle ABE=25°$, $\angle BED=85°$일 때, $\angle y-\angle x$의 크기를 구하시오.

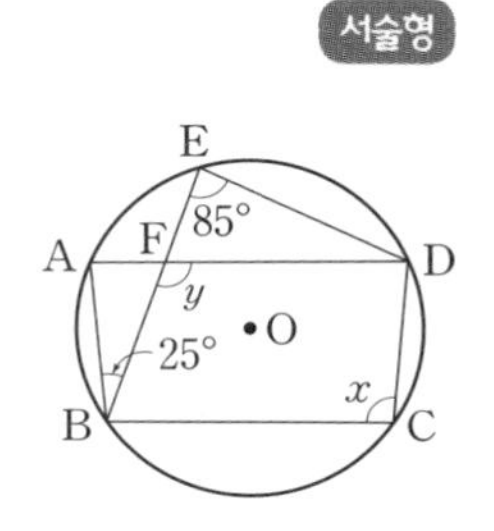

04

오른쪽 그림과 같이 □ABCD는 원 O에 내접하고 $\overline{AD}$와 $\overline{BC}$의 연장선의 교점을 P라 하자. $\angle ABC=88°$, $\angle DPC=32°$일 때, $\angle x$의 크기를 구하시오.

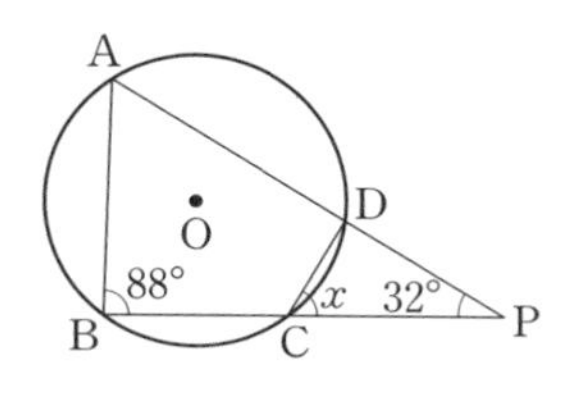

★ 05

오른쪽 그림과 같이 □ABCD는 원 O에 내접하고 $\angle ABD=45°$, $\angle ADB=65°$일 때, $\angle x$의 크기를 구하시오.

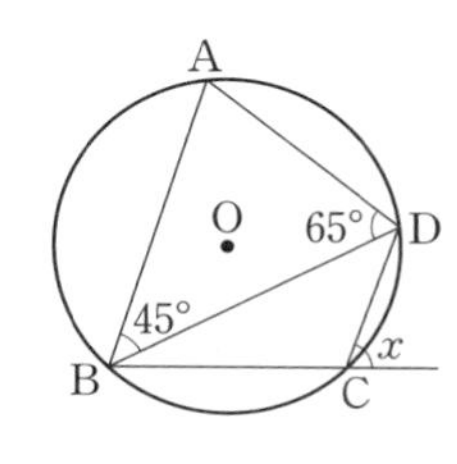

06

오른쪽 그림과 같이 □ABCD가 원 O에 내접할 때, $\angle x$의 크기를 구하시오.

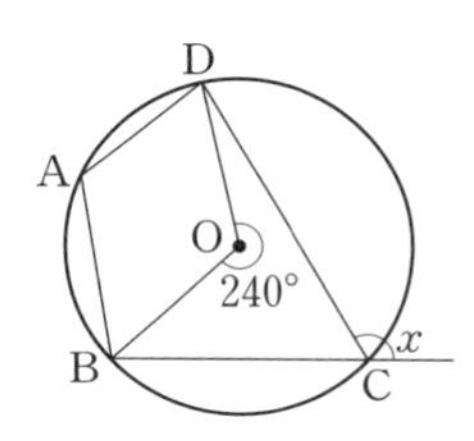

07

오른쪽 그림과 같이 □ABCD, □ABCE는 각각 원 O에 내접하고 $\angle EAD=30°$, $\angle BCE=85°$일 때, $\angle DCF$의 크기를 구하시오.

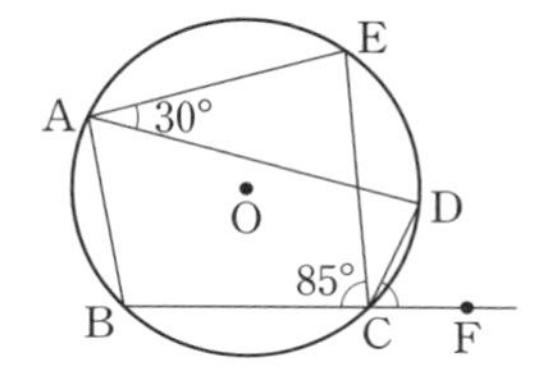

08

오른쪽 그림에서 □ABCD는 원에 내접하고 $\angle BAC=53°$, $\angle DBC=48°$, $\angle ABE=100°$일 때, $\angle x-\angle y$의 크기를 구하시오.

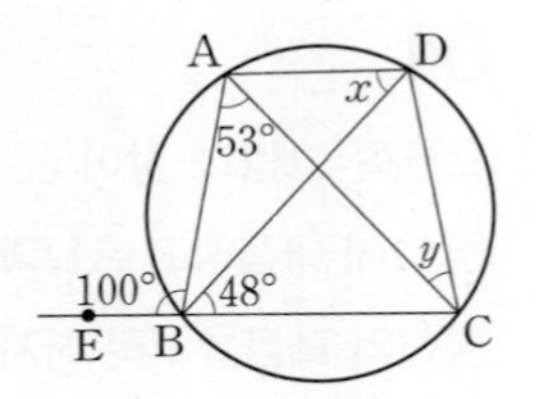

09

서술형

오른쪽 그림에서 □ABCD는 원에 내접하고 $\overline{AB}$와 $\overline{CD}$의 연장선의 교점을 P, $\overline{AD}$와 $\overline{BC}$의 연장선의 교점을 Q라 하자. $\angle APD=23°$, $\angle AQB=45°$일 때, $\angle x$의 크기를 구하시오.

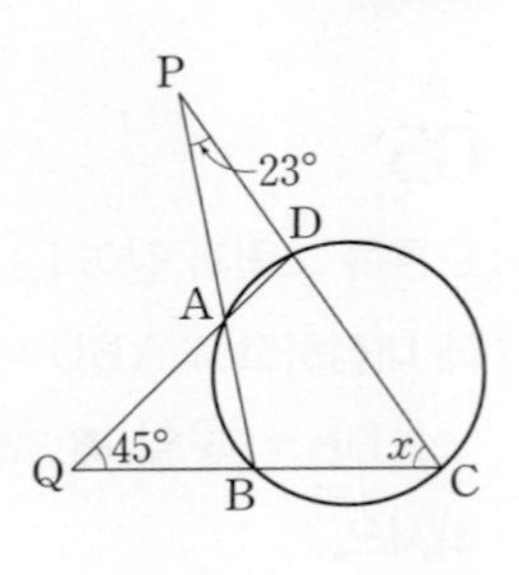

10

오른쪽 그림에서 오각형 ABCDE는 원 O에 내접하고 $\angle BAE=105°$, $\angle BOC=60°$일 때, $\angle x$의 크기를 구하시오.

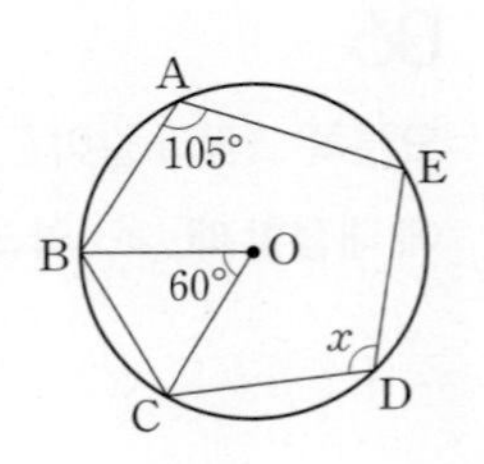

★ 11

창의력

오른쪽 그림과 같이 육각형 ABCDEF가 원에 내접하고 $\angle B=115°$, $\angle F=100°$일 때, $\angle x$의 크기를 구하시오.

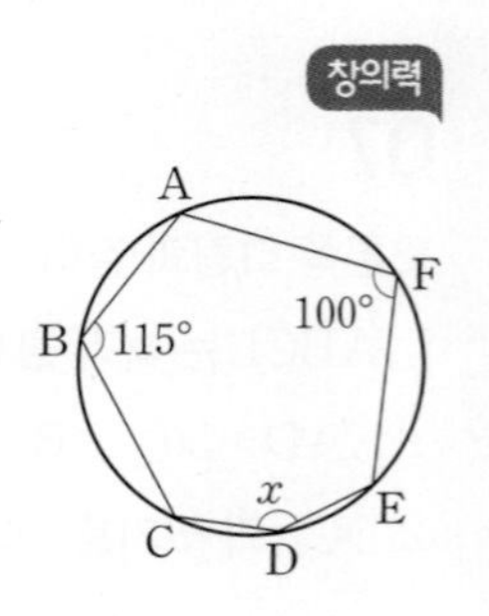

12

오른쪽 그림과 같이 두 점 P, Q에서 만나는 두 원 O, O′에 대하여 $\angle BAP=103°$일 때, 다음 중 옳은 것을 모두 고르면? (정답 2개)

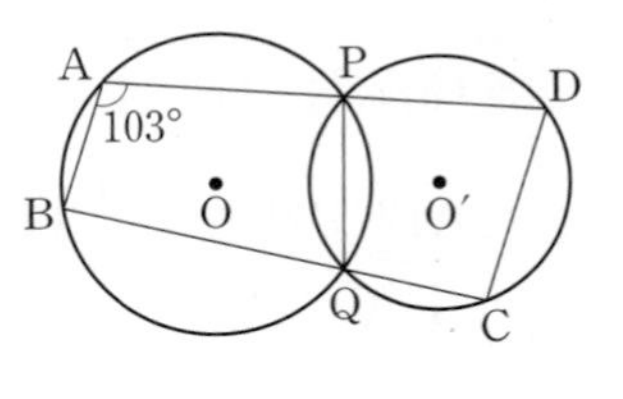

① $\overline{AB}/\!/\overline{CD}$
② $\overline{AB}/\!/\overline{PQ}$
③ $\angle PDC=77°$
④ $\angle ABQ=77°$
⑤ $\angle BQP=103°$

사각형이 원에 내접하기 위한 조건

13

다음 중 □ABCD가 원에 내접하지 않는 것은?

①
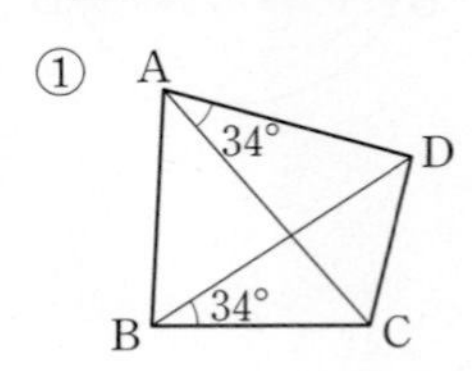

②
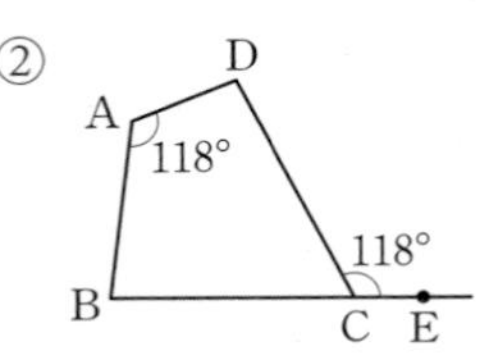

③
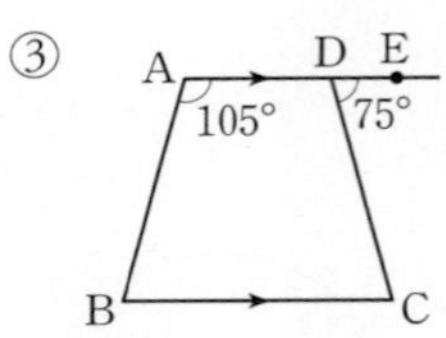

④
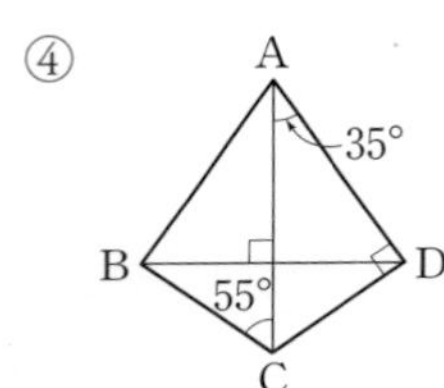

⑤
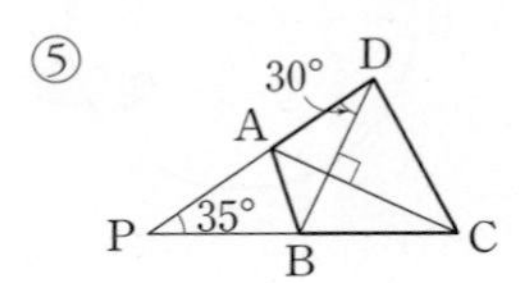

14

오른쪽 그림의 □ABCD에서 $\angle x$의 크기를 구하시오.

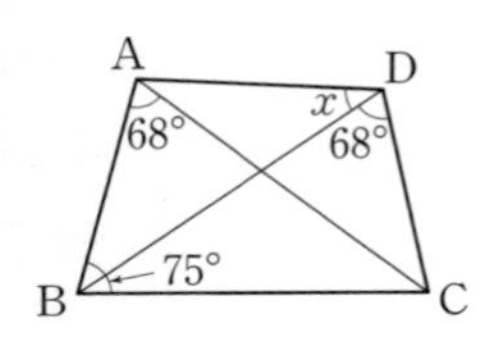

3 접선과 현이 이루는 각

개념 1 접선과 현이 이루는 각

원의 접선과 그 접점을 지나는 현이 이루는 각의 크기는 그 각의 내부에 있는 호에 대한 원주각의 크기와 같다.

➡ $\angle BAT = \angle BCA$

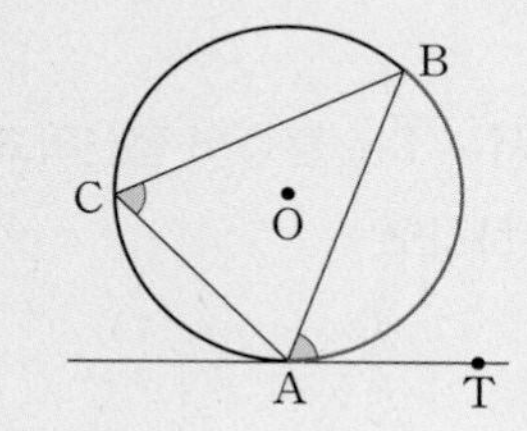

참고 접선이 되기 위한 조건

원 O에서 $\angle BAT = \angle BCA$이면 직선 AT는 원 O의 접선이다.

설명

(1) $\angle BAT$가 직각인 경우

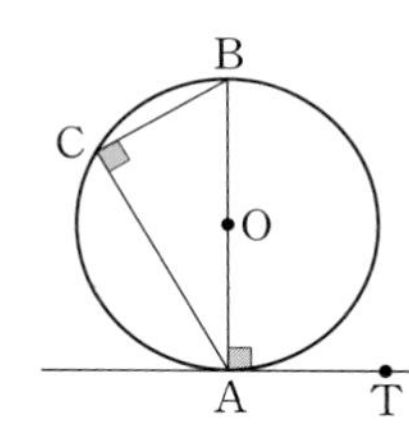

$\angle BAT = 90°$이면

$\overline{AB}$는 원 O의 지름이므로

$\angle BCA = 90°$

$\therefore \angle BAT = \angle BCA$

(2) $\angle BAT$가 예각인 경우

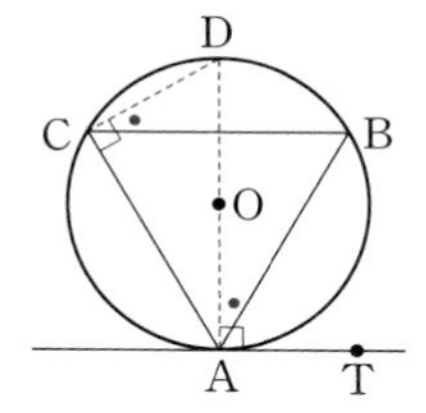

지름 AD를 그으면

$\angle DAT = \angle DCA = 90°$

$\angle DAB = \angle DCB$

($\overset{\frown}{DB}$에 대한 원주각)

$\therefore \angle BAT = 90° - \angle DAB$

$= 90° - \angle DCB$

$= \angle BCA$

(3) $\angle BAT$가 둔각인 경우

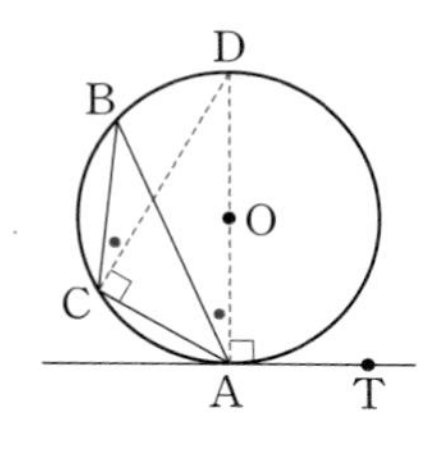

지름 AD를 그으면

$\angle DAT = \angle DCA = 90°$

$\angle BAD = \angle BCD$

($\overset{\frown}{BD}$에 대한 원주각)

$\therefore \angle BAT = 90° + \angle BAD$

$= 90° + \angle BCD$

$= \angle BCA$

Lecture

- 오른쪽 그림과 같이 $\overleftrightarrow{TT'}$은 원 O의 접선이고 점 A는 접점일 때

  ➡ $\angle BAT' = \angle BCA$, $\angle CAT = \angle CBA$

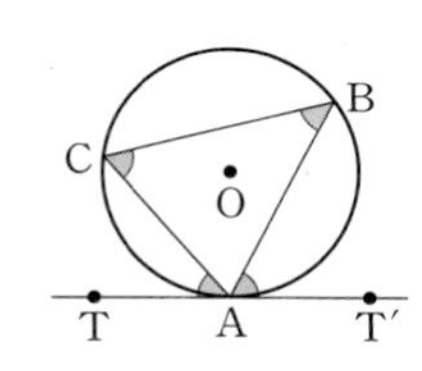

개념 확인 **1** 다음 그림에서 $\overleftrightarrow{AT}$는 원 O의 접선이고 점 A는 접점일 때, $\angle x$의 크기를 구하시오.

(1)

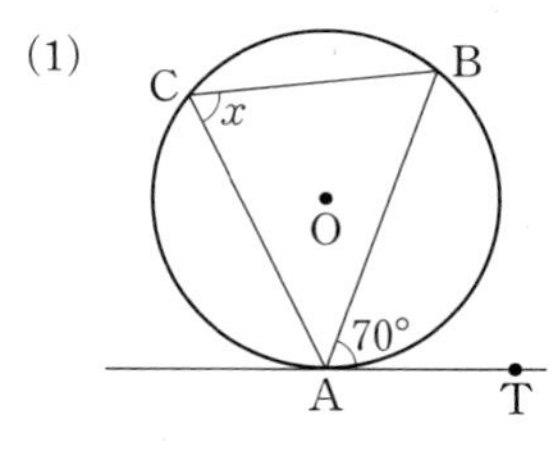

(2)

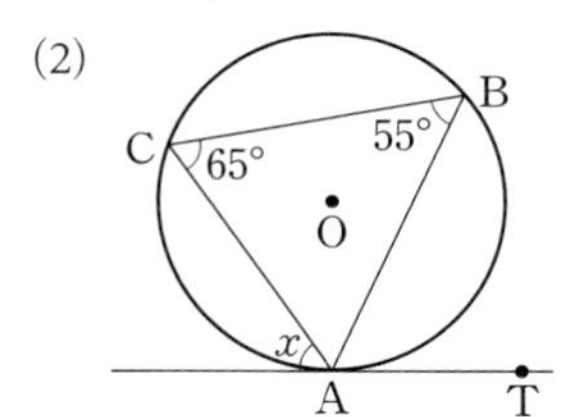

4 원주각

STEP 1 기초 개념 드릴

개념 기초

1-1

다음 그림에서 $\overleftrightarrow{AT}$는 원 O의 접선이고 점 A는 접점일 때, $\angle x$의 크기를 구하시오.

(1)

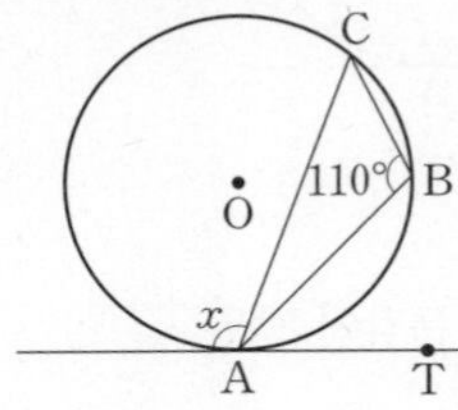

(2)

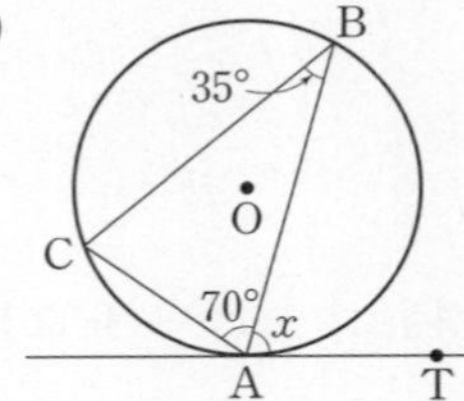

연구 원의 접선과 그 접점을 지나는 현이 이루는 각의 크기는 그 각의 내부에 있는 호에 대한 ☐의 크기와 같다.

쌍둥이 문제

1-2

다음 그림에서 $\overleftrightarrow{AT}$는 원 O의 접선이고 점 A는 접점일 때, $\angle x$의 크기를 구하시오.

(1)

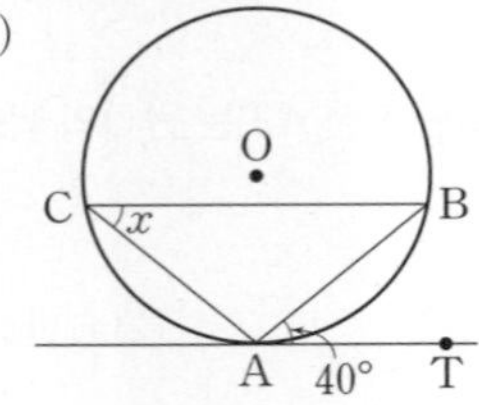

(2)

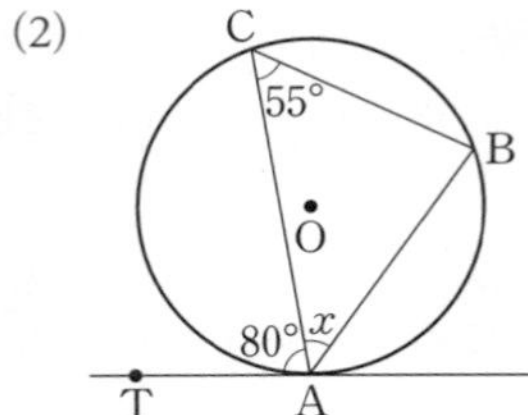

2-1

오른쪽 그림에서 $\overleftrightarrow{AT}$는 원 O의 접선이고 점 A는 접점일 때, $\angle y - \angle x$의 크기를 구하시오.

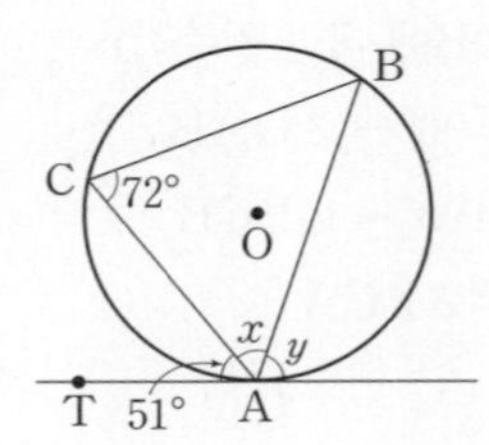

2-2

오른쪽 그림에서 $\overleftrightarrow{AT}$는 원 O의 접선이고 점 A는 접점일 때, $\angle x - \angle y$의 크기를 구하시오.

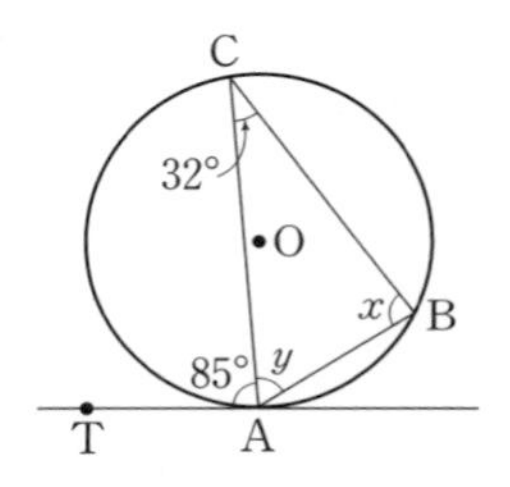

3-1

다음 그림에서 $\overleftrightarrow{AT}$는 원 O의 접선이고 점 A는 접점일 때, $\angle x$의 크기를 구하시오.

(1)

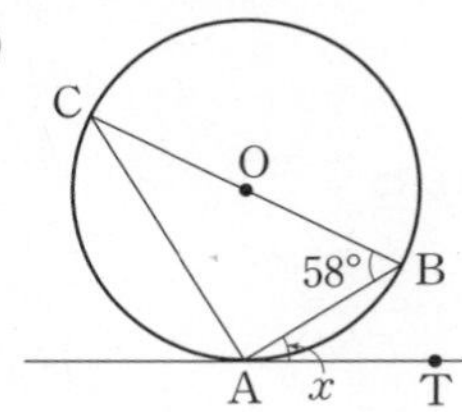

(2)

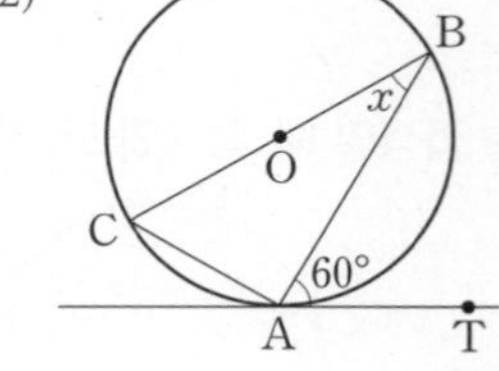

연구 반원에 대한 원주각의 크기는 ☐이다.

3-2

다음 그림에서 $\overleftrightarrow{AT}$는 원 O의 접선이고 점 A는 접점일 때, $\angle x$의 크기를 구하시오.

(1)

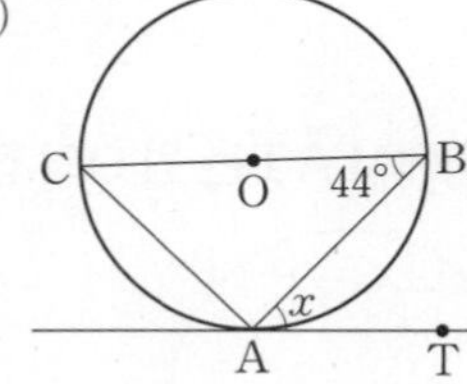

(2)

STEP 2 대표 유형으로 개념 잡기

대표 유형 1 접선과 현이 이루는 각

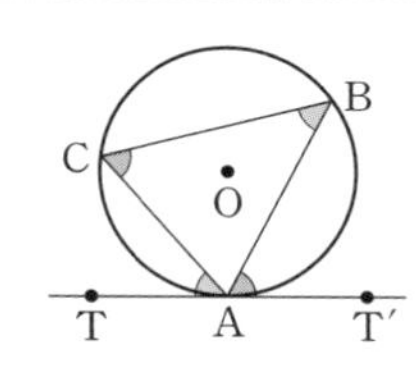

➡ $\angle BAT' = \angle BCA$, $\angle CAT = \angle CBA$

1-1 오른쪽 그림에서 $\overleftrightarrow{AT}$는 원 O의 접선이고 점 A는 접점일 때, $\angle x$의 크기를 구하시오.

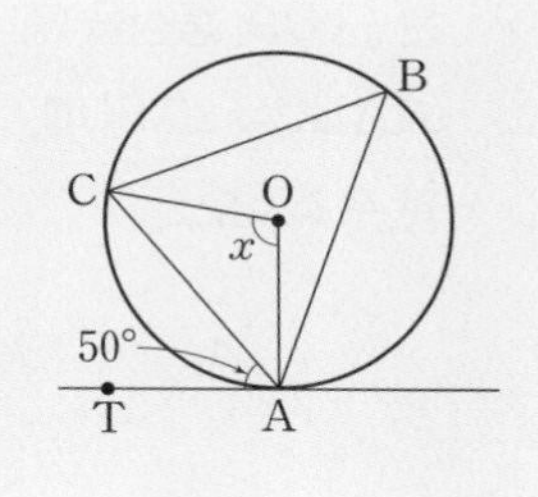

풀이 $\angle CBA = \angle CAT = 50°$이므로

$\angle x = 2\angle CBA = 2 \times 50° = 100°$

답 $100°$

쌍둥이 1-2

오른쪽 그림에서 $\overleftrightarrow{AT}$는 원 O의 접선이고 점 A는 접점이다. $\angle AOB = 120°$, $\angle CAT = 70°$일 때, $\angle x$, $\angle y$의 크기를 각각 구하시오.

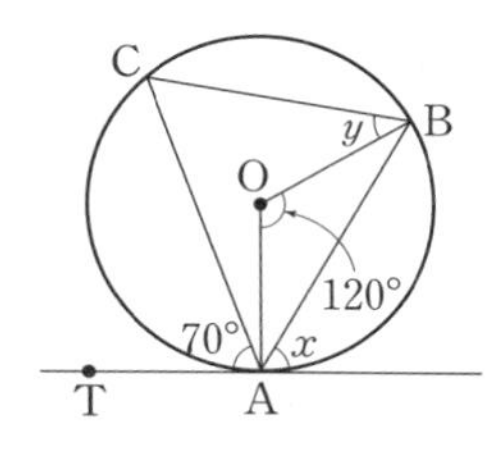

대표 유형 2 접선과 현이 이루는 각의 활용 (1)

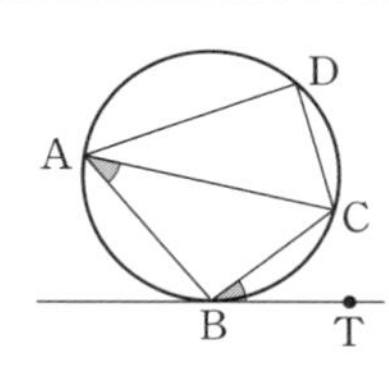

➡ (1) $\angle DAB + \angle DCB = 180°$, $\angle ABC + \angle ADC = 180°$

(2) $\angle CAB = \angle CBT$

2-1 오른쪽 그림에서 $\overleftrightarrow{BT}$는 원의 접선이고 점 B는 접점이다. $\angle ADC = 110°$, $\angle CBT = 45°$일 때, $\angle x$의 크기를 구하시오.

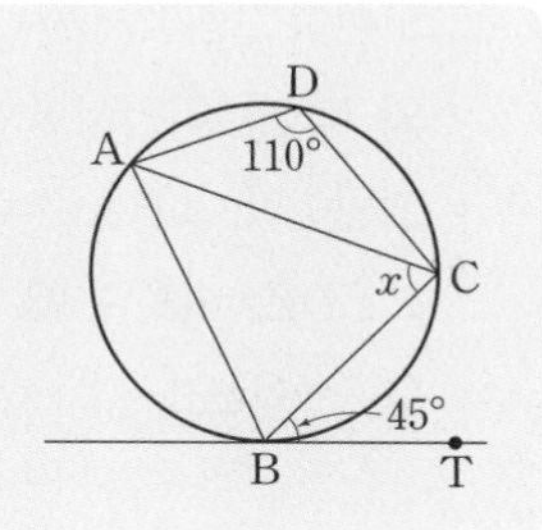

풀이 □ABCD가 원에 내접하므로

$\angle ABC + 110° = 180°$ $\therefore \angle ABC = 70°$

$\angle CAB = \angle CBT = 45°$이므로

$\triangle ABC$에서 $\angle x = 180° - (45° + 70°) = 65°$

답 $65°$

쌍둥이 2-2

오른쪽 그림에서 $\overleftrightarrow{CT}$는 원의 접선이고 점 C는 접점이다. $\angle BAD = 95°$, $\angle BDC = 40°$일 때, $\angle x$의 크기를 구하시오.

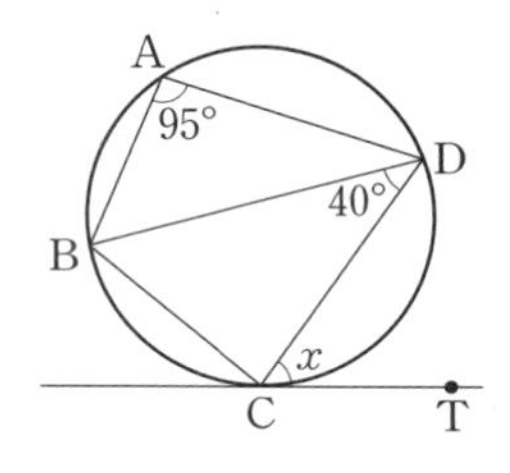

대표 유형 3 접선과 현이 이루는 각의 활용 (2)

- 3-1에서 보조선을 긋고 $\angle BCT$와 크기가 같은 원주각을 찾는다.
- 반원에 대한 원주각의 크기는 $90°$임을 이용한다.

3-1 오른쪽 그림에서 $\overrightarrow{PT}$는 원 O의 접선이고 점 C는 접점이다. $\overline{PB}$는 원 O의 중심을 지나고 $\angle BCT=64°$일 때, $\angle x$의 크기를 구하시오.

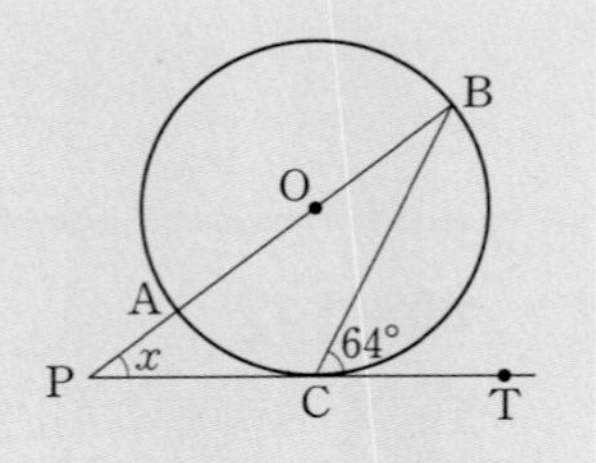

풀이 오른쪽 그림과 같이 $\overline{AC}$를 그으면 $\overline{AB}$는 원 O의 지름이므로

$\angle ACB=90°$

$\angle ACP=180°-(90°+64°)=26°$

$\angle BAC=\angle BCT=64°$이므로

$\triangle APC$에서 $\angle x=64°-26°=38°$

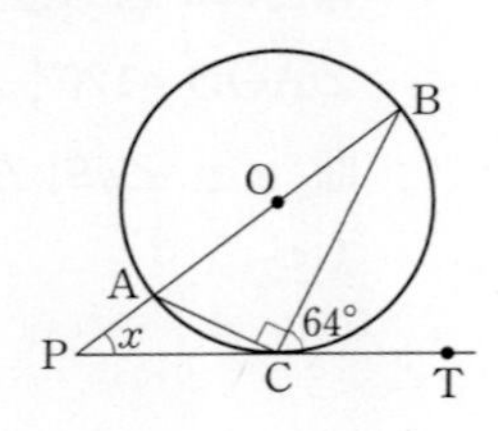

답 $38°$

쌍둥이 3-2

오른쪽 그림에서 $\overrightarrow{PT}$는 원 O의 접선이고 점 C는 접점이다. $\overline{PB}$는 원 O의 중심을 지나고 $\angle ABC=25°$일 때, $\angle x$의 크기를 구하시오.

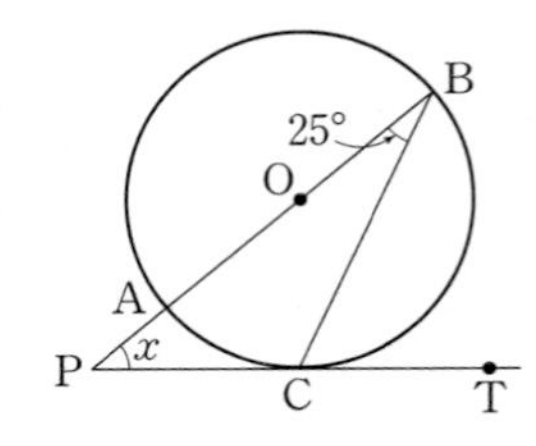

대표 유형 4 접선과 현이 이루는 각의 활용 (3)

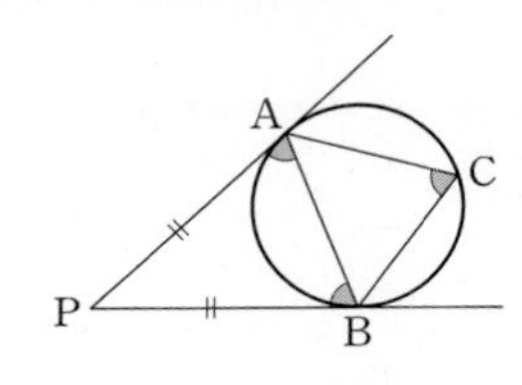

➡ (1) $\triangle PBA$는 $\overline{PA}=\overline{PB}$인 이등변삼각형이다.

(2) $\angle PAB=\angle PBA=\angle ACB$

4-1 오른쪽 그림에서 원 O는 $\triangle ABC$의 내접원이면서 $\triangle DEF$의 외접원이다. $\angle BAC=52°$, $\angle ABC=60°$일 때, $\angle x$의 크기를 구하시오.

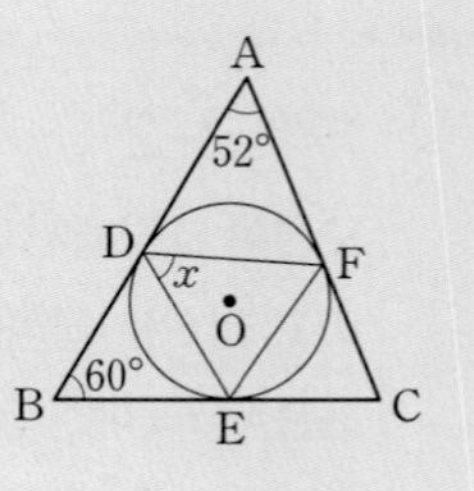

풀이 $\triangle ABC$에서

$\angle ACB=180°-(52°+60°)=68°$

$\triangle FEC$에서 $\overline{CE}=\overline{CF}$이므로

$\angle FEC=\angle EFC=\frac{1}{2}\times(180°-68°)=56°$

$\therefore \angle x=\angle FEC=56°$

답 $56°$

쌍둥이 4-2

오른쪽 그림에서 원 O는 $\triangle ABC$의 내접원이면서 $\triangle DEF$의 외접원이다. $\angle BAC=68°$, $\angle FDE=62°$일 때, $\angle x$의 크기를 구하시오.

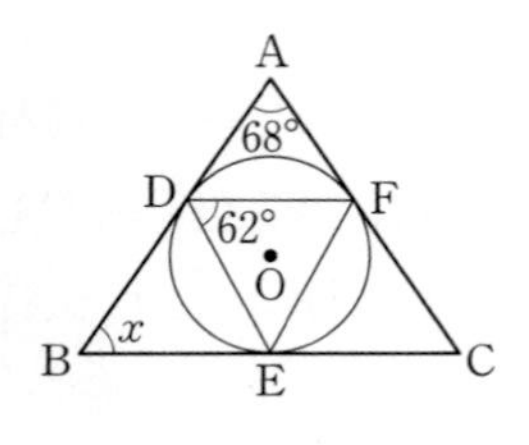

대표 유형 5 두 원에서 접선과 현이 이루는 각 (1)

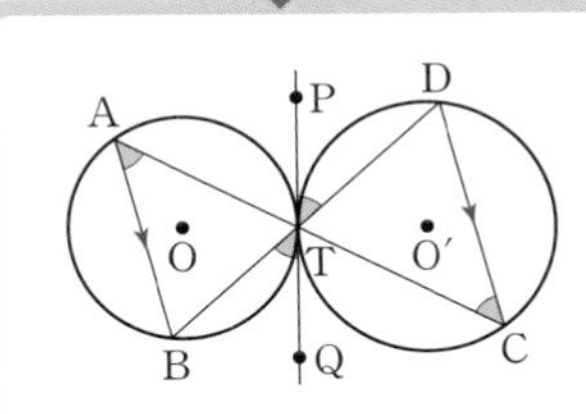

➡ (1) $\angle BAT = \angle BTQ = \angle DTP = \angle DCT$ (맞꼭지각)

(2) $\overline{AB} /\!/ \overline{CD}$ ($\because$ $\angle BAT = \angle DCT$) (엇각)

5-1 오른쪽 그림에서 $\overleftrightarrow{PQ}$는 두 원 O, O′의 공통인 접선이고 점 T는 접점일 때, 다음을 구하시오.

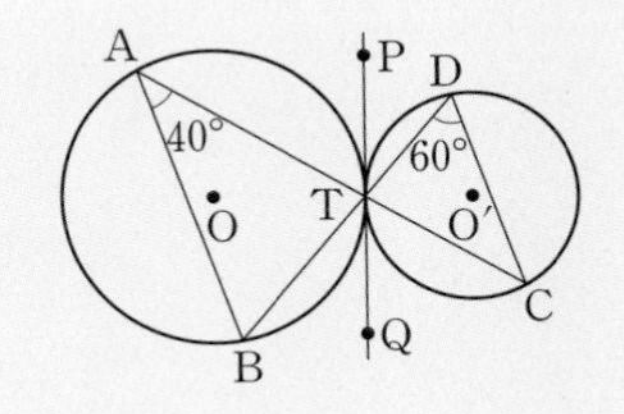

(1) $\angle BTQ$의 크기

(2) $\angle CTQ$의 크기

(3) $\angle ATB$의 크기

풀이 (1) 원 O에서 $\angle BTQ = \angle BAT = 40^\circ$

(2) 원 O′에서 $\angle CTQ = \angle CDT = 60^\circ$

(3) $\angle ATB = 180^\circ - (40^\circ + 60^\circ) = 80^\circ$

답 (1) 40° (2) 60° (3) 80°

쌍둥이 **5-2**

오른쪽 그림에서 $\overleftrightarrow{PQ}$는 두 원 O, O′의 공통인 접선이고 점 T는 접점이다. $\angle BAT = 70^\circ$, $\angle CTD = 65^\circ$일 때, $\angle x$의 크기를 구하시오.

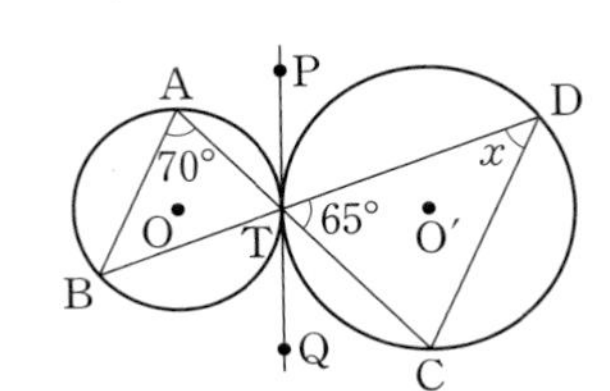

대표 유형 6 두 원에서 접선과 현이 이루는 각 (2)

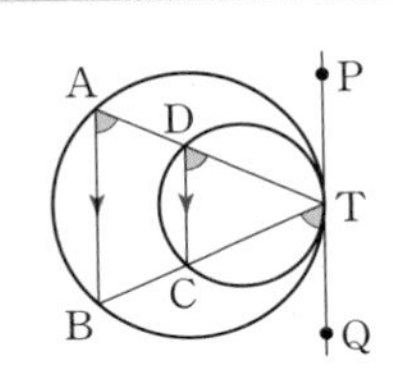

➡ (1) $\angle BAT = \angle BTQ = \angle CDT$

(2) $\overline{AB} /\!/ \overline{CD}$ ($\because$ $\angle BAT = \angle CDT$) (동위각)

6-1 오른쪽 그림에서 $\overleftrightarrow{PQ}$는 두 원의 공통인 접선이고 점 T는 접점이다. $\angle ABT = 75^\circ$, $\angle CDT = 68^\circ$일 때, $\angle x$, $\angle y$의 크기를 각각 구하시오.

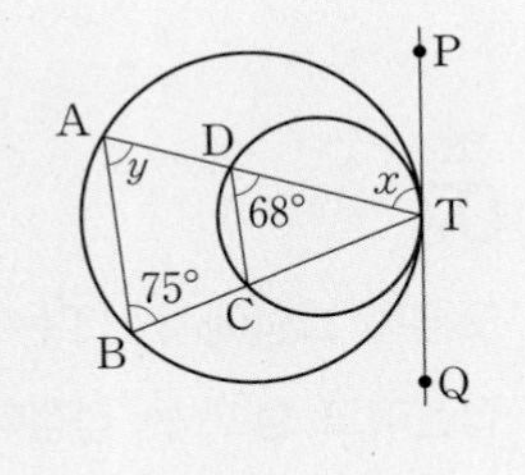

풀이 $\angle x = \angle ABT = 75^\circ$

$\angle y = \angle BTQ = \angle CDT = 68^\circ$

답 $\angle x = 75^\circ$, $\angle y = 68^\circ$

쌍둥이 **6-2**

오른쪽 그림에서 $\overleftrightarrow{PQ}$는 두 원의 공통인 접선이고 점 T는 접점이다. $\angle BAT = 65^\circ$, $\angle BCD = 122^\circ$일 때, $\angle x$의 크기를 구하시오.

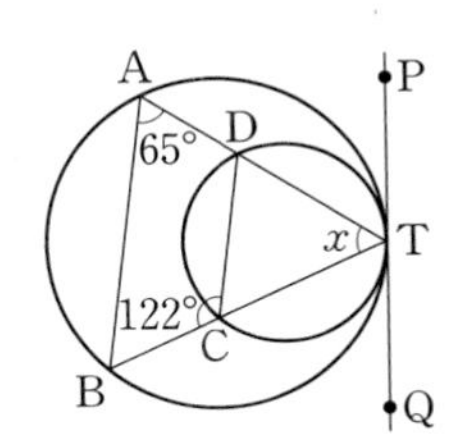

접선과 현이 이루는 각

원의 접선과 그 접점을 지나는 현이 이루는 각의 크기는 그 각의 내부에 있는 호에 대한 ❶ ☐ 의 크기와 같다.

➡ $\angle BAT=$ ❷ ☐

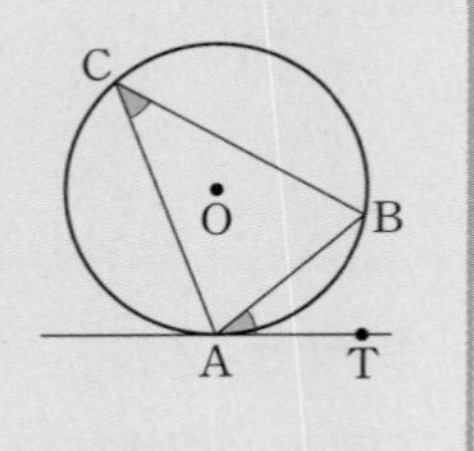

답 ❶ 원주각 ❷ $\angle BCA$

01

오른쪽 그림에서 $\overleftrightarrow{AT}$는 원의 접선이고 점 A는 접점이다. $\overline{CA}=\overline{CB}$이고 $\angle CAB=72°$일 때, $\angle x$의 크기를 구하시오.

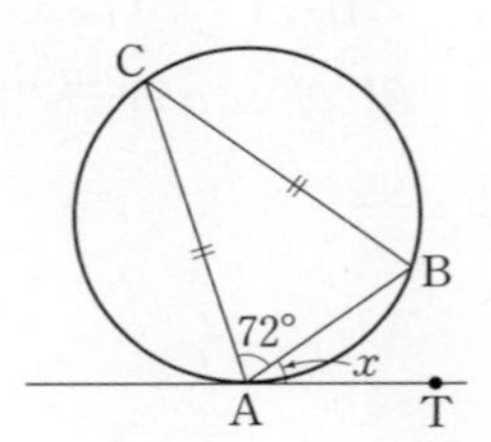

★ 02

오른쪽 그림에서 $\overleftrightarrow{AT}$는 원 O의 접선이고 점 A는 접점이다.
$\angle CAT=57°$일 때, $\angle x$의 크기를 구하시오.

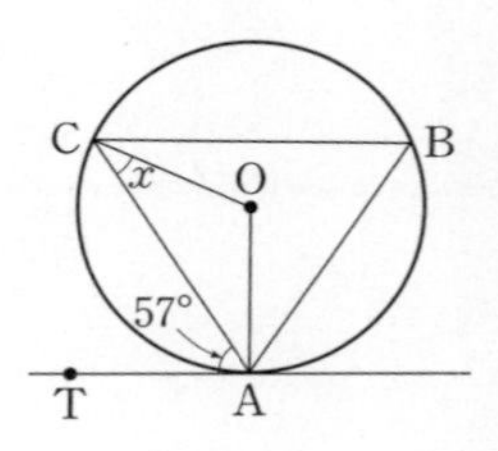

03

융합형

오른쪽 그림에서 $\overleftrightarrow{TT'}$은 원의 접선이고 점 A는 접점이다.
$\angle CAT=70°$이고
$\widehat{AC}:\widehat{AB}=2:1$일 때, $\angle x$의 크기를 구하시오.

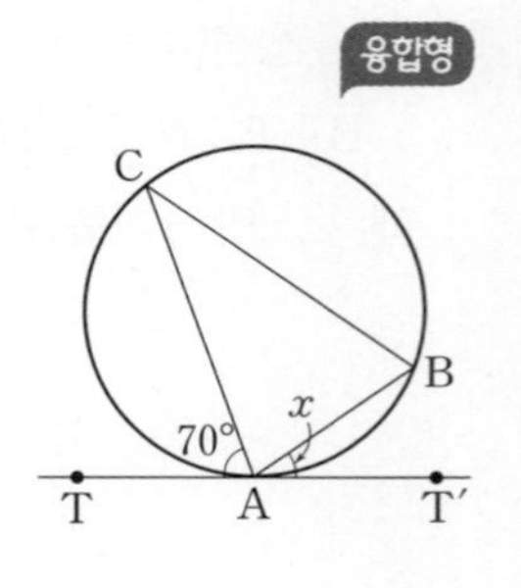

★ 04

오른쪽 그림에서 $\overleftrightarrow{AT}$는 원의 접선이고 점 A는 접점이다.
$\angle DCB=104°$, $\angle DBA=40°$일 때, $\angle x$의 크기를 구하시오.

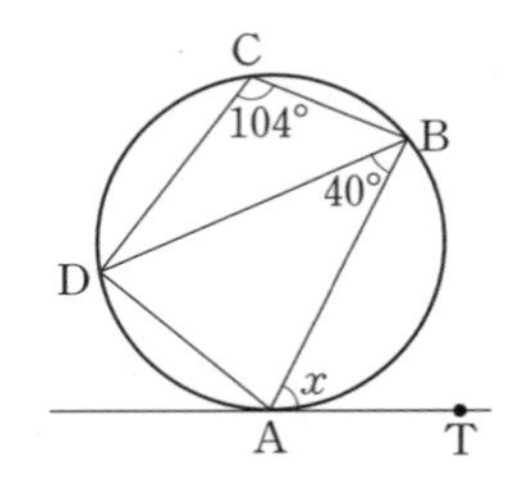

05

창의력

오른쪽 그림에서 $\overrightarrow{PA}$는 원의 접선이고 점 A는 접점이다.
$\angle ADC=72°$, $\angle APC=66°$일 때, $\angle x$의 크기를 구하시오.

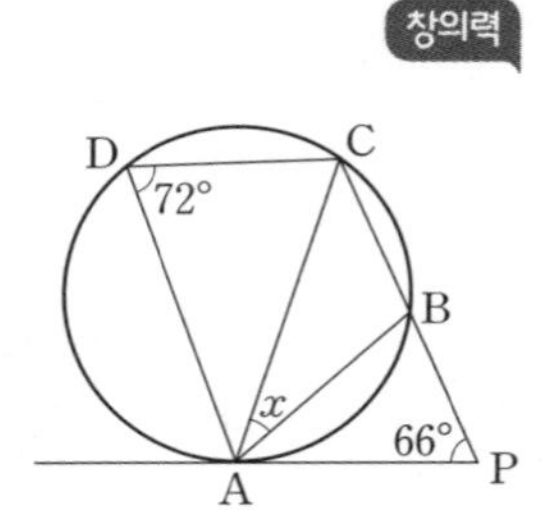

06

서술형

오른쪽 그림에서 $\overleftrightarrow{AT}$는 원의 접선이고 점 A는 접점이다. $\widehat{AB}=\widehat{BC}$이고 $\angle BAT=30°$일 때, $\angle ADC$의 크기를 구하시오.

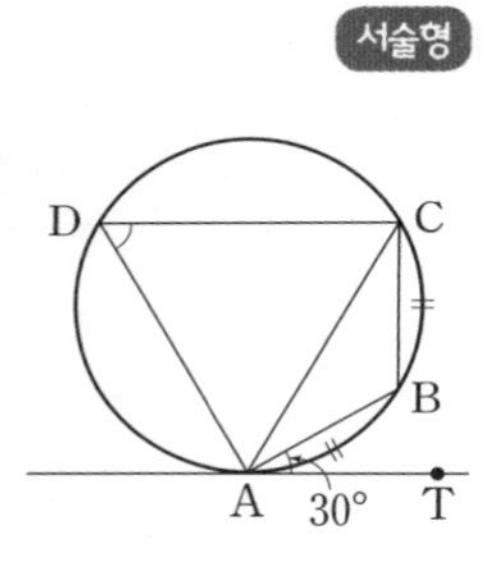

★ 07

오른쪽 그림에서 $\overrightarrow{PT}$는 원 O의 접선이고 점 A는 접점이다. $\overline{PC}$는 원 O의 중심을 지나고 $\angle CAT=62°$일 때, $\angle x$, $\angle y$의 크기를 각각 구하시오.

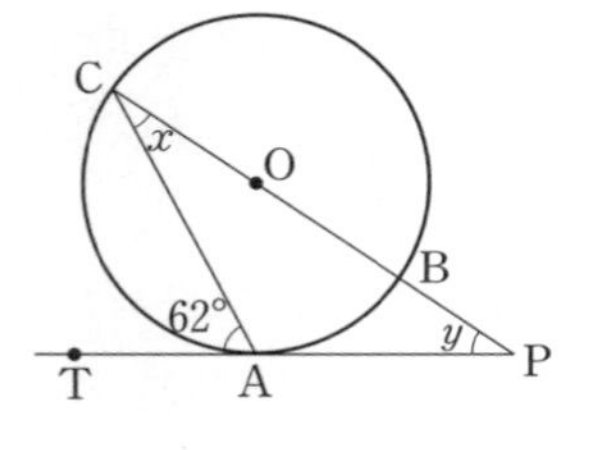

08

서술형

오른쪽 그림에서 $\overleftrightarrow{BT}$는 원 O의 접선이고 점 B는 접점이다. $\overline{AD}$는 원 O의 지름이고 $\angle BCD=114°$일 때, $\angle x$의 크기를 구하시오.

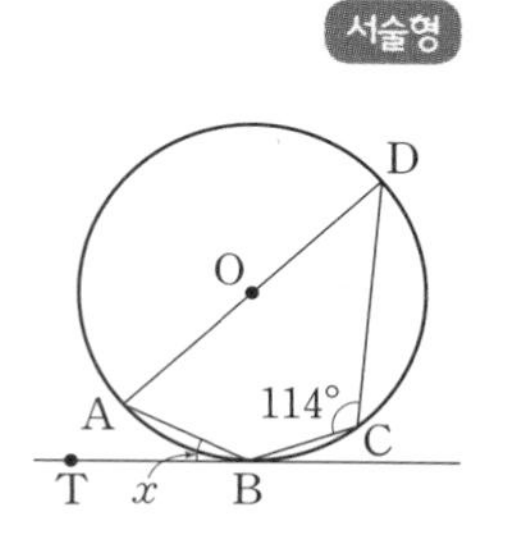

09

오른쪽 그림에서 원 O는 $\triangle ABC$의 내접원이면서 $\triangle DEF$의 외접원이다. $\angle BAC=54°$, $\angle ACB=68°$일 때, $\angle x$의 크기를 구하시오.

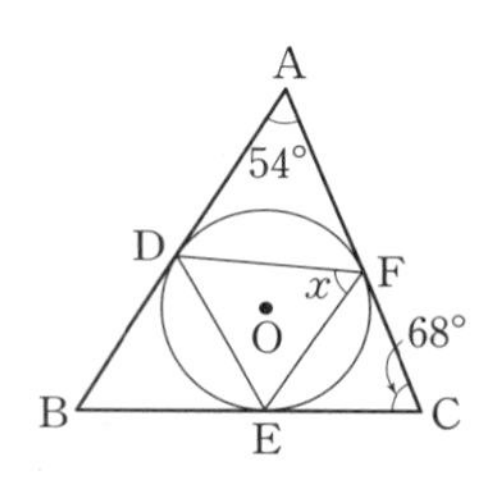

10

창의 융합

오른쪽 그림에서 $\overleftrightarrow{TT'}$은 원 O의 접선이고 점 A는 접점이다. $\overline{BC}$는 원 O의 지름이고 $\angle CTA=90°$, $\overline{CT}=5$, $\overline{CB}=8$일 때, $\overline{AB}$의 길이를 구하시오.

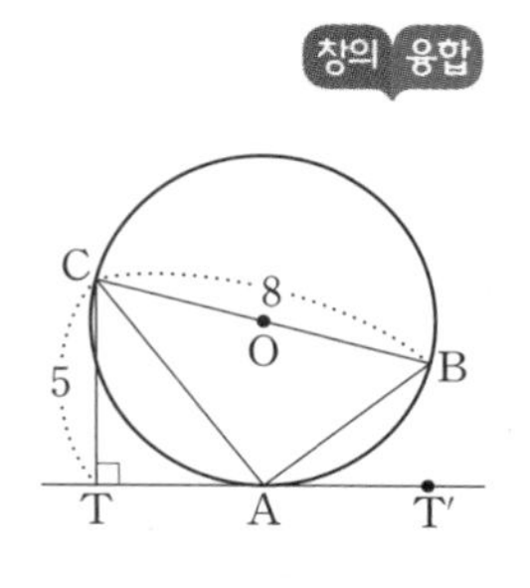

11

오른쪽 그림에서 $\overline{PA}$, $\overline{PB}$는 원 O의 접선이고 두 점 A, B는 접점이다. $\angle P=40°$, $\angle CBE=65°$일 때, $\angle x$의 크기를 구하시오.

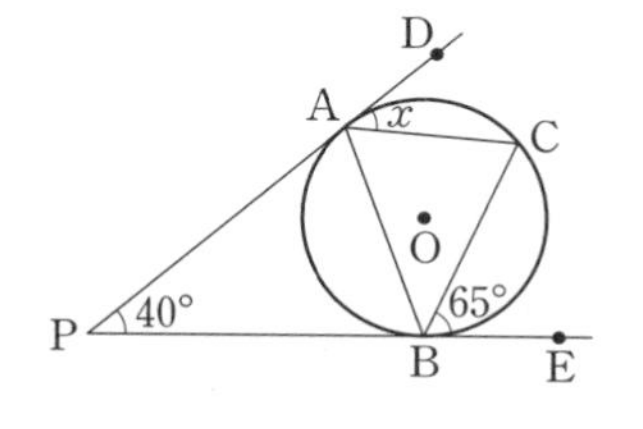

12

다음 그림에서 $\overleftrightarrow{PQ}$는 두 원 O, O′의 공통인 접선이고 점 T는 접점이다. $\angle ABT=45°$, $\angle DCT=80°$일 때, $\angle x$의 크기를 구하시오.

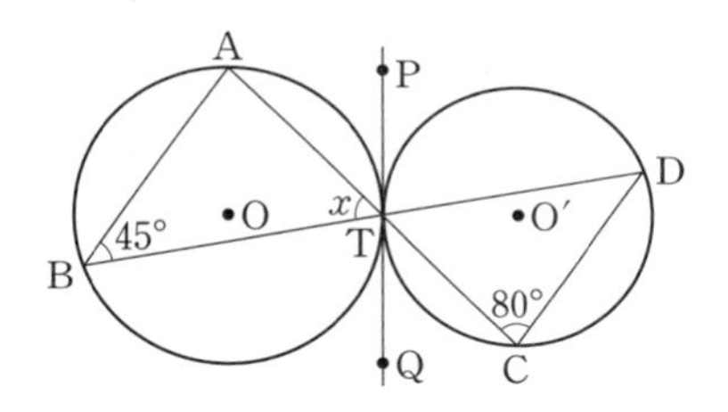

13

오른쪽 그림에서 $\overleftrightarrow{PQ}$는 두 원의 공통인 접선이고 점 T는 접점이다. $\angle ABC=55°$, $\angle ADC=112°$일 때, $\angle x$의 크기를 구하시오.

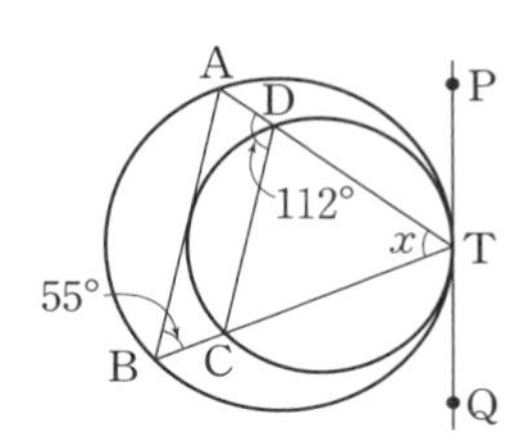

4 원주각

5 통계

중1	중3	고등학교
•줄기와 잎 그림 •도수분포표 •히스토그램과 도수분포다각형	• **대푯값** • **산포도** • **산점도와 상관관계**	•확률분포 •통계적 추정

학습 목표

- 대푯값의 뜻을 이해한다.
- 평균, 중앙값, 최빈값의 뜻을 이해하고, 이를 구할 수 있다.
- 산포도의 뜻을 이해한다.
- 편차, 분산, 표준편차의 뜻을 이해하고, 이를 구할 수 있다.
- 자료를 산점도로 나타낼 수 있다.
- 산점도를 이용하여 상관관계를 말할 수 있다.

어디 보자. 우리 5명의 수학 점수의 평균은 $\frac{87+88+79+80+86}{5}=84$(점) 이네.
87점 A
88점 B
79점 C
80점 D
86점 E
점수가 낮은 사람부터 차례대로 나열하면 중앙값은 86점이네.
음... 우린 모두 점수가 다르네.
그래서 이 자료의 대푯값을 무엇으로 해야 돼?
자료의 값 중 매우 크거나 매우 작은 값이 있으면 대푯값으로 중앙값이 적당하고, 자료의 수가 많고 중복되는 값이 많으면 대푯값으로 최빈값이 적당해.
C 79점
D 80점
E 86점
A 87점
B 88점
그럼 선호도를 조사할 때는 대푯값으로 최빈값이 좋겠다.
자료에 따라 적절한 대푯값을 선택하여 사용하면 돼.

1 대푯값

개념 1 대푯값과 평균

(1) **대푯값** 자료 전체의 특징을 대표적으로 나타내는 값

(2) 대푯값에는 평균, 중앙값, 최빈값 등이 있다.

참고 대푯값으로 가장 많이 쓰이는 것은 평균이다.

(3) **평균** 변량의 총합을 변량의 개수로 나눈 값

$$(\text{평균})=\frac{(\text{변량})\text{의 총합}}{(\text{변량})\text{의 개수}}$$

다음은 학생 3명의 영어 성적이다. 영어 성적의 평균을 구해 보자.

(단위 : 점)

70, 88, 91

$$(\text{평균})=\frac{(\text{변량})\text{의 총합}}{(\text{변량})\text{의 개수}}$$
$$=\frac{70+88+91}{3}$$
$$=\frac{249}{3}=83(\text{점})$$

Lecture

- 주어진 자료를 대푯값을 이용하여 하나의 값으로 나타내면 자료 전체의 중심 경향을 쉽게 알 수 있다.
  평균은 대체로 자료의 중심 경향을 잘 나타내지만 극단적인 값에 영향을 받으므로 극단적인 값이 있는 경우에는 자료의 중심 경향을 제대로 나타낼 수 없다.

  예 학생 5명의 수학 점수가 75점, 85점, 78점, 82점, 15점일 때,

  $(\text{평균})=\frac{75+85+78+82+15}{5}=\frac{335}{5}=67(\text{점})$

  이때 4명의 점수는 평균 67점보다 높고, 한 명의 점수만 평균 67점보다 낮다.
  이러한 경우, 학생 5명의 평균 점수가 이 학생들의 수학 점수의 중심 경향을 잘 나타낸다고 할 수 없다.

| 개념 확인 | **1** **다음 자료의 평균을 구하시오.**

(1) 2, 8, 10, 7, 13

(2) 18, 15, 11, 20, 12, 29

개념 2 중앙값과 최빈값

(1) **중앙값** 자료를 작은 값에서부터 크기순으로 나열할 때 중앙에 놓인 값

① 자료의 개수가 홀수일 때 ➡ 중앙에 놓인 값

② 자료의 개수가 짝수일 때 ➡ 중앙에 놓인 두 값의 평균

참고 n개의 자료를 작은 값에서부터 크기순으로 나열할 때, 중앙값은 다음과 같다.

① n이 홀수인 경우 ➡ $\frac{n+1}{2}$번째 자료의 값

② n이 짝수인 경우 ➡ $\frac{n}{2}$번째와 $\left(\frac{n}{2}+1\right)$번째 자료의 값의 평균

(2) **최빈값** 자료 중에서 가장 많이 나타나는 값

참고 ① 최빈값은 '가장 좋아하는 음식', '가장 많이 팔린 책' 등과 같이 자료가 수치로 주어지지 않는 경우에도 사용할 수 있다.

② 최빈값은 자료에 따라 2개 이상일 수도 있다.

(1) 다음 자료의 중앙값을 구해 보자.

① 자료 1, 2, 2, 3, 5의 중앙값은 2이다.

자료의 개수가 5개이므로 3번째 값

② 자료 1, 2, 2, 3, 5, 5의 중앙값은 $\frac{2+3}{2}=2.5$이다.

자료의 개수가 6개이므로 3번째와 4번째 값의 평균

(2) 다음 자료의 최빈값을 구해 보자.

① 자료 3, 4, 5, 3, 3, 6의 최빈값은 3이다.

② 자료 2, 4, 4, 6, 8, 8에서 4와 8이 두 번씩 가장 많이 나타나므로 최빈값은 4와 8이다. → 최빈값은 2개 이상일 수도 있다.

③ 자료 사과, 귤, 귤, 배, 포도, 귤의 최빈값은 귤이다.

Lecture

- 중앙값은 주어진 자료의 변량 중에 없을 수도 있다.
- 최빈값은 자료에 따라 2개 이상일 수도 있다.
- 최빈값은 보통 선호도 조사에 이용된다.

개념 확인 **2** **다음 자료의 중앙값과 최빈값을 각각 구하시오.**

(1) 5, 6, 4, 5, 7, 9

(2) 17, 20, 22, 29, 18, 21, 22

STEP 1 기초 개념 드릴

개념 기초

1-1

다음 자료의 중앙값을 구하시오.

(1) 1, 2, 5, 6, 8

(2) 8, 8, 3, 10, 7, 5

(3) 3, 2, 1, 5, 8, 10

연구 n개의 자료를 작은 값에서부터 크기순으로 나열할 때, 중앙값은 다음과 같다.

① n이 홀수인 경우 ➡ $\frac{n+1}{2}$번째 자료의 값

② n이 짝수인 경우 ➡ □번째 자료와 $\left(\frac{n}{2}+1\right)$번째 자료의 값의 평균

2-1

다음 자료의 최빈값을 구하시오.

(1) 1, 1, 2, 2, 7, 7, 7, 7, 8

(2) 6, 9, 3, 6, 6, 9, 2, 9

연구 최빈값은 자료 중에서 가장 많이 나타나는 값이다.

3-1

다음은 독서반 학생 11명이 1학기 동안 읽은 책의 권수를 조사하여 나타낸 줄기와 잎 그림이다. 읽은 책의 권수의 중앙값과 최빈값을 각각 구하시오.

(3|2는 32권)

줄기	잎
0	5
1	7
2	6 8 8 9 9
3	1 1 1 2

연구 자료가 11개이므로 중앙값은 자료를 작은 값에서부터 크기순으로 나열할 때, $\frac{\square+1}{2}=\square$번째 자료의 값이다.

쌍둥이 문제

1-2

다음 자료의 중앙값을 구하시오.

(1) 2, 3, 4, 6, 10

(2) 2, 15, 3, 10, 7, 7

(3) 5, 6, 17, 9, 8, 10

2-2

다음 표는 수진이네 반 학생 34명이 가장 좋아하는 음식을 조사하여 나타낸 것이다. 가장 좋아하는 음식의 최빈값을 구하시오.

음식	피자	햄버거	치킨	자장면	만두
학생 수(명)	13	7	4	9	1

3-2

다음은 학생 20명이 1분 동안 윗몸일으키기를 한 횟수를 조사하여 나타낸 줄기와 잎 그림이다. 윗몸일으키기를 한 횟수의 중앙값과 최빈값을 각각 구하시오.

(0|4는 4회)

줄기	잎
0	4 6 6 7 9 9
1	1 3 4 5 6 7 8 8 8 8
2	0 8 9 9

STEP 2 대표 유형으로 개념 잡기

대표 유형 1 평균, 중앙값, 최빈값 (1)

(1) $(\text{평균})=\dfrac{(\text{변량})\text{의 총합}}{(\text{변량})\text{의 개수}}$

(2) 중앙값 ➡ 자료를 작은 값에서부터 크기순으로 나열할 때 중앙에 놓인 값

(3) 최빈값 ➡ 자료 중에서 가장 많이 나타나는 값

1-1 다음은 재인이네 반 학생 5명이 농구 대회에서 얻은 점수를 조사하여 나타낸 것이다. 이 자료의 평균, 중앙값, 최빈값을 각각 구하시오.

(단위 : 점)

3, 6, 5, 3, 43

풀이 $(\text{평균})=\dfrac{3+6+5+3+43}{5}=\dfrac{60}{5}=12(\text{점})$

자료를 작은 값에서부터 크기순으로 나열하면 3, 3, 5, 6, 43이므로

(중앙값)=5(점), (최빈값)=3(점)

답 평균 : 12점, 중앙값 : 5점, 최빈값 : 3점

쌍둥이 1-2

다음은 전구 8개의 수명을 측정하여 나타낸 것이다. 이 자료의 평균, 중앙값, 최빈값을 각각 구하시오.

(단위 : 시간)

1100, 1080, 1000, 50,
1200, 1060, 1000, 1030

대표 유형 2 평균, 중앙값, 최빈값 (2)

자료가 표로 주어졌을 때

(1) $(\text{평균})=\dfrac{\{(\text{변량})\times(\text{도수})\}\text{의 총합}}{(\text{도수})\text{의 총합}}$

(2) 중앙값 ➡ 자료를 작은 값에서부터 크기순으로 나열할 때 중앙에 놓인 값

(3) 최빈값 ➡ 도수가 가장 큰 변량

2-1 다음은 학생 15명이 일주일 동안 운동한 횟수를 조사하여 나타낸 표이다. 이 자료의 평균, 중앙값, 최빈값의 대소를 비교하시오.

운동 횟수(회)	1	2	3	4	5	합계
학생 수(명)	2	2	6	4	1	15

풀이 $(\text{평균})=\dfrac{1\times2+2\times2+3\times6+4\times4+5\times1}{15}=\dfrac{45}{15}=3(\text{회})$

자료를 작은 값에서부터 크기순으로 나열할 때, 8번째 값이 중앙값이므로 (중앙값)=3(회)

또 3회의 도수가 가장 크므로 (최빈값)=3(회)

∴ (평균)=(중앙값)=(최빈값)

답 (평균)=(중앙값)=(최빈값)

쌍둥이 2-2

다음은 중학생 20명이 1년 동안 관람한 문화 예술 공연 관람 횟수를 조사하여 나타낸 표이다. 평균을 a회, 중앙값을 b회, 최빈값을 c회라 할 때, a, b, c의 대소 관계를 부등호를 사용하여 나타내시오.

관람 횟수(회)	0	1	2	3	4	5	합계
학생 수(명)	4	6	3	2	3	2	20

대표 유형 3 중앙값이 주어질 때, 변량 구하기

n개의 자료를 작은 값에서부터 크기순으로 나열할 때

(1) n이 홀수인 경우 ➡ 중앙값은 $\frac{n+1}{2}$번째 자료의 값

(2) n이 짝수인 경우 ➡ 중앙값은 $\frac{n}{2}$번째와 $\left(\frac{n}{2}+1\right)$번째의 자료의 값의 평균

3-1 다음은 6개의 변량을 작은 값에서부터 크기순으로 나열한 것이다. 이 자료의 중앙값이 11일 때, x의 값을 구하시오.

4, 8, x, 12, 15, 17

풀이 중앙값이 11이므로

$\frac{x+12}{2}=11$에서 $x+12=22$

$\therefore x=10$

답 10

쌍둥이 3-2

두 자연수 a, b에 대하여 5개의 변량 3, 5, a, b, 8의 중앙값은 6이고, 6개의 변량 2, 7, a, b, 10, 12의 중앙값은 8일 때, $b-a$의 값을 구하시오. (단, $a<b$)

쌍둥이 3-3

다음 자료의 중앙값이 7일 때, a의 값으로 적당하지 않은 것은?

a, 6, 7, 7, 8, 8

① 4 ② 5 ③ 6
④ 7 ⑤ 8

대표 유형 4 평균과 최빈값이 같을 때, 변량 구하기

평균과 최빈값이 같을 때, 최빈값을 먼저 구한다.

4-1 다음은 학생 8명의 1분 동안의 턱걸이 횟수를 조사하여 나타낸 것이다. 평균과 최빈값이 같을 때, x의 값을 구하시오.

(단위 : 회)

12, 9, x, 9, 7, 9, 8, 10

풀이 x회를 제외한 자료에서 9회가 3번으로 가장 많이 나타나고 나머지는 한 번씩 나오므로 x의 값에 상관없이 최빈값은 9회이다.
이때 평균과 최빈값이 같으므로

$\frac{12+9+x+9+7+9+8+10}{8}=9$, $64+x=72$ $\therefore x=8$

답 8

쌍둥이 4-2

다음은 학생 5명의 일주일 동안의 운동 시간을 조사하여 나타낸 것이다. 평균과 최빈값이 같을 때, x의 값을 구하시오.

(단위 : 시간)

3, 5, 6, 10, x

대푯값

(1) 대푯값 : 자료 전체의 특징을 대표적으로 나타내는 값
(2) ❶ [ ] : 자료를 작은 값에서부터 크기순으로 나열할 때 중앙에 놓인 값
(3) 최빈값 : 자료 중에서 가장 많이 나타나는 값

답 ❶ 중앙값

01

다음은 성진이의 일주일 동안의 수면 시간을 조사하여 나타낸 것이다. 수면 시간의 평균을 구하시오.

(단위 : 시간)

6, 8, 7, 9, 5, 8, 6

02

3개의 변량 a, b, c의 평균이 15일 때, 5개의 변량 $7, a, b, c, 8$의 평균을 구하시오.

03

다음 자료 중 중앙값과 최빈값이 서로 같은 것은?

① 1, 3, 2, 3, 2, 3
② 2, 2, 8, 5, 11, 7
③ 3, 5, 7, 5, 6, 2
④ 6, 2, 5, 2, 4, 2, 3
⑤ 8, 9, 6, 3, 4, 8, 4

04

오른쪽 표는 민정이네 반 학생 20명이 가장 좋아하는 계절을 조사하여 나타낸 것이다. 좋아하는 계절의 최빈값을 구하시오.

계절	학생 수 (명)
봄	8
여름	5
가을	3
겨울	4
합계	20

05

다음은 어느 신발 가게에서 하루 동안 판매한 운동화의 크기를 조사하여 나타낸 것이다. 운동화의 크기의 중앙값과 최빈값을 각각 구하시오.

(단위 : mm)

260, 245, 260, 120, 235, 240,
270, 265, 260, 245, 250, 260

06

서술형

다음은 어느 날 우리나라 20개 지역에서 측정한 상대 습도를 조사하여 줄기와 잎 그림으로 나타낸 것이다. 상대 습도의 중앙값과 최빈값을 각각 구하시오.

(6|2는 62 %)

줄기	잎
6	2 5 9
7	6 7 8 9
8	0 1 2 3 3 4 4 4 5 5 7
9	0 1

07

융합형

오른쪽 그림은 학생 30명이 주사위를 던져서 나온 눈의 수를 조사하여 나타낸 꺾은선그래프이다. 이 자료의 중앙값을 a, 최빈값을 b라 할 때, $a+b$의 값을 구하시오.

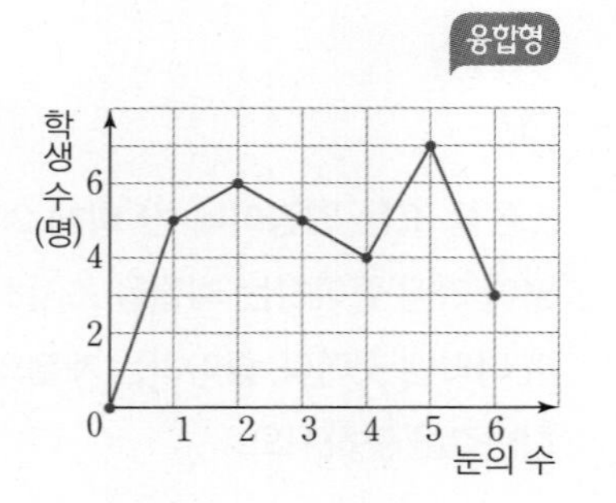

08

다음 중 옳지 않은 것은?

① 중앙값은 항상 1개이다.
② 최빈값은 자료에 따라 2개 이상일 수 있다.
③ 평균과 중앙값은 항상 같은 값이다.
④ 중앙값은 자료에 극단적인 값이 존재할 때, 자료 전체의 특징을 잘 나타낸다.
⑤ 자료 전체의 특징을 대표적으로 나타내는 값을 대푯값이라 한다.

09

서술형

다음 자료의 평균이 7일 때, 중앙값을 구하시오.

10, 9, 6, 7, 5,
6, x, 4, 9, 8

★ 10

다음은 학생 6명이 한 달 동안 실시한 봉사활동 시간을 조사하여 작은 값에서부터 크기순으로 나열한 것이다. 이 자료의 중앙값이 8시간일 때, 평균을 구하시오.

(단위 : 시간)

3, 5, 7, x, 12, 12

★ 11

다음 자료의 평균과 최빈값이 같을 때, x의 값을 구하시오.

25, 5, 20, 15, x, 10

12

창의력

학생 6명의 수학 점수를 조사하여 작은 값에서부터 크기순으로 나열할 때, 3번째 학생의 점수는 80점이고, 중앙값은 83점이다. 여기에 수학 점수가 94점인 학생이 추가되었을 때, 학생 7명의 수학 점수의 중앙값을 구하시오.

2 산포도

개념 동영상

개념 1 산포도와 편차

(1) **산포도** 변량들이 대푯값 주위에 흩어져 있는 정도를 하나의 수로 나타낸 값

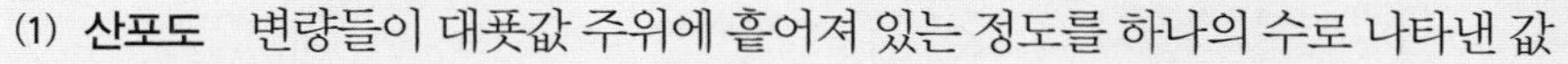

(2) **산포도의 성질**

① 변량들이 대푯값을 중심으로 가까이 모여 있으면 산포도는 작다.

② 변량들이 대푯값을 중심으로 멀리 흩어져 있으면 산포도는 크다.

참고 산포도에는 분산, 표준편차 등이 있다.

(3) **편차** 어떤 자료의 각 변량에서 그 자료의 평균을 뺀 값

➡ (편차)＝(변량)－(평균)

(4) **편차의 성질**

① 편차의 총합은 항상 0이다.

② 평균보다 큰 변량의 편차는 양수이고, 평균보다 작은 변량의 편차는 음수이다.

③ 편차의 절댓값이 클수록 변량은 평균에서 멀리 떨어져 있고, 편차의 절댓값이 작을수록 변량은 평균에 가까이 있다.

보기 다음 표는 신우와 예진이가 5회에 걸쳐 쏜 사격 점수를 조사하여 나타낸 것이다.

〈신우〉

회	1	2	3	4	5	합계
점수(점)	5	6	4	4	6	25

신우의 사격 점수의 평균은 $\frac{25}{5}=5$(점)

〈예진〉

회	1	2	3	4	5	합계
점수(점)	1	5	3	7	9	25

예진이의 사격 점수의 평균은 $\frac{25}{5}=5$(점)

신우와 예진이의 사격 점수의 평균은 5점으로 서로 같다. 그러나 신우의 사격 점수는 평균을 중심으로 모여 있지만 예진이의 사격 점수는 평균에서 멀리 흩어져 있다.

또 신우와 예진이의 각 점수에서 평균 5점을 뺀 값인 편차를 구하면 다음과 같다.

〈신우〉

회	1	2	3	4	5	합계
점수(점)	5	6	4	4	6	25
편차(점)	0	1	−1	−1	1	0

→ 항상 0이다.

〈예진〉

회	1	2	3	4	5	합계
점수(점)	1	5	3	7	9	25
편차(점)	−4	0	−2	2	4	0

→ 항상 0이다.

| 개념 확인 | **1** **다음 표는 학생 6명이 가지고 다니는 필기도구의 개수를 조사하여 나타낸 것이다. ㉠, ㉡, ㉢에 알맞은 수를 구하시오.**

학생	A	B	C	D	E	F	합계
개수(개)	7	4	5	2	3	3	24
편차(개)	3	㉠	㉡	−2	−1	−1	㉢

정답과 해설 p.41

개념 2 분산과 표준편차

(1) **분산** 편차의 제곱의 평균

$$(\text{분산})=\frac{(\text{편차})^2\text{의 총합}}{(\text{변량})\text{의 개수}}$$

(2) **표준편차** 분산의 양의 제곱근

$$(\text{표준편차})=\sqrt{(\text{분산})}$$

참고 분산은 단위를 쓰지 않고 표준편차는 자료와 같은 단위를 쓴다.

보충
- 분산, 표준편차가 작다.
  ➡ 산포도가 작다.
  ➡ 자료의 분포 상태가 고르다.
  ➡ 변량이 평균을 중심으로 모여 있다.

(3) **자료의 분포** 분산과 표준편차가 작을수록 변량이 평균에 가까이 모여 있는 것이므로 자료의 분포 상태가 고르다고 할 수 있다.

신우와 예진이가 5회에 걸쳐 쏜 사격 점수의 분산과 표준편차를 각각 구해 보자.

〈신우〉

회	1	2	3	4	5	합계
점수(점)	5	6	4	4	6	25
편차(점)	0	1	-1	-1	1	0

신우의 사격 점수의 분산은

$$\frac{0^2+1^2+(-1)^2+(-1)^2+1^2}{5}=\frac{4}{5}=0.8$$

신우의 사격 점수의 표준편차는

$\sqrt{0.8}$점

〈예진〉

회	1	2	3	4	5	합계
점수(점)	1	5	3	7	9	25
편차(점)	-4	0	-2	2	4	0

예진이의 사격 점수의 분산은

$$\frac{(-4)^2+0^2+(-2)^2+2^2+4^2}{5}=\frac{40}{5}=8$$

예진이의 사격 점수의 표준편차는

$\sqrt{8}=2\sqrt{2}$(점)

⇨ 신우의 사격 점수의 분산(또는 표준편차)이 예진이의 사격 점수의 분산(또는 표준편차)보다 작으므로 신우의 사격 점수의 분포 상태가 예진이의 사격 점수의 분포 상태보다 더 고르다고 할 수 있다.

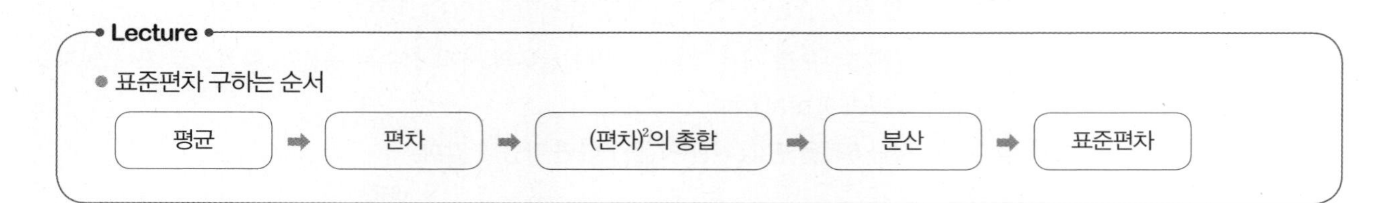

대푯값에는 평균, 중앙값, 최빈값 등이 있고, 산포도에는 분산, 표준편차 등이 있어.

| 개념 확인 | **2** 다음 표는 재훈이의 5회에 걸친 영어 시험 성적의 편차를 나타낸 것이다. x의 값과 영어 시험 성적의 표준편차를 각각 구하시오.

회	1	2	3	4	5
편차(점)	-1	2	x	0	4

STEP 1 기초 개념 드릴

개념 기초

1-1

어떤 자료의 편차가 다음과 같을 때, x의 값을 구하시오.

$-2,\quad 4,\quad -1,\quad 2,\quad x$

연구 (1) (편차)=(변량)−(평균)
(2) 편차의 총합은 항상 ☐이다.

쌍둥이 문제

1-2

다음 표는 현진이의 5회에 걸친 영어 듣기 평가 성적의 편차를 나타낸 것이다. x의 값을 구하시오.

회	1	2	3	4	5
편차(점)	x	-3	5	4	-4

2-1

다음 표는 학생 5명의 1분당 맥박 수의 편차를 나타낸 것이다. 맥박 수의 표준편차를 구하시오.

학생	대희	예빈	성호	미나	승준
편차(회)	4	-2	1	0	-3

연구 (분산)$=\dfrac{(\text{편차})^2\text{의 총합}}{(\text{변량})\text{의 개수}}$, (표준편차)$=\sqrt{(\square)}$

2-2

다음 표는 학생 5명의 수학 성적의 편차를 나타낸 것이다. x의 값과 수학 성적의 표준편차를 각각 구하시오.

학생	A	B	C	D	E
편차(점)	2	0	x	-2	1

3-1

다음은 학생 5명의 통학 시간을 조사하여 나타낸 것이다. 통학 시간의 분산을 구하시오.

(단위 : 분)

$15,\quad 17,\quad 7,\quad 10,\quad 6$

연구 평균 ➡ 편차 ➡ (편차)^{2}의 총합 ➡ 분산의 순서로 구한다.

3-2

다음은 서준이가 5회에 걸쳐 치른 국어 시험 성적을 조사하여 나타낸 것이다. 국어 시험 성적의 분산을 구하시오.

(단위 : 점)

$65,\quad 85,\quad 80,\quad 70,\quad 70$

STEP 2 대표 유형으로 개념 잡기

대표 유형 1 편차를 이용하여 변량 구하기

(편차)=(변량)−(평균), (변량)=(평균)+(편차), (편차의 총합)=0

1-1 다음 표는 학생 4명의 키의 편차를 나타낸 것이다. 4명의 키의 평균이 162 cm일 때, 학생 C의 키를 구하시오.

학생	A	B	C	D
편차 (cm)	3	−10	x	9

풀이 편차의 총합은 0이므로

$3+(-10)+x+9=0$에서

$x+2=0 \qquad \therefore x=-2$

따라서 학생 C의 키는

$162+(-2)=160$ (cm)

답 160 cm

쌍둥이 1-2

다음 표는 학생 5명의 수학 성적의 편차를 나타낸 것이다. 수학 성적의 평균이 65점일 때, 학생 D의 수학 성적을 구하시오.

학생	A	B	C	D	E
편차(점)	2	−5	1	x	−3

편차의 총합은 0임을 기억해!

대표 유형 2 분산과 표준편차 구하기 (1)

$(\text{분산})=\dfrac{(\text{편차})^2\text{의 총합}}{(\text{변량})\text{의 개수}}$, $(\text{표준편차})=\sqrt{(\text{분산})}$

2-1 다음 표는 학생 5명의 몸무게의 편차를 나타낸 것이다. 몸무게의 표준편차를 구하시오.

학생	A	B	C	D	E
편차 (kg)	4		0	1	−2

풀이 편차의 총합은 0이므로 학생 B의 몸무게의 편차를 x kg이라 하면

$4+x+0+1+(-2)=0$에서

$x+3=0 \qquad \therefore x=-3$

$(\text{분산})=\dfrac{4^2+(-3)^2+0^2+1^2+(-2)^2}{5}$

$=\dfrac{30}{5}=6$

$\therefore$ (표준편차)$=\sqrt{6}$ (kg)

답 $\sqrt{6}$ kg

쌍둥이 2-2

다음 표는 학생 5명의 오래 매달리기 기록의 편차를 나타낸 것이다. 오래 매달리기 기록의 분산을 구하시오.

학생	A	B	C	D	E
편차(초)	1	−1	5		−3

쌍둥이 2-3

다음은 어느 가족 6명이 1분 동안 측정한 맥박 수의 편차이다. 맥박 수의 표준편차를 구하시오.

(단위 : 회)

−3, 2, −1, 0, 2, 0

대표 유형 3 분산과 표준편차 구하기(2)

평균 ➡ 편차 ➡ (편차)^{2}의 총합 ➡ 분산 ➡ 표준편차의 순서로 구한다.

3-1 다음은 학생 7명의 일주일 동안의 운동 시간을 조사하여 나타낸 것이다. 운동 시간의 표준편차를 구하시오.

(단위 : 시간)

2, 5, 3, 1, 4, 6, 7

풀이 (평균)$=\frac{2+5+3+1+4+6+7}{7}=\frac{28}{7}=4$(시간)

편차는 각각 $-2, 1, -1, -3, 0, 2, 3$이므로

(분산)$=\frac{(-2)^2+1^2+(-1)^2+(-3)^2+0^2+2^2+3^2}{7}$

$=\frac{28}{7}=4$

∴ (표준편차)$=\sqrt{4}=2$(시간)

답 2시간

쌍둥이 3-2

다음은 학생 6명의 턱걸이 기록을 조사하여 나타낸 것이다. 턱걸이 기록의 표준편차를 구하시오.

(단위 : 초)

22, 23, 29, 23, 25, 28

쌍둥이 3-3

5개의 변량 $6, 7, x, 8, 10$의 평균이 8일 때, 분산을 구하시오.

대표 유형 4 분산과 표준편차 구하기(3)

자료가 표로 주어졌을 때

(분산)$=\frac{\{(\text{편차})^2\times(\text{도수})\}\text{의 총합}}{(\text{도수})\text{의 총합}}$, (표준편차)$=\sqrt{(\text{분산})}$

4-1 다음 표는 어느 반 학생 20명의 수학 수행평가 성적의 편차와 학생 수를 나타낸 것이다. 수학 수행평가 성적의 표준편차를 구하시오.

편차(점)	-3	-2	-1	0	1	2	3
학생 수(명)	4	2	0	6	2	4	2

풀이 (분산)

$=\frac{(-3)^2\times4+(-2)^2\times2+(-1)^2\times0+0^2\times6+1^2\times2+2^2\times4+3^2\times2}{20}$

$=\frac{80}{20}=4$

∴ (표준편차)$=\sqrt{4}=2$(점)

답 2점

쌍둥이 4-2

다음 표는 학생 10명의 국어 성적의 편차와 학생 수를 나타낸 것이다. 국어 성적의 표준편차를 구하시오.

편차(점)	-4	-2	-1	1	x	5
학생 수(명)	1	2	3	2	1	y

대표 유형 5 평균과 분산을 이용하여 식의 값 구하기

다음을 이용하여 조건에 맞게 식을 세운 후 주어진 식의 값을 구한다.

➡ n개의 변량 $x_1, x_2, \cdots, x_n$에 대하여

(1) (평균)$=\dfrac{x_1+x_2+\cdots+x_n}{n}$

(2) (분산)$=\dfrac{(x_1-m)^2+(x_2-m)^2+\cdots+(x_n-m)^2}{n}$ (단, m은 평균)

5-1 4개의 변량 1, 3, a, b의 평균이 4이고 분산이 5일 때, a^2+b^2의 값을 구하시오.

풀이 평균이 4이므로 $\dfrac{1+3+a+b}{4}=4$에서

$4+a+b=16 \quad \therefore a+b=12$ ······ ㉠

편차는 각각 -3, -1, $a-4$, $b-4$이고 분산이 5이므로

$\dfrac{(-3)^2+(-1)^2+(a-4)^2+(b-4)^2}{4}=5$에서

$9+1+a^2-8a+16+b^2-8b+16=20$

$\therefore a^2+b^2-8(a+b)+22=0$ ······ ㉡

㉠을 ㉡에 대입하면

$a^2+b^2-8\times12+22=0 \quad \therefore a^2+b^2=74$

답 74

쌍둥이 5-2

5개의 변량 1, 4, 8, a, b의 평균이 5이고 분산이 6일 때, $2ab$의 값을 구하시오.

대표 유형 6 변화된 변량의 평균, 분산, 표준편차 구하기

6-1에서 먼저 변량 a, b, c의 평균과 분산에 대한 식을 세운 후 변량 $a+3, b+3, c+3$의 평균과 분산에 대한 식을 세운다.

6-1 3개의 변량 a, b, c의 평균이 6이고 표준편차가 2일 때, 변량 $a+3, b+3, c+3$의 평균과 표준편차를 각각 구하시오.

풀이 a, b, c의 평균이 6이고 표준편차가 2이므로

$\dfrac{a+b+c}{3}=6$, $\dfrac{(a-6)^2+(b-6)^2+(c-6)^2}{3}=2^2$

$a+3, b+3, c+3$에 대하여

(평균)$=\dfrac{(a+3)+(b+3)+(c+3)}{3}$

$=\dfrac{a+b+c}{3}+3=6+3=9$

(분산)$=\dfrac{\{(a+3)-9\}^2+\{(b+3)-9\}^2+\{(c+3)-9\}^2}{3}$

$=\dfrac{(a-6)^2+(b-6)^2+(c-6)^2}{3}=4$

$\therefore$ (표준편차)$=\sqrt{4}=2$

답 평균 : 9, 표준편차 : 2

쌍둥이 6-2

3개의 변량 a, b, c의 평균이 13이고 표준편차가 5일 때, 변량 $2a, 2b, 2c$의 평균과 표준편차를 각각 구하시오.

대표 유형 7 평균이 같은 두 집단 전체의 분산과 표준편차 구하기

평균이 같은 두 집단 A, B에서

(두 집단 전체의 분산)$=\dfrac{ax+by}{a+b}$

	도수	분산
A	a	x
B	b	y

두 집단 A, B의 평균이 같으므로 두 집단 A, B를 합한 전체의 평균은 두 집단 A, B의 평균과 같아.

7-1 다음 표는 A, B 두 반 학생들의 시험 성적의 평균과 분산을 나타낸 것이다. A, B 두 반을 합한 50명의 시험 성적의 분산을 구하시오.

	학생 수(명)	평균(점)	분산
A반	30	75	100
B반	20	75	120

풀이 A, B 두 반의 평균이 같으므로 A, B 두 반을 합한 전체의 평균도 75점이다.

(A반의 분산)$=\dfrac{\{\text{A반의 (편차)}^2\text{의 총합}\}}{30}=100$이므로

$\{\text{A반의 (편차)}^2\text{의 총합}\}=30\times100=3000$

(B반의 분산)$=\dfrac{\{\text{B반의 (편차)}^2\text{의 총합}\}}{20}=120$이므로

$\{\text{B반의 (편차)}^2\text{의 총합}\}=20\times120=2400$

따라서 A, B 두 반을 합한 50명의 시험 성적의 분산은

$\dfrac{3000+2400}{30+20}=\dfrac{5400}{50}=108$

답 108

쌍둥이 7-2

다음 표는 A, B 두 모둠 학생들의 100 m 달리기 기록의 평균과 표준편차를 나타낸 것이다. A, B 두 모둠 전체 학생의 100 m 달리기 기록의 표준편차를 구하시오.

	학생 수(명)	평균(초)	표준편차(초)
A 모둠	10	18	2
B 모둠	15	18	$\sqrt{5}$

대표 유형 8 자료의 분석

- 표준편차가 작다. ➡ 자료의 분포 상태가 고르다.
- 표준편차가 크다. ➡ 자료의 분포 상태가 고르지 않다.

8-1 다음 표는 학생 수가 같은 A, B, C 세 반의 중간고사 성적의 평균과 표준편차를 나타낸 것이다. 성적이 가장 우수한 반과 성적이 가장 고른 반을 각각 구하시오.

	A반	B반	C반
평균(점)	71	80	75
표준편차(점)	4	5	2

풀이 B반의 평균이 가장 높으므로 성적이 가장 우수한 반은 B반이다.
C반의 표준편차가 가장 작으므로 성적이 가장 고른 반은 C반이다.

답 성적이 가장 우수한 반 : B반
성적이 가장 고른 반 : C반

쌍둥이 8-2

오른쪽 표는 학생 수가 같은 A, B 두 반의 영어 성적의 평균과 표준편차를 나타낸 것이다. 다음 중 옳은 것은?

	A반	B반
평균(점)	74	74
표준편차(점)	4.8	5.2

① A반의 1등이 B반의 1등보다 성적이 높다.
② A반의 성적이 B반의 성적보다 더 고르다.
③ B반의 성적이 A반의 성적보다 더 고르다.
④ A반과 B반은 성적이 고른 정도가 같다.
⑤ B반의 성적이 A반의 성적보다 평균에 더 가까이 모여 있다.

산포도

(1) 산포도 : 변량들이 대푯값 주위에 흩어져 있는 정도를 하나의 수로 나타낸 값

(2) (편차)$=$(변량)$-$(❶)

(3) 분산 : 편차의 제곱의 평균

(4) 표준편차 : 분산의 양의 ❷

답 ❶ 평균 ❷ 제곱근

01

다음 표는 학생 5명의 국어 성적의 편차를 나타낸 것이다. 국어 성적의 평균이 60점일 때, 학생 D의 국어 성적을 구하시오.

학생	A	B	C	D	E
편차(점)	-5	4	-4	x	2

02

다음 표는 학생 4명의 제자리멀리뛰기 기록의 편차를 나타낸 것이다. 제자리멀리뛰기 기록의 표준편차를 구하시오.

학생	A	B	C	D
편차(cm)	3		-6	5

03

아래 표는 학생 5명의 수학 성적의 편차를 나타낸 것이다. 다음 중 옳지 <u>않은</u> 것은?

학생	성준	현서	정은	동현	수연
편차(점)	5	0		-4	-2

① 표준편차는 $\sqrt{9.2}$점이다.
② 수학 성적이 가장 낮은 학생은 동현이다.
③ 현서의 수학 성적은 평균과 같다.
④ 평균보다 수학 성적이 높은 학생은 2명이다.
⑤ 성준이와 수연이의 수학 성적의 차는 3점이다.

★

04

다음은 우영이네 반 학생 5명의 체육 실기 점수를 조사하여 나타낸 것이다. 체육 실기 점수의 분산을 구하시오.

(단위 : 점)

9, 6, 7, 8, 5

05

다음 중 옳은 것은?

① 자료 전체의 특징을 대표적으로 나타내는 값을 산포도라 한다.
② 편차는 어떤 자료의 각 변량에서 그 자료의 중앙값을 뺀 값을 말한다.
③ 산포도에는 평균, 중앙값, 최빈값 등이 있다.
④ 편차의 제곱의 평균을 분산이라 한다.
⑤ 표준편차는 대푯값 중 하나이다.

06

창의력

다음 8개 자료의 평균이 8이고 최빈값이 9이다. 이 자료의 표준편차를 구하시오. (단, x, y는 자연수이고, $x<y$이다.)

3, 4, 9, 6, x, y, 8, 10

07

5개의 변량 a, 8, b, 5, 11의 평균이 8이고 표준편차가 6일 때, a^2+b^2의 값을 구하시오.

08

3개의 변량 a, b, c의 평균이 4이고 표준편차가 5일 때, 변량 $a-1$, $b-1$, $c-1$의 평균과 표준편차를 각각 구하시오.

09

다음 자료들 중에서 표준편차가 가장 작은 것은?

① 1, 5, 1, 5, 1, 5　　② 1, 2, 2, 4, 4, 5
③ 3, 3, 3, 3, 2, 4　　④ 2, 4, 2, 4, 2, 4
⑤ 3, 2, 4, 1, 5, 3

10

다음 표는 어느 중학교 3학년 1반과 2반 학생들의 지난 일주일 동안의 라디오 청취 횟수의 평균과 분산을 나타낸 것이다. 1반과 2반 전체 학생의 라디오 청취 횟수의 분산을 구하시오.

	학생 수(명)	평균(회)	분산
1반	32	5	2
2반	28	5	5

11

다음 표는 학생 5명이 등교하는 데 걸린 시간의 평균과 표준편차를 나타낸 것이다. 등교하는 데 걸린 시간이 가장 불규칙한 학생을 구하시오.

	민호	수지	원재	세정	유정
평균(분)	30	43	21	15	35
표준편차(분)	4	7	12	8	10

★ 12

오른쪽 표는 은희네 반 학생들의 과학, 사회 성적의 평균과 표준편차를 나타낸 것이다. 다음 중 옳은 것을 모두 고르면? (정답 2개)

	과학	사회
평균(점)	76	78
표준편차(점)	$2\sqrt{3}$	5

① 과학 성적이 사회 성적보다 더 좋다.
② 사회 성적이 과학 성적보다 더 좋다.
③ 과학 성적이 사회 성적보다 더 고르다.
④ 사회 성적이 과학 성적보다 더 고르다.
⑤ 사회 성적이 과학 성적보다 평균에 더 가까이 모여 있다.

3 산점도와 상관관계

❺ 통계

개념 1 산점도

(1) **산점도** 두 변량 x, y를 순서쌍으로 하는 점 (x, y)를 좌표평면 위에 나타낸 그림

(2) **산점도의 해석**

오른쪽 그림은 어느 반 학생들의 키 x cm와 몸무게 y kg을 조사하여 산점도로 나타낸 것이다.

① 대체로 키가 큰 학생들이 몸무게가 많이 나가는 경향이 있다.

② A 학생은 키에 비하여 몸무게가 비교적 많이 나가는 편이다.

③ B 학생은 키에 비하여 몸무게가 비교적 적게 나가는 편이다.

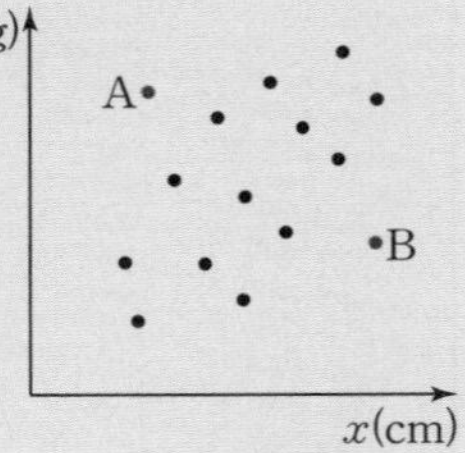

아래 표는 학생 10명의 국어 성적과 수학 성적을 조사하여 나타낸 것이다. 국어 성적을 x점, 수학 성적을 y점이라 할 때, x, y의 산점도를 그려 보자.

학생	A	B	C	D	E	F	G	H	I	J
국어(점)	70	80	60	100	90	50	70	80	100	70
수학(점)	50	70	60	90	80	50	60	80	100	90

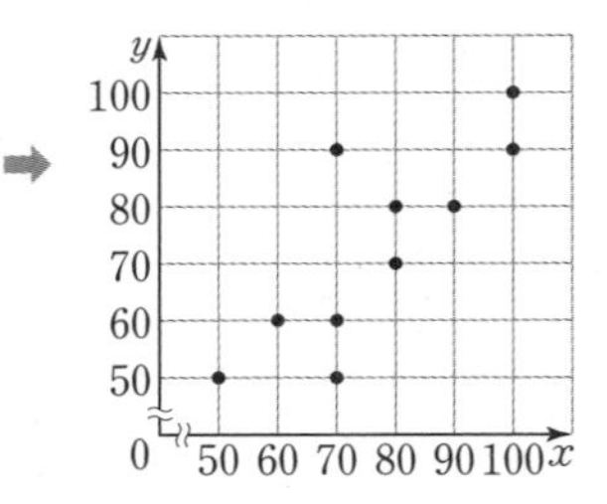

Lecture

- 산점도에서 두 변량의 비교
  - ① y가 x보다 크다.
  - ② x와 y가 같다.
  - ③ x가 y보다 크다.

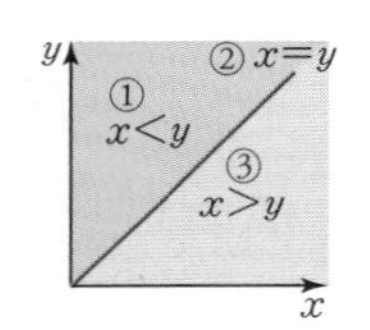

| 개념 확인 | 1 **다음은 일주일 동안 지원이의 컴퓨터 사용 시간 x분과 잠자는 시간 y시간을 조사하여 나타낸 표이다. 컴퓨터 사용 시간과 잠자는 시간에 대한 산점도를 그리시오.**

x(분)	80	90	100	115	120	125	140
y(시간)	8	7.5	7.5	6.5	6	5.5	5

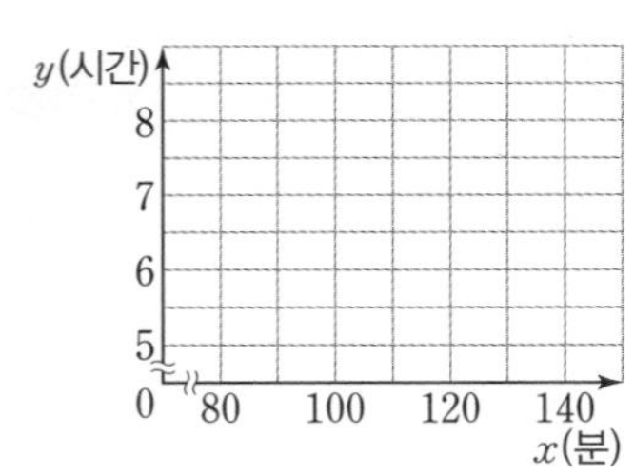

개념 2 상관관계

개념 동영상

(1) **상관관계** 두 변량 x, y 사이에 한쪽이 증가하면 다른 한쪽이 증가하거나 감소하는 경향이 있을 때, 두 변량 x, y 사이에 상관관계가 있다고 한다.

(2) **상관관계의 종류** 두 변량 x, y에 대하여

① 양의 상관관계: x의 값이 증가함에 따라 y의 값도 대체로 증가하는 관계

└→ 점들이 오른쪽 위를 향한다.

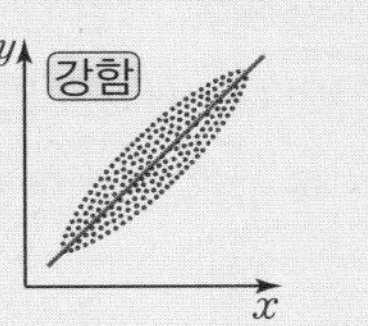

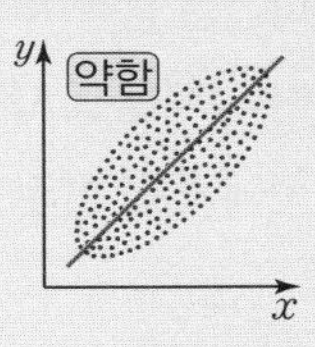

양 또는 음의 상관관계가 있을 때, 통틀어 상관관계가 있다고 해.

② 음의 상관관계: x의 값이 증가함에 따라 y의 값은 대체로 감소하는 관계

└→ 점들이 오른쪽 아래를 향한다.

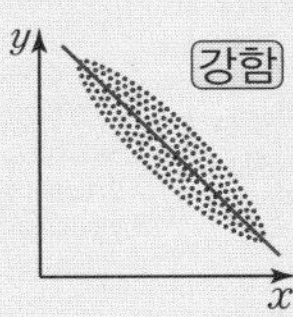

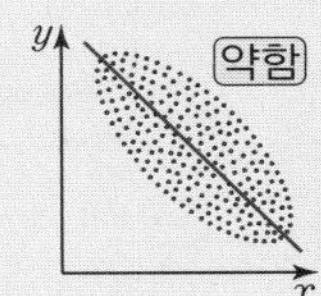

③ 상관관계가 없다.: x의 값이 증가함에 따라 y의 값이 증가하는 경향이 있는지 감소하는 경향이 있는지 분명하지 않을 때, 두 변량 x, y 사이에는 상관관계가 없다고 한다.

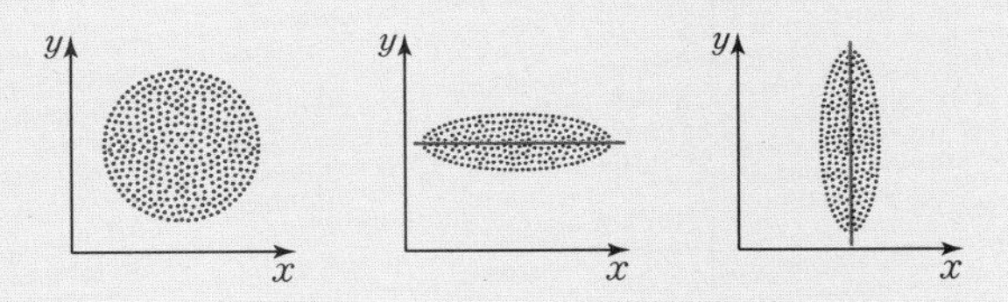

설명 두 변량 x, y 사이에 양 또는 음의 상관관계가 있는 산점도에서

(1) 상관관계가 강한 경우 : 점들이 x축 또는 y축에 평행하지 않은 한 직선 주위에 가까이 모여 있다.

(2) 상관관계가 약한 경우 : 점들이 x축 또는 y축에 평행하지 않은 한 직선으로부터 멀리 흩어져 있다.

약해진다. 양의 상관관계 강해진다.

개념 확인 2 다음 산점도를 보고 x와 y 사이에는 어떤 상관관계가 있는지 말하시오.

(1)

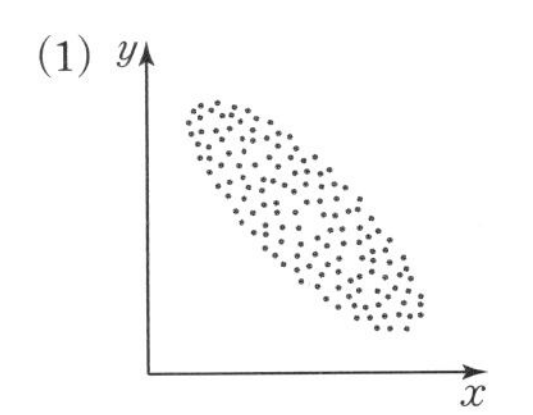

(2)

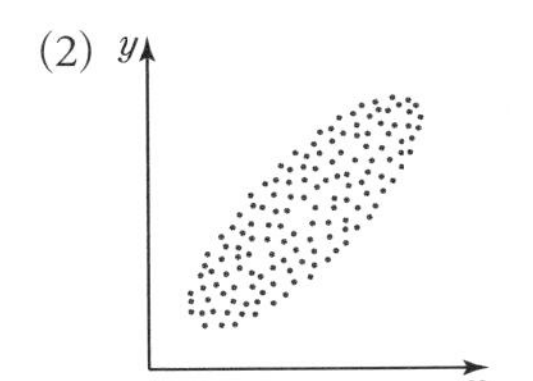

(3)

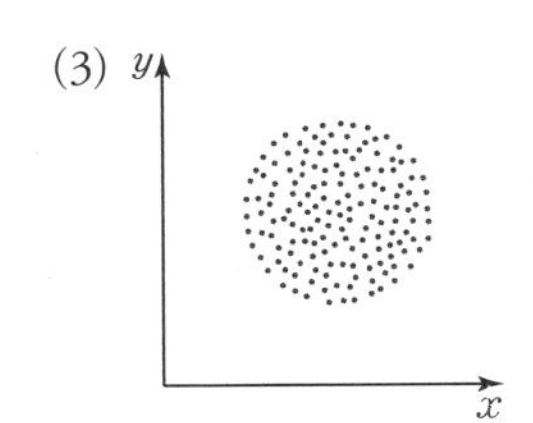

개념 기초

1-1

다음은 중학생 10명의 키와 몸무게를 조사하여 나타낸 표이다. 물음에 답하시오.

키 (cm)	160	154	170	172	166	170	164	158	176	178
몸무게 (kg)	46	44	48	64	50	56	52	49	60	56

(1) 위의 표를 산점도로 나타내시오.

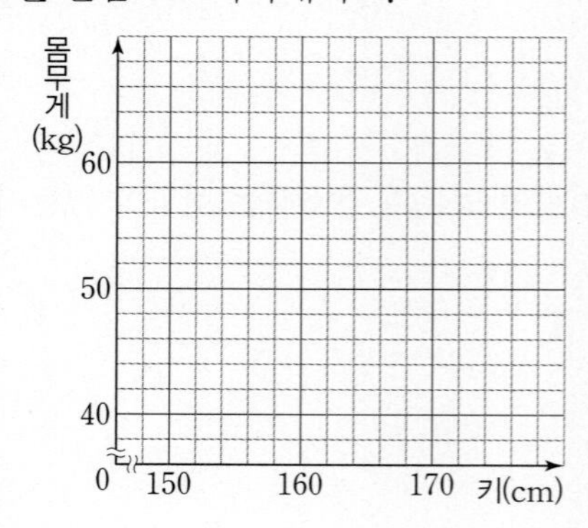

(2) 키와 몸무게 사이에는 어떤 상관관계가 있는지 말하시오.

쌍둥이 문제

1-2

다음은 승봉이네 반 학생 12명의 1년 동안 읽은 책의 권수와 국어 성적을 조사하여 나타낸 표이다. 읽은 책 x권과 국어 성적 y점에 대한 산점도를 그리고, 어떤 상관관계가 있는지 말하시오.

x(권)	7	5	8	2	3	6	9	10	3	5	4	8
y(점)	95	85	100	70	75	80	95	100	60	70	70	95

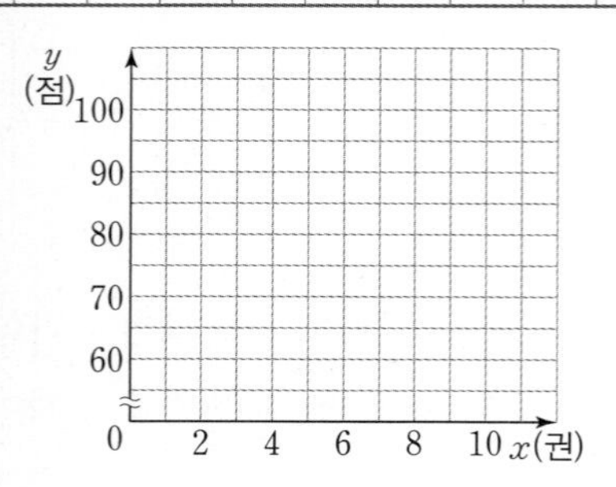

2-1

다음 두 변량 사이에 양의 상관관계가 있으면 '양', 음의 상관관계가 있으면 '음', 상관관계가 없으면 '없다.'를 써넣으시오.

(1) 시력과 앉은키 (　　　)

(2) 겨울철 기온과 난방비 (　　　)

(3) 도시의 인구수와 물 소비량 (　　　)

연구 두 변량 x, y에 대하여
(1) 양의 상관관계 : x의 값이 증가함에 따라 y의 값도 대체로 ☐하는 관계
(2) 음의 상관관계 : x의 값이 증가함에 따라 y의 값은 대체로 ☐하는 관계
(3) 상관관계가 ☐. : x의 값이 증가함에 따라 y의 값이 증가하는 경향이 있는지 감소하는 경향이 있는지 분명하지 않은 관계

2-2

다음 두 변량 사이에 양의 상관관계가 있으면 '양', 음의 상관관계가 있으면 '음', 상관관계가 없으면 '없다.'를 써넣으시오.

(1) 하루 중 낮의 길이와 밤의 길이 (　　　)

(2) 키와 발의 크기 (　　　)

(3) 쌀의 생산량과 쌀의 수입량 (　　　)

(4) 가방의 무게와 성적 (　　　)

STEP 2 대표 유형으로 개념 잡기

대표 유형 1 산점도 해석하기 (1)

산점도에서 두 변량을 비교할 때, 대각선을 그어 생각한다.

1-1 오른쪽 그림은 예빈이네 반 학생 20명의 영어 성적과 수학 성적을 조사하여 나타낸 산점도이다. 수학 성적이 영어 성적보다 높은 학생들은 전체의 몇 %인지 구하시오.

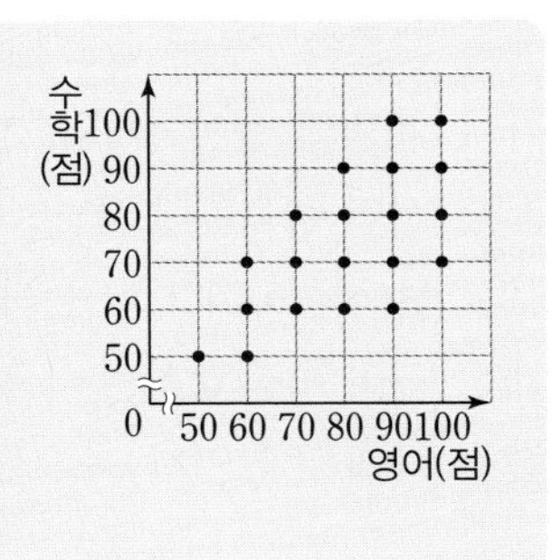

풀이 수학 성적이 영어 성적보다 높은 학생은 오른쪽 산점도에서 대각선 위쪽의 점을 나타내므로 4명이다.

$\therefore \dfrac{4}{20} \times 100 = 20\ (\%)$

답 20 %

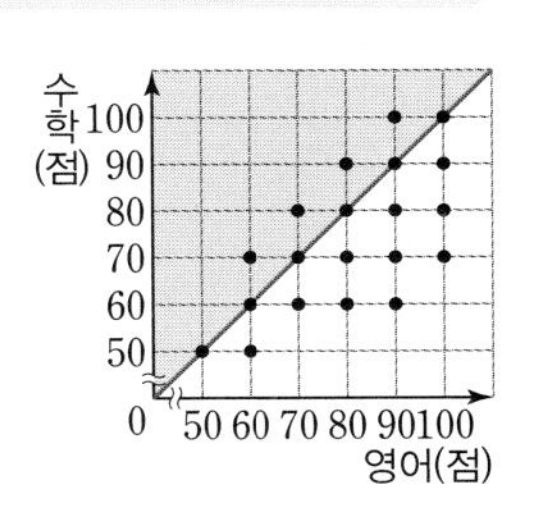

쌍둥이 1-2

오른쪽 그림은 은하네 반 학생 16명의 1학기 성적과 2학기 성적을 조사하여 나타낸 산점도이다. 2학기에 성적이 향상된 학생은 전체의 몇 %인지 구하시오.

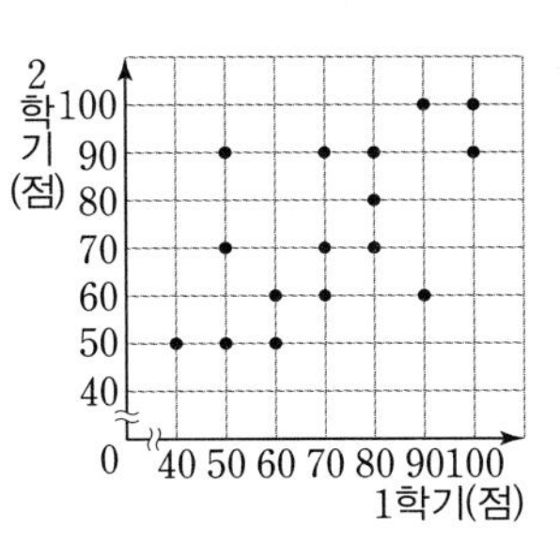

대표 유형 2 산점도 해석하기 (2)

산점도에서 '~ 이상', '~ 이하'의 자료를 찾을 때, 다음 그림과 같이 가로선 또는 세로선을 긋는다.

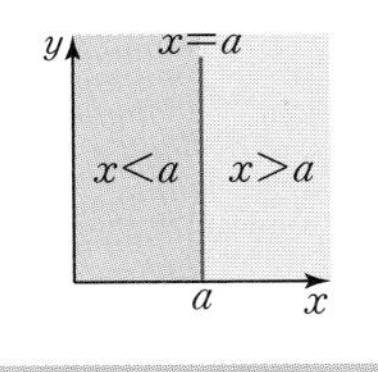

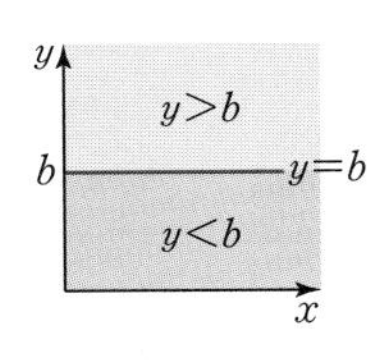

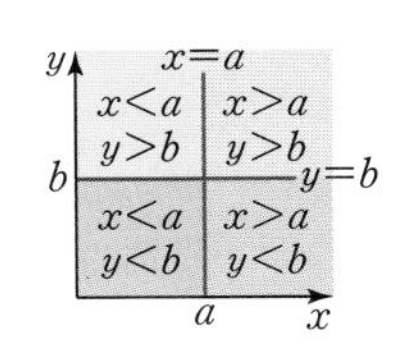

2-1 오른쪽 그림은 지영이네 반 학생 18명의 수학 성적과 과학 성적을 조사하여 나타낸 산점도이다. 수학 성적과 과학 성적이 모두 80점 이상인 학생 수를 구하시오.

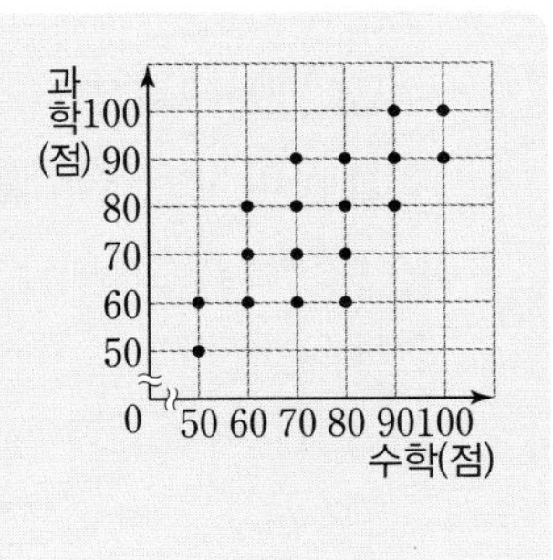

풀이 수학 성적과 과학 성적이 모두 80점 이상인 학생은 오른쪽 산점도에서 경계선을 포함한 색칠한 부분에 속하는 점을 나타내므로 7명이다.

답 7명

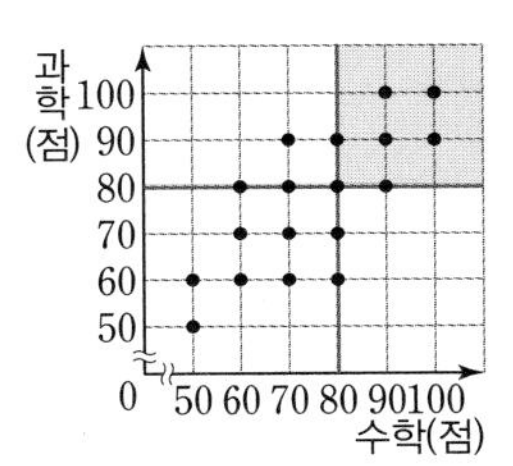

쌍둥이 2-2

오른쪽 그림은 학생 20명의 1, 2차 두 번에 걸쳐 시행한 영어 듣기 평가 성적을 조사하여 나타낸 산점도이다. 1, 2차에 걸친 영어 듣기 평가 성적이 모두 6점 이하인 학생은 몇 명인지 구하시오.

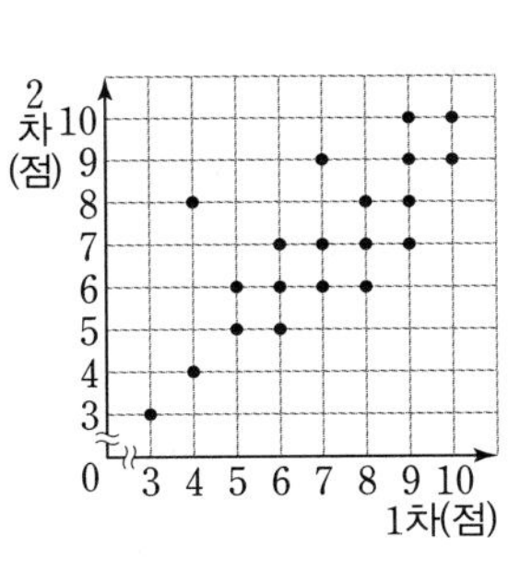

대표 유형 3 산점도 해석하기 (3)

3-1의 산점도에서 수학 성적과 영어 성적의 합이 160점이 되는 점을 이어 선을 긋고 문제에 맞는 영역을 찾는다.

3-1 오른쪽 그림은 A 중학교 학생 15명의 수학 성적과 영어 성적을 조사하여 나타낸 산점도이다. 수학 성적과 영어 성적의 평균이 80점 이상인 학생 수를 구하시오.

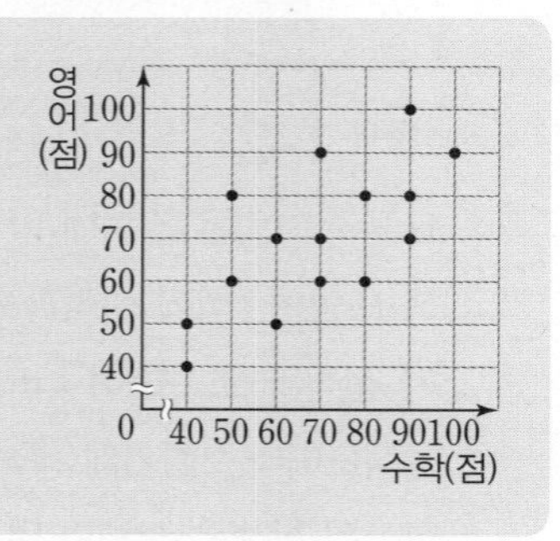

풀이 두 과목의 평균이 80점 이상인 학생은 두 과목의 총점이 160점 이상이므로 오른쪽 산점도에서 경계선을 포함한 색칠한 부분에 속하는 점을 나타낸다. 따라서 구하는 학생 수는 6명이다.

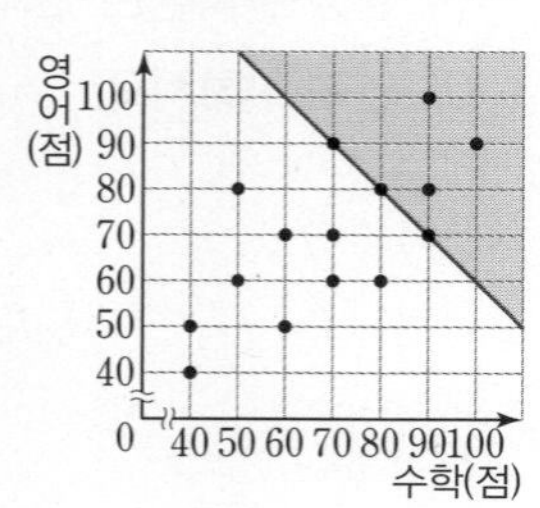

답 6명

쌍둥이 3-2

오른쪽 그림은 어느 반 학생 20명의 중간고사와 기말고사의 성적을 조사하여 나타낸 산점도이다. 두 성적의 평균이 75점 이상인 학생은 전체의 몇 %인지 구하시오.

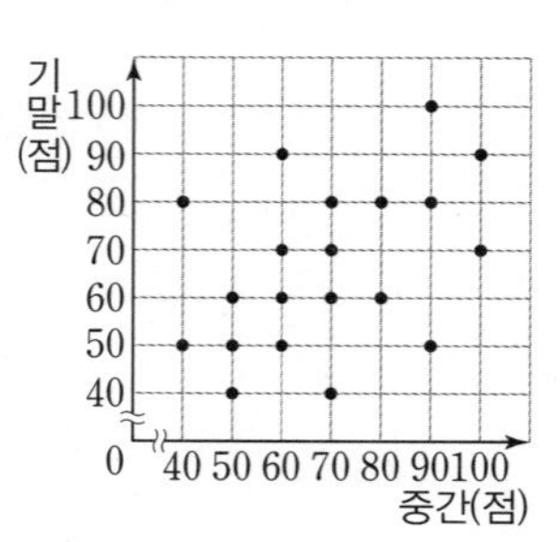

대표 유형 4 산점도 해석하기 (4)

두 변량의 차가 a일 때, 오른쪽 그림과 같이 산점도 위에 두 직선

$x-y=a$, $y-x=a$

를 그린다.

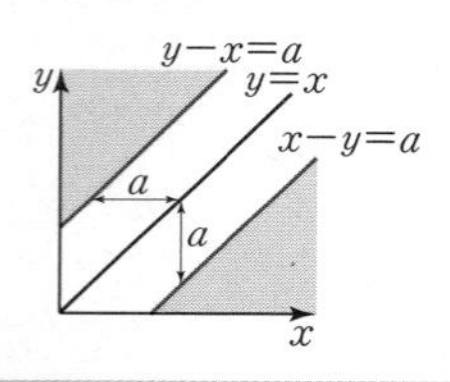

4-1 오른쪽 그림은 진희네 반 학생 20명의 국어 성적과 영어 성적을 조사하여 나타낸 산점도이다. 국어 성적과 영어 성적의 차가 20점인 학생은 전체의 몇 %인지 구하시오.

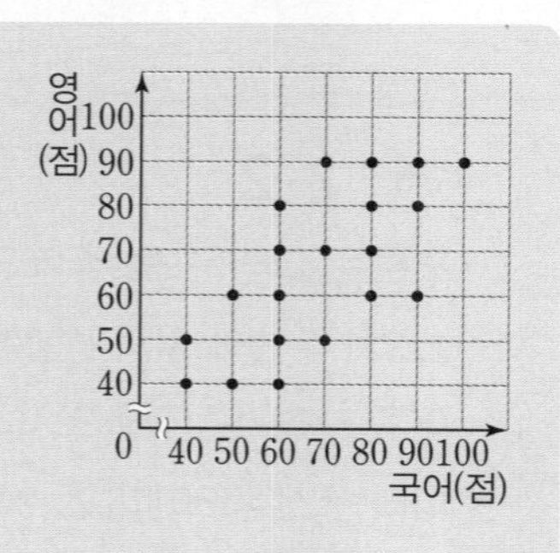

풀이 국어 성적과 영어 성적의 차가 20점인 학생은 오른쪽 산점도에서 녹색 선 위의 점을 나타내므로 5명이다.

$\therefore \frac{5}{20}\times 100=25\ (\%)$

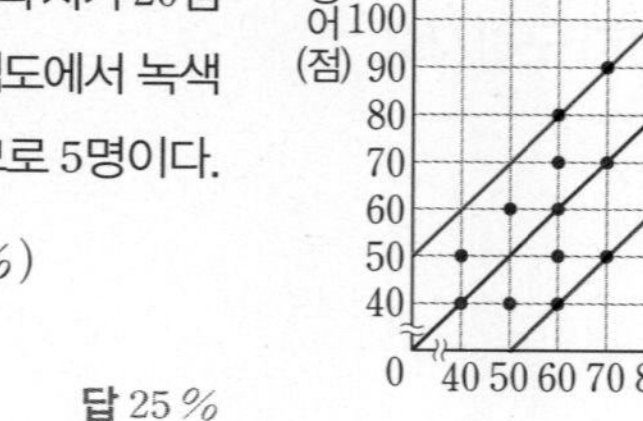

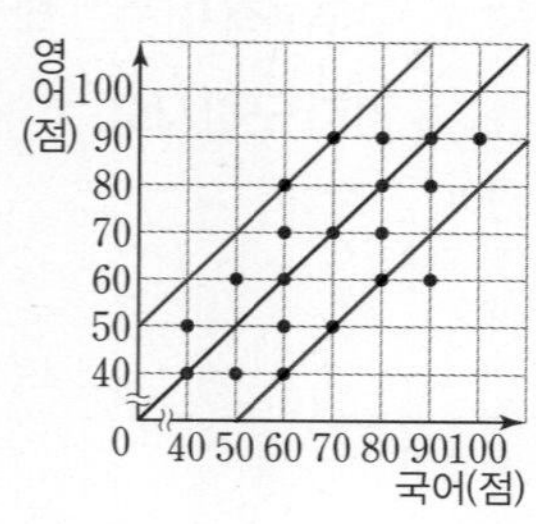

답 25 %

쌍둥이 4-2

오른쪽 그림은 16명의 양궁 선수들이 1차, 2차 두 차례에 걸쳐 활을 쏘아 얻은 점수를 조사하여 나타낸 산점도이다. 다음 물음에 답하시오.

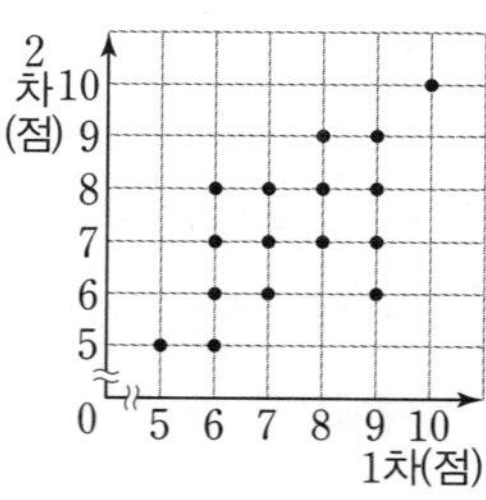

(1) 1차보다 2차의 점수가 높은 선수는 전체의 몇 %인지 구하시오.

(2) 1차 점수와 2차 점수가 2점 이상 차이가 나는 선수의 수를 구하시오.

대표 유형 5 상관관계

두 변량 x, y에 대하여

(1) 양의 상관관계 : x의 값이 증가함에 따라 y의 값도 대체로 증가하는 관계

(2) 음의 상관관계 : x의 값이 증가함에 따라 y의 값은 대체로 감소하는 관계

(3) 상관관계가 없다. : x의 값이 증가함에 따라 y의 값이 증가하는 경향이 있는지 감소하는 경향이 있는지 분명하지 않은 관계

5-1 다음 중 두 변량 사이에 양의 상관관계가 있는 것은?

① 산의 높이와 기온
② 수학 성적과 몸무게
③ 달리기 기록과 손의 크기
④ 쌀의 판매량과 커피의 판매량
⑤ 자동차의 수와 석유의 소비량

풀이 ① 음의 상관관계
②, ③, ④ 상관관계가 없다.
⑤ 양의 상관관계

답 ⑤

쌍둥이 5-2

다음 중 두 변량 사이의 상관관계가 나머지 넷과 다른 하나는?

① 도시의 인구수와 학교 수
② 교통량과 매연량
③ 키와 신발의 크기
④ 예금액과 이자
⑤ 근무 시간과 여가 시간

대표 유형 6 산점도 해석하기 (5)

오른쪽 산점도에서

① A는 x의 값에 비하여 y의 값이 크다.
② B는 x의 값에 비하여 y의 값이 작다.

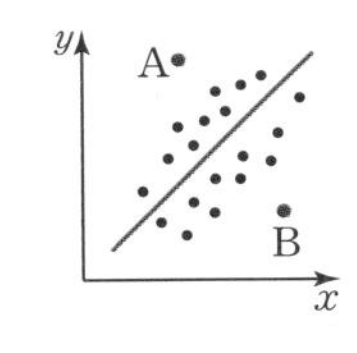

6-1 오른쪽 그림은 지은이네 반 학생들의 과학 성적과 수학 성적을 조사하여 나타낸 산점도이다. A, B, C, D, E 5명의 학생 중 과학 성적에 비하여 수학 성적이 가장 좋은 학생을 말하시오.

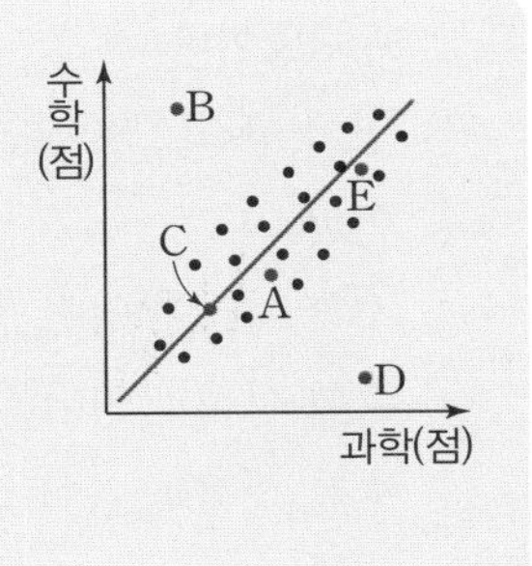

풀이 A, B, C, D, E 5명의 학생 중 과학 성적에 비하여 수학 성적이 가장 좋은 학생은 B이다.

답 B

쌍둥이 6-2

오른쪽 그림은 어느 학급 학생들의 1차, 2차에 걸친 수학 시험 성적을 조사하여 나타낸 산점도이다. 다음 중 옳지 않은 것은?

① A의 성적이 향상되었다.
② 양의 상관관계를 보이고 있다.
③ B는 A보다 성적 변화가 크다.
④ D는 1, 2차 성적이 모두 높은 편이다.
⑤ C는 1차 성적과 2차 성적의 차가 큰 편이다.

산점도

산점도 : 두 변량 x, y를 순서쌍으로 하는 점 (❶ ___, y)를 좌표평면 위에 나타낸 그림

답 ❶ x

★
01

오른쪽 그림은 20개 도시의 3월과 4월의 먼지가 환경 기준치를 초과한 날의 수를 조사하여 나타낸 산점도이다. 다음 물음에 답하시오.

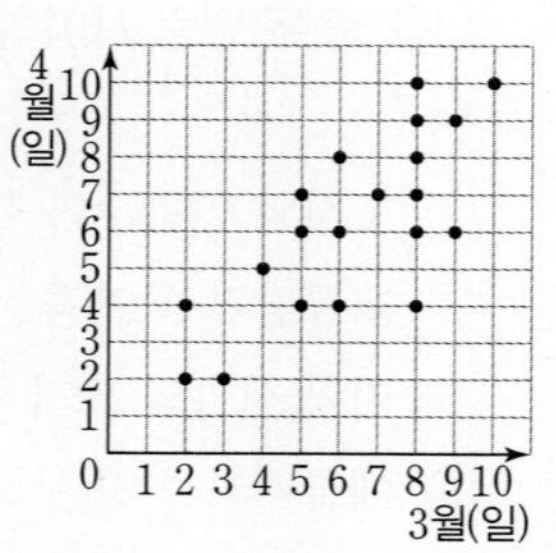

(1) 먼지가 환경 기준치를 초과한 날의 수가 3월과 4월이 같은 도시의 수를 구하시오.

(2) 먼지가 환경 기준치를 초과한 날의 수가 3월보다 4월이 더 많은 도시의 수를 구하시오.

02

서술형

오른쪽 그림은 준호네 반 학생 20명의 영어 듣기와 말하기의 수행평가 점수를 조사하여 나타낸 산점도이다. 영어 듣기와 말하기의 수행평가 점수가 모두 7점 이상인 학생은 전체의 몇 %인지 구하시오.

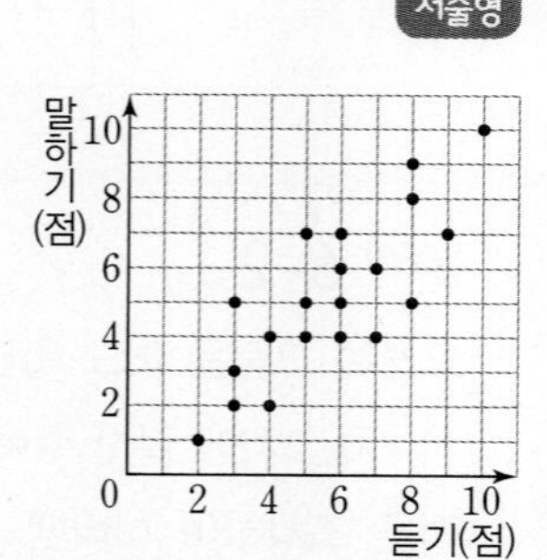

03

창의력

다음 그림은 현아네 반 학생 15명의 수학 지필평가 점수와 수행평가 점수를 조사하여 나타낸 산점도이다. 물음에 답하시오.

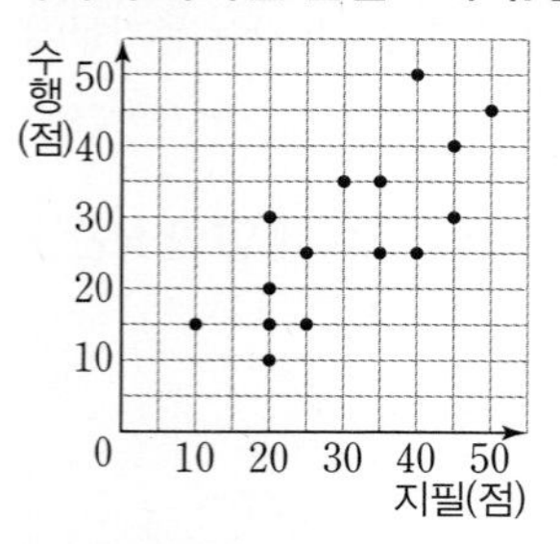

(1) 지필평가 점수와 수행평가 점수의 차가 10점 이상인 학생 수를 구하시오.

(2) 지필평가 점수가 40점 이상인 학생들의 수행평가 점수의 평균을 구하시오.

★
04

오른쪽 그림은 어느 반 학생 20명의 수학 성적과 영어 성적을 조사하여 나타낸 산점도이다. 다음 중 옳지 않은 것은?

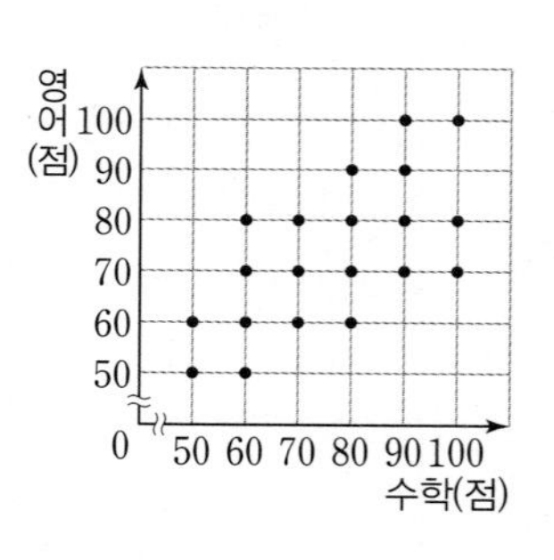

① 수학 성적이 100점인 학생은 3명이다.

② 영어 성적이 80점인 학생들의 수학 성적의 평균은 70점이다.

③ 수학 성적이 영어 성적보다 높은 학생은 8명이다.

④ 수학 성적과 영어 성적이 같은 학생은 6명이다.

⑤ 수학 성적과 영어 성적이 모두 90점 이상인 학생은 3명이다.

상관관계

(1) 상관관계 : 두 변량 x, y 사이에 x의 값이 증가함에 따라 y의 값이 증가하거나 감소하는 경향이 있을 때, 두 변량 x, y 사이에 상관관계가 있다고 한다.

(2) 상관관계의 종류 : 두 변량 x, y에 대하여

① 양의 상관관계 : x의 값이 증가함에 따라 y의 값도 대체로 ❶ ______ 하는 관계

② ❷ ______ 의 상관관계 : x의 값이 증가함에 따라 y의 값은 대체로 감소하는 관계

③ 상관관계가 ❸ ______ . : x의 값이 증가함에 따라 y의 값이 증가하는지 감소하는지 그 관계가 분명하지 않은 경우

답 ❶증가 ❷음 ❸없다

05

다음 산점도 중 가장 강한 음의 상관관계를 나타내는 것은?

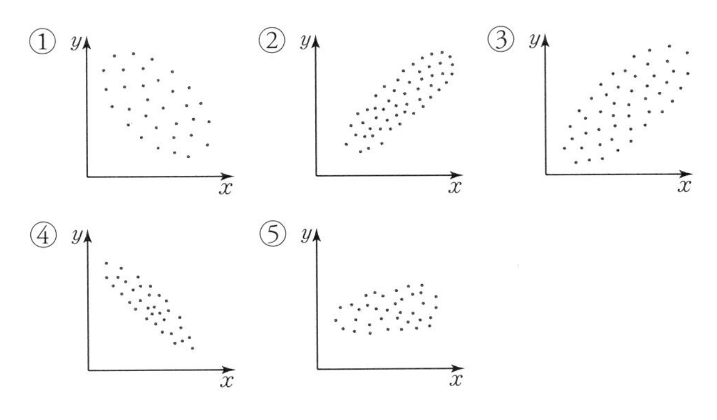

★ 06

다음 중 두 변량 사이의 산점도가 오른쪽 그림과 같은 모양이 되는 것을 모두 고르면? (정답 2개)

① 책의 두께와 무게
② 여름철 기온과 빙과류의 판매량
③ 도로 위의 자동차의 수와 평균 주행 속도
④ 석유의 생산량과 가격
⑤ 시력과 눈의 크기

07

오른쪽 그림은 별이네 학교 학생들의 1차, 2차에 걸친 수학 시험 성적을 조사하여 나타낸 산점도이다. 다음 중 옳은 것은?

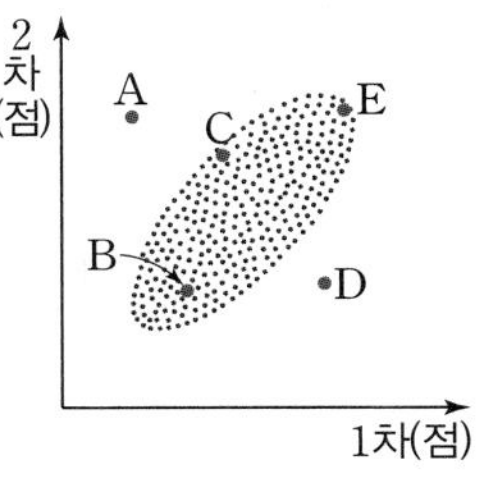

① E는 시험 성적 변화가 크다.
② B는 A보다 1차 시험 성적이 낮다.
③ D는 2차 시험 성적이 높은 편이다.
④ C는 1차, 2차 모두 시험 성적이 낮은 편이다.
⑤ A는 1차 시험 성적보다 2차 시험 성적이 높다.

★ 08

아래 그림은 어느 중학교 학생들을 대상으로 한 달 동안의 용돈과 저축액을 조사하여 나타낸 산점도이다. 다음 보기 중에서 옳은 것을 모두 고른 것은?

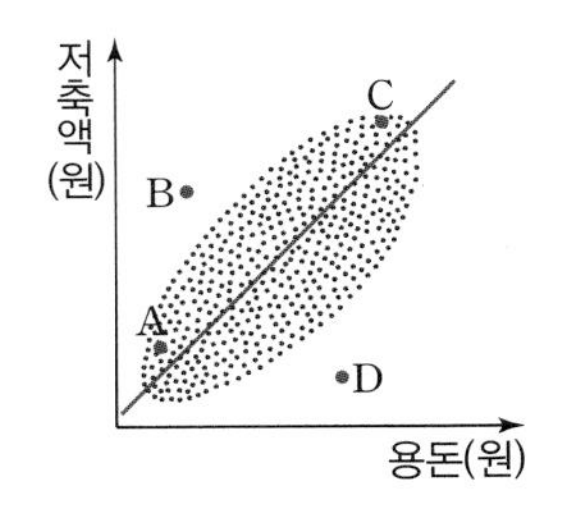

보기

ㄱ A, B, C, D 중 저축을 가장 많이 하는 학생은 C이다.
ㄴ A, B, C, D 중 용돈에 비하여 저축을 가장 많이 하는 학생은 A이다.
ㄷ 용돈이 많으면 대체로 저축액도 많은 편이다.
ㄹ D는 용돈에 비하여 저축을 적게 하는 편이다.

① ㄱ, ㄴ ② ㄷ ③ ㄱ, ㄷ
④ ㄱ, ㄷ, ㄹ ⑤ ㄱ, ㄴ, ㄷ, ㄹ

삼각비표

각 도	사인 (sin)	코사인 (cos)	탄젠트 (tan)	각 도	사인 (sin)	코사인 (cos)	탄젠트 (tan)
0°	0.0000	1.0000	0.0000	45°	0.7071	0.7071	1.0000
1°	0.0175	0.9998	0.0175	46°	0.7193	0.6947	1.0355
2°	0.0349	0.9994	0.0349	47°	0.7314	0.6820	1.0724
3°	0.0523	0.9986	0.0524	48°	0.7431	0.6691	1.1106
4°	0.0698	0.9976	0.0699	49°	0.7547	0.6561	1.1504
5°	0.0872	0.9962	0.0875	50°	0.7660	0.6428	1.1918
6°	0.1045	0.9945	0.1051	51°	0.7771	0.6293	1.2349
7°	0.1219	0.9925	0.1228	52°	0.7880	0.6157	1.2799
8°	0.1392	0.9903	0.1405	53°	0.7986	0.6018	1.3270
9°	0.1564	0.9877	0.1584	54°	0.8090	0.5878	1.3764
10°	0.1736	0.9848	0.1763	55°	0.8192	0.5736	1.4281
11°	0.1908	0.9816	0.1944	56°	0.8290	0.5592	1.4826
12°	0.2079	0.9781	0.2126	57°	0.8387	0.5446	1.5399
13°	0.2250	0.9744	0.2309	58°	0.8480	0.5299	1.6003
14°	0.2419	0.9703	0.2493	59°	0.8572	0.5150	1.6643
15°	0.2588	0.9659	0.2679	60°	0.8660	0.5000	1.7321
16°	0.2756	0.9613	0.2867	61°	0.8746	0.4848	1.8040
17°	0.2924	0.9563	0.3057	62°	0.8829	0.4695	1.8807
18°	0.3090	0.9511	0.3249	63°	0.8910	0.4540	1.9626
19°	0.3256	0.9455	0.3443	64°	0.8988	0.4384	2.0503
20°	0.3420	0.9397	0.3640	65°	0.9063	0.4226	2.1445
21°	0.3584	0.9336	0.3839	66°	0.9135	0.4067	2.2460
22°	0.3746	0.9272	0.4040	67°	0.9205	0.3907	2.3559
23°	0.3907	0.9205	0.4245	68°	0.9272	0.3746	2.4751
24°	0.4067	0.9135	0.4452	69°	0.9336	0.3584	2.6051
25°	0.4226	0.9063	0.4663	70°	0.9397	0.3420	2.7475
26°	0.4384	0.8988	0.4877	71°	0.9455	0.3256	2.9042
27°	0.4540	0.8910	0.5095	72°	0.9511	0.3090	3.0777
28°	0.4695	0.8829	0.5317	73°	0.9563	0.2924	3.2709
29°	0.4848	0.8746	0.5543	74°	0.9613	0.2756	3.4874
30°	0.5000	0.8660	0.5774	75°	0.9659	0.2588	3.7321
31°	0.5150	0.8572	0.6009	76°	0.9703	0.2419	4.0108
32°	0.5299	0.8480	0.6249	77°	0.9744	0.2250	4.3315
33°	0.5446	0.8387	0.6494	78°	0.9781	0.2079	4.7046
34°	0.5592	0.8290	0.6745	79°	0.9816	0.1908	5.1446
35°	0.5736	0.8192	0.7002	80°	0.9848	0.1736	5.6713
36°	0.5878	0.8090	0.7265	81°	0.9877	0.1564	6.3138
37°	0.6018	0.7986	0.7536	82°	0.9903	0.1392	7.1154
38°	0.6157	0.7880	0.7813	83°	0.9925	0.1219	8.1443
39°	0.6293	0.7771	0.8098	84°	0.9945	0.1045	9.5144
40°	0.6428	0.7660	0.8391	85°	0.9962	0.0872	11.4301
41°	0.6561	0.7547	0.8693	86°	0.9976	0.0698	14.3007
42°	0.6691	0.7431	0.9004	87°	0.9986	0.0523	19.0811
43°	0.6820	0.7314	0.9325	88°	0.9994	0.0349	28.6363
44°	0.6947	0.7193	0.9657	89°	0.9998	0.0175	57.2900
45°	0.7071	0.7071	1.0000	90°	1.0000	0.0000	

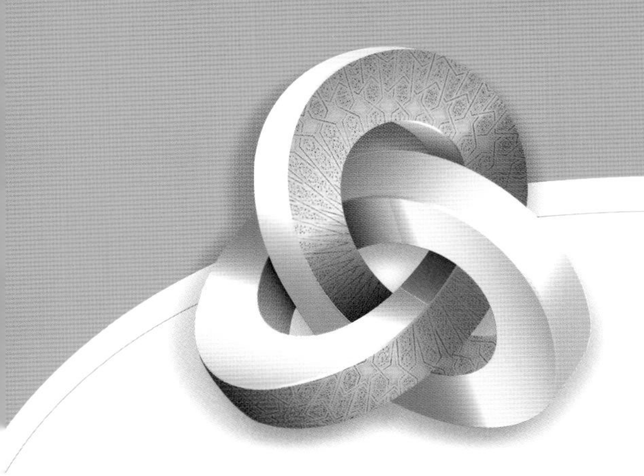

단원 종합 문제

3-2

개념 해결의 법칙

단원 종합 문제

01

오른쪽 그림과 같은 직각삼각형 ABC에서 $\overline{AB}=10$, $\overline{BC}=8$일 때, 다음 중 옳은 것은?

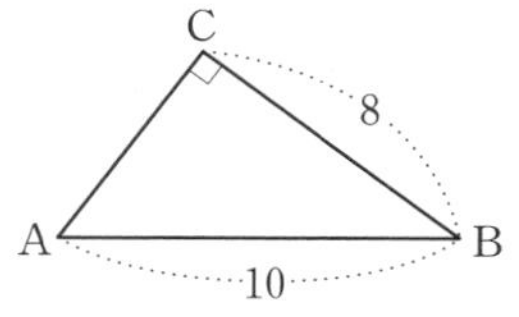

① $\sin A=\frac{3}{5}$　② $\cos A=\frac{4}{5}$

③ $\cos B=\frac{3}{5}$　④ $\sin B=\frac{3}{5}$

⑤ $\tan B=\frac{4}{3}$

02

오른쪽 그림과 같은 직각삼각형 ABC에서 $\overline{AB}=6$이고 $\sin B=\frac{1}{3}$일 때, $\overline{BC}$의 길이를 구하시오.

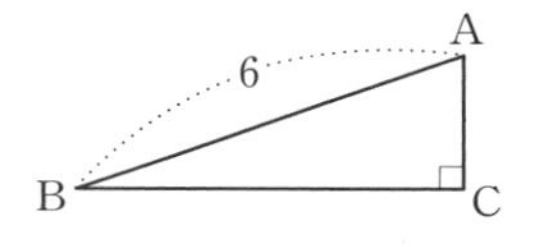

03

직각삼각형 ABC에서 $\tan A=\frac{12}{5}$일 때, $\sin A-\cos A$의 값은? (단, $0^\circ < A < 90^\circ$)

① $\frac{5}{13}$　② $\frac{7}{13}$　③ $\frac{12}{13}$

④ $\frac{5}{12}$　⑤ $\frac{7}{12}$

04

오른쪽 그림과 같이 $\angle C=90^\circ$인 직각삼각형 ABC에서 $\overline{AB}\perp\overline{DE}$이고 $\overline{AE}=5$, $\overline{DE}=3$이다. $\angle B=x$일 때, $\sin x+\cos x$의 값을 구하시오.

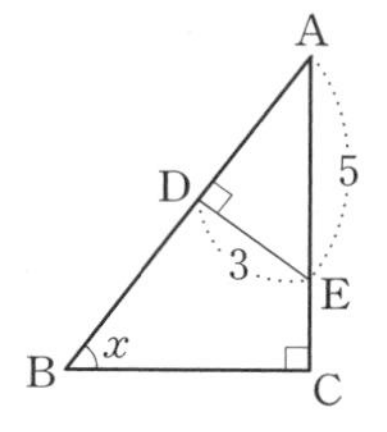

05

서술형

오른쪽 그림과 같이 $\angle A=90^\circ$인 직각삼각형 ABC에서 $\overline{AH}\perp\overline{BC}$이고 $\angle BAH=x$, $\angle CAH=y$일 때, $\sin x\times\sin y$의 값을 구하시오.

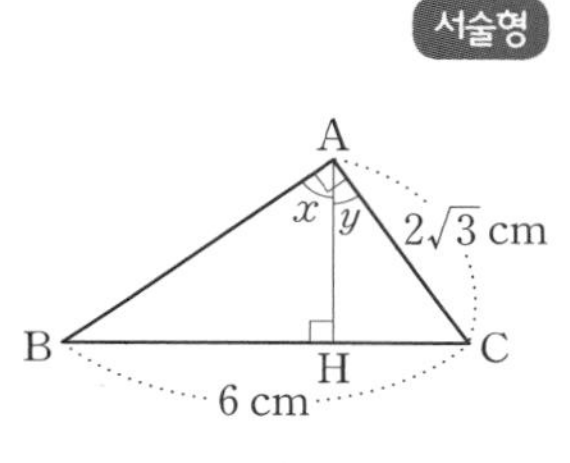

06

오른쪽 그림과 같이 일차방정식 $2x-y+6=0$의 그래프가 x축의 양의 방향과 이루는 예각의 크기를 a라 할 때, $\sin a$의 값을 구하시오.

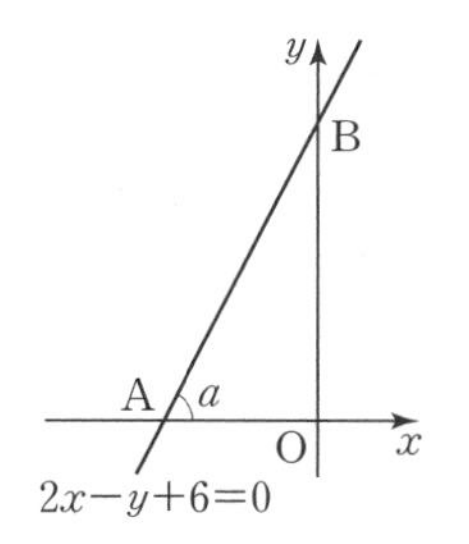

07

오른쪽 그림과 같이 한 모서리의 길이가 1인 정육면체에서 $\angle AGE = x$일 때, $\sin x \times \cos x$의 값을 구하시오.

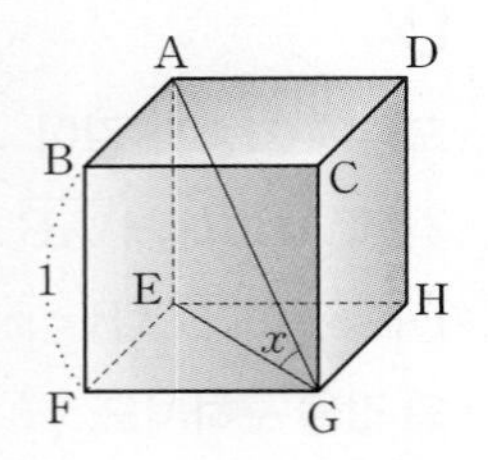

08

다음 중 옳은 것은?

① $\sin 30^\circ + \cos 60^\circ = \frac{1}{2}$

② $\sin 60^\circ - \tan 30^\circ = -\frac{\sqrt{3}}{2}$

③ $\tan 45^\circ \times \sin 60^\circ = \frac{\sqrt{3}}{2}$

④ $\sin 45^\circ \div \cos 45^\circ = \frac{1}{2}$

⑤ $\sin 30^\circ \times \tan 60^\circ \div \cos 30^\circ = 3$

09

$\cos(2x+10^\circ) = \frac{1}{2}$을 만족하는 x의 값은?

(단, $0^\circ < 2x+10^\circ < 90^\circ$)

① 5°　② 10°　③ 15°
④ 20°　⑤ 25°

10

서술형

오른쪽 그림과 같이 $\angle ABC = \angle BCD = 90^\circ$이고 $\angle BAC = 60^\circ$, $\angle BDC = 45^\circ$, $\overline{BD} = 4\sqrt{2}$일 때, $\overline{AC}$의 길이를 구하시오.

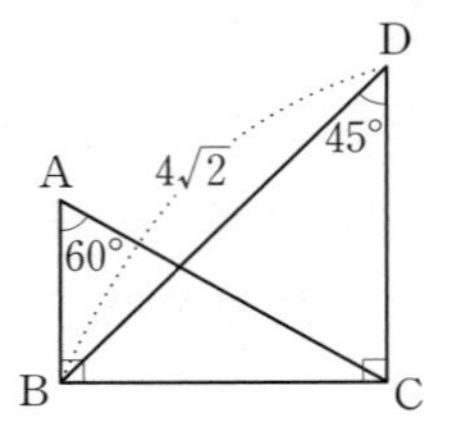

11

$\sin 90^\circ \times \cos 60^\circ + \cos 0^\circ \times \sin 30^\circ$의 값을 구하시오.

12

다음 중 삼각비의 대소 관계가 옳지 않은 것을 모두 고르면?

(정답 2개)

① $\sin 30^\circ < \sin 75^\circ$　② $\cos 30^\circ < \cos 75^\circ$
③ $\tan 30^\circ < \tan 75^\circ$　④ $\cos 60^\circ < \cos 30^\circ$
⑤ $\sin 45^\circ < \cos 45^\circ$

13

다음 삼각비의 표에서 $\sin x = 0.9455$, $\tan y = 3.2709$를 만족하는 예각 x, y에 대하여 $\cos x + \sin y$의 값을 구하시오.

각도	사인(sin)	코사인(cos)	탄젠트(tan)
70°	0.9397	0.3420	2.7475
71°	0.9455	0.3256	2.9042
72°	0.9511	0.3090	3.0777
73°	0.9563	0.2924	3.2709

14

오른쪽 그림과 같이 $\angle B=90°$인 직각삼각형 ABC에서 $\angle C=23°$, $\overline{AC}=10$일 때, $\triangle ABC$의 둘레의 길이는? (단, $\sin 23°=0.39$, $\cos 23°=0.92$로 계산한다.)

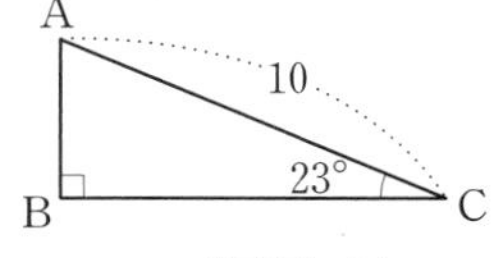

① 17.3　　② 18.1　　③ 20.4
④ 23.1　　⑤ 23.4

15

오른쪽 그림과 같이 눈높이가 1.7 m인 지훈이가 나무로부터 10 m 떨어진 곳에 서 있다. 지훈이가 나무의 꼭대기를 올려다본 각의 크기가 40°일 때, 나무의 높이 $\overline{CH}$의 길이를 구하시오. (단, $\sin 40°=0.64$, $\cos 40°=0.77$, $\tan 40°=0.84$로 계산한다.)

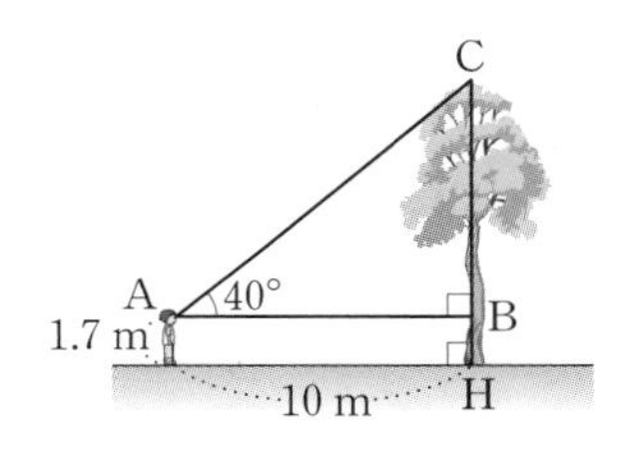

16

서술형

연못의 양 끝 지점 A, B 사이의 거리를 구하기 위해서 오른쪽 그림과 같이 측량하였다. 이때 두 지점 A, B 사이의 거리를 구하시오.

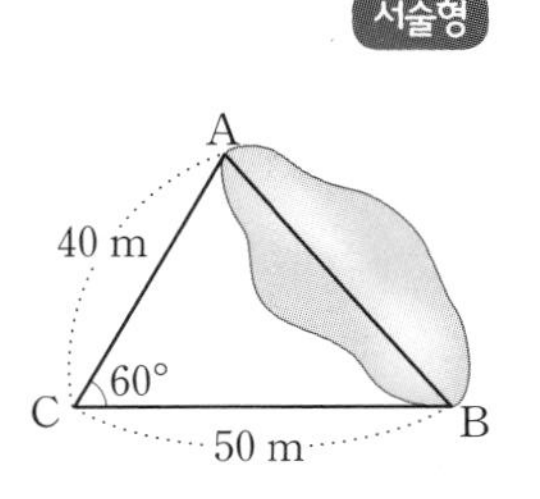

17

오른쪽 그림과 같은 $\triangle ABC$에서 $\angle B=45°$, $\angle C=75°$, $\overline{BC}=6\sqrt{2}$ cm일 때, $\overline{AB}$의 길이를 구하시오.

18

오른쪽 그림과 같은 $\triangle ABC$에서 $\angle B=45°$, $\angle C=60°$, $\overline{BC}=60$ cm일 때, $\overline{AH}$의 길이는?

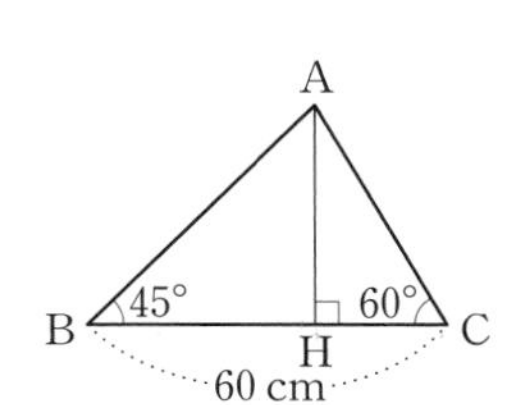

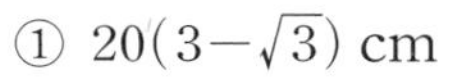

① $20(3-\sqrt{3})$ cm
② $30(3-\sqrt{3})$ cm
③ $60(3-\sqrt{3})$ cm
④ $20(3+\sqrt{3})$ cm
⑤ $30(3+\sqrt{3})$ cm

19

오른쪽 그림과 같이 나무의 높이를 구하기 위하여 측량하였더니 $\angle B=30°$, $\angle ACH=45°$, $\overline{BC}=10$ m일 때, 나무의 높이 $\overline{AH}$의 길이를 구하시오.

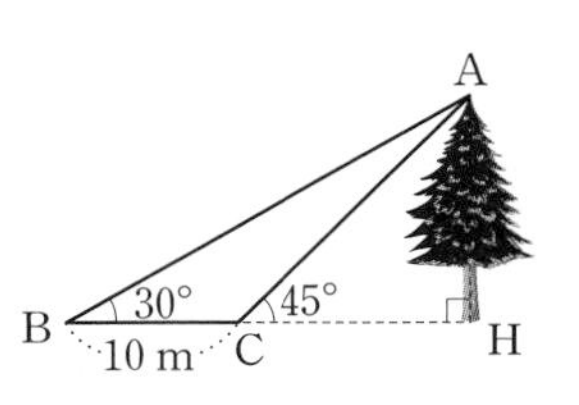

20

오른쪽 그림은 같이 $\angle B=60°$, $\overline{BC}=12$ cm인 $\triangle ABC$의 넓이가 $30\sqrt{3}$ cm^{2}일 때, $\overline{AB}$의 길이를 구하시오.

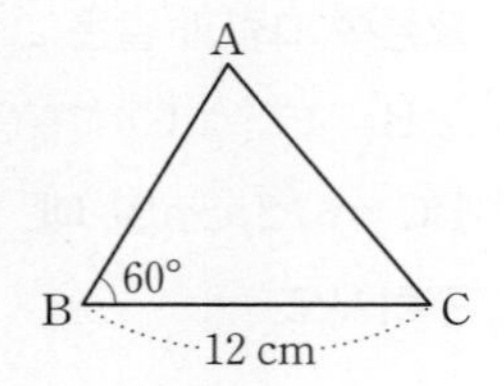

21

오른쪽 그림과 같이 $\overline{AB}=8$ cm, $\overline{BC}=10$ cm인 $\triangle ABC$의 넓이가 $20\sqrt{2}$ cm^{2}일 때, $\angle B$의 크기를 구하시오. (단, $90° < \angle B < 180°$)

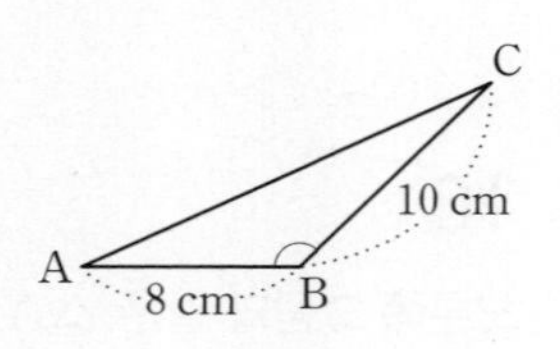

22

서술형

오른쪽 그림과 같은 □ABCD에서 $\angle B=60°$, $\angle ACD=30°$, $\overline{BC}=16$ cm, $\overline{CD}=12$ cm일 때, □ABCD의 넓이를 구하시오.

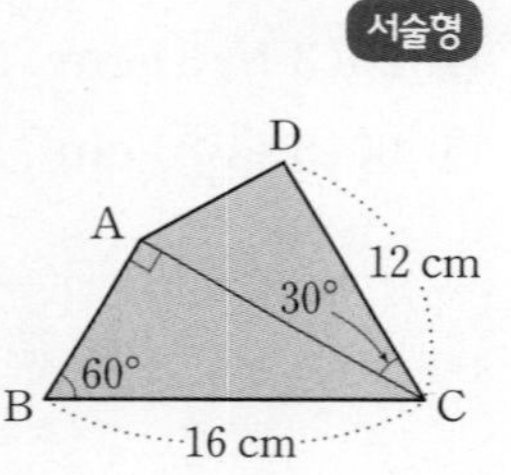

23

오른쪽 그림과 같은 □ABCD에서 $\angle A=120°$, $\angle C=60°$이고 $\overline{AB}=\overline{AD}=4$, $\overline{BC}=\overline{CD}=4\sqrt{3}$일 때, □ABCD의 넓이를 구하시오.

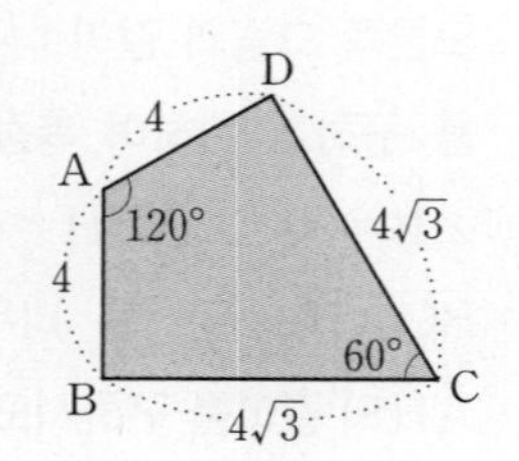

24

오른쪽 그림과 같이 반지름의 길이가 5 cm인 원 O에 내접하는 정팔각형의 넓이를 구하시오.

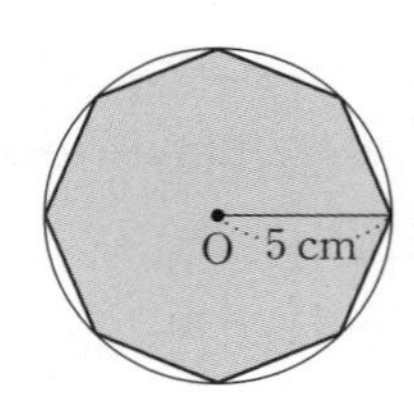

25

오른쪽 그림과 같이 $\overline{AB}=6$, $\overline{AD}=9$, $\angle B=60°$인 평행사변형 ABCD의 넓이는?

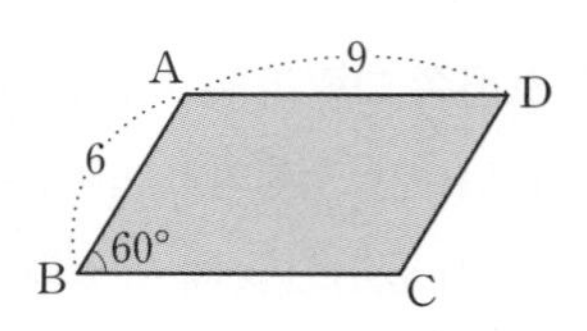

① $24\sqrt{3}$ ② $27\sqrt{3}$
③ $30\sqrt{3}$ ④ $33\sqrt{3}$
⑤ $36\sqrt{3}$

26

오른쪽 그림과 같이 $\overline{AC}=8$ cm, $\overline{BD}=9$ cm인 사각형 ABCD의 넓이가 18 cm^{2}일 때, 두 대각선이 이루는 예각의 크기를 구하시오.

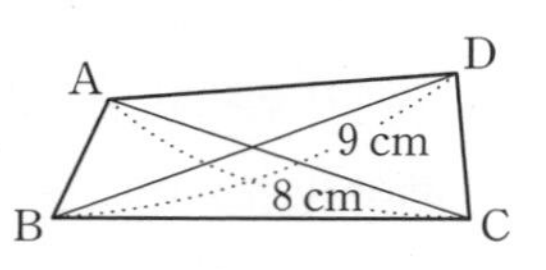

단원 종합 문제

01

오른쪽 그림의 원 O에서 $\overline{AB}\perp\overline{OC}$이고 $\overline{AB}=12$, $\overline{CM}=2$일 때, 원 O의 반지름의 길이를 구하시오.

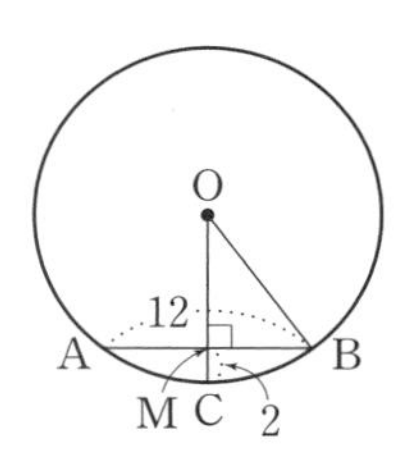

02

서술형

오른쪽 그림의 원 O에서 $\overline{OM}\perp\overline{AB}$, $\overline{ON}\perp\overline{CD}$이고 $\overline{OM}=\overline{ON}$이다. $\overline{CD}=12$ cm이고 $\angle OBM=30°$일 때, 원 O의 둘레의 길이를 구하시오.

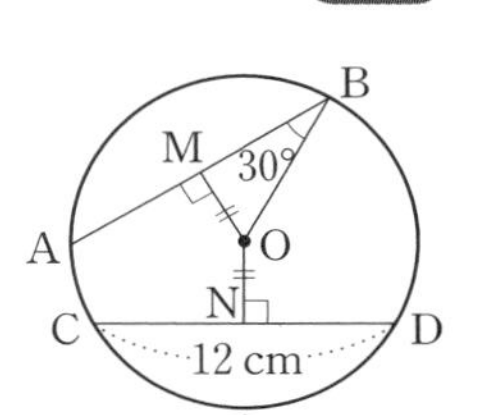

03

오른쪽 그림의 원 O에서 $\overline{OM}\perp\overline{AB}$, $\overline{ON}\perp\overline{AC}$이고 $\overline{OM}=\overline{ON}$이다. $\angle ABC=65°$일 때, $\angle BAC$의 크기를 구하시오.

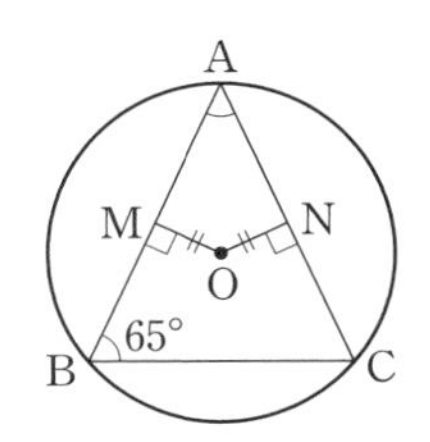

04

오른쪽 그림에서 $\overrightarrow{PA}$, $\overrightarrow{PB}$는 원 O의 접선이고 두 점 A, B는 접점이다. $\overline{AC}$는 원 O의 지름이고 $\angle BAC=34°$일 때, $\angle APB$의 크기를 구하시오.

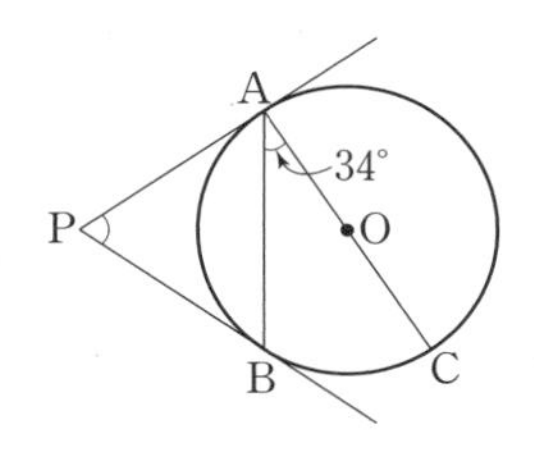

05

오른쪽 그림에서 $\overrightarrow{PA}$, $\overrightarrow{PB}$는 원 O의 접선이고 두 점 A, B는 접점이다. $\overline{OA}=6$ cm, $\angle APB=70°$일 때, 색칠한 부분의 넓이를 구하시오.

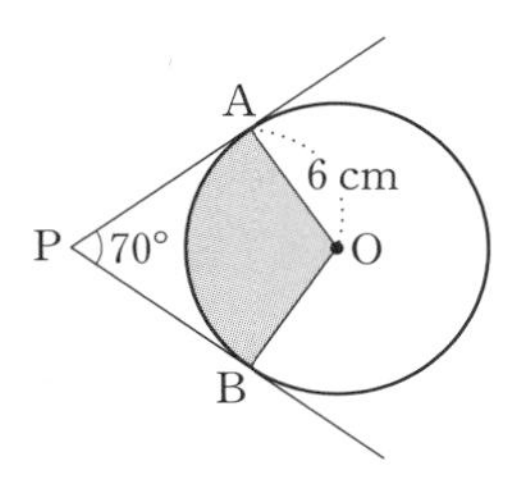

06

다음 그림에서 $\overrightarrow{AD}$, $\overrightarrow{AF}$, $\overline{BC}$는 원 O의 접선이고, 점 D, E, F는 접점이다. $\overline{AO}=13$ cm, $\overline{OD}=5$ cm일 때, $\triangle ABC$의 둘레의 길이를 구하시오.

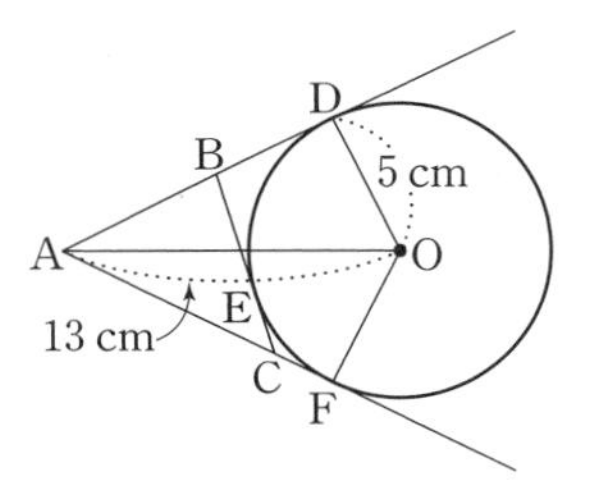

07

오른쪽 그림에서 원 O는 삼각형 ABC의 내접원이고 세 점 D, E, F는 접점일 때, $\overline{CF}$의 길이를 구하시오.

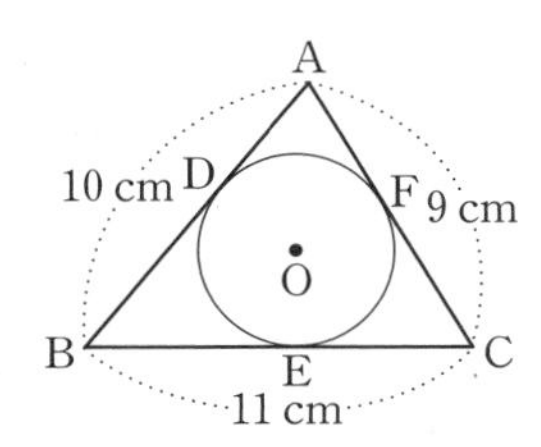

08

오른쪽 그림과 같이 □ABCD는 원 O에 외접한다. 이때 □ABCD의 둘레의 길이를 구하시오.

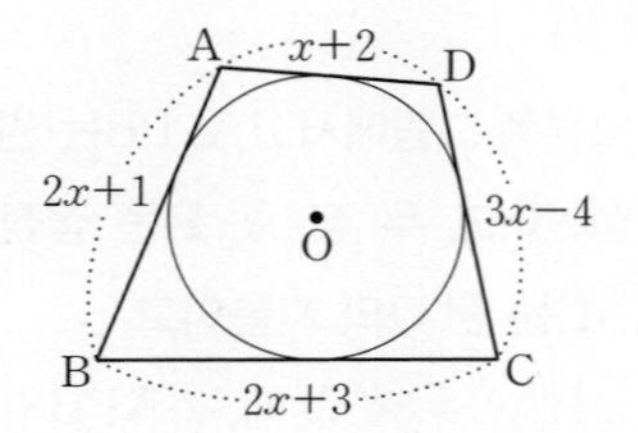

09

오른쪽 그림에서 원 O는 등변사다리꼴 ABCD의 내접원이다. $\overline{AD}=8$ cm, $\overline{BC}=18$ cm일 때, 원 O의 반지름의 길이를 구하시오.

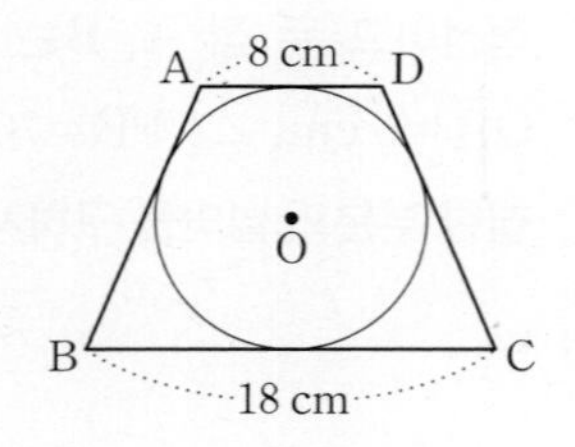

10

오른쪽 그림의 원 O에서 $\angle BOC=124°$일 때, $\angle BAC$의 크기를 구하시오.

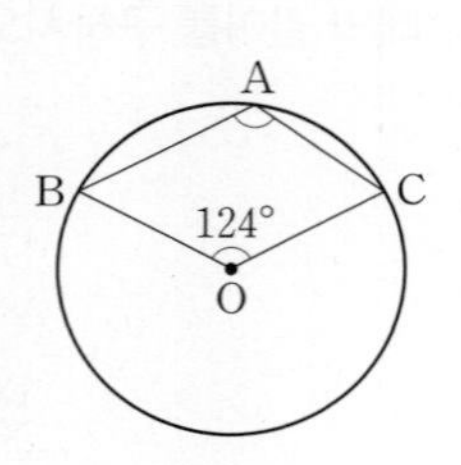

11

서술형

오른쪽 그림에서 $\overline{PA}$, $\overline{PB}$는 원 O의 접선이고 두 점 A, B는 접점이다. $\angle APB=40°$일 때, $\angle ACB$의 크기를 구하시오.

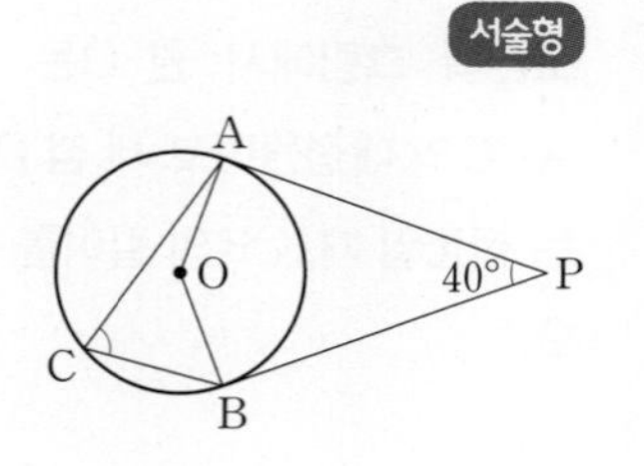

12

오른쪽 그림과 같은 원 O에서 $\angle BQC=15°$, $\angle AOB=80°$일 때, $\angle APC$의 크기를 구하시오.

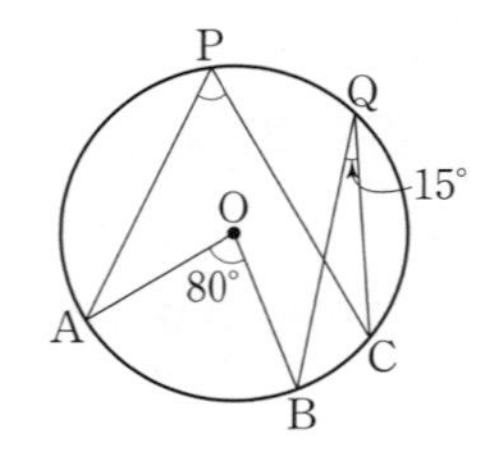

13

다음 그림과 같은 원 O에서 점 P는 두 현 AB, CD의 교점이고 점 Q는 두 현 AC, DB의 연장선의 교점이다. $\angle AQD=38°$, $\angle APD=110°$일 때, $\angle BAC$의 크기를 구하시오.

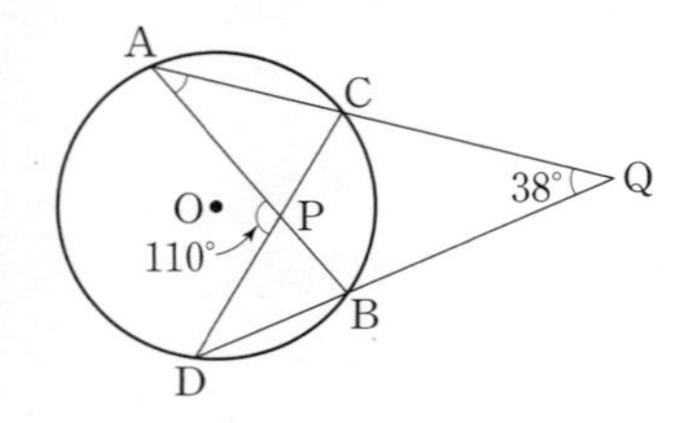

14

오른쪽 그림에서 $\overline{AB}$는 원 O의 지름이고 $\angle APB=65°$일 때, $\angle COD$의 크기를 구하시오.

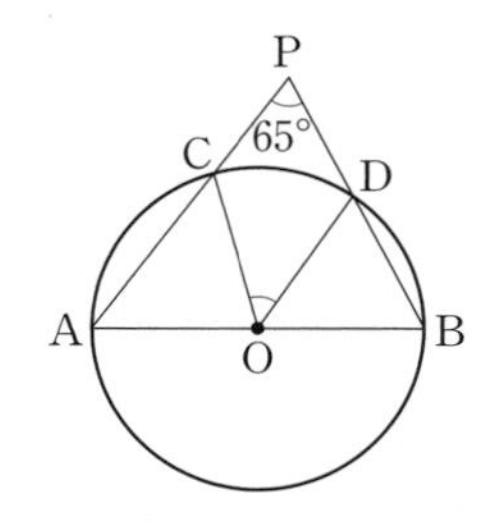

15

오른쪽 그림과 같이 반지름의 길이가 4인 원 O에 $\triangle ABC$가 내접한다. $\overline{BC}=6$일 때, $\cos A$의 값을 구하시오.

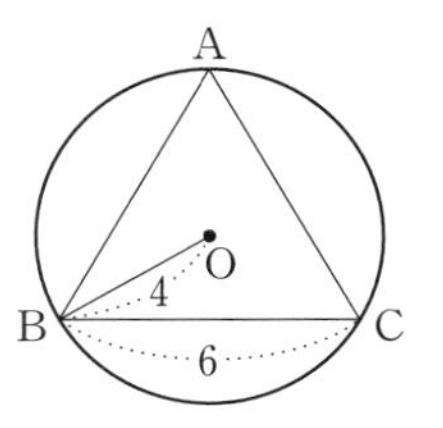

16

오른쪽 그림에서 $\angle y-\angle x$의 크기는?

① 10° ② 15°
③ 20° ④ 25°
⑤ 30°

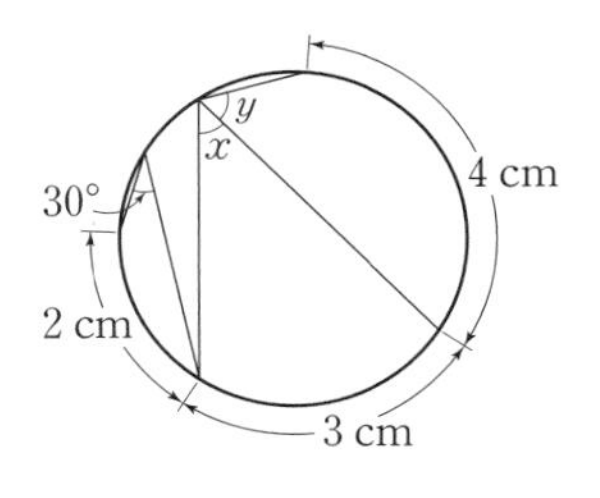

17

오른쪽 그림에서 점 P는 두 현 AC, BD의 교점이고 $\angle ABD=25^\circ$, $\widehat{AD}=3\text{ cm}$, $\widehat{BC}=9\text{ cm}$일 때, $\angle BPC$의 크기를 구하시오.

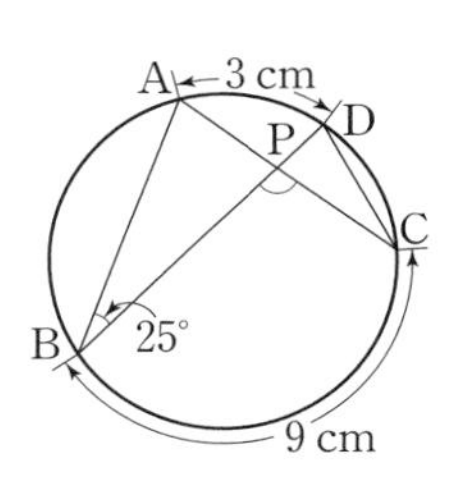

18

오른쪽 그림에서 $\triangle ABC$는 원에 내접한다.
$\widehat{AB}:\widehat{BC}:\widehat{CA}=2:3:1$일 때, $\angle BAC$의 크기를 구하시오.

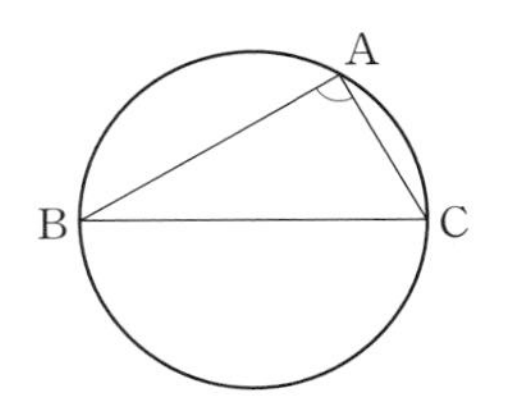

19

오른쪽 그림에서 점 P는 두 현 AC, BD의 교점이다. $\widehat{AB}$의 길이는 원주의 $\frac{1}{5}$이고 $\widehat{AB}:\widehat{CD}=1:2$일 때, $\angle x$의 크기를 구하시오.

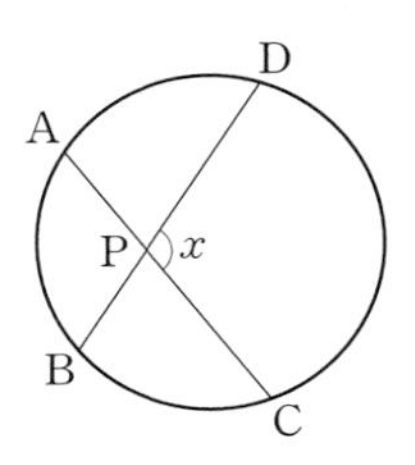

20

오른쪽 그림과 같이 □ABCD가 원 O에 내접할 때, $\angle y-\angle x$의 크기는?

① 10° ② 20°
③ 30° ④ 40°
⑤ 50°

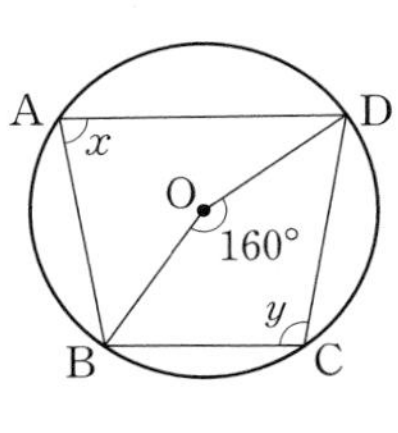

21

오른쪽 그림과 같이 □ABCD가 원 O에 내접하고 $\overline{BC}$는 원 O의 지름이다. $\angle DAC=25^\circ$, $\angle ACB=20^\circ$일 때, $\angle x$의 크기를 구하시오.

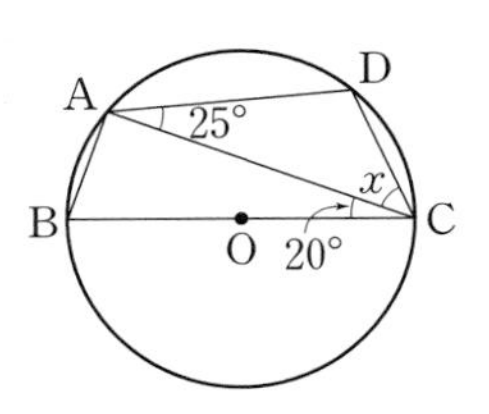

22

오른쪽 그림과 같이 □ABCD는 원에 내접하고 $\angle ADC=100°$, $\angle AEB=35°$일 때, $\angle x$의 크기를 구하시오.

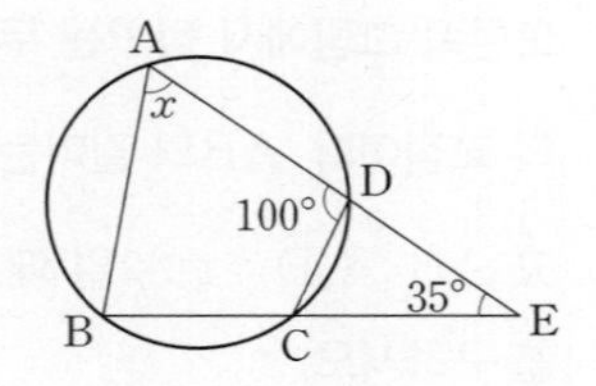

23

오른쪽 그림과 같이 오각형 ABCDE가 원 O에 내접하고 $\angle BAE=86°$, $\angle EDC=130°$일 때, $\angle BOC$의 크기를 구하시오.

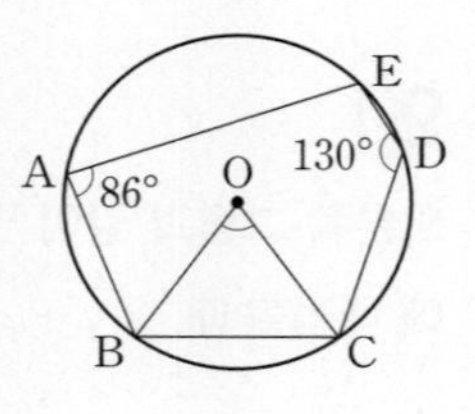

24

다음 보기 중에서 항상 원에 내접하는 사각형을 모두 고른 것은?

보기
- ㉠ 사다리꼴
- ㉡ 등변사다리꼴
- ㉢ 평행사변형
- ㉣ 마름모
- ㉤ 직사각형
- ㉥ 정사각형

① ㉠, ㉢ ② ㉠, ㉣ ③ ㉡, ㉢, ㉤
④ ㉡, ㉤, ㉥ ⑤ ㉢, ㉣, ㉥

25

오른쪽 그림에서 $\overleftrightarrow{AT}$는 원 O의 접선이고 점 A는 접점일 때, $\angle x-\angle y$의 크기를 구하시오.

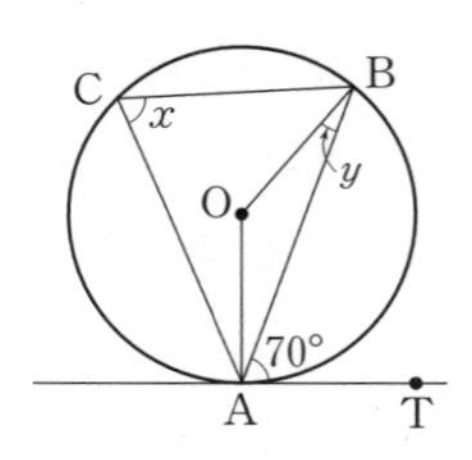

26

오른쪽 그림에서 $\overrightarrow{PT}$는 원 O의 접선이고 점 C는 접점이다. $\overline{PB}$는 원 O의 중심을 지나고 $\angle BCT=64°$일 때, $\angle x-\angle y$의 크기를 구하시오.

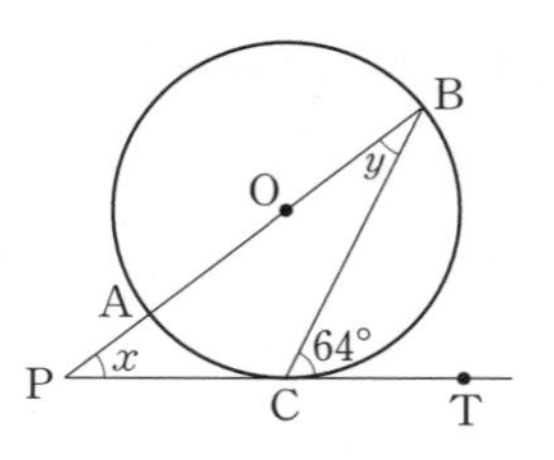

27

오른쪽 그림에서 $\overrightarrow{PA}$, $\overrightarrow{PB}$는 원 O의 접선이고 두 점 A, B는 접점이다. $\angle P=50°$, $\angle CAD=75°$일 때, $\angle EBC$의 크기를 구하시오.

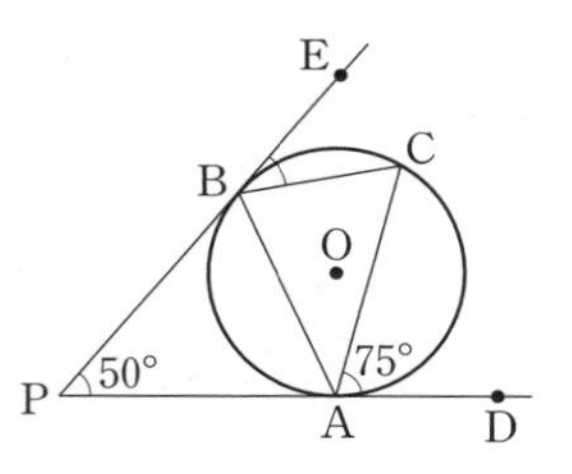

28

오른쪽 그림에서 $\overleftrightarrow{PQ}$는 두 원 O, O′의 공통인 접선이고 점 T는 접점이다. $\angle BAT=75°$, $\angle CDT=55°$일 때, $\angle x$의 크기를 구하시오.

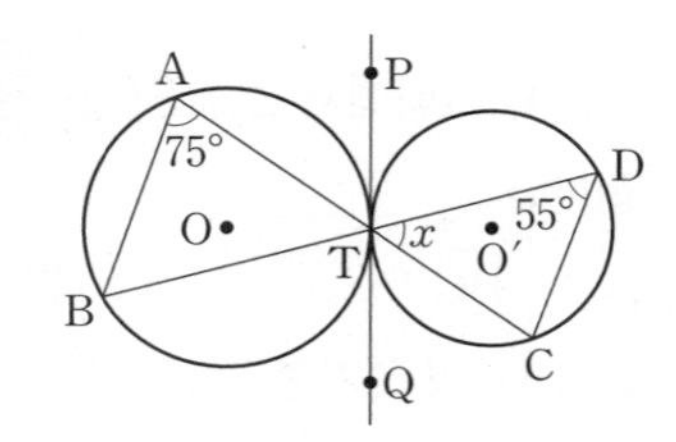

01

4회에 걸친 수학 시험 성적이 89점, 85점, 91점, 92점이다. 5회의 시험에서 몇 점을 받아야 5회까지의 평균이 90점이 되는가?

① 90점 ② 91점 ③ 92점
④ 93점 ⑤ 94점

02

다음 자료의 평균을 a, 중앙값을 b, 최빈값을 c라 할 때, $a+b+c$의 값을 구하시오.

7, 5, 13, 3, 6, 4, 4

03

오른쪽 표는 미희네 반 학생 36명이 좋아하는 분식을 조사하여 나타낸 것이다. 이 자료의 최빈값은?

분식	학생 수(명)
떡볶이	7
라면	12
김밥	6
쫄면	5
우동	6
합계	36

① 떡볶이 ② 라면
③ 김밥 ④ 쫄면
⑤ 우동

04

아래 자료는 학생 8명의 통학 시간을 조사하여 나타낸 것이다. 다음 중 옳지 않은 것은?

(단위 : 분)

16, 13, 12, 28, 14, 13, 15, 9

① 평균은 15분이다.
② 최빈값은 13분이다.
③ 이 자료를 작은 값에서부터 크기순으로 나열하면 4번째와 5번째 값의 평균이 중앙값이다.
④ 중앙값과 최빈값은 같다.
⑤ 이 자료에 14분을 추가하면 중앙값이 바뀐다.

05

아래 표는 예빈이와 정우가 5번의 쪽지 시험에서 맞힌 문제의 개수를 조사하여 나타낸 것이다. 다음 중 옳은 것은?

(단위 : 개)

예빈	4	5	7	7	6
정우	5	9	2	7	7

① 예빈이의 자료의 평균은 최빈값보다 크다.
② 정우의 자료의 중앙값과 최빈값은 같다.
③ 예빈이의 자료의 평균과 정우의 자료의 평균은 같다.
④ 예빈이의 자료의 중앙값과 정우의 자료의 중앙값은 같다.
⑤ 예빈이의 자료의 최빈값은 정우의 자료의 최빈값보다 크다.

06

서술형

4개의 변량 8, 12, 21, x의 평균이 16일 때, 중앙값을 구하시오.

07

다음은 학생 6명의 턱걸이 기록을 조사하여 나타낸 것이다. 평균과 최빈값이 같을 때, x의 값을 구하시오.

(단위 : 회)

$7, \ 8, \ 10, \ 4, \ 11, \ x$

08

다음 조건을 만족하는 정수 a의 개수를 구하시오.

조건

(가) 5개의 변량 19, 23, 25, 30, a의 중앙값은 25이다.

(나) 4개의 변량 30, 34, 40, a의 중앙값은 32이다.

09

다음 7개의 변량의 평균이 2이고 최빈값이 4일 때, 중앙값은? (단, a, b는 정수이고, $a<b$이다.)

$4, \ 10, \ b, \ 3, \ -7, \ 2, \ a$

① 10 ② 5 ③ 4 ④ 3 ⑤ 2

10

어떤 자료의 편차가 다음과 같을 때, $x+y$의 값을 구하시오.

$0, \ -3, \ 7, \ x, \ -1, \ y$

11

다음은 원준이네 반 학생들의 수학 수행평가 점수의 편차와 도수를 나타낸 표이다. x의 값을 구하시오.

편차(점)	-2	-1	0	1	2
도수(명)	4	x	5	7	5

12

다음 표는 학생 6명의 몸무게의 편차를 나타낸 것이다. 몸무게의 평균이 65 kg일 때, 민석이의 몸무게를 구하시오.

학생	나영	혜빈	민석	주호	진영	은경
편차(kg)	-2	3		5	-4	1

13

다음 중 옳은 것은?

① 평균보다 큰 변량의 편차는 음수이다.

② 산포도는 변량들이 대푯값 주위에 흩어져 있는 정도를 하나의 수로 나타낸 것으로 편차, 분산, 표준편차 등이 있다.

③ 분산은 편차의 제곱의 평균이다.

④ 편차의 합이 작을수록 변량이 고르게 분포되어 있다.

⑤ 산포도가 작을수록 변량은 평균을 중심으로 넓게 흩어져 있다.

14

서술형

다음 표는 A, B, C, D, E 5명의 학생의 키의 편차를 나타낸 것이다. 이때 5명의 학생의 키의 표준편차를 구하시오.

학생	A	B	C	D	E
편차(cm)	-4	2	4	0	x

15

다음 자료는 학생 7명의 여름 방학 동안의 독서 시간을 조사하여 나타낸 것이다. 독서 시간의 분산을 구하시오.

(단위 : 시간)

6, 5, 9, 14, 13, 7, 9

16

3개의 변량 a, b, c의 평균이 6이고 분산이 10일 때, 변량 $a-1$, $b-1$, $c-1$의 평균과 분산을 각각 구하시오.

17

5개의 변량의 편차는 -4, -1, x, 2, y이고 표준편차가 $\sqrt{10}$일 때, xy의 값은?

① -6　② -7　③ -8　④ -9　⑤ -10

18

다음 표는 A, B 두 반 학생들의 영어 성적의 평균과 분산을 나타낸 것이다. A, B 두 반 전체 학생들의 영어 성적의 분산을 구하시오.

	학생 수(명)	평균(점)	분산
A반	15	70	80
B반	10	70	100

19

오른쪽 표는 A, B 두 반 학생들의 기말고사 성적의 평균과 표준편차를 나타낸 것이다. 다음 중 옳은 것은?

	A반	B반
평균(점)	75	80
표준편차(점)	5	9

① A반의 성적이 B반의 성적보다 더 우수하다.
② 90점 이상인 학생은 B반이 A반보다 더 많다.
③ B반 1등의 성적이 A반 1등의 성적보다 더 높다.
④ A반의 성적이 B반의 성적보다 더 고르다.
⑤ B반의 성적이 A반의 성적보다 더 고르다.

[20~21] 아래 그림은 진희네 반 학생 20명의 수학 성적과 과학 성적을 조사하여 나타낸 산점도이다. 다음 물음에 답하시오.

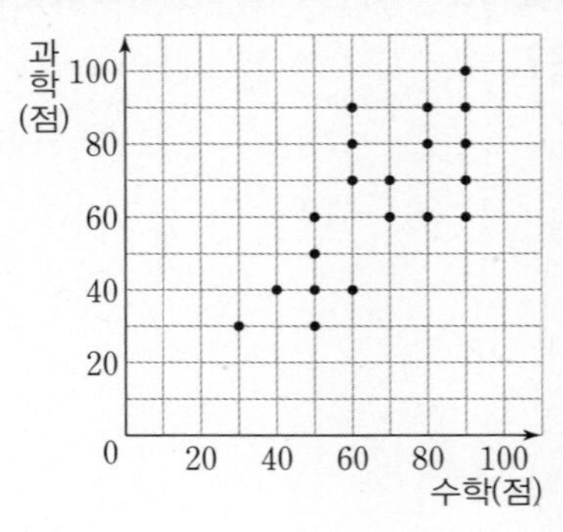

20

과학 성적이 수학 성적보다 낮은 학생은 전체의 몇 %인지 구하시오.

21

과학 성적이 90점 이상인 학생들의 수학 성적의 평균을 구하시오.

22

서술형

오른쪽 그림은 어느 반 학생 17명의 국어 성적과 수학 성적을 조사하여 나타낸 산점도이다. 두 성적의 평균이 85점 이상인 학생 수를 구하시오.

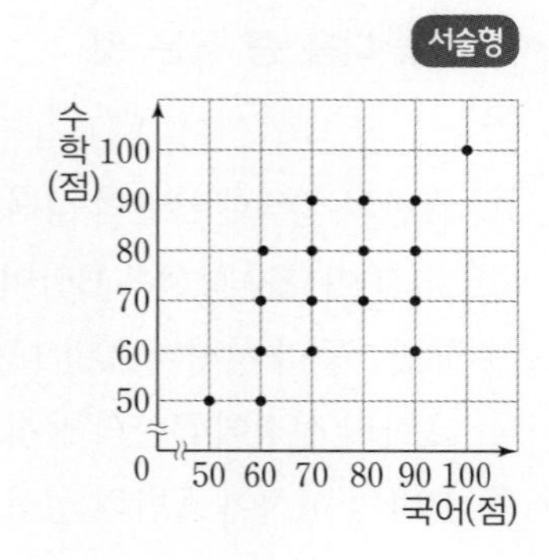

23

다음 중 상관관계에 대한 설명으로 옳지 <u>않은</u> 것은?

① 한 변량의 값이 커짐에 따라 다른 변량의 값이 커질 때, 두 변량 사이에는 양의 상관관계가 있다.
② 한 변량의 값이 커짐에 따라 다른 변량의 값은 작아질 때, 두 변량 사이에는 음의 상관관계가 있다.
③ 약한 상관관계일수록 산점도에서 점들이 한 직선 주위에 가까이 모여 있다.
④ 산점도에서 점들이 원 모양으로 분포되어 있는 경우에는 상관관계가 없다고 한다.
⑤ 산점도에서 점들이 x축에 평행한 직선에 가까이 있는 경우에는 상관관계가 없다고 한다.

24

다음 중 오른쪽 그림과 같은 산점도로 나타낼 수 있는 두 변량을 모두 고르면? (정답 2개)

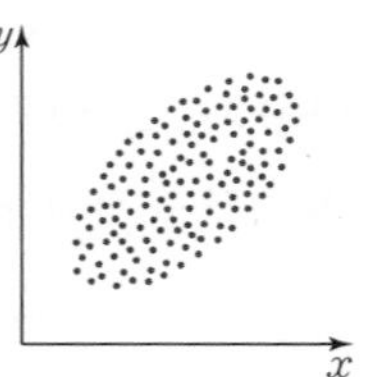

① 가족 수와 생활비
② 저축과 소비
③ 독서량과 손의 크기
④ 산의 높이와 기온
⑤ 도시의 인구수와 쓰레기 배출량

25

오른쪽 그림은 성은이네 학교 학생들의 오른쪽 눈과 왼쪽 눈의 시력을 조사하여 나타낸 산점도이다. 5명의 학생 A, B, C, D, E 중 양쪽 눈의 시력 차가 가장 큰 학생은?

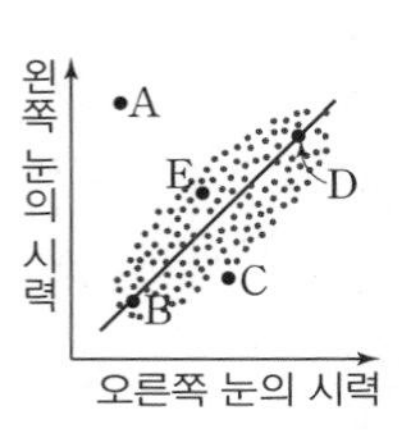

① A ② B ③ C
④ D ⑤ E

빠른 정답 Answer&Explanation

1 삼각비

1 삼각비의 뜻

개념 확인 8쪽

1 (1) $\frac{8}{17}$ (2) $\frac{15}{17}$ (3) $\frac{8}{15}$ (4) $\frac{15}{17}$ (5) $\frac{8}{17}$ (6) $\frac{15}{8}$

STEP 1 기초 개념 드릴 9쪽

1-1 (1) $\sin A=\frac{3}{5}, \cos A=\frac{4}{5}, \tan A=\frac{3}{4}$

(2) $\sin B=\frac{4}{5}, \cos B=\frac{3}{5}, \tan B=\frac{4}{3}$

연구 (1) $\overline{BC}, \overline{AB}, \overline{BC}$ (2) $\overline{AC}, \overline{AB}, \overline{AC}$

1-2 (1) $\sin A=\frac{2\sqrt{5}}{5}, \cos A=\frac{\sqrt{5}}{5}, \tan A=2$

(2) $\sin C=\frac{\sqrt{5}}{5}, \cos C=\frac{2\sqrt{5}}{5}, \tan C=\frac{1}{2}$

2-1 (1) $\sqrt{11}$ (2) $\sin A=\frac{\sqrt{11}}{6}, \cos A=\frac{5}{6}, \tan A=\frac{\sqrt{11}}{5}$

2-2 (1) $\sqrt{5}$ (2) $\sin A=\frac{2}{3}, \cos A=\frac{\sqrt{5}}{3}, \tan A=\frac{2\sqrt{5}}{5}$

3-1 (1) $\overline{AC}, \overline{BD}$ (2) $\overline{BC}, \overline{BD}$ (3) $\overline{AC}, \overline{DE}$

3-2 (1) $\overline{AC}, \overline{AD}, \overline{AC}$ (2) $\overline{BC}, \overline{BD}, \overline{AD}$ (3) $\overline{AC}, \overline{BD}, \overline{CD}$

STEP 2 대표 유형으로 개념 잡기 10쪽~12쪽

1-2 $\frac{3\sqrt{13}}{13}$

2-2 $24\sqrt{3}\ \text{cm}^2$

3-2 $\frac{1}{3}$

3-3 $\frac{5}{9}$

4-2 $\frac{7}{5}$

5-2 $\frac{5+2\sqrt{6}}{7}$

6-2 $\sin a=\frac{3}{5}, \cos a=\frac{4}{5}, \tan a=\frac{3}{4}$

STEP 3 개념 뛰어넘기 13쪽~14쪽

01 ⑤

02 $\frac{3\sqrt{5}}{5}$

03 $\frac{2\sqrt{13}}{13}$

04 $16\ \text{cm}^2$

05 $\frac{5\sqrt{5}}{6}$

06 $\frac{5\sqrt{6}}{12}$

07 $\frac{15}{17}$

08 $\frac{6\sqrt{2}}{11}$

09 1

10 $\frac{3\sqrt{13}}{13}$

11 (1) $4\sqrt{2}$ (2) $4\sqrt{3}$ (3) $\sin x=\frac{\sqrt{3}}{3}, \cos x=\frac{\sqrt{6}}{3}$ (4) $\frac{\sqrt{2}}{3}$

12 (1) $3\sqrt{3}$ (2) $\sqrt{3}$ (3) $2\sqrt{6}$ (4) $\frac{2\sqrt{2}}{3}$

2 삼각비의 값

개념 확인 15쪽~18쪽

1 (1) 1 (2) $\frac{\sqrt{3}}{2}$ (3) $\frac{1}{2}$ (4) $\frac{2}{3}$

2 (1) 0.8192 (2) 0.5736 (3) 1.4281 (4) 0.5736 (5) 0.8192

3 (1) 1 (2) 0 (3) 0 (4) 1

4 (1) ① 0.6691 ② 0.7547 ③ 0.9325

(2) ① $43°$ ② $42°$ ③ $42°$

STEP 1 기초 개념 드릴 19쪽

1-1 (1) $x=4\sqrt{3}, y=4$ (2) $x=5, y=5\sqrt{2}$

연구 (1) $\frac{1}{2}, \frac{\sqrt{3}}{2}, \frac{\sqrt{3}}{3}$ (2) $\frac{\sqrt{2}}{2}, \frac{\sqrt{2}}{2}, 1$

1-2 (1) $x=\sqrt{2}, y=\sqrt{2}$ (2) $x=12, y=8\sqrt{3}$

2-1 1.3554

2-2 1.4037

3-1 0 연구 (1) 0, 1, 0 (2) 1, 0

3-2 1

4-1 (1) 0.9272 (2) 0.3907 (3) 2.2460

4-2 (1) 0.5592 (2) 0.8387 (3) 0.7002

STEP 2 대표 유형으로 개념 잡기 20쪽~24쪽

1-2 (1) $\frac{5}{4}$ (2) $\frac{1}{2}$ (3) $\sqrt{3}$ 2-2 $\frac{\sqrt{3}}{3}$ 2-3 $\frac{\sqrt{6}}{2}$
3-2 (1) $x=2\sqrt{3}, y=2\sqrt{6}$ (2) $x=6, y=4\sqrt{3}$
4-2 $60°$ 4-3 4
5-2 ②
6-2 (1) -1 (2) $\sqrt{3}$ (3) 0 (4) $\frac{\sqrt{3}}{6}$
7-2 ②
7-3 $\tan 0°, \cos 70°, \sin 45°, \cos 0°$
8-2 $2-2\sin x$ 9-2 $13°$
10-2 $x=8.452, y=18.126$

STEP 3 개념 뛰어넘기 25쪽~27쪽

01 (1) 2 (2) 1 (3) $\frac{\sqrt{6}}{4}$ 02 $\frac{\sqrt{2}}{2}$ 03 1
04 $x=2, y=4$ 05 8 06 $3(\sqrt{3}-1)$
07 $\frac{3}{4}$ 08 1.8537 09 ①, ④ 10 ③
11 ④ 12 $\frac{3\sqrt{3}}{2}$ 13 ⑤ 14 ③
15 $2\sin x$ 16 $2\cos x$ 17 1.7575 18 14.122
19 (1) $50°$ (2) 0.7660 (3) 1.1918

2 삼각비의 활용

1 삼각비의 활용 (1)

개념 확인 30쪽~32쪽

1 (1) 0.59, 5.9 (2) 0.81, 8.1
2 (1) 5 (2) $5\sqrt{3}$ (3) $3\sqrt{3}$ (4) $2\sqrt{13}$
3 (1) $2\sqrt{2}$ (2) $4\sqrt{2}$
4 (1) h (2) $\frac{\sqrt{3}}{3}h$ (3) $3(3-\sqrt{3})$
5 (1) $\sqrt{3}h$ (2) h (3) $5(\sqrt{3}+1)$

STEP 1 기초 개념 드릴 33쪽

1-1 ④ 연구 32
1-2 $x=18.2, y=8.4$
2-1 (1) $2\sqrt{3}$ (2) 3 (3) $\sqrt{21}$
2-2 (1) 5 (2) $5\sqrt{3}$ (3) 5 (4) $5+5\sqrt{3}$
3-1 (1) $\sqrt{3}h$ (2) h (3) $2(\sqrt{3}-1)$ 연구 $\overline{CH}$
3-2 (1) h (2) $\frac{\sqrt{3}}{3}h$ (3) $3+\sqrt{3}$

STEP 2 대표 유형으로 개념 잡기 34쪽~36쪽

1-2 ㉠, ㉣ 2-2 9.3 m
3-2 $20\sqrt{21}$ m 4-2 $(60+60\sqrt{3})$ m
5-2 $\frac{25\sqrt{3}}{2}$ m 6-2 $50(3+\sqrt{3})$ m

STEP 3 개념 뛰어넘기 37쪽~38쪽

01 ④ 02 (1) $3\sqrt{2}$ cm (2) $3\sqrt{6}$ cm (3) $36\sqrt{6}$ cm^3
03 9 m 04 3.95 m 05 $\left(20+\frac{20\sqrt{3}}{3}\right)$ m
06 $2\sqrt{21}$ 07 $(4+4\sqrt{3})$ cm 08 $\sqrt{6}+3\sqrt{2}$
09 $10(\sqrt{3}-1)$ m 10 $4\sqrt{3}$ 11 10 m

2 삼각비의 활용 (2)

개념 확인 39쪽~41쪽

1 (1) $26\sqrt{3}$ (2) $30\sqrt{2}$
2 (1) $12\sqrt{3}$ (2) 54
3 (1) $\frac{27\sqrt{2}}{2}$ (2) $20\sqrt{3}$

STEP 1 기초 개념 드릴 42쪽

1-1 (1) $\frac{21\sqrt{2}}{2}$ (2) $5\sqrt{3}$ 연구 (1) 45, $\frac{21\sqrt{2}}{2}$ (2) 120, $5\sqrt{3}$

1-2 (1) $12\sqrt{3}$ (2) $\frac{55\sqrt{2}}{2}$

2-1 (1) $24\sqrt{3}$ (2) $40\sqrt{2}$ 연구 (1) 120, $24\sqrt{3}$ (2) 45, $40\sqrt{2}$

2-2 (1) $36\sqrt{2}$ (2) 45

3-1 (1) $14\sqrt{2}$ (2) $\frac{27\sqrt{3}}{2}$ 연구 (1) 45, $14\sqrt{2}$ (2) 120, $\frac{27\sqrt{3}}{2}$

3-2 (1) $6\sqrt{2}$ (2) $8\sqrt{3}$

STEP 2 대표 유형으로 개념 잡기 43쪽~45쪽

1-2 $45°$

2-2 4 cm

3-2 $14\sqrt{3}$

4-2 $150\sqrt{3}$ cm^2

5-2 6 cm

6-2 $45°$

STEP 3 개념 뛰어넘기 46쪽~47쪽

01 $4\sqrt{2}$ 02 $135°$ 03 $9\sqrt{3}$ cm^2 04 $50\sqrt{3}$

05 $\frac{27\sqrt{3}}{4}$ 06 $(12\pi-9\sqrt{3})$ cm^2

07 (1) $24\sqrt{3}$ (2) $\triangle ABD=3x$, $\triangle ADC=2x$ (3) $\frac{24\sqrt{3}}{5}$

08 $8\sqrt{2}$ cm^2 09 $60°$ 10 $3\sqrt{2}$ 11 $14\sqrt{3}$ cm^2

12 $6\sqrt{2}$

3 원과 직선

1 원의 현

개념 확인 50쪽~51쪽

1 (1) 7 (2) 12

2 (1) 6 (2) 5

STEP 1 기초 개념 드릴 52쪽

1-1 (1) 10 (2) 8 연구 $\overline{BM}$

1-2 (1) 3 (2) 18

2-1 (1) 8 (2) $2\sqrt{6}$ 연구 $\overline{OM}$

2-2 (1) $6\sqrt{3}$ (2) 10

3-1 (1) 7 (2) 8 연구 (1) $\overline{CD}$ (2) $\overline{ON}$

3-2 (1) 4 (2) 7

STEP 2 대표 유형으로 개념 잡기 53쪽~55쪽

1-2 (1) $\frac{13}{2}$ (2) $\frac{29}{4}$

2-2 $\frac{17}{3}$ cm

3-2 $2\sqrt{3}$ cm

4-2 9 cm

5-2 (1) 8 (2) 10

6-2 (1) $55°$ (2) $36°$

STEP 3 개념 뛰어넘기 56쪽~57쪽

01 $2\sqrt{3}$ cm 02 $4\sqrt{5}$ cm 03 $\frac{89}{10}$ cm 04 8 cm

05 10 cm 06 $10\sqrt{3}$ cm 07 6 cm 08 $4\sqrt{2}$ cm

09 $32\sqrt{5}$ cm^2 10 12 cm 11 $136°$

12 (1) 정삼각형 (2) $9\sqrt{3}$ cm^2

2 원의 접선

개념 확인

58쪽~59쪽

1 (1) 5 (2) 65

2 (1) $x=2, y=4, z=3$ (2) $x=4, y=7, z=5$

3 (1) 10 (2) 4

STEP 1 기초 개념 드릴

60쪽

1-1 (1) $\sqrt{21}$ (2) $6\sqrt{3}$ (3) 130 (4) 56 연구 $\overline{\text{PB}}$, 90

1-2 (1) 12 (2) $2\sqrt{21}$ (3) 55 (4) 61

2-1 9 cm 연구 $\overline{\text{BE}}$, $\overline{\text{CE}}$

2-2 15 cm

3-1 3 cm 연구 $\overline{\text{AD}}$

3-2 12 cm

STEP 2 대표 유형으로 개념 잡기

61쪽~65쪽

1-2 60 cm^2

2-2 46°

3-2 $4\sqrt{3}$ cm

4-2 3 cm

5-2 78 cm^2

6-2 6 cm

7-2 5 cm

8-2 (1) 15 cm (2) 9π cm^2

9-2 $\overline{\text{AB}}=10$ cm, $\overline{\text{AD}}=9$ cm

10-2 6 cm

STEP 3 개념 뛰어넘기

66쪽~67쪽

01 21° 02 34 cm 03 $6\sqrt{2}$ cm 04 12π cm^2

05 5 cm 06 $\frac{16}{3}$ cm 07 49π cm^2 08 8 cm

09 2 cm 10 6π cm 11 162 cm^2 12 $\frac{9}{7}$ cm

4 원주각

1 원주각

개념 확인

70쪽~73쪽

1 (1) 60° (2) 90°

2 (1) 38° (2) 35°

3 (1) 27 (2) 10 (3) 9

4 ㉠, ㉢

STEP 1 기초 개념 드릴

74쪽

1-1 (1) 58° (2) 46° (3) 40° (4) 65° 연구 (1) $\frac{1}{2}$ (3) 90°

1-2 (1) 126° (2) 73° (3) 56° (4) 50°

2-1 (1) 3 (2) 50 연구 정비례

2-2 (1) 8 (2) 18

3-1 (1) 55° (2) 70°

3-2 (1) 110° (2) 85°

STEP 2 대표 유형으로 개념 잡기

75쪽~79쪽

1-2 $\angle x=120°$, $\angle y=240°$

1-3 126°

2-2 61°

3-2 (1) $\angle x=60°$, $\angle y=25°$ (2) $\angle x=58°$, $\angle y=36°$

4-2 63°

5-2 $2\sqrt{3}$ cm

6-2 66°

7-2 51°

7-3 100°

8-2 54°

9-2 60°

10-2 110°

STEP 3 개념 뛰어넘기

80쪽~82쪽

01 34° 02 11π cm^2 03 115° 04 10°

05 75° 06 37° 07 62° 08 3

09 $(15+5\sqrt{3})$ cm 10 62° 11 26°

12 10 cm 13 12° 14 15° 15 40°

16 42° 17 63° 18 ①, ④ 19 37°

2 원과 사각형

개념 확인 83쪽~84쪽

1 (1) $\angle x=75°$, $\angle y=85°$ (2) $\angle x=80°$, $\angle y=75°$

2 ㉡, ㉢, ㉣

STEP 1 기초 개념 드릴 85쪽

1-1 (1) $\angle x=95°$, $\angle y=115°$
(2) $\angle x=80°$, $\angle y=100°$ 연구 $180°$

1-2 (1) $\angle x=60°$, $\angle y=105°$ (2) $\angle x=75°$, $\angle y=55°$

2-1 (1) $\angle x=70°$, $\angle y=90°$ (2) $\angle x=85°$, $\angle y=85°$

2-2 (1) $\angle x=103°$, $\angle y=105°$ (2) $\angle x=83°$, $\angle y=85°$

3-1 ㉡, ㉣ 3-2 ㉠, ㉣

STEP 2 대표 유형으로 개념 잡기 86쪽~88쪽

1-2 (1) $\angle x=115°$, $\angle y=65°$ (2) $\angle x=69°$, $\angle y=111°$

2-2 (1) $47°$ (2) $73°$ 3-2 $52°$

4-2 $50°$ 5-2 $168°$

6-2 ①, ⑤

STEP 3 개념 뛰어넘기 89쪽~90쪽

01 $210°$ 02 $22°$ 03 $15°$ 04 $60°$

05 $70°$ 06 $120°$ 07 $65°$ 08 $15°$

09 $56°$ 10 $105°$ 11 $145°$ 12 ①, ③

13 ⑤ 14 $37°$

3 접선과 현이 이루는 각

개념 확인 91쪽

1 (1) $70°$ (2) $55°$

STEP 1 기초 개념 드릴 92쪽

1-1 (1) $110°$ (2) $75°$ 연구 원주각

1-2 (1) $40°$ (2) $45°$

2-1 $15°$

2-2 $22°$

3-1 (1) $32°$ (2) $30°$ 연구 $90°$

3-2 (1) $46°$ (2) $17°$

STEP 2 대표 유형으로 개념 잡기 93쪽~95쪽

1-2 $\angle x=60°$, $\angle y=40°$ 2-2 $55°$

3-2 $40°$ 4-2 $56°$

5-2 $45°$ 6-2 $57°$

STEP 3 개념 뛰어넘기 96쪽~97쪽

01 $36°$ 02 $33°$ 03 $35°$ 04 $64°$

05 $30°$ 06 $60°$ 07 $\angle x=28°$, $\angle y=34°$

08 $24°$ 09 $61°$ 10 $2\sqrt{6}$ 11 $45°$

12 $55°$ 13 $57°$

5 통계

1 대푯값

개념 확인 100쪽~101쪽

1 (1) 8 (2) 17.5

2 (1) 중앙값 : 5.5, 최빈값 : 5

(2) 중앙값 : 21, 최빈값 : 22

STEP 1 기초 개념 드릴 102쪽

1-1 (1) 5 (2) 7.5 (3) 4 연구 $\frac{n}{2}$

1-2 (1) 4 (2) 7 (3) 8.5

2-1 (1) 7 (2) 6, 9

2-2 피자

3-1 중앙값 : 29권, 최빈값 : 31권 연구 11, 6

3-2 중앙값 : 15.5회, 최빈값 : 18회

STEP 2 대표 유형으로 개념 잡기 103쪽~104쪽

1-2 평균 : 940시간, 중앙값 : 1045시간, 최빈값 : 1000시간

2-2 $c<b<a$

3-2 3

3-3 ⑤

4-2 6

STEP 3 개념 뛰어넘기 105쪽~106쪽

01 7시간 02 12 03 ③ 04 봄

05 중앙값 : 255 mm, 최빈값 : 260 mm

06 중앙값 : 82.5 %, 최빈값 : 84 % 07 8

08 ③ 09 6.5 10 8시간 11 15

12 86점

2 산포도

개념 확인 107쪽~108쪽

1 ㉠ 0 ㉡ 1 ㉢ 0

2 $x=-5$, 표준편차 : $\sqrt{9.2}$점

STEP 1 기초 개념 드릴 109쪽

1-1 -3 연구 0

1-2 -2

2-1 $\sqrt{6}$회 연구 분산

2-2 $x=-1$, 표준편차 : $\sqrt{2}$점

3-1 18.8

3-2 54

STEP 2 대표 유형으로 개념 잡기 110쪽~113쪽

1-2 70점

2-2 8

2-3 $\sqrt{3}$회

3-2 $\sqrt{7}$초

3-3 2

4-2 $\sqrt{7}$점

5-2 70

6-2 평균 : 26, 표준편차 : 10

7-2 $\sqrt{4.6}$초

8-2 ②

STEP 3 개념 뛰어넘기 114쪽~115쪽

01 63점 02 $\sqrt{18.5}$ cm 03 ⑤ 04 2

05 ④ 06 $\sqrt{12.5}$ 07 290

08 평균 : 3, 표준편차 : 5 09 ③ 10 3.4

11 원재 12 ②, ③

3 산점도와 상관관계

개념 확인 116쪽~117쪽

1

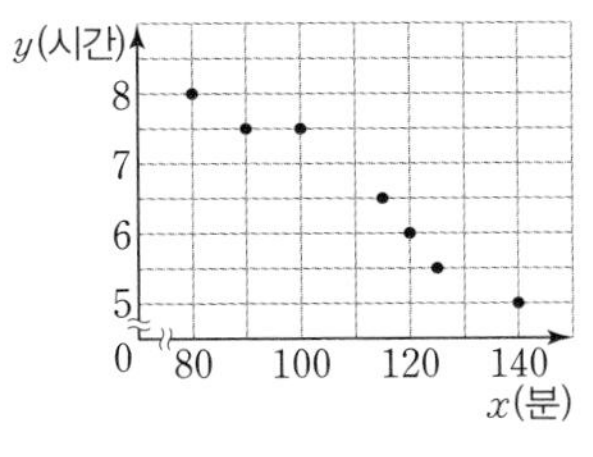

2 (1) 음의 상관관계 (2) 양의 상관관계 (3) 상관관계가 없다.

STEP 1 기초 개념 드릴 118쪽

1-1 (1)

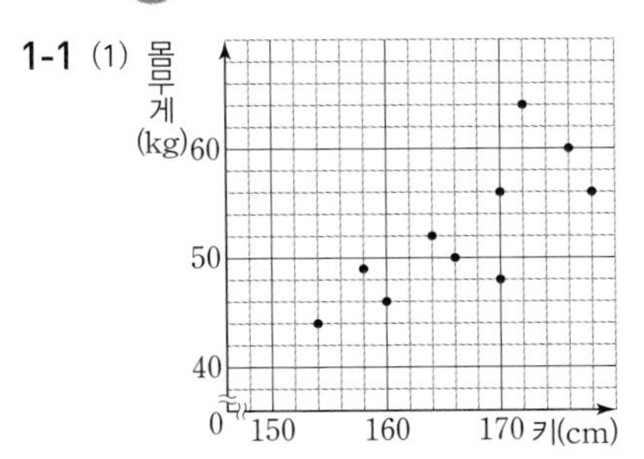

(2) 양의 상관관계

1-2

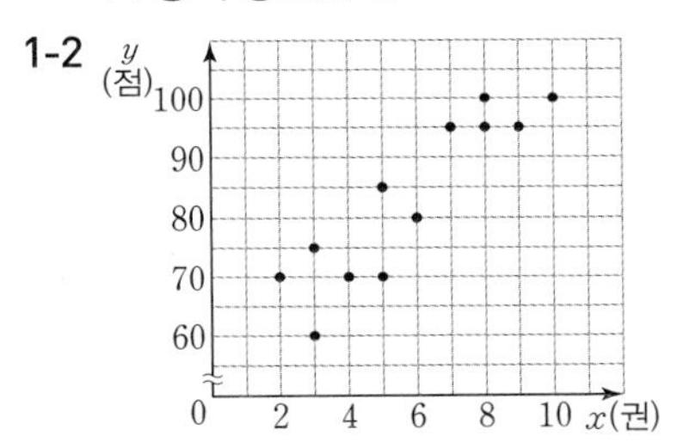

양의 상관관계

2-1 (1) 없다. (2) 음 (3) 양

연구 (1) 증가 (2) 감소 (3) 없다

2-2 (1) 음 (2) 양 (3) 음 (4) 없다.

STEP 2 대표 유형으로 개념 잡기 119쪽~121쪽

1-2 37.5 %　　2-2 6명

3-2 35 %　　4-2 (1) 25 % (2) 3명

5-2 ⑤　　6-2 ③

STEP 3 개념 뛰어넘기 122쪽~123쪽

01 (1) 6개 (2) 7개　02 20 %

03 (1) 7명 (2) 38점　04 ②　05 ④

06 ③, ④　07 ⑤　08 ④

단원 종합 문제

1쪽~4쪽

❶ 삼각비 ~ ❷ 삼각비의 활용

01 ④　02 $4\sqrt{2}$　03 ②　04 $\frac{7}{5}$

05 $\frac{\sqrt{2}}{3}$　06 $\frac{2\sqrt{5}}{5}$　07 $\frac{\sqrt{2}}{3}$　08 ③

09 ⑤　10 $\frac{8\sqrt{3}}{3}$　11 1　12 ②, ⑤

13 1.2819　14 ④　15 10.1 m　16 $10\sqrt{21}$ m

17 $(2\sqrt{3}+6)$ cm　18 ②

19 $5(\sqrt{3}+1)$ m　20 10 cm　21 135°

22 $56\sqrt{3}$ cm^2　23 $16\sqrt{3}$　24 $50\sqrt{2}$ cm^2

25 ②　26 30°

5쪽~8쪽

❸ 원과 직선 ~ ❹ 원주각

01 10　02 $8\sqrt{3}\pi$ cm　03 50°　04 68°

05 11π cm^2　06 24 cm　07 5 cm　08 34

09 6 cm　10 118°　11 70°　12 55°

13 36°　14 50°　15 $\frac{\sqrt{7}}{4}$　16 ②

17 100°　18 90°　19 108°　20 ②

21 45°　22 65°　23 72°　24 ④

25 50°　26 12°　27 40°　28 50°

9쪽~12쪽

❺ 통계

01 ④　02 15　03 ②　04 ④

05 ②　06 16.5　07 8　08 6개

09 ④　10 -3　11 9　12 62 kg

13 ③　14 $2\sqrt{2}$ cm　15 10

16 평균 : 5, 분산 : 10　17 ⑤　18 88

19 ④　20 40 %　21 80점　22 4명

23 ③　24 ①, ⑤　25 ①

개념 해결의 법칙 중학수학 3-2

정답과 해설

1. 삼각비

1 삼각비의 뜻

개념 확인

8쪽

1. (1) $\frac{8}{17}$ (2) $\frac{15}{17}$ (3) $\frac{8}{15}$ (4) $\frac{15}{17}$ (5) $\frac{8}{17}$ (6) $\frac{15}{8}$

STEP 1

9쪽

1-1. (1) $\sin A=\frac{3}{5}$, $\cos A=\frac{4}{5}$, $\tan A=\frac{3}{4}$

(2) $\sin B=\frac{4}{5}$, $\cos B=\frac{3}{5}$, $\tan B=\frac{4}{3}$

연구 (1) $\overline{BC}$, $\overline{AB}$, $\overline{BC}$ (2) $\overline{AC}$, $\overline{AB}$, $\overline{AC}$

1-2. (1) $\sin A=\frac{2\sqrt{5}}{5}$, $\cos A=\frac{\sqrt{5}}{5}$, $\tan A=2$

(2) $\sin C=\frac{\sqrt{5}}{5}$, $\cos C=\frac{2\sqrt{5}}{5}$, $\tan C=\frac{1}{2}$

2-1. (1) $\sqrt{11}$ (2) $\sin A=\frac{\sqrt{11}}{6}$, $\cos A=\frac{5}{6}$, $\tan A=\frac{\sqrt{11}}{5}$

2-2. (1) $\sqrt{5}$ (2) $\sin A=\frac{2}{3}$, $\cos A=\frac{\sqrt{5}}{3}$, $\tan A=\frac{2\sqrt{5}}{5}$

3-1. (1) $\overline{AC}$, $\overline{BD}$ (2) $\overline{BC}$, $\overline{BD}$ (3) $\overline{AC}$, $\overline{DE}$

3-2. (1) $\overline{AC}$, $\overline{AD}$, $\overline{AC}$ (2) $\overline{BC}$, $\overline{BD}$, $\overline{AD}$ (3) $\overline{AC}$, $\overline{BD}$, $\overline{CD}$

1-1 (1) $\sin A=\frac{6}{10}=\frac{3}{5}$

$\cos A=\frac{8}{10}=\frac{4}{5}$

$\tan A=\frac{6}{8}=\frac{3}{4}$

(2) $\sin B=\frac{8}{10}=\frac{4}{5}$

$\cos B=\frac{6}{10}=\frac{3}{5}$

$\tan B=\frac{8}{6}=\frac{4}{3}$

1-2 (1) $\sin A=\frac{2}{\sqrt{5}}=\frac{2\sqrt{5}}{5}$

$\cos A=\frac{1}{\sqrt{5}}=\frac{\sqrt{5}}{5}$

$\tan A=\frac{2}{1}=2$

(2) $\sin C=\frac{1}{\sqrt{5}}=\frac{\sqrt{5}}{5}$

$\cos C=\frac{2}{\sqrt{5}}=\frac{2\sqrt{5}}{5}$

$\tan C=\frac{1}{2}$

2-1 (1) $\overline{BC}=\sqrt{6^2-5^2}=\sqrt{11}$

2-2 (1) $\overline{AB}=\sqrt{3^2-2^2}=\sqrt{5}$

(2) $\tan A=\frac{2}{\sqrt{5}}=\frac{2\sqrt{5}}{5}$

3-2 $\triangle ABC\backsim\triangle DAC$ (AA 닮음)이므로

$\angle DAC=\angle ABC=x$

(1) $\sin x=\frac{\overline{AC}}{\overline{BC}}=\frac{\overline{AD}}{\overline{AB}}=\frac{\overline{CD}}{\overline{AC}}$

(2) $\cos x=\frac{\overline{AB}}{\overline{BC}}=\frac{\overline{BD}}{\overline{AB}}=\frac{\overline{AD}}{\overline{AC}}$

(3) $\tan x=\frac{\overline{AC}}{\overline{AB}}=\frac{\overline{AD}}{\overline{BD}}=\frac{\overline{CD}}{\overline{AD}}$

STEP 2

10쪽~12쪽

1-2. $\frac{3\sqrt{13}}{13}$	**2-2.** $24\sqrt{3}\ \text{cm}^2$
3-2. $\frac{1}{3}$	**3-3.** $\frac{5}{9}$
4-2. $\frac{7}{5}$	**5-2.** $\frac{5+2\sqrt{6}}{7}$

6-2. $\sin a=\frac{3}{5}$, $\cos a=\frac{4}{5}$, $\tan a=\frac{3}{4}$

1-2 $\triangle ABC$에서

$\overline{BC}=\sqrt{15^2-12^2}=9$

이때 $\overline{CD}=\frac{1}{2}\overline{AC}=\frac{1}{2}\times12=6$이므로

$\triangle BCD$에서

$\overline{BD}=\sqrt{9^2+6^2}=3\sqrt{13}$

$\therefore \cos x=\frac{9}{3\sqrt{13}}=\frac{3\sqrt{13}}{13}$

2-2 $\sin B=\frac{\overline{AC}}{8\sqrt{3}}$이므로 $\frac{1}{2}=\frac{\overline{AC}}{8\sqrt{3}}$

$2\overline{AC}=8\sqrt{3}$ $\quad\therefore \overline{AC}=4\sqrt{3}$ (cm)

이때 $\overline{BC}=\sqrt{(8\sqrt{3})^2-(4\sqrt{3})^2}=12$ (cm)이므로

$\triangle ABC=\frac{1}{2}\times12\times4\sqrt{3}=24\sqrt{3}$ (cm^2)

3-2 $\sin B=\frac{1}{3}$이므로 오른쪽 그림과 같이 $\angle C=90^\circ$, $\overline{AB}=3$, $\overline{AC}=1$인 직각삼각형 ABC를 생각하면

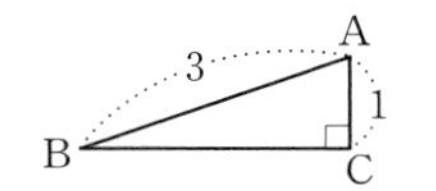

$\overline{BC}=\sqrt{3^2-1^2}=2\sqrt{2}$

따라서 $\cos B=\frac{2\sqrt{2}}{3}$, $\tan B=\frac{1}{2\sqrt{2}}=\frac{\sqrt{2}}{4}$이므로

$\cos B\times\tan B=\frac{2\sqrt{2}}{3}\times\frac{\sqrt{2}}{4}=\frac{1}{3}$

3-3 $\cos A=\frac{5}{9}$이므로 오른쪽 그림과 같이 $\angle B=90^\circ$, $\overline{AB}=5$, $\overline{AC}=9$인 직각삼각형 ABC를 생각하면

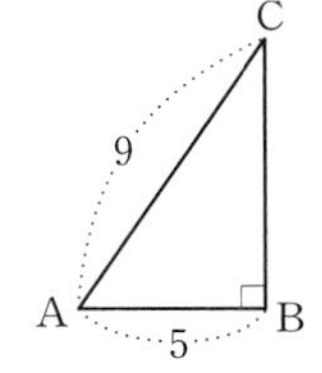

$\overline{BC}=\sqrt{9^2-5^2}=2\sqrt{14}$

따라서 $\sin A=\frac{2\sqrt{14}}{9}$, $\tan A=\frac{2\sqrt{14}}{5}$

이므로

$\sin A\div\tan A=\frac{2\sqrt{14}}{9}\div\frac{2\sqrt{14}}{5}$

$=\frac{2\sqrt{14}}{9}\times\frac{5}{2\sqrt{14}}=\frac{5}{9}$

4-2 △ABC와 △DBE에서

$\angle BCA=\angle BED=90^\circ$, $\angle B$는 공통

따라서 △ABC∽△DBE (AA 닮음)이므로

$\angle BAC=\angle BDE=x$

△ABC에서 $\overline{BC}=\sqrt{5^2-3^2}=4$

따라서 $\sin x=\sin A=\frac{\overline{BC}}{\overline{AB}}=\frac{4}{5}$,

$\cos x=\cos A=\frac{\overline{AC}}{\overline{AB}}=\frac{3}{5}$이므로

$\sin x+\cos x=\frac{4}{5}+\frac{3}{5}=\frac{7}{5}$

5-2 △ABC∽△HBA

(AA 닮음)이므로

$\angle BCA=\angle BAH=x$

△ABC∽△HAC

(AA 닮음)이므로 $\angle CBA=\angle CAH=y$

△ABC에서 $\overline{BC}=\sqrt{(2\sqrt{6})^2+5^2}=7$

따라서 $\cos x=\cos C=\frac{\overline{AC}}{\overline{BC}}=\frac{5}{7}$,

$\cos y=\cos B=\frac{\overline{AB}}{\overline{BC}}=\frac{2\sqrt{6}}{7}$이므로

$\cos x+\cos y=\frac{5}{7}+\frac{2\sqrt{6}}{7}=\frac{5+2\sqrt{6}}{7}$

6-2 $3x+4y-12=0$에 $y=0$을 대입하면

$3x-12=0$ $\therefore x=4$

$\therefore$ A(4, 0)

$3x+4y-12=0$에 $x=0$을 대입하면

$4y-12=0$ $\therefore y=3$

$\therefore$ B(0, 3)

△BOA에서 $\overline{AB}=\sqrt{4^2+3^2}=5$이므로

$\sin a=\frac{\overline{BO}}{\overline{AB}}=\frac{3}{5}$

$\cos a=\frac{\overline{AO}}{\overline{AB}}=\frac{4}{5}$

$\tan a=\frac{\overline{BO}}{\overline{AO}}=\frac{3}{4}$

STEP 3 13쪽~14쪽

01. ⑤	**02.** $\frac{3\sqrt{5}}{5}$	**03.** $\frac{2\sqrt{13}}{13}$	**04.** 16 cm^2
05. $\frac{5\sqrt{5}}{6}$	**06.** $\frac{5\sqrt{6}}{12}$	**07.** $\frac{15}{17}$	**08.** $\frac{6\sqrt{2}}{11}$
09. 1	**10.** $\frac{3\sqrt{13}}{13}$		

11. (1) $4\sqrt{2}$ (2) $4\sqrt{3}$ (3) $\sin x=\frac{\sqrt{3}}{3}$, $\cos x=\frac{\sqrt{6}}{3}$ (4) $\frac{\sqrt{2}}{3}$

12. (1) $3\sqrt{3}$ (2) $\sqrt{3}$ (3) $2\sqrt{6}$ (4) $\frac{2\sqrt{2}}{3}$

01 $\overline{AB}=\sqrt{3^2+(3\sqrt{3})^2}=6$

① $\sin A=\frac{3}{6}=\frac{1}{2}$ ② $\cos A=\frac{3\sqrt{3}}{6}=\frac{\sqrt{3}}{2}$

③ $\tan A=\frac{3}{3\sqrt{3}}=\frac{\sqrt{3}}{3}$ ④ $\sin B=\frac{3\sqrt{3}}{6}=\frac{\sqrt{3}}{2}$

⑤ $\cos B=\frac{3}{6}=\frac{1}{2}$

02 $\overline{AC}=\sqrt{10^2+5^2}=5\sqrt{5}$이므로

$\cos A=\frac{5}{5\sqrt{5}}=\frac{\sqrt{5}}{5}$, $\cos C=\frac{10}{5\sqrt{5}}=\frac{2\sqrt{5}}{5}$

$\therefore \cos A+\cos C=\frac{\sqrt{5}}{5}+\frac{2\sqrt{5}}{5}=\frac{3\sqrt{5}}{5}$

03 $\tan B=\frac{10}{\overline{BC}}$이므로 $\frac{2}{3}=\frac{10}{\overline{BC}}$

$2\overline{BC}=30$ $\therefore \overline{BC}=15$ (cm)

따라서 $\overline{AB}=\sqrt{15^2+10^2}=5\sqrt{13}$ (cm)이므로

$\sin B=\frac{10}{5\sqrt{13}}=\frac{2\sqrt{13}}{13}$

04 $\sin A=\frac{\overline{BC}}{8}$이므로 $\frac{\sqrt{2}}{2}=\frac{\overline{BC}}{8}$

$2\overline{BC}=8\sqrt{2}$ $\therefore \overline{BC}=4\sqrt{2}$ (cm)

이때 $\overline{AC}=\sqrt{8^2-(4\sqrt{2})^2}=4\sqrt{2}$ (cm)이므로

$\triangle ABC=\frac{1}{2}\times4\sqrt{2}\times4\sqrt{2}=16$ (cm^2)

05 $\cos B=\frac{2}{3}$이므로 오른쪽 그림과 같이 $\angle C=90°$, $\overline{AB}=3$, $\overline{BC}=2$인 직각삼각형 ABC를 생각하면

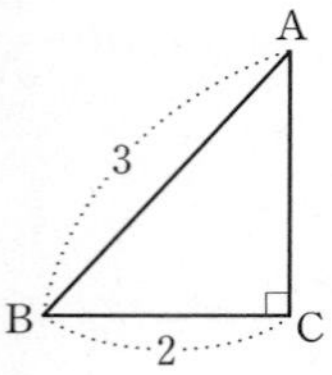

$\overline{AC}=\sqrt{3^2-2^2}=\sqrt{5}$

따라서 $\sin B=\frac{\sqrt{5}}{3}$, $\tan B=\frac{\sqrt{5}}{2}$이므로

$\sin B+\tan B=\frac{\sqrt{5}}{3}+\frac{\sqrt{5}}{2}=\frac{5\sqrt{5}}{6}$

06 $7\sin A-5=0$에서

$7\sin A=5$ $\therefore \sin A=\frac{5}{7}$ …… [30 %]

따라서 오른쪽 그림과 같이 $\angle B=90°$, $\overline{AC}=7$, $\overline{BC}=5$인 직각삼각형 ABC를 생각하면

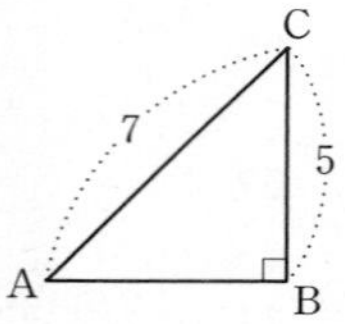

$\overline{AB}=\sqrt{7^2-5^2}=2\sqrt{6}$ …… [40 %]

$\therefore \tan A=\frac{5}{2\sqrt{6}}=\frac{5\sqrt{6}}{12}$ …… [30 %]

07 $\triangle ABC$와 $\triangle EDC$에서

$\angle BAC=\angle DEC=90°$, $\angle C$는 공통

따라서 $\triangle ABC \backsim \triangle EDC$ (AA 닮음)이므로

$\angle CBA=\angle CDE=x$

$\triangle ABC$에서

$\overline{BC}=\sqrt{8^2+15^2}=17$

$\therefore \sin x=\sin B=\frac{\overline{AC}}{\overline{BC}}=\frac{15}{17}$

08 $\triangle ABC$와 $\triangle EBD$에서

$\angle BCA=\angle BDE=90°$, $\angle B$는 공통

따라서 $\triangle ABC \backsim \triangle EBD$ (AA 닮음)이므로

$\angle BAC=\angle BED$

$\triangle BED$에서

$\overline{BD}=\sqrt{11^2-7^2}=6\sqrt{2}$

$\therefore \sin A=\sin(\angle BED)=\frac{\overline{BD}}{\overline{BE}}=\frac{6\sqrt{2}}{11}$

09 $\triangle ABC \backsim \triangle DBA$ (AA 닮음)이므로

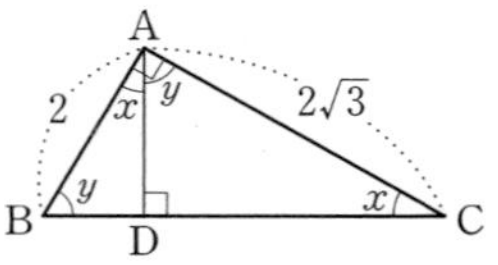

$\angle BCA=\angle BAD=x$

$\triangle ABC \backsim \triangle DAC$

(AA 닮음)이므로 $\angle CBA=\angle CAD=y$

$\triangle ABC$에서 $\overline{BC}=\sqrt{2^2+(2\sqrt{3})^2}=4$이므로

$\sin x=\sin C=\frac{\overline{AB}}{\overline{BC}}=\frac{2}{4}=\frac{1}{2}$

$\cos y=\cos B=\frac{\overline{AB}}{\overline{BC}}=\frac{2}{4}=\frac{1}{2}$

$\therefore \sin x+\cos y=\frac{1}{2}+\frac{1}{2}=1$

10 $y=\frac{3}{2}x+3$에 $y=0$을 대입하면

$0=\frac{3}{2}x+3$, $\frac{3}{2}x=-3$ $\therefore x=-2$

$\therefore A(-2, 0)$

$y=\frac{3}{2}x+3$에 $x=0$을 대입하면 $y=3$

$\therefore B(0, 3)$ …… [40 %]

$\triangle AOB$에서 $\overline{AB}=\sqrt{2^2+3^2}=\sqrt{13}$ …… [30 %]

$\therefore \sin a=\frac{\overline{BO}}{\overline{AB}}=\frac{3}{\sqrt{13}}=\frac{3\sqrt{13}}{13}$ …… [30 %]

11 (1) $\triangle FGH$에서 $\overline{FH}=\sqrt{4^2+4^2}=4\sqrt{2}$

(2) $\triangle BFH$에서 $\overline{BH}=\sqrt{4^2+(4\sqrt{2})^2}=4\sqrt{3}$

(3) $\sin x=\frac{\overline{BF}}{\overline{BH}}=\frac{4}{4\sqrt{3}}=\frac{\sqrt{3}}{3}$

$\cos x=\frac{\overline{FH}}{\overline{BH}}=\frac{4\sqrt{2}}{4\sqrt{3}}=\frac{\sqrt{6}}{3}$

(4) $\sin x\times\cos x=\frac{\sqrt{3}}{3}\times\frac{\sqrt{6}}{3}=\frac{\sqrt{2}}{3}$

12 (1) $\overline{BM}=\frac{1}{2}\overline{BC}=\frac{1}{2}\times6=3$이므로 $\triangle ABM$에서

$\overline{AM}=\sqrt{6^2-3^2}=3\sqrt{3}$

(2) $\overline{DM}=\overline{AM}=3\sqrt{3}$이고 점 H가 $\triangle BCD$의 무게중심이므로

$\overline{MH}=\frac{1}{3}\overline{DM}=\frac{1}{3}\times3\sqrt{3}=\sqrt{3}$

(3) $\triangle$AMH에서

$\overline{AH}=\sqrt{(3\sqrt{3})^2-(\sqrt{3})^2}=2\sqrt{6}$

(4) $\triangle$AMH에서

$\sin x=\frac{\overline{AH}}{\overline{AM}}=\frac{2\sqrt{6}}{3\sqrt{3}}=\frac{2\sqrt{2}}{3}$

2 삼각비의 값

개념 확인

15쪽~18쪽

1. (1) 1 (2) $\frac{\sqrt{3}}{2}$ (3) $\frac{1}{2}$ (4) $\frac{2}{3}$

2. (1) 0.8192 (2) 0.5736 (3) 1.4281 (4) 0.5736 (5) 0.8192

3. (1) 1 (2) 0 (3) 0 (4) 1

4. (1) ① 0.6691 ② 0.7547 ③ 0.9325

(2) ① 43° ② 42° ③ 42°

1 (1) $\sin 30°+\cos 60°=\frac{1}{2}+\frac{1}{2}=1$

(2) $\tan 60°-\cos 30°=\sqrt{3}-\frac{\sqrt{3}}{2}=\frac{\sqrt{3}}{2}$

(3) $\cos 45°\times\sin 45°=\frac{\sqrt{2}}{2}\times\frac{\sqrt{2}}{2}=\frac{1}{2}$

(4) $\tan 30°\div\sin 60°=\frac{\sqrt{3}}{3}\div\frac{\sqrt{3}}{2}$

$=\frac{\sqrt{3}}{3}\times\frac{2}{\sqrt{3}}=\frac{2}{3}$

2 (1) $\sin 55°=\frac{\overline{AB}}{\overline{OA}}=\frac{\overline{AB}}{1}=\overline{AB}=0.8192$

(2) $\cos 55°=\frac{\overline{OB}}{\overline{OA}}=\frac{\overline{OB}}{1}=\overline{OB}=0.5736$

(3) $\tan 55°=\frac{\overline{CD}}{\overline{OD}}=\frac{\overline{CD}}{1}=\overline{CD}=1.4281$

(4) $\triangle$AOB에서 $\angle OAB=180°-(55°+90°)=35°$이므로

$\sin 35°=\frac{\overline{OB}}{\overline{OA}}=\frac{\overline{OB}}{1}=\overline{OB}=0.5736$

(5) $\cos 35°=\frac{\overline{AB}}{\overline{OA}}=\frac{\overline{AB}}{1}=\overline{AB}=0.8192$

3 (1) $\sin 90°+\tan 0°=1+0=1$

(2) $\cos 0°-\sin 90°=1-1=0$

(3) $\sin 0°+\cos 90°-\tan 0°=0+0-0=0$

(4) $(\cos 90°+\sin 90°)\div\cos 0°=(0+1)\div 1=1$

STEP 1

19쪽

1-1. (1) $x=4\sqrt{3}$, $y=4$ (2) $x=5$, $y=5\sqrt{2}$

연구 (1) $\frac{1}{2}$, $\frac{\sqrt{3}}{2}$, $\frac{\sqrt{3}}{3}$ (2) $\frac{\sqrt{2}}{2}$, $\frac{\sqrt{2}}{2}$, 1

1-2. (1) $x=\sqrt{2}$, $y=\sqrt{2}$ (2) $x=12$, $y=8\sqrt{3}$

2-1. 1.3554

2-2. 1.4037

3-1. 0 연구 (1) 0, 1, 0 (2) 1, 0

3-2. 1

4-1. (1) 0.9272 (2) 0.3907 (3) 2.2460

4-2. (1) 0.5592 (2) 0.8387 (3) 0.7002

1-1 (1) $\cos 30°=\frac{x}{8}$이므로 $\frac{\sqrt{3}}{2}=\frac{x}{8}$

$2x=8\sqrt{3}$ $\therefore x=4\sqrt{3}$

$\sin 30°=\frac{y}{8}$이므로 $\frac{1}{2}=\frac{y}{8}$

$2y=8$ $\therefore y=4$

(2) $\tan 45°=\frac{5}{x}$이므로 $1=\frac{5}{x}$ $\therefore x=5$

$\sin 45°=\frac{5}{y}$이므로 $\frac{\sqrt{2}}{2}=\frac{5}{y}$

$\sqrt{2}y=10$ $\therefore y=5\sqrt{2}$

1-2 (1) $\sin 45°=\frac{x}{2}$이므로 $\frac{\sqrt{2}}{2}=\frac{x}{2}$

$2x=2\sqrt{2}$ $\therefore x=\sqrt{2}$

$\cos 45°=\frac{y}{2}$이므로 $\frac{\sqrt{2}}{2}=\frac{y}{2}$

$2y=2\sqrt{2}$ $\therefore y=\sqrt{2}$

(2) $\tan 60°=\frac{x}{4\sqrt{3}}$이므로 $\sqrt{3}=\frac{x}{4\sqrt{3}}$ $\therefore x=12$

$\cos 60°=\frac{4\sqrt{3}}{y}$이므로 $\frac{1}{2}=\frac{4\sqrt{3}}{y}$ $\therefore y=8\sqrt{3}$

2-1 $\sin 37°=\frac{\overline{AB}}{\overline{OA}}=\frac{\overline{AB}}{1}=\overline{AB}=0.6018$

$\tan 37°=\frac{\overline{CD}}{\overline{OD}}=\frac{\overline{CD}}{1}=\overline{CD}=0.7536$

$\therefore \sin 37°+\tan 37°=0.6018+0.7536=1.3554$

2-2 $\sin 52°=\frac{\overline{AB}}{\overline{OA}}=\frac{\overline{AB}}{1}=\overline{AB}=0.7880$

$\cos 52°=\frac{\overline{OB}}{\overline{OA}}=\frac{\overline{OB}}{1}=\overline{OB}=0.6157$

$\therefore \sin 52°+\cos 52°=0.7880+0.6157=1.4037$

3-1 $\sin 90^\circ - \cos 0^\circ + \tan 0^\circ \times \sin 0^\circ$
$= 1 - 1 + 0 \times 0 = 0$

3-2 $\sin 0^\circ \times \cos 90^\circ + \cos 0^\circ - \tan 0^\circ$
$= 0 \times 0 + 1 - 0 = 1$

STEP 2 20쪽~24쪽

1-2. (1) $\frac{5}{4}$ (2) $\frac{1}{2}$ (3) $\sqrt{3}$

2-2. $\frac{\sqrt{3}}{3}$ **2-3.** $\frac{\sqrt{6}}{2}$

3-2. (1) $x=2\sqrt{3}$, $y=2\sqrt{6}$ (2) $x=6$, $y=4\sqrt{3}$

4-2. 60° **4-3.** 4

5-2. ②

6-2. (1) -1 (2) $\sqrt{3}$ (3) 0 (4) $\frac{\sqrt{3}}{6}$

7-2. ②

7-3. $\tan 0^\circ$, $\cos 70^\circ$, $\sin 45^\circ$, $\cos 0^\circ$

8-2. $2 - 2\sin x$

9-2. 13° **10-2.** $x=8.452$, $y=18.126$

1-2 (1) $\sin 30^\circ \times \cos 60^\circ + \tan 45^\circ$
$= \frac{1}{2} \times \frac{1}{2} + 1 = \frac{1}{4} + 1 = \frac{5}{4}$
(2) $\sin 45^\circ \div \cos 45^\circ - \tan 30^\circ \times \sin 60^\circ$
$= \frac{\sqrt{2}}{2} \div \frac{\sqrt{2}}{2} - \frac{\sqrt{3}}{3} \times \frac{\sqrt{3}}{2}$
$= 1 - \frac{1}{2} = \frac{1}{2}$
(3) $\tan 60^\circ \times \sin 30^\circ + \cos 30^\circ \div \tan 45^\circ$
$= \sqrt{3} \times \frac{1}{2} + \frac{\sqrt{3}}{2} \div 1$
$= \frac{\sqrt{3}}{2} + \frac{\sqrt{3}}{2} = \sqrt{3}$

2-2 $\tan 45^\circ = 1$이므로 $x + 15^\circ = 45^\circ$ $\therefore x = 30^\circ$
$\therefore \tan x = \tan 30^\circ = \frac{\sqrt{3}}{3}$

2-3 $\cos 30^\circ = \frac{\sqrt{3}}{2}$이므로 $2x - 10^\circ = 30^\circ$
$2x = 40^\circ$ $\therefore x = 20^\circ$
$\therefore \sin(2x + 5^\circ) \times \tan 3x = \sin 45^\circ \times \tan 60^\circ$
$= \frac{\sqrt{2}}{2} \times \sqrt{3} = \frac{\sqrt{6}}{2}$

3-2 (1) $\triangle$ADC에서 $\sin 60^\circ = \frac{x}{4}$이므로
$\frac{\sqrt{3}}{2} = \frac{x}{4}$, $2x = 4\sqrt{3}$ $\therefore x = 2\sqrt{3}$
$\triangle$ABD에서 $\sin 45^\circ = \frac{2\sqrt{3}}{y}$이므로
$\frac{\sqrt{2}}{2} = \frac{2\sqrt{3}}{y}$, $\sqrt{2}y = 4\sqrt{3}$ $\therefore y = 2\sqrt{6}$
(2) $\triangle$BCD에서 $\sin 45^\circ = \frac{x}{6\sqrt{2}}$이므로
$\frac{\sqrt{2}}{2} = \frac{x}{6\sqrt{2}}$, $2x = 12$ $\therefore x = 6$
$\triangle$ABC에서 $\sin 60^\circ = \frac{6}{y}$이므로
$\frac{\sqrt{3}}{2} = \frac{6}{y}$, $\sqrt{3}y = 12$ $\therefore y = 4\sqrt{3}$

4-2 $\tan a =$(기울기)이므로 $\tan a = \sqrt{3}$
$\therefore a = 60^\circ$

4-3 $\tan 45^\circ = 1$이므로 $a = 1$
x절편이 -3이므로 $y = x + b$에 $x = -3$, $y = 0$을 대입하면
$0 = -3 + b$ $\therefore b = 3$
$\therefore a + b = 1 + 3 = 4$

5-2 ① $\sin x = \frac{\overline{AB}}{\overline{OA}} = \frac{\overline{AB}}{1} = \overline{AB}$
② $\cos x = \frac{\overline{OB}}{\overline{OA}} = \frac{\overline{OB}}{1} = \overline{OB}$
③ $\tan x = \frac{\overline{CD}}{\overline{OD}} = \frac{\overline{CD}}{1} = \overline{CD}$
④ $\frac{1}{\sin x} = \frac{1}{\overline{AB}}$
⑤ $\frac{1}{\cos x} = \frac{1}{\overline{OB}}$
따라서 $\overline{OB}$의 길이와 그 값이 같은 것은 ②이다.

6-2 (1) $\sin 0^\circ - \cos 0^\circ + \tan 0^\circ = 0 - 1 + 0 = -1$
(2) $\sin 90^\circ \times \tan 60^\circ - \cos 90^\circ = 1 \times \sqrt{3} - 0 = \sqrt{3}$
(3) $(\cos 90^\circ + \sin 0^\circ) \div \tan 45^\circ = (0 + 0) \div 1 = 0$
(4) $\sin 90^\circ \times \cos 30^\circ - \cos 0^\circ \times \tan 30^\circ$
$= 1 \times \frac{\sqrt{3}}{2} - 1 \times \frac{\sqrt{3}}{3}$
$= \frac{\sqrt{3}}{2} - \frac{\sqrt{3}}{3} = \frac{\sqrt{3}}{6}$

7-2 ① $0^\circ \le x \le 90^\circ$일 때, x의 값이 증가하면 $\sin x$의 값도 증가하므로 $\sin 20^\circ < \sin 30^\circ$
② $0^\circ \le x \le 90^\circ$일 때, x의 값이 증가하면 $\cos x$의 값은 감소하므로 $\cos 25^\circ > \cos 45^\circ$

③ $\sin 30^\circ=\frac{1}{2}$, $\cos 60^\circ=\frac{1}{2}$이므로 $\sin 30^\circ=\cos 60^\circ$

④ $\cos 45^\circ=\frac{\sqrt{2}}{2}$, $\tan 45^\circ=1$이므로 $\cos 45^\circ<\tan 45^\circ$

⑤ $\tan 30^\circ=\frac{\sqrt{3}}{3}$, $\sin 90^\circ=1$이므로 $\tan 30^\circ<\sin 90^\circ$

7-3 $\cos 0^\circ=1$, $\tan 0^\circ=0$

$0^\circ\le x\le 90^\circ$일 때, x의 값이 증가하면 $\cos x$의 값은 감소하므로

$\cos 70^\circ<\cos 45^\circ=\sin 45^\circ=\frac{\sqrt{2}}{2}$

따라서 작은 것부터 차례대로 나열하면

$\tan 0^\circ$, $\cos 70^\circ$, $\sin 45^\circ$, $\cos 0^\circ$

8-2 $0<\sin x<1$이므로 $\sin x-1<0$, $1-\sin x>0$

$\therefore \sqrt{(\sin x-1)^2}+\sqrt{(1-\sin x)^2}$

$=-(\sin x-1)+(1-\sin x)$

$=-\sin x+1+1-\sin x$

$=2-2\sin x$

9-2 $\sin 15^\circ=0.2588$이므로 $x=15^\circ$

$\cos 14^\circ=0.9703$이므로 $y=14^\circ$

$\tan 16^\circ=0.2867$이므로 $z=16^\circ$

$\therefore x+y-z=15^\circ+14^\circ-16^\circ=13^\circ$

10-2 $\triangle ABC$에서 $\angle B=180^\circ-(90^\circ+25^\circ)=65^\circ$

$\cos 65^\circ=\frac{\overline{AB}}{\overline{BC}}=\frac{x}{20}$이고

삼각비의 표에서 $\cos 65^\circ=0.4226$이므로

$0.4226=\frac{x}{20}$ $\quad\therefore x=8.452$

$\sin 65^\circ=\frac{\overline{AC}}{\overline{BC}}=\frac{y}{20}$이고

삼각비의 표에서 $\sin 65^\circ=0.9063$이므로

$0.9063=\frac{y}{20}$ $\quad\therefore y=18.126$

STEP 3 25쪽~27쪽

01. (1) 2 (2) 1 (3) $\frac{\sqrt{6}}{4}$ **02.** $\frac{\sqrt{2}}{2}$ **03.** 1
04. $x=2$, $y=4$ **05.** 8 **06.** $3(\sqrt{3}-1)$
07. $\frac{3}{4}$ **08.** 1.8537 **09.** ①, ④ **10.** ③
11. ④ **12.** $\frac{3\sqrt{3}}{2}$ **13.** ⑤ **14.** ③
15. $2\sin x$ **16.** $2\cos x$ **17.** 1.7575 **18.** 14.122
19. (1) 50° (2) 0.7660 (3) 1.1918

01 (1) $2\sin 30^\circ+\tan 45^\circ=2\times\frac{1}{2}+1=1+1=2$

(2) $3\cos 60^\circ-\tan 30^\circ\times\sin 60^\circ$

$=3\times\frac{1}{2}-\frac{\sqrt{3}}{3}\times\frac{\sqrt{3}}{2}=\frac{3}{2}-\frac{1}{2}=1$

(3) $\tan 60^\circ\times\cos 45^\circ-\cos 30^\circ\times\sin 45^\circ$

$=\sqrt{3}\times\frac{\sqrt{2}}{2}-\frac{\sqrt{3}}{2}\times\frac{\sqrt{2}}{2}=\frac{\sqrt{6}}{2}-\frac{\sqrt{6}}{4}=\frac{\sqrt{6}}{4}$

02 $\cos 60^\circ=\frac{1}{2}$이므로 $2x-30^\circ=60^\circ$

$2x=90^\circ$ $\quad\therefore x=45^\circ$

$\therefore \sin x\times\tan x=\sin 45^\circ\times\tan 45^\circ$

$=\frac{\sqrt{2}}{2}\times 1=\frac{\sqrt{2}}{2}$

03 $\tan 45^\circ=1$이므로 $x+30^\circ=45^\circ$ $\quad\therefore x=15^\circ$

$\therefore \sin 2x+\cos 4x=\sin 30^\circ+\cos 60^\circ$

$=\frac{1}{2}+\frac{1}{2}=1$

04 $\tan 30^\circ=\frac{x}{2\sqrt{3}}$이므로 $\frac{\sqrt{3}}{3}=\frac{x}{2\sqrt{3}}$

$3x=6$ $\quad\therefore x=2$

$\cos 30^\circ=\frac{2\sqrt{3}}{y}$이므로 $\frac{\sqrt{3}}{2}=\frac{2\sqrt{3}}{y}$

$\sqrt{3}y=4\sqrt{3}$ $\quad\therefore y=4$

05 $\tan 45^\circ=\frac{\overline{BC}}{4\sqrt{3}}$이므로 $1=\frac{\overline{BC}}{4\sqrt{3}}$

$\therefore \overline{BC}=4\sqrt{3}$ …… [50 %]

$\sin 60^\circ=\frac{4\sqrt{3}}{\overline{AC}}$이므로 $\frac{\sqrt{3}}{2}=\frac{4\sqrt{3}}{\overline{AC}}$

$\sqrt{3}\,\overline{AC}=8\sqrt{3}$ $\quad\therefore \overline{AC}=8$ …… [50 %]

06 $\tan 30^\circ=\frac{3}{\overline{BC}}$이므로 $\frac{\sqrt{3}}{3}=\frac{3}{\overline{BC}}$

$\sqrt{3}\,\overline{BC}=9$ $\quad\therefore \overline{BC}=3\sqrt{3}$

$\tan 45^\circ=\frac{3}{\overline{DC}}$이므로 $1=\frac{3}{\overline{DC}}$ $\quad\therefore \overline{DC}=3$

$\therefore \overline{BD}=\overline{BC}-\overline{DC}=3\sqrt{3}-3=3(\sqrt{3}-1)$

07 $3x-4y+12=0$에서 $y=\frac{3}{4}x+3$

$\therefore \tan a=\frac{3}{4}$

08 $\cos y=\frac{\overline{AB}}{\overline{OA}}=\frac{\overline{AB}}{1}=\overline{AB}=0.7431$

$\tan x=\frac{\overline{CD}}{\overline{OD}}=\frac{\overline{CD}}{1}=\overline{CD}=1.1106$

$\therefore \cos y+\tan x=0.7431+1.1106=1.8537$

09 ① $\sin x=\frac{\overline{AB}}{\overline{OA}}=\frac{\overline{AB}}{1}=\overline{AB}$

② $\sin y=\frac{\overline{OB}}{\overline{OA}}=\frac{\overline{OB}}{1}=\overline{OB}$

③ $\cos x=\frac{\overline{OB}}{\overline{OA}}=\frac{\overline{OB}}{1}=\overline{OB}$

④ $\triangle AOB \backsim \triangle COD$ (AA 닮음)이므로 $y=z$

$\therefore \cos z=\cos y=\frac{\overline{AB}}{\overline{OA}}=\frac{\overline{AB}}{1}=\overline{AB}$

⑤ $\tan z=\frac{\overline{OD}}{\overline{CD}}=\frac{1}{\overline{CD}}$

따라서 $\overline{AB}$의 길이와 그 값이 같은 것은 ①, ④이다.

10 $\tan x=\frac{\overline{OF}}{\overline{EF}}=\frac{\overline{OF}}{1}=\overline{OF}$

$\angle OAB=\angle OEF=\angle x$이므로

$\sin x=\frac{\overline{OB}}{\overline{OA}}=\frac{\overline{OB}}{1}=\overline{OB}$

$\therefore \tan x-\sin x=\overline{OF}-\overline{OB}=\overline{BF}$

11 ① $\cos 90^\circ \times \sin 45^\circ$

$=0\times\frac{\sqrt{2}}{2}=0$

② $\tan 0^\circ+\sin 30^\circ\times\cos 45^\circ$

$=0+\frac{1}{2}\times\frac{\sqrt{2}}{2}=\frac{\sqrt{2}}{4}$

③ $\sin 0^\circ\times\cos 0^\circ+\tan 45^\circ$

$=0\times1+1=1$

④ $\cos 0^\circ-\sin 60^\circ\times\cos 30^\circ$

$=1-\frac{\sqrt{3}}{2}\times\frac{\sqrt{3}}{2}=1-\frac{3}{4}=\frac{1}{4}$

⑤ $\sin 90^\circ\times(2\cos 30^\circ-\cos 90^\circ)$

$=1\times\left(2\times\frac{\sqrt{3}}{2}-0\right)=\sqrt{3}$

12 $\cos 0^\circ\times\tan 60^\circ+\sin 60^\circ\div\sin 90^\circ$

$=1\times\sqrt{3}+\frac{\sqrt{3}}{2}\div1$ …… [60 %]

$=\sqrt{3}+\frac{\sqrt{3}}{2}=\frac{3\sqrt{3}}{2}$ …… [40 %]

13 ① $\cos 0^\circ=1$

② $\cos 50^\circ<\cos 0^\circ=1$

③ $\sin 20^\circ<\sin 90^\circ=1$

④ $\cos 80^\circ<\cos 0^\circ=1$

⑤ $\tan 55^\circ>\tan 45^\circ=1$

따라서 주어진 삼각비의 값 중 가장 큰 것은 ⑤이다.

14 $45^\circ<A<90^\circ$일 때,

$\frac{\sqrt{2}}{2}<\sin A<1$, $0<\cos A<\frac{\sqrt{2}}{2}$, $\tan A>1$이므로

$\cos A<\sin A<\tan A$

15 $0<\cos x<\sin x$이므로

$\cos x-\sin x<0$, $\sin x+\cos x>0$

$\therefore$ (주어진 식)

$=-(\cos x-\sin x)+(\sin x+\cos x)$

$=-\cos x+\sin x+\sin x+\cos x$

$=2\sin x$

16 $0<\cos x<\frac{\sqrt{2}}{2}$이므로 $\frac{\sqrt{2}}{2}+\cos x>0$, $\frac{\sqrt{2}}{2}-\cos x>0$

$\therefore$ (주어진 식)$=\left(\frac{\sqrt{2}}{2}+\cos x\right)-\left(\frac{\sqrt{2}}{2}-\cos x\right)$

$=\frac{\sqrt{2}}{2}+\cos x-\frac{\sqrt{2}}{2}+\cos x$

$=2\cos x$

17 $\sin 28^\circ=0.4695$이므로 $x=28^\circ$

$\tan 29^\circ=0.5543$이므로 $y=29^\circ$

$\therefore \cos x+\cos y=\cos 28^\circ+\cos 29^\circ$

$=0.8829+0.8746$

$=1.7575$

18 $\triangle ABC$에서 $\angle A=180^\circ-(42^\circ+90^\circ)=48^\circ$

$\sin 48^\circ=\frac{\overline{BC}}{\overline{AB}}=\frac{x}{10}$이고

삼각비의 표에서 $\sin 48^\circ=0.7431$이므로

$0.7431=\frac{x}{10}$ $\therefore x=7.431$ …… [40 %]

$\cos 48^\circ=\frac{\overline{AC}}{\overline{AB}}=\frac{y}{10}$이고

삼각비의 표에서 $\cos 48^\circ=0.6691$이므로

$0.6691=\frac{y}{10}$ $\therefore y=6.691$ …… [40 %]

$\therefore x+y=7.431+6.691=14.122$ …… [20 %]

19 (1) $\cos x=\frac{\overline{OB}}{\overline{OA}}=\frac{\overline{OB}}{1}=\overline{OB}=0.6428$

$\cos 50^\circ=0.6428$이므로 $x=50^\circ$

(2) $\sin 50^\circ=\frac{\overline{AB}}{\overline{OA}}$이므로 $0.7660=\frac{\overline{AB}}{1}$

$\therefore \overline{AB}=0.7660$

(3) $\tan 50^\circ=\frac{\overline{CD}}{\overline{OD}}$이므로 $1.1918=\frac{\overline{CD}}{1}$

$\therefore \overline{CD}=1.1918$

2. 삼각비의 활용

1 삼각비의 활용 (1)

개념 확인 30쪽~32쪽

1. (1) 0.59, 5.9 (2) 0.81, 8.1

2. (1) 5 (2) $5\sqrt{3}$ (3) $3\sqrt{3}$ (4) $2\sqrt{13}$

3. (1) $2\sqrt{2}$ (2) $4\sqrt{2}$

4. (1) h (2) $\frac{\sqrt{3}}{3}h$ (3) $3(3-\sqrt{3})$

5. (1) $\sqrt{3}h$ (2) h (3) $5(\sqrt{3}+1)$

2 (1) △AHC에서

$\overline{AH}=10\sin 30^\circ=10\times\frac{1}{2}=5$

(2) △AHC에서

$\overline{CH}=10\cos 30^\circ=10\times\frac{\sqrt{3}}{2}=5\sqrt{3}$

(3) $\overline{BH}=\overline{BC}-\overline{CH}=8\sqrt{3}-5\sqrt{3}=3\sqrt{3}$

(4) △ABH에서

$\overline{AB}=\sqrt{(3\sqrt{3})^2+5^2}=2\sqrt{13}$

3 (1) △BCH에서

$\overline{CH}=4\sin 45^\circ=4\times\frac{\sqrt{2}}{2}=2\sqrt{2}$

(2) △ABC에서

$\angle A=180^\circ-(45^\circ+105^\circ)=30^\circ$

△AHC에서 $\frac{2\sqrt{2}}{\overline{AC}}=\sin 30^\circ$이므로

$\overline{AC}=\frac{2\sqrt{2}}{\sin 30^\circ}=2\sqrt{2}\div\frac{1}{2}=4\sqrt{2}$

4 (1) △ABH에서

$\angle BAH=180^\circ-(45^\circ+90^\circ)=45^\circ$

$\therefore \overline{BH}=h\tan 45^\circ=h$

(2) △AHC에서

$\angle CAH=180^\circ-(60^\circ+90^\circ)=30^\circ$

$\therefore \overline{CH}=h\tan 30^\circ=\frac{\sqrt{3}}{3}h$

(3) $\overline{BC}=\overline{BH}+\overline{CH}$이므로

$6=h+\frac{\sqrt{3}}{3}h$, $\frac{3+\sqrt{3}}{3}h=6$

$\therefore h=\frac{18}{3+\sqrt{3}}=3(3-\sqrt{3})$

5 (1) △ABH에서

$\angle BAH=180^\circ-(30^\circ+90^\circ)=60^\circ$

$\therefore \overline{BH}=h\tan 60^\circ=\sqrt{3}h$

(2) △ACH에서

$\angle ACH=180^\circ-135^\circ=45^\circ$이므로

$\angle CAH=180^\circ-(45^\circ+90^\circ)=45^\circ$

$\therefore \overline{CH}=h\tan 45^\circ=h$

(3) $\overline{BC}=\overline{BH}-\overline{CH}$이므로

$10=\sqrt{3}h-h$, $(\sqrt{3}-1)h=10$

$\therefore h=\frac{10}{\sqrt{3}-1}=5(\sqrt{3}+1)$

STEP 1 33쪽

1-1. ④ 연구 32

1-2. $x=18.2$, $y=8.4$

2-1. (1) $2\sqrt{3}$ (2) 3 (3) $\sqrt{21}$

2-2. (1) 5 (2) $5\sqrt{3}$ (3) 5 (4) $5+5\sqrt{3}$

3-1. (1) $\sqrt{3}h$ (2) h (3) $2(\sqrt{3}-1)$ 연구 $\overline{CH}$

3-2. (1) h (2) $\frac{\sqrt{3}}{3}h$ (3) $3+\sqrt{3}$

1-1 $\angle A=180^\circ-(58^\circ+90^\circ)=32^\circ$

$\sin 32^\circ=\frac{9}{\overline{AB}}$에서 $\overline{AB}=\frac{9}{\sin 32^\circ}$

1-2 $\angle C=180^\circ-(65^\circ+90^\circ)=25^\circ$

$\cos 25^\circ=\frac{x}{20}$이므로

$x=20\cos 25^\circ=20\times 0.91=18.2$

$\sin 25^\circ=\frac{y}{20}$이므로

$y=20\sin 25^\circ=20\times 0.42=8.4$

2-1 (1) △ABH에서 $\overline{AH}=4\sin 60^\circ=4\times\frac{\sqrt{3}}{2}=2\sqrt{3}$

(2) △ABH에서 $\overline{BH}=4\cos 60^\circ=4\times\frac{1}{2}=2$

$\therefore \overline{CH}=\overline{BC}-\overline{BH}=5-2=3$

(3) △AHC에서 $\overline{AC}=\sqrt{(2\sqrt{3})^2+3^2}=\sqrt{21}$

2-2 (1) △BCH에서

$\overline{BH}=10\sin 30^\circ=10\times\frac{1}{2}=5$

(2) △BCH에서

$\overline{CH}=10\cos 30°=10\times\frac{\sqrt{3}}{2}=5\sqrt{3}$

(3) △ABC에서

$\angle A=180°-(105°+30°)=45°$

△ABH에서

$\tan 45°=\frac{5}{\overline{AH}}$이므로 $\overline{AH}=\frac{5}{\tan 45°}=5$

(4) $\overline{AC}=\overline{AH}+\overline{CH}=5+5\sqrt{3}$

3-1 (1) △ABH에서

$\angle BAH=180°-(30°+90°)=60°$

$\therefore \overline{BH}=h\tan 60°=\sqrt{3}h$

(2) △AHC에서

$\angle CAH=180°-(45°+90°)=45°$

$\therefore \overline{CH}=h\tan 45°=h$

(3) $\overline{BC}=\overline{BH}+\overline{CH}$이므로

$4=\sqrt{3}h+h$, $(\sqrt{3}+1)h=4$

$\therefore h=\frac{4}{\sqrt{3}+1}=2(\sqrt{3}-1)$

3-2 (1) △ABH에서

$\angle BAH=180°-(45°+90°)=45°$

$\therefore \overline{BH}=h\tan 45°=h$

(2) △ACH에서

$\angle ACH=180°-120°=60°$이므로

$\angle CAH=180°-(60°+90°)=30°$

$\therefore \overline{CH}=h\tan 30°=\frac{\sqrt{3}}{3}h$

(3) $\overline{BC}=\overline{BH}-\overline{CH}$이므로

$2=h-\frac{\sqrt{3}}{3}h$, $\frac{3-\sqrt{3}}{3}h=2$

$\therefore h=\frac{6}{3-\sqrt{3}}=3+\sqrt{3}$

STEP 2 34쪽~36쪽

1-2. ㉠, ㉣	**2-2.** 9.3 m
3-2. $20\sqrt{21}$ m	**4-2.** $(60+60\sqrt{3})$ m
5-2. $\frac{25\sqrt{3}}{2}$ m	**6-2.** $50(3+\sqrt{3})$ m

1-2 $\angle A=180°-(40°+90°)=50°$

$\tan 40°=\frac{\overline{AC}}{6}$에서 $\overline{AC}=6\tan 40°$

$\tan 50°=\frac{6}{\overline{AC}}$에서 $\overline{AC}=\frac{6}{\tan 50°}$

따라서 $\overline{AC}$의 길이를 나타내는 것은 ㉠, ㉣이다.

2-2 △ABC에서

$\tan 38°=\frac{\overline{CB}}{10}$이므로

$\overline{CB}=10\tan 38°=10\times 0.78=7.8$ (m)

$\therefore \overline{CH}=\overline{CB}+\overline{BH}=7.8+1.5=9.3$ (m)

3-2 오른쪽 그림과 같이 꼭짓점 A에서 $\overline{BC}$에 내린 수선의 발을 H라 하면

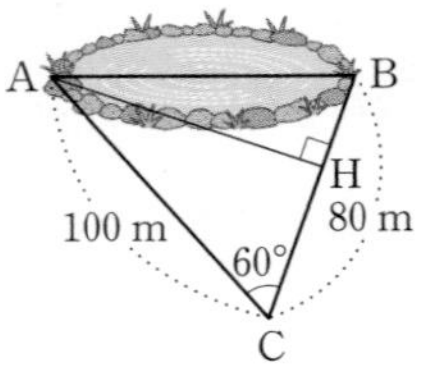

△ACH에서

$\overline{AH}=100\sin 60°$

$=100\times\frac{\sqrt{3}}{2}=50\sqrt{3}$ (m)

$\overline{CH}=100\cos 60°=100\times\frac{1}{2}=50$ (m)

$\therefore \overline{BH}=\overline{BC}-\overline{CH}=80-50=30$ (m)

따라서 두 지점 A, B 사이의 거리는 △AHB에서

$\overline{AB}=\sqrt{(50\sqrt{3})^2+30^2}=\sqrt{8400}=20\sqrt{21}$ (m)

4-2 오른쪽 그림과 같이 꼭짓점 C에서 $\overline{AB}$에 내린 수선의 발을 H라 하면

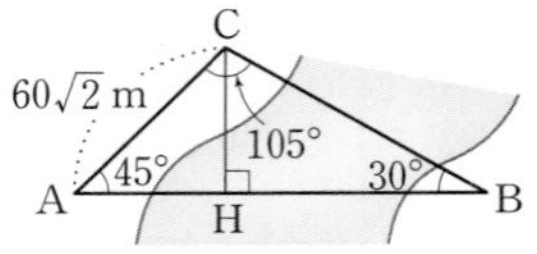

△CAH에서

$\overline{CH}=60\sqrt{2}\sin 45°=60\sqrt{2}\times\frac{\sqrt{2}}{2}=60$ (m)

$\overline{AH}=60\sqrt{2}\cos 45°=60\sqrt{2}\times\frac{\sqrt{2}}{2}=60$ (m)

△ABC에서 $\angle B=180°-(105°+45°)=30°$

△CHB에서 $\tan 30°=\frac{60}{\overline{BH}}$이므로

$\overline{BH}=\frac{60}{\tan 30°}=60\div\frac{\sqrt{3}}{3}=60\sqrt{3}$ (m)

따라서 두 지점 A, B 사이의 거리는

$\overline{AB}=\overline{AH}+\overline{BH}=60+60\sqrt{3}$ (m)

5-2 $\overline{CH}=h$ m라 하면

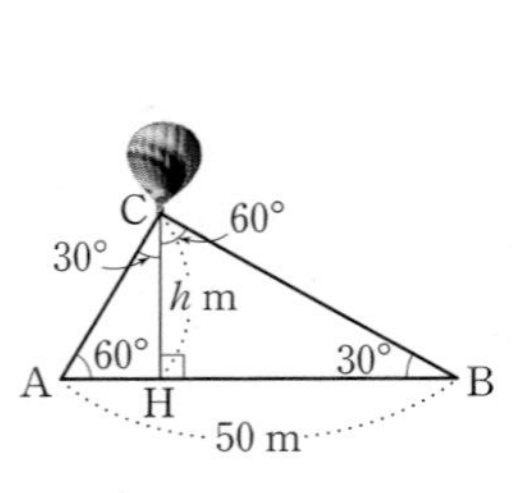

△CAH에서

$\angle ACH$

$=180°-(60°+90°)=30°$

이므로

$\overline{AH}=h\tan 30°=\frac{\sqrt{3}}{3}h$ (m)

$\triangle$CHB에서

$\angle BCH=180^\circ-(90^\circ+30^\circ)=60^\circ$이므로

$\overline{BH}=h\tan60^\circ=\sqrt{3}h$ (m)

이때 $\overline{AB}=\overline{AH}+\overline{BH}$이므로

$50=\frac{\sqrt{3}}{3}h+\sqrt{3}h$, $\frac{4\sqrt{3}}{3}h=50$

$\therefore h=50\times\frac{\sqrt{3}}{4}=\frac{25\sqrt{3}}{2}$

따라서 $\overline{CH}$의 길이는 $\frac{25\sqrt{3}}{2}$ m이다.

6-2 $\overline{CH}=h$ m라 하면

$\triangle$CAH에서

$\angle ACH=180^\circ-(45^\circ+90^\circ)$
$=45^\circ$

이므로

$\overline{AH}=h\tan45^\circ=h$ (m)

$\triangle$CBH에서

$\angle BCH=180^\circ-(60^\circ+90^\circ)=30^\circ$이므로

$\overline{BH}=h\tan30^\circ=\frac{\sqrt{3}}{3}h$ (m)

이때 $\overline{AB}=\overline{AH}-\overline{BH}$이므로

$100=h-\frac{\sqrt{3}}{3}h$, $\frac{3-\sqrt{3}}{3}h=100$

$\therefore h=\frac{300}{3-\sqrt{3}}=50(3+\sqrt{3})$

따라서 $\overline{CH}$의 길이는 $50(3+\sqrt{3})$ m이다.

STEP 3 37쪽~38쪽

01. ④ **02.** (1) $3\sqrt{2}$ cm (2) $3\sqrt{6}$ cm (3) $36\sqrt{6}$ cm^3

03. 9 m **04.** 3.95 m **05.** $\left(20+\frac{20\sqrt{3}}{3}\right)$ m

06. $2\sqrt{21}$ **07.** $(4+4\sqrt{3})$ cm **08.** $\sqrt{6}+3\sqrt{2}$

09. $10(\sqrt{3}-1)$ m **10.** $4\sqrt{3}$ **11.** 10 m

01 $\angle A=180^\circ-(26^\circ+90^\circ)=64^\circ$이므로

$\cos64^\circ=\frac{\overline{AC}}{8}$ $\quad\therefore \overline{AC}=8\cos64^\circ$

02 (1) $\triangle$CAB에서 $\overline{AC}=\sqrt{6^2+6^2}=\sqrt{72}=6\sqrt{2}$ (cm)

$\therefore \overline{AH}=\frac{1}{2}\overline{AC}=\frac{1}{2}\times6\sqrt{2}=3\sqrt{2}$ (cm)

(2) $\triangle$OAH에서 $\overline{OH}=\overline{AH}\tan60^\circ$
$=3\sqrt{2}\times\sqrt{3}=3\sqrt{6}$ (cm)

(3) (사각뿔의 부피)$=\frac{1}{3}\times6\times6\times3\sqrt{6}=36\sqrt{6}$ (cm^3)

03 $\tan30^\circ=\frac{\overline{AB}}{3\sqrt{3}}$이므로

$\overline{AB}=3\sqrt{3}\tan30^\circ=3\sqrt{3}\times\frac{\sqrt{3}}{3}=3$ (m)

$\cos30^\circ=\frac{3\sqrt{3}}{\overline{AC}}$이므로

$\overline{AC}=\frac{3\sqrt{3}}{\cos30^\circ}=3\sqrt{3}\div\frac{\sqrt{3}}{2}$
$=3\sqrt{3}\times\frac{2}{\sqrt{3}}=6$ (m)

따라서 부러지기 전 나무의 높이는

$\overline{AB}+\overline{AC}=3+6=9$ (m)

04 $\triangle$ABC에서 $\tan25^\circ=\frac{\overline{AC}}{5}$이므로

$\overline{AC}=5\tan25^\circ=5\times0.47=2.35$ (m) …… [50 %]

따라서 가로등의 높이는

$\overline{AH}=\overline{AC}+\overline{CH}=2.35+1.6=3.95$ (m) …… [50 %]

05 오른쪽 그림의 $\triangle$DCH에서

$\tan30^\circ=\frac{\overline{DH}}{20}$이므로

$\overline{DH}=20\tan30^\circ$
$=20\times\frac{\sqrt{3}}{3}=\frac{20\sqrt{3}}{3}$ (m)

$\triangle$CBH에서

$\tan45^\circ=\frac{\overline{BH}}{20}$이므로

$\overline{BH}=20\tan45^\circ=20$ (m)

따라서 방송국 건물의 높이는

$\overline{DB}=\overline{BH}+\overline{DH}=20+\frac{20\sqrt{3}}{3}$ (m)

06 오른쪽 그림과 같이 꼭짓점 A에서 $\overline{BC}$에 내린 수선의 발을 H라 하면

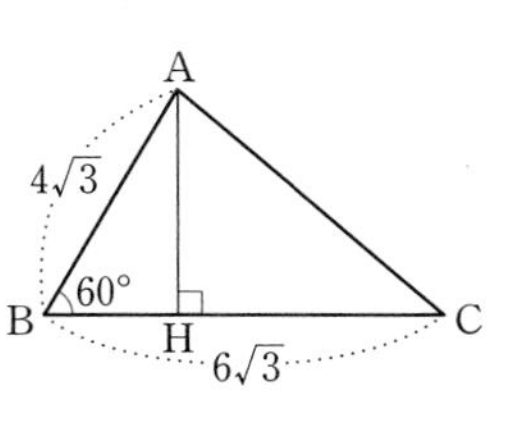

$\triangle$ABH에서

$\overline{AH}=4\sqrt{3}\sin60^\circ$
$=4\sqrt{3}\times\frac{\sqrt{3}}{2}=6$

$\overline{BH}=4\sqrt{3}\cos60^\circ$
$=4\sqrt{3}\times\frac{1}{2}=2\sqrt{3}$

$\therefore \overline{CH}=\overline{BC}-\overline{BH}=6\sqrt{3}-2\sqrt{3}=4\sqrt{3}$

따라서 △AHC에서

$\overline{AC}=\sqrt{6^2+(4\sqrt{3})^2}=2\sqrt{21}$

07 오른쪽 그림과 같이 꼭짓점 C에서 $\overline{AB}$에 내린 수선의 발을 H라 하면

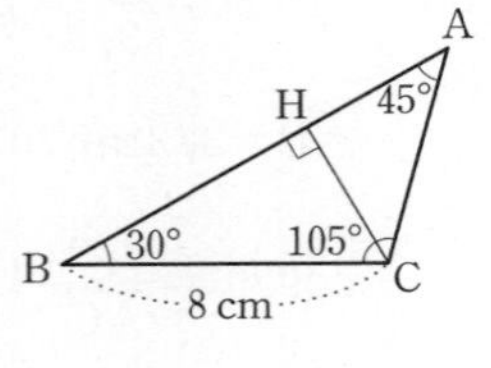

△BCH에서

$\overline{BH}=8\cos 30°=8\times\frac{\sqrt{3}}{2}$

$=4\sqrt{3}$ (cm) …… [20 %]

$\overline{CH}=8\sin 30°=8\times\frac{1}{2}=4$ (cm) …… [20 %]

△ABC에서

$\angle A=180°-(30°+105°)=45°$

△AHC에서 $\tan 45°=\frac{4}{\overline{AH}}$이므로

$\overline{AH}=\frac{4}{\tan 45°}=4$ (cm) …… [40 %]

$\therefore \overline{AB}=\overline{AH}+\overline{BH}=4+4\sqrt{3}$ (cm) …… [20 %]

08 △ABC에서

$\angle C=180°-(60°+75°)$

$=45°$

오른쪽 그림과 같이 꼭짓점 B에서 $\overline{AC}$에 내린 수선의 발을 H라 하면

△BCH에서

$\overline{CH}=6\cos 45°=6\times\frac{\sqrt{2}}{2}=3\sqrt{2}$

$\overline{BH}=6\sin 45°=6\times\frac{\sqrt{2}}{2}=3\sqrt{2}$

△ABH에서

$\tan 60°=\frac{3\sqrt{2}}{\overline{AH}}$이므로

$\overline{AH}=\frac{3\sqrt{2}}{\tan 60°}=\frac{3\sqrt{2}}{\sqrt{3}}=\sqrt{6}$

$\therefore \overline{AC}=\overline{AH}+\overline{CH}=\sqrt{6}+3\sqrt{2}$

09 오른쪽 그림과 같이 $\overline{CH}=h$ m라 하면

△CAH에서

$\angle ACH$

$=180°-(30°+90°)$

$=60°$

이므로

$\overline{AH}=h\tan 60°=\sqrt{3}h$ (m)

△CHB에서

$\angle BCH=180°-(45°+90°)=45°$이므로

$\overline{BH}=h\tan 45°=h$ (m)

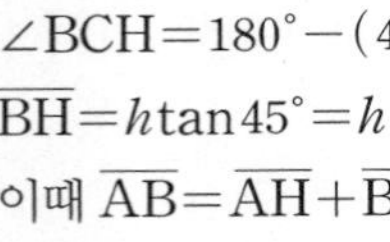

이때 $\overline{AB}=\overline{AH}+\overline{BH}$이므로

$20=\sqrt{3}h+h$, $(\sqrt{3}+1)h=20$

$\therefore h=\frac{20}{\sqrt{3}+1}=10(\sqrt{3}-1)$

따라서 $\overline{CH}$의 길이는 $10(\sqrt{3}-1)$ m이다.

10 오른쪽 그림과 같이 $\overline{AH}=h$라 하면

△ABH에서

$\angle BAH=180°-(30°+90°)$

$=60°$

이므로

$\overline{BH}=h\tan 60°=\sqrt{3}h$

△ACH에서

$\angle ACH=180°-120°=60°$이므로

$\angle CAH=180°-(60°+90°)=30°$

$\therefore \overline{CH}=h\tan 30°=\frac{\sqrt{3}}{3}h$

이때 $\overline{BC}=\overline{BH}-\overline{CH}$이므로

$8=\sqrt{3}h-\frac{\sqrt{3}}{3}h$, $\frac{2\sqrt{3}}{3}h=8$

$\therefore h=8\times\frac{\sqrt{3}}{2}=4\sqrt{3}$

따라서 $\overline{AH}$의 길이는 $4\sqrt{3}$이다.

11 오른쪽 그림과 같이 $\overline{AH}=h$ m라 하면

△ABH에서

$\angle BAH$

$=180°-(25°+90°)$

$=65°$

이므로

$\overline{BH}=h\tan 65°=2.1h$ (m)

△ACH에서

$\angle CAH=180°-(40°+90°)=50°$이므로

$\overline{CH}=h\tan 50°=1.2h$ (m)

이때 $\overline{BC}=\overline{BH}-\overline{CH}$이므로

$9=2.1h-1.2h$, $0.9h=9$

$\therefore h=10$

따라서 $\overline{AH}$의 길이는 10 m이다.

2 삼각비의 활용 (2)

개념 확인 39쪽~41쪽

1. (1) $26\sqrt{3}$ (2) $30\sqrt{2}$

2. (1) $12\sqrt{3}$ (2) 54

3. (1) $\frac{27\sqrt{2}}{2}$ (2) $20\sqrt{3}$

1 (1) $\triangle ABC=\frac{1}{2}\times13\times8\times\sin60^\circ$
$=\frac{1}{2}\times13\times8\times\frac{\sqrt{3}}{2}=26\sqrt{3}$

(2) $\triangle ABC=\frac{1}{2}\times10\times12\times\sin(180^\circ-135^\circ)$
$=\frac{1}{2}\times10\times12\times\sin45^\circ$
$=\frac{1}{2}\times10\times12\times\frac{\sqrt{2}}{2}=30\sqrt{2}$

2 (1) $\square ABCD=4\times6\times\sin60^\circ$
$=4\times6\times\frac{\sqrt{3}}{2}=12\sqrt{3}$

(2) $\square ABCD=9\times12\times\sin(180^\circ-150^\circ)$
$=9\times12\times\sin30^\circ$
$=9\times12\times\frac{1}{2}=54$

3 (1) $\square ABCD=\frac{1}{2}\times6\times9\times\sin45^\circ$
$=\frac{1}{2}\times6\times9\times\frac{\sqrt{2}}{2}=\frac{27\sqrt{2}}{2}$

(2) $\square ABCD=\frac{1}{2}\times8\times10\times\sin(180^\circ-120^\circ)$
$=\frac{1}{2}\times8\times10\times\sin60^\circ$
$=\frac{1}{2}\times8\times10\times\frac{\sqrt{3}}{2}=20\sqrt{3}$

STEP 1 42쪽

1-1. (1) $\frac{21\sqrt{2}}{2}$ (2) $5\sqrt{3}$ 연구 (1) 45, $\frac{21\sqrt{2}}{2}$ (2) 120, $5\sqrt{3}$

1-2. (1) $12\sqrt{3}$ (2) $\frac{55\sqrt{2}}{2}$

2-1. (1) $24\sqrt{3}$ (2) $40\sqrt{2}$ 연구 (1) 120, $24\sqrt{3}$ (2) 45, $40\sqrt{2}$

2-2. (1) $36\sqrt{2}$ (2) 45

3-1. (1) $14\sqrt{2}$ (2) $\frac{27\sqrt{3}}{2}$ 연구 (1) 45, $14\sqrt{2}$ (2) 120, $\frac{27\sqrt{3}}{2}$

3-2. (1) $6\sqrt{2}$ (2) $8\sqrt{3}$

1-1 (1) $\triangle ABC=\frac{1}{2}\times7\times6\times\sin45^\circ$
$=\frac{1}{2}\times7\times6\times\frac{\sqrt{2}}{2}=\frac{21\sqrt{2}}{2}$

(2) $\triangle ABC=\frac{1}{2}\times5\times4\times\sin(180^\circ-120^\circ)$
$=\frac{1}{2}\times5\times4\times\sin60^\circ$
$=\frac{1}{2}\times5\times4\times\frac{\sqrt{3}}{2}=5\sqrt{3}$

1-2 (1) $\triangle ABC=\frac{1}{2}\times6\times8\times\sin60^\circ$
$=\frac{1}{2}\times6\times8\times\frac{\sqrt{3}}{2}=12\sqrt{3}$

(2) $\triangle ABC=\frac{1}{2}\times10\times11\times\sin(180^\circ-135^\circ)$
$=\frac{1}{2}\times10\times11\times\sin45^\circ$
$=\frac{1}{2}\times10\times11\times\frac{\sqrt{2}}{2}=\frac{55\sqrt{2}}{2}$

2-1 (1) $\square ABCD=6\times8\times\sin(180^\circ-120^\circ)$
$=6\times8\times\sin60^\circ$
$=6\times8\times\frac{\sqrt{3}}{2}=24\sqrt{3}$

(2) $\square ABCD=8\times10\times\sin45^\circ$
$=8\times10\times\frac{\sqrt{2}}{2}=40\sqrt{2}$

2-2 (1) $\square ABCD$는 평행사변형이므로 $\overline{AD}=\overline{BC}=9$
$\therefore \square ABCD=8\times9\times\sin(180^\circ-135^\circ)$
$=8\times9\times\sin45^\circ$
$=8\times9\times\frac{\sqrt{2}}{2}=36\sqrt{2}$

(2) $\square ABCD=9\times10\times\sin30^\circ$
$=9\times10\times\frac{1}{2}=45$

3-1 (1) $\square ABCD=\frac{1}{2}\times7\times8\times\sin45^\circ$
$=\frac{1}{2}\times7\times8\times\frac{\sqrt{2}}{2}$
$=14\sqrt{2}$

(2) $\square ABCD=\frac{1}{2}\times9\times6\times\sin(180^\circ-120^\circ)$
$=\frac{1}{2}\times9\times6\times\sin60^\circ$
$=\frac{1}{2}\times9\times6\times\frac{\sqrt{3}}{2}$
$=\frac{27\sqrt{3}}{2}$

3-2 (1) $\square ABCD=\frac{1}{2}\times6\times4\times\sin(180^\circ-135^\circ)$

$=\frac{1}{2}\times6\times4\times\sin45^\circ$

$=\frac{1}{2}\times6\times4\times\frac{\sqrt{2}}{2}=6\sqrt{2}$

(2) $\square ABCD=\frac{1}{2}\times4\times8\times\sin60^\circ$

$=\frac{1}{2}\times4\times8\times\frac{\sqrt{3}}{2}=8\sqrt{3}$

STEP 2 43쪽~45쪽

1-2. 45°	**2-2.** 4 cm
3-2. $14\sqrt{3}$	**4-2.** $150\sqrt{3}$ cm^2
5-2. 6 cm	**6-2.** 45°

1-2 $\triangle ABC=\frac{1}{2}\times6\times4\times\sin B$

$=12\sin B$

즉 $12\sin B=6\sqrt{2}$이므로 $\sin B=\frac{\sqrt{2}}{2}$

이때 $0^\circ<\angle B<90^\circ$이므로 $\angle B=45^\circ$

2-2 $\triangle ABC=\frac{1}{2}\times5\times\overline{AB}\times\sin(180^\circ-135^\circ)$

$=\frac{1}{2}\times5\times\overline{AB}\times\sin45^\circ$

$=\frac{1}{2}\times5\times\overline{AB}\times\frac{\sqrt{2}}{2}$

$=\frac{5\sqrt{2}}{4}\overline{AB}\ (cm^2)$

즉 $\frac{5\sqrt{2}}{4}\overline{AB}=5\sqrt{2}$이므로 $\overline{AB}=4\ (cm)$

3-2 오른쪽 그림과 같이 $\overline{BD}$를 그으면

$\square ABCD$

$=\triangle ABD+\triangle BCD$

$=\frac{1}{2}\times8\times6\times\sin60^\circ$

$+\frac{1}{2}\times4\times2\sqrt{3}\times\sin(180^\circ-150^\circ)$

$=\frac{1}{2}\times8\times6\times\sin60^\circ+\frac{1}{2}\times4\times2\sqrt{3}\times\sin30^\circ$

$=\frac{1}{2}\times8\times6\times\frac{\sqrt{3}}{2}+\frac{1}{2}\times4\times2\sqrt{3}\times\frac{1}{2}$

$=12\sqrt{3}+2\sqrt{3}=14\sqrt{3}$

4-2 오른쪽 그림과 같이 정육각형은 6개의 합동인 이등변삼각형으로 나누어진다.

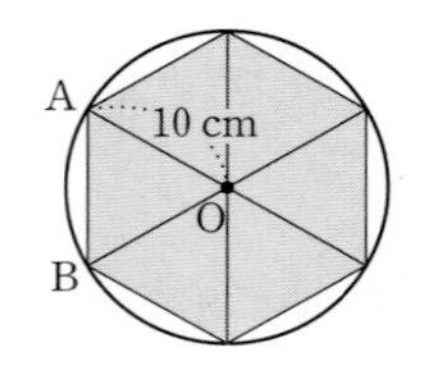

이때 $\angle AOB=\frac{360^\circ}{6}=60^\circ$이므로

구하는 정육각형의 넓이는

$6\times\left(\frac{1}{2}\times10\times10\times\sin60^\circ\right)$

$=6\times\left(\frac{1}{2}\times10\times10\times\frac{\sqrt{3}}{2}\right)$

$=150\sqrt{3}\ (cm^2)$

5-2 마름모 ABCD의 한 변의 길이를 x cm라 하면

$\square ABCD=x\times x\times\sin(180^\circ-120^\circ)$

$=x\times x\times\sin60^\circ$

$=\frac{\sqrt{3}}{2}x^2\ (cm^2)$

즉 $\frac{\sqrt{3}}{2}x^2=18\sqrt{3}$이므로 $x^2=36$

$\therefore x=6\ (\because x>0)$

따라서 마름모 ABCD의 한 변의 길이는 6 cm이다.

6-2 두 대각선이 이루는 예각의 크기를 x라 하면

$\square ABCD=\frac{1}{2}\times14\times10\times\sin x=70\sin x$

즉 $70\sin x=35\sqrt{2}$이므로 $\sin x=\frac{\sqrt{2}}{2}$

$\therefore x=45^\circ$

따라서 두 대각선이 이루는 예각의 크기는 45°이다.

STEP 3 46쪽~47쪽

01. $4\sqrt{2}$ **02.** 135° **03.** $9\sqrt{3}$ cm^2 **04.** $50\sqrt{3}$

05. $\frac{27\sqrt{3}}{4}$ **06.** $(12\pi-9\sqrt{3})$ cm^2

07. (1) $24\sqrt{3}$ (2) $\triangle ABD=3x$, $\triangle ADC=2x$ (3) $\frac{24\sqrt{3}}{5}$

08. $8\sqrt{2}$ cm^2 **09.** 60° **10.** $3\sqrt{2}$ **11.** $14\sqrt{3}$ cm^2

12. $6\sqrt{2}$

01 $\triangle ABC=\frac{1}{2}\times\overline{BC}\times\sqrt{10}\times\sin30^\circ$

$=\frac{1}{2}\times\overline{BC}\times\sqrt{10}\times\frac{1}{2}=\frac{\sqrt{10}}{4}\overline{BC}$

즉 $\frac{\sqrt{10}}{4}\overline{BC}=2\sqrt{5}$이므로 $\overline{BC}=\frac{8\sqrt{5}}{\sqrt{10}}=4\sqrt{2}$

02 $\triangle ABC=\frac{1}{2}\times 8\times 12\times \sin x$

$=48\sin x$ ...... [40 %]

즉 $48\sin x=24\sqrt{2}$이므로 $\sin x=\frac{\sqrt{2}}{2}$ ...... [30 %]

이때 $90^\circ<\angle x<180^\circ$이므로 $\angle x=135^\circ$ ...... [30 %]

03 $\triangle ABC=\frac{1}{2}\times 12\times 9\times \sin 60^\circ$

$=\frac{1}{2}\times 12\times 9\times \frac{\sqrt{3}}{2}=27\sqrt{3}\ (cm^2)$

$\therefore\ \triangle AGC=\frac{1}{3}\triangle ABC=\frac{1}{3}\times 27\sqrt{3}=9\sqrt{3}\ (cm^2)$

04 $\triangle ABC$에서 $\overline{AC}=8\tan 60^\circ=8\sqrt{3}$

$\therefore\ \square ABCD=\triangle ABC+\triangle ACD$

$=\frac{1}{2}\times 8\times 8\sqrt{3}+\frac{1}{2}\times 8\sqrt{3}\times 9\times \sin 30^\circ$

$=32\sqrt{3}+\frac{1}{2}\times 8\sqrt{3}\times 9\times \frac{1}{2}$

$=32\sqrt{3}+18\sqrt{3}=50\sqrt{3}$

05 오른쪽 그림과 같이 $\overline{AC}$를 그으면

$\square ABCD$

$=\triangle ABC+\triangle ACD$

$=\frac{1}{2}\times 5\times 4\times \sin 60^\circ$

$+\frac{1}{2}\times \sqrt{7}\times \sqrt{7}\times \sin(180^\circ-120^\circ)$

$=\frac{1}{2}\times 5\times 4\times \sin 60^\circ+\frac{1}{2}\times \sqrt{7}\times \sqrt{7}\times \sin 60^\circ$

$=\frac{1}{2}\times 5\times 4\times \frac{\sqrt{3}}{2}+\frac{1}{2}\times \sqrt{7}\times \sqrt{7}\times \frac{\sqrt{3}}{2}$

$=5\sqrt{3}+\frac{7\sqrt{3}}{4}=\frac{27\sqrt{3}}{4}$

06 $\triangle OAC$에서 $\angle OCA=\angle OAC=30^\circ$

$\therefore\ \angle AOC=180^\circ-(30^\circ+30^\circ)=120^\circ$ ...... [20 %]

(부채꼴 AOC의 넓이)

$=\pi\times 6^2\times \frac{120}{360}=12\pi\ (cm^2)$ ...... [30 %]

$\triangle OAC=\frac{1}{2}\times 6\times 6\times \sin(180^\circ-120^\circ)$

$=\frac{1}{2}\times 6\times 6\times \sin 60^\circ$

$=\frac{1}{2}\times 6\times 6\times \frac{\sqrt{3}}{2}=9\sqrt{3}\ (cm^2)$ ...... [30 %]

$\therefore$ (색칠한 부분의 넓이)

=(부채꼴 AOC의 넓이)$-\triangle OAC$

$=12\pi-9\sqrt{3}\ (cm^2)$ ...... [20 %]

07 (1) $\triangle ABC=\frac{1}{2}\times 12\times 8\times \sin 60^\circ$

$=\frac{1}{2}\times 12\times 8\times \frac{\sqrt{3}}{2}=24\sqrt{3}$

(2) $\triangle ABD=\frac{1}{2}\times 12\times x\times \sin 30^\circ$

$=\frac{1}{2}\times 12\times x\times \frac{1}{2}=3x$

$\triangle ADC=\frac{1}{2}\times x\times 8\times \sin 30^\circ$

$=\frac{1}{2}\times x\times 8\times \frac{1}{2}=2x$

(3) $\triangle ABC=\triangle ABD+\triangle ADC$이므로

$24\sqrt{3}=3x+2x,\ 5x=24\sqrt{3}$ $\quad\therefore\ x=\frac{24\sqrt{3}}{5}$

08 $\square ABCD$는 마름모이므로 $\overline{AD}=\overline{AB}=4$ cm

$\therefore\ \square ABCD=4\times 4\times \sin(180^\circ-135^\circ)$

$=4\times 4\times \sin 45^\circ$

$=4\times 4\times \frac{\sqrt{2}}{2}=8\sqrt{2}\ (cm^2)$

09 $\square ABCD=3\sqrt{3}\times 4\sqrt{6}\times \sin B=36\sqrt{2}\sin B$

즉 $36\sqrt{2}\sin B=18\sqrt{6}$이므로 $\sin B=\frac{\sqrt{3}}{2}$

이때 $0^\circ<\angle B<90^\circ$이므로 $\angle B=60^\circ$

10 $\square ABCD$는 평행사변형이므로 $\overline{CD}=\overline{AB}=4$

$\square ABCD=6\times 4\times \sin 45^\circ$

$=6\times 4\times \frac{\sqrt{2}}{2}=12\sqrt{2}$ ...... [40 %]

$\therefore\ \triangle AMC=\frac{1}{2}\triangle ABC$

$=\frac{1}{2}\times \frac{1}{2}\square ABCD$

$=\frac{1}{4}\square ABCD$

$=\frac{1}{4}\times 12\sqrt{2}=3\sqrt{2}$ ...... [60 %]

11 $\square ABCD=\frac{1}{2}\times 7\times 8\times \sin 60^\circ$

$=\frac{1}{2}\times 7\times 8\times \frac{\sqrt{3}}{2}=14\sqrt{3}\ (cm^2)$

12 $\square ABCD=\frac{1}{2}\times \overline{AC}\times 6\times \sin(180^\circ-150^\circ)$

$=\frac{1}{2}\times \overline{AC}\times 6\times \sin 30^\circ$

$=\frac{1}{2}\times \overline{AC}\times 6\times \frac{1}{2}=\frac{3}{2}\overline{AC}$

즉 $\frac{3}{2}\overline{AC}=9\sqrt{2}$이므로 $\overline{AC}=6\sqrt{2}$

3. 원과 직선

1 원의 현

개념 확인 50쪽~51쪽

1. (1) 7 (2) 12

2. (1) 6 (2) 5

1 (1) $\overline{AB}\perp\overline{OM}$이므로 $\overline{BM}=\overline{AM}=7$ cm
$\therefore x=7$
(2) $\overline{AB}\perp\overline{OM}$이므로 $\overline{AB}=2\overline{BM}=2\times6=12$ (cm)
$\therefore x=12$

2 (1) $\overline{OM}=\overline{ON}$이므로 $\overline{CD}=\overline{AB}=6$ cm
$\therefore x=6$
(2) $\overline{AB}=\overline{CD}$이므로 $\overline{ON}=\overline{OM}=5$ cm
$\therefore x=5$

STEP 1 52쪽

1-1. (1) 10 (2) 8 연구 $\overline{BM}$

1-2. (1) 3 (2) 18

2-1. (1) 8 (2) $2\sqrt{6}$ 연구 $\overline{OM}$

2-2. (1) $6\sqrt{3}$ (2) 10

3-1. (1) 7 (2) 8 연구 (1) $\overline{CD}$ (2) $\overline{ON}$

3-2. (1) 4 (2) 7

1-1 (1) $\overline{AB}\perp\overline{OM}$이므로
$\overline{BM}=\overline{AM}=10$ cm
$\therefore x=10$
(2) $\overline{AB}\perp\overline{OM}$이므로
$\overline{AM}=\frac{1}{2}\overline{AB}=\frac{1}{2}\times16=8$ (cm)
$\therefore x=8$

1-2 (1) $\overline{AB}\perp\overline{OM}$이므로
$\overline{BM}=\frac{1}{2}\overline{AB}=\frac{1}{2}\times6=3$ (cm)
$\therefore x=3$
(2) $\overline{AB}\perp\overline{OM}$이므로
$\overline{AB}=2\overline{AM}=2\times9=18$ (cm)
$\therefore x=18$

2-1 (1) $\triangle$OAM에서 $\overline{AM}=\sqrt{5^2-3^2}=4$ (cm)
$\overline{AB}=2\overline{AM}=2\times4=8$ (cm)
$\therefore x=8$
(2) $\overline{BM}=\frac{1}{2}\overline{AB}=\frac{1}{2}\times10=5$ (cm)
$\triangle$OMB에서 $\overline{OM}=\sqrt{7^2-5^2}=2\sqrt{6}$ (cm)
$\therefore x=2\sqrt{6}$

2-2 (1) $\triangle$OAM에서 $\overline{AM}=\sqrt{6^2-3^2}=3\sqrt{3}$ (cm)
$\overline{AB}=2\overline{AM}=2\times3\sqrt{3}=6\sqrt{3}$ (cm)
$\therefore x=6\sqrt{3}$
(2) $\overline{AM}=\frac{1}{2}\overline{AB}=\frac{1}{2}\times16=8$ (cm)
$\triangle$OAM에서 $\overline{OA}=\sqrt{8^2+6^2}=10$ (cm)
$\therefore x=10$

3-1 (1) $\overline{OM}=\overline{ON}$이므로 $\overline{AB}=\overline{CD}=14$ cm
$\overline{AM}=\frac{1}{2}\overline{AB}=\frac{1}{2}\times14=7$ (cm)
$\therefore x=7$
(2) $\overline{AB}=\overline{CD}$이므로 $\overline{ON}=\overline{OM}=8$ cm
$\therefore x=8$

3-2 (1) $\overline{OM}=\overline{ON}$이므로 $\overline{CD}=\overline{AB}=8$ cm
$\overline{CN}=\frac{1}{2}\overline{CD}=\frac{1}{2}\times8=4$ (cm)
$\therefore x=4$
(2) $\overline{AB}=\overline{CD}$이므로 $\overline{ON}=\overline{OM}=7$ cm
$\therefore x=7$

STEP 2 53쪽~55쪽

1-2. (1) $\frac{13}{2}$ (2) $\frac{29}{4}$　**2-2.** $\frac{17}{3}$ cm

3-2. $2\sqrt{3}$ cm　**4-2.** 9 cm

5-2. (1) 8 (2) 10　**6-2.** (1) 55° (2) 36°

1-2 (1) $\overline{AB}\perp\overline{OC}$이므로 $\overline{AM}=\overline{BM}=6$ cm
$\overline{OC}=\overline{OA}=x$ cm이므로 $\overline{OM}=(x-4)$ cm
$\triangle$OMA에서
$x^2=(x-4)^2+6^2$, $8x=52$
$\therefore x=\frac{13}{2}$

(2) $\overline{AB}\perp\overline{OC}$이므로 $\overline{AM}=\overline{BM}=5$ cm

$\overline{OC}=\overline{OA}=x$ cm이므로 $\overline{OM}=(x-2)$ cm

$\triangle$OAM에서

$x^2=5^2+(x-2)^2$, $4x=29$

$\therefore x=\dfrac{29}{4}$

2-2 $\overline{AB}\perp\overline{CD}$, $\overline{AD}=\overline{BD}$이므로

$\overline{CD}$의 연장선은 오른쪽 그림과 같이 원의 중심을 지난다. 원의 중심을 O, 원의 반지름의 길이를 r cm라 하면

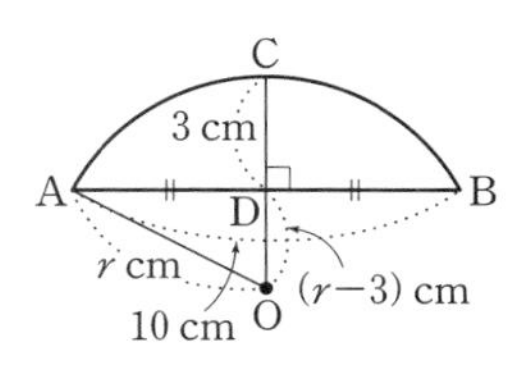

$\overline{DO}=(r-3)$ cm

이때 $\overline{AD}=\dfrac{1}{2}\overline{AB}=\dfrac{1}{2}\times10=5$ (cm)이므로

$\triangle$AOD에서

$r^2=5^2+(r-3)^2$, $6r=34$

$\therefore r=\dfrac{17}{3}$

따라서 원의 반지름의 길이는 $\dfrac{17}{3}$ cm이다.

3-2 오른쪽 그림과 같이 원의 중심 O에서 $\overline{AB}$에 내린 수선의 발을 M이라 하고 원 O의 반지름의 길이를 r cm라 하면

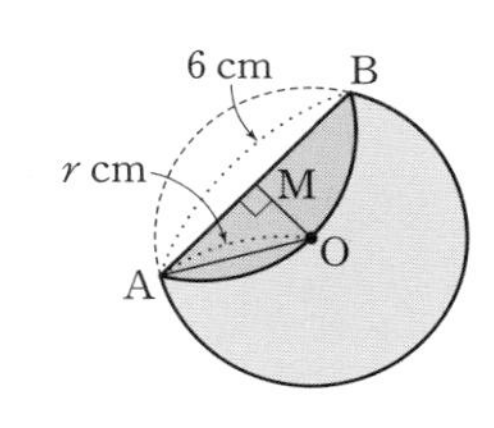

$\overline{AM}=\dfrac{1}{2}\overline{AB}=\dfrac{1}{2}\times6=3$ (cm)

$\overline{OM}=\dfrac{r}{2}$ cm이므로

$\triangle$AOM에서

$r^2=3^2+\left(\dfrac{r}{2}\right)^2$, $\dfrac{3}{4}r^2=9$

$r^2=12$ $\quad\therefore r=2\sqrt{3}$ ($\because r>0$)

따라서 원 O의 반지름의 길이는 $2\sqrt{3}$ cm이다.

4-2 $\overline{AB}:\overline{CD}=5:2$이므로

$30:\overline{CD}=5:2$, $5\overline{CD}=60$

$\therefore \overline{CD}=12$ (cm)

원의 중심 O에서 $\overline{AB}$에 내린 수선의 발을 M이라 하면

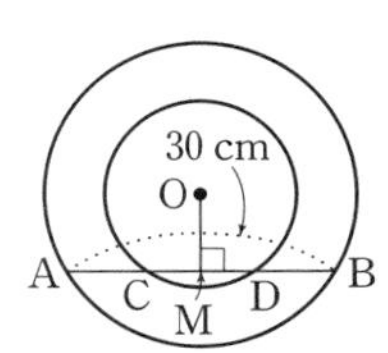

$\overline{AM}=\dfrac{1}{2}\overline{AB}=\dfrac{1}{2}\times30=15$ (cm)

$\overline{CM}=\dfrac{1}{2}\overline{CD}=\dfrac{1}{2}\times12=6$ (cm)

$\therefore \overline{AC}=\overline{AM}-\overline{CM}=15-6=9$ (cm)

5-2 (1) $\overline{CD}\perp\overline{ON}$이므로

$\overline{CN}=\dfrac{1}{2}\overline{CD}=\dfrac{1}{2}\times30=15$

$\triangle$OCN에서 $\overline{ON}=\sqrt{17^2-15^2}=8$

$\overline{AB}=\overline{CD}$이므로 $\overline{OM}=\overline{ON}=8$

$\therefore x=8$

(2) $\overline{OM}=\overline{ON}$이므로 $\overline{CD}=\overline{AB}=16$

$\overline{CD}\perp\overline{ON}$이므로

$\overline{DN}=\dfrac{1}{2}\overline{CD}=\dfrac{1}{2}\times16=8$

$\triangle$ODN에서 $\overline{OD}=\sqrt{8^2+6^2}=10$

$\therefore x=10$

6-2 (1) $\overline{OM}=\overline{ON}$이므로 $\overline{AB}=\overline{AC}$

즉 $\triangle$ABC는 $\overline{AB}=\overline{AC}$인 이등변삼각형이므로

$\angle x=\angle ABC=\dfrac{1}{2}\times(180^\circ-70^\circ)=55^\circ$

(2) $\overline{OM}=\overline{ON}$이므로 $\overline{AB}=\overline{AC}$

즉 $\triangle$ABC는 $\overline{AB}=\overline{AC}$인 이등변삼각형이므로

$\angle ABC=\angle ACB=72^\circ$

$\therefore \angle x=180^\circ-(72^\circ+72^\circ)=36^\circ$

STEP 3 56쪽~57쪽

01. $2\sqrt{3}$ cm **02.** $4\sqrt{5}$ cm **03.** $\dfrac{89}{10}$ cm **04.** 8 cm

05. 10 cm **06.** $10\sqrt{3}$ cm **07.** 6 cm **08.** $4\sqrt{2}$ cm

09. $32\sqrt{5}$ cm^2 **10.** 12 cm **11.** 136°

12. (1) 정삼각형 (2) $9\sqrt{3}$ cm^2

01 $\triangle$OAM에서 $\overline{AM}=\sqrt{2^2-1^2}=\sqrt{3}$ (cm)

$\overline{AB}\perp\overline{OM}$이므로 $\overline{AM}=\overline{BM}$

$\therefore \overline{AB}=2\overline{AM}=2\times\sqrt{3}=2\sqrt{3}$ (cm)

02 $\overline{OC}=\overline{OB}=6$ cm이므로

$\overline{OM}=6-2=4$ (cm)

$\triangle$OMB에서

$\overline{MB}=\sqrt{6^2-4^2}=2\sqrt{5}$ (cm)

$\overline{AB}\perp\overline{OC}$이므로 $\overline{AM}=\overline{BM}$

$\therefore \overline{AB}=2\overline{MB}=2\times2\sqrt{5}=4\sqrt{5}$ (cm)

03 오른쪽 그림과 같이 $\overline{OB}$를 긋고 원 O의 반지름의 길이를 x cm라 하면

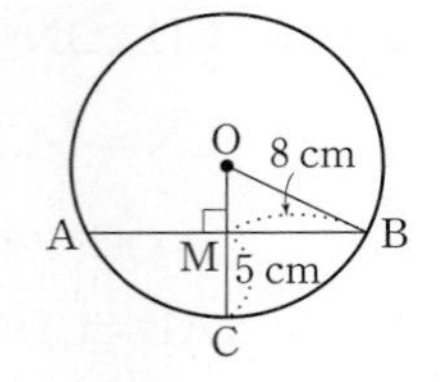

$\overline{OM}=(x-5)$ cm …… [30 %]

$\triangle$OMB에서

$x^2=8^2+(x-5)^2$ …… [40 %]

$10x=89$ $\therefore x=\frac{89}{10}$

따라서 원 O의 반지름의 길이는 $\frac{89}{10}$ cm이다. …… [30 %]

04 $\overline{AB}\perp\overline{CD}$, $\overline{AD}=\overline{BD}$이므로 $\overline{CD}$의 연장선은 오른쪽 그림과 같이 원의 중심을 지난다. 원의 중심을 O라 하면

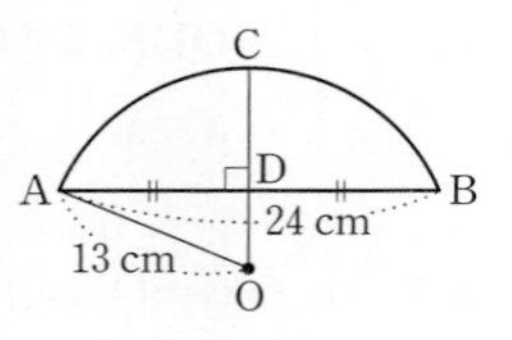

$\overline{AD}=\frac{1}{2}\overline{AB}=\frac{1}{2}\times24=12$ (cm)

$\triangle$AOD에서 $\overline{OD}=\sqrt{13^2-12^2}=5$ (cm)

$\therefore \overline{CD}=\overline{OC}-\overline{OD}=13-5=8$ (cm)

05 $\overline{AB}\perp\overline{CD}$, $\overline{AD}=\overline{BD}$이므로 $\overline{CD}$의 연장선은 오른쪽 그림과 같이 원의 중심을 지난다.

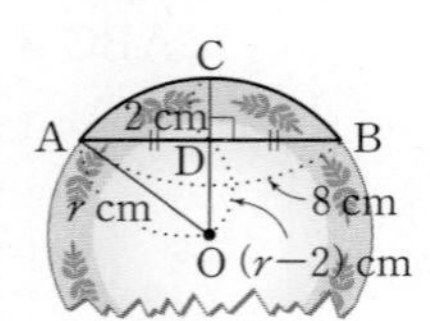

원의 중심을 O, 원의 반지름의 길이를 r cm라 하면

$\overline{OD}=(r-2)$ cm

이때 $\overline{AD}=\frac{1}{2}\overline{AB}=\frac{1}{2}\times8=4$ (cm)이므로

$\triangle$AOD에서 $r^2=4^2+(r-2)^2$

$4r=20$ $\therefore r=5$

따라서 원래 접시의 지름의 길이는 $2\times5=10$ (cm)이다.

06 오른쪽 그림과 같이 원의 중심 O에서 $\overline{AB}$에 내린 수선의 발을 M이라 하면

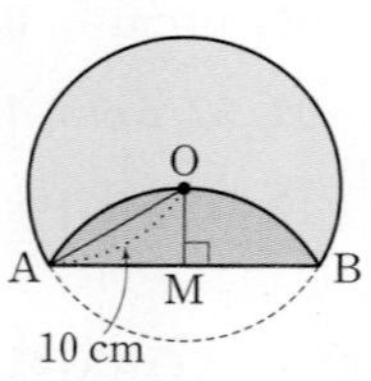

$\overline{OM}=\frac{1}{2}\times10=5$ (cm)

$\triangle$OAM에서 $\overline{AM}=\sqrt{10^2-5^2}=5\sqrt{3}$ (cm)

$\therefore \overline{AB}=2\overline{AM}=2\times5\sqrt{3}=10\sqrt{3}$ (cm)

07 오른쪽 그림과 같이 원의 중심 O에서 $\overline{AB}$에 내린 수선의 발을 M이라 하면

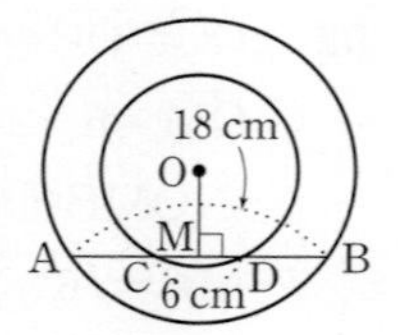

$\overline{MB}=\frac{1}{2}\overline{AB}=\frac{1}{2}\times18=9$ (cm)

$\overline{MD}=\frac{1}{2}\overline{CD}=\frac{1}{2}\times6=3$ (cm)

$\therefore \overline{BD}=\overline{MB}-\overline{MD}=9-3=6$ (cm)

08 $\overline{CD}\perp\overline{ON}$이므로

$\overline{CN}=\frac{1}{2}\overline{CD}=\frac{1}{2}\times14=7$ (cm)

$\triangle$OCN에서 $\overline{ON}=\sqrt{9^2-7^2}=4\sqrt{2}$ (cm)

$\overline{AB}=\overline{CD}$이므로 $\overline{OM}=\overline{ON}=4\sqrt{2}$ cm

09 오른쪽 그림과 같이 원의 중심 O에서 $\overline{CD}$에 내린 수선의 발을 N이라 하면 $\overline{AB}=\overline{CD}$이므로

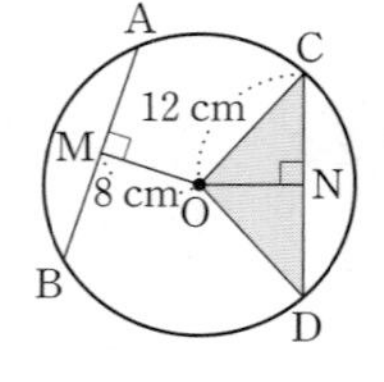

$\overline{ON}=\overline{OM}=8$ cm …… [20 %]

$\triangle$ONC에서

$\overline{CN}=\sqrt{12^2-8^2}=4\sqrt{5}$ (cm) …… [25 %]

$\therefore \overline{CD}=2\overline{CN}=2\times4\sqrt{5}=8\sqrt{5}$ (cm) …… [25 %]

$\therefore \triangle ODC=\frac{1}{2}\times\overline{CD}\times\overline{ON}$

$=\frac{1}{2}\times8\sqrt{5}\times8=32\sqrt{5}$ (cm^2) …… [30 %]

10 오른쪽 그림과 같이 원의 중심 O에서 $\overline{AB}$, $\overline{CD}$에 내린 수선의 발을 각각 M, N이라 하면 $\overline{AB}/\!/\overline{CD}$이므로 세 점 M, O, N은 한 직선 위에 있다.

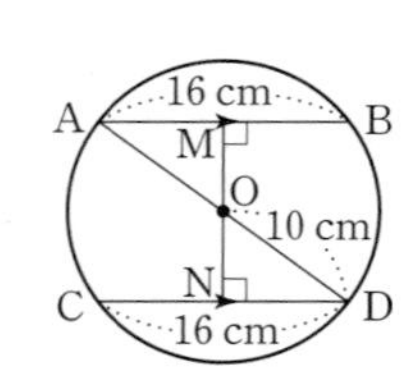

$\overline{ND}=\frac{1}{2}\overline{CD}=\frac{1}{2}\times16=8$ (cm)

$\triangle$OND에서 $\overline{ON}=\sqrt{10^2-8^2}=6$ (cm)

$\overline{AB}=\overline{CD}$이므로 $\overline{OM}=\overline{ON}$

이때 두 현 AB, CD 사이의 거리는 $\overline{MN}$의 길이와 같으므로

$\overline{MN}=2\overline{ON}=2\times6=12$ (cm)

11 $\overline{OM}=\overline{ON}$이므로 $\overline{AB}=\overline{AC}$

즉 $\triangle$ABC는 $\overline{AB}=\overline{AC}$인 이등변삼각형이므로

$\angle ACB=\angle ABC=68^\circ$

$\therefore \angle BAC=180^\circ-(68^\circ+68^\circ)=44^\circ$

따라서 □AMON에서

$\angle x=360^\circ-(44^\circ+90^\circ+90^\circ)=136^\circ$

12 (1) $\overline{OD}=\overline{OE}=\overline{OF}$이므로 $\overline{AB}=\overline{BC}=\overline{CA}$

즉 $\triangle$ABC는 정삼각형이다.

(2) $\overline{AB}\perp\overline{OD}$이므로 $\overline{AD}=\overline{BD}$

$\therefore \overline{AB}=2\overline{AD}=2\times3=6$ (cm)

이때 $\overline{AO}$를 그으면 $\overline{BC}=\overline{AB}=6$ cm이고

$\overline{BE}=\frac{1}{2}\overline{BC}=\frac{1}{2}\times6=3$ (cm)이므로

$\triangle$ABE에서 $\overline{AE}=\sqrt{6^2-3^2}=3\sqrt{3}$ (cm)

$\therefore \triangle ABC=\frac{1}{2}\times6\times3\sqrt{3}=9\sqrt{3}$ (cm^2)

2 원의 접선

개념 확인

58쪽~59쪽

1. (1) 5 (2) 65

2. (1) $x=2, y=4, z=3$ (2) $x=4, y=7, z=5$

3. (1) 10 (2) 4

1 (1) $\overline{PA}=\overline{PB}=5\text{ cm}$ $\therefore x=5$

(2) $\angle PAO=\angle PBO=90°$이므로

$\square APBO$에서

$\angle APB=360°-(90°+115°+90°)=65°$

$\therefore x=65$

2 (1) $\overline{AF}=\overline{AD}=2$ $\therefore x=2$

$\overline{BD}=\overline{BE}=4$ $\therefore y=4$

$\overline{CE}=\overline{CF}=3$ $\therefore z=3$

(2) $\overline{AD}=\overline{AF}=4$ $\therefore x=4$

$\overline{BD}=\overline{BE}=7$ $\therefore y=7$

$\overline{CF}=\overline{CE}=5$ $\therefore z=5$

3 (1) $\overline{AB}+\overline{CD}=\overline{AD}+\overline{BC}$이므로

$x+12=7+15$ $\therefore x=10$

(2) $\overline{AB}+\overline{CD}=\overline{AD}+\overline{BC}$이므로

$8+6=x+10$ $\therefore x=4$

STEP 1

60쪽

1-1. (1) $\sqrt{21}$ (2) $6\sqrt{3}$ (3) 130 (4) 56 연구 $\overline{PB}$, 90

1-2. (1) 12 (2) $2\sqrt{21}$ (3) 55 (4) 61

2-1. 9 cm 연구 $\overline{BE}$, $\overline{CE}$

2-2. 15 cm

3-1. 3 cm 연구 $\overline{AD}$

3-2. 12 cm

1-1 (1) $\angle PAO=90°$이므로 $\triangle APO$에서

$\overline{PA}=\sqrt{5^2-2^2}=\sqrt{21}\text{ (cm)}$

$\overline{PB}=\overline{PA}=\sqrt{21}\text{ cm}$

$\therefore x=\sqrt{21}$

(2) $\angle PAO=90°$이므로 $\triangle AOP$에서

$\overline{PA}=\sqrt{12^2-6^2}=6\sqrt{3}\text{ (cm)}$

$\overline{PB}=\overline{PA}=6\sqrt{3}\text{ cm}$

$\therefore x=6\sqrt{3}$

(3) $\angle PAO=\angle PBO=90°$이므로 $\square APBO$에서

$\angle AOB=360°-(90°+50°+90°)=130°$

$\therefore x=130$

(4) $\overline{PA}=\overline{PB}$이므로 $\triangle PBA$는 이등변삼각형이다.

$\angle PBA=\angle PAB=62°$이므로

$\angle APB=180°-(62°+62°)=56°$

$\therefore x=56$

1-2 (1) $\angle OBP=90°$이므로 $\triangle BPO$에서

$\overline{PB}=\sqrt{13^2-5^2}=12\text{ (cm)}$

$\overline{PA}=\overline{PB}=12\text{ cm}$

$\therefore x=12$

(2) $\angle PBO=90°$이므로 $\triangle PBO$에서

$\overline{PB}=\sqrt{10^2-4^2}=2\sqrt{21}\text{ (cm)}$

$\overline{PA}=\overline{PB}=2\sqrt{21}\text{ cm}$

$\therefore x=2\sqrt{21}$

(3) $\angle PAO=\angle PBO=90°$이므로 $\square AOBP$에서

$\angle APB=360°-(90°+125°+90°)=55°$

$\therefore x=55$

(4) $\overline{PA}=\overline{PB}$이므로 $\triangle PBA$는 이등변삼각형이다.

$\angle PAB=\angle PBA$

$=\frac{1}{2}\times(180°-58°)=61°$

$\therefore x=61$

2-1 $\overline{AF}=\overline{AD}=2\text{ cm}$

$\overline{BE}=\overline{BD}=8-2=6\text{ (cm)}$

$\overline{CE}=\overline{CF}=5-2=3\text{ (cm)}$

$\therefore \overline{BC}=\overline{BE}+\overline{CE}=6+3=9\text{ (cm)}$

2-2 $\overline{CE}=\overline{CF}=9\text{ cm}$

$\overline{AD}=\overline{AF}=15-9=6\text{ (cm)}$

$\overline{BD}=\overline{BE}=18-9=9\text{ (cm)}$

$\therefore \overline{AB}=\overline{AD}+\overline{BD}=6+9=15\text{ (cm)}$

3-1 $\overline{BP}=\overline{BQ}=5\text{ cm}$이고

$\overline{AB}+\overline{CD}=\overline{AD}+\overline{BC}$이므로

$(\overline{AP}+5)+9=7+10$

$\therefore \overline{AP}=3\text{ (cm)}$

3-2 $\overline{AB}+\overline{CD}=\overline{AD}+\overline{BC}$이므로

$(4+\overline{PB})+(7+\overline{DR})=7+16$

$\therefore \overline{PB}+\overline{DR}=12\text{ (cm)}$

STEP 2 61쪽~65쪽

1-2. 60 cm^2	**2-2.** $46°$
3-2. $4\sqrt{3}\text{ cm}$	**4-2.** 3 cm
5-2. 78 cm^2	**6-2.** 6 cm
7-2. 5 cm	**8-2.** (1) 15 cm (2) $9\pi\text{ cm}^2$
9-2. $\overline{AB}=10\text{ cm}$, $\overline{AD}=9\text{ cm}$	
10-2. 6 cm	

1-2 $\overline{OB}=\overline{OA}=8\text{ cm}$이므로 $\overline{OP}=8+9=17\ (\text{cm})$
$\angle OAP=90°$이므로 $\triangle OAP$에서
$\overline{AP}=\sqrt{17^2-8^2}=15\ (\text{cm})$
$\therefore\ \triangle OAP=\frac{1}{2}\times15\times8=60\ (\text{cm}^2)$

2-2 $\angle PAO=90°$이므로
$\angle PAB=90°-23°=67°$
이때 $\overline{PA}=\overline{PB}$이므로 $\triangle PBA$는 이등변삼각형이다.
$\angle PBA=\angle PAB=67°$
$\therefore\ \angle APB=180°-(67°+67°)=46°$

3-2 오른쪽 그림과 같이 $\overline{OP}$를 그으면

$\triangle AOP\equiv\triangle BOP$ (RHS 합동)
$\therefore\ \angle OPB=\frac{1}{2}\angle APB$
$=\frac{1}{2}\times60°=30°$
$\triangle OBP$에서 $\tan30°=\frac{\overline{OB}}{\overline{BP}}=\frac{4}{\overline{BP}}$이므로
$\frac{\sqrt{3}}{3}=\frac{4}{\overline{BP}}$, $\sqrt{3}\,\overline{BP}=12$
$\therefore\ \overline{BP}=\frac{12}{\sqrt{3}}=4\sqrt{3}\ (\text{cm})$
이때 $\overline{PA}=\overline{PB}$이므로
$\angle PAB=\angle PBA=\frac{1}{2}\times(180°-60°)=60°$
따라서 $\triangle ABP$는 정삼각형이므로
$\overline{AB}=\overline{BP}=4\sqrt{3}\text{ cm}$

4-2 $\overline{AD}=\overline{AF}=\overline{AC}+\overline{CF}=6+1=7\ (\text{cm})$이므로
$\overline{BD}=\overline{AD}-\overline{AB}=7-5=2\ (\text{cm})$
$\therefore\ \overline{BE}=\overline{BD}=2\text{ cm}$
또 $\overline{CE}=\overline{CF}=1\text{ cm}$이므로
$\overline{BC}=\overline{BE}+\overline{CE}=2+1=3\ (\text{cm})$

5-2 $\overline{DE}=\overline{DA}=4\text{ cm}$, $\overline{CE}=\overline{CB}=9\text{ cm}$이므로
$\overline{DC}=\overline{DE}+\overline{EC}=4+9=13\ (\text{cm})$
오른쪽 그림과 같이 꼭짓점 D에서 $\overline{BC}$에 내린 수선의 발을 H라 하면
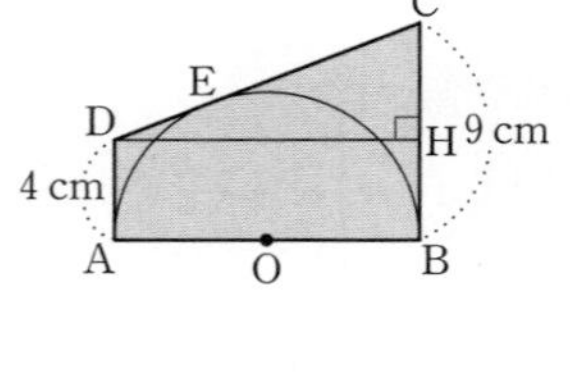

$\overline{HB}=\overline{DA}=4\text{ cm}$이므로
$\overline{CH}=\overline{CB}-\overline{HB}$
$=9-4=5\ (\text{cm})$
$\triangle CDH$에서
$\overline{DH}=\sqrt{13^2-5^2}=12\ (\text{cm})$
따라서 사다리꼴 ABCD의 넓이는
$\frac{1}{2}\times(4+9)\times12=78\ (\text{cm}^2)$

6-2 오른쪽 그림과 같이 $\overline{OA}$, $\overline{OH}$를 긋는다.
이때 큰 원과 작은 원의 반지름의 길이의 비가 2 : 1이므로
$\overline{OA}=2r\text{ cm}$, $\overline{OH}=r\text{ cm}$라 하자.
$\overline{AB}$는 작은 원의 접선이므로 $\overline{AB}\perp\overline{OH}$
$\therefore\ \overline{AH}=\frac{1}{2}\overline{AB}=\frac{1}{2}\times6\sqrt{3}=3\sqrt{3}\ (\text{cm})$
$\triangle OAH$에서
$(2r)^2=(3\sqrt{3})^2+r^2$, $3r^2=27$
$r^2=9$ $\qquad\therefore\ r=3\ (\because\ r>0)$
따라서 큰 원의 반지름의 길이는
$2r=2\times3=6\ (\text{cm})$

7-2 $\overline{BD}=\overline{BE}=7\text{ cm}$이므로
$\overline{AF}=\overline{AD}=10-7=3\ (\text{cm})$
$\therefore\ \overline{CE}=\overline{CF}=8-3=5\ (\text{cm})$

8-2 (1) $\triangle ABC$에서
$\overline{AC}=\sqrt{12^2+9^2}=15\ (\text{cm})$
(2) 오른쪽 그림과 같이 원 O의 반지름의 길이를 r cm라 하면 □DBEO는 정사각형이므로
$\overline{BD}=\overline{BE}=r\text{ cm}$
$\overline{AF}=\overline{AD}=(9-r)\text{ cm}$, $\overline{CF}=\overline{CE}=(12-r)\text{ cm}$
이때 $\overline{AC}=\overline{AF}+\overline{CF}$이므로
$15=(9-r)+(12-r)$
$2r=6$ $\qquad\therefore\ r=3$
따라서 원 O의 넓이는
$\pi\times3^2=9\pi\ (\text{cm}^2)$

다른 풀이

$\triangle ABC=\frac{1}{2}\times 12\times 9$

$=54\ (\text{cm}^2)$

원 O의 반지름의 길이를 r cm라 하면

$\triangle ABC=\triangle OAB+\triangle OBC+\triangle OCA$

이므로

$54=\frac{1}{2}\times 9\times r+\frac{1}{2}\times 12\times r+\frac{1}{2}\times 15\times r$

$54=18r \qquad \therefore r=3$

따라서 원 O의 넓이는 $\pi\times 3^2=9\pi\ (\text{cm}^2)$

9-2 $\overline{AB}+\overline{CD}=\overline{AD}+\overline{BC}=\frac{1}{2}\times 46=23\ (\text{cm})$

$\overline{CD}=13$ cm이므로 $\overline{AB}=23-13=10\ (\text{cm})$

$\overline{BC}=14$ cm이므로 $\overline{AD}=23-14=9\ (\text{cm})$

10-2 $\triangle ABE$에서 $\overline{AB}=\sqrt{10^2-6^2}=8\ (\text{cm})$

$\overline{ED}=x$ cm라 하면 $\overline{BC}=(x+6)$ cm

□EBCD가 원 O에 외접하므로

$\overline{ED}+\overline{BC}=\overline{EB}+\overline{CD}$에서

$x+(x+6)=10+8,\ 2x=12 \qquad \therefore x=6$

따라서 $\overline{ED}$의 길이는 6 cm이다.

STEP 3 66쪽~67쪽

01. 21°	**02.** 34 cm	**03.** $6\sqrt{2}$ cm	**04.** 12π cm^2
05. 5 cm	**06.** $\frac{16}{3}$ cm	**07.** 49π cm^2	**08.** 8 cm
09. 2 cm	**10.** 6π cm	**11.** 162 cm^2	**12.** $\frac{9}{7}$ cm

01 $\overline{PA}=\overline{PB}$이므로 $\triangle PAB$에서

$\angle BAP=\frac{1}{2}\times(180^\circ-42^\circ)=69^\circ$

$\angle PAO=90^\circ$이므로 $\angle OAB=90^\circ-69^\circ=21^\circ$

02 $\angle PBO=90^\circ$이므로 $\triangle PBO$에서

$\overline{PB}=\sqrt{13^2-5^2}=12\ (\text{cm})$

$\overline{PA}=\overline{PB}=12$ cm, $\overline{OA}=\overline{OB}=5$ cm이므로

(□APBO의 둘레의 길이)$=\overline{OA}+\overline{AP}+\overline{PB}+\overline{BO}$

$=5+12+12+5=34\ (\text{cm})$

03 $\overline{OC}=\overline{OB}=3$ cm이므로 $\overline{OP}=3+6=9\ (\text{cm})$

$\angle PBO=90^\circ$이므로 $\triangle PBO$에서

$\overline{PB}=\sqrt{9^2-3^2}=6\sqrt{2}\ (\text{cm})$

$\therefore \overline{PA}=\overline{PB}=6\sqrt{2}$ cm

04 $\angle PAO=\angle PBO=90^\circ$이므로 □AOBP에서

$\angle AOB=360^\circ-(90^\circ+60^\circ+90^\circ)=120^\circ$

오른쪽 그림과 같이 $\overline{OP}$를 그으면

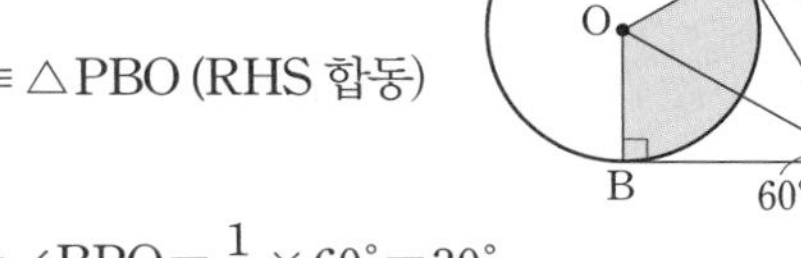

$\triangle PAO\equiv\triangle PBO$ (RHS 합동)

이므로

$\angle APO=\angle BPO=\frac{1}{2}\times 60^\circ=30^\circ$

$\triangle PAO$에서

$\overline{OA}=6\sqrt{3}\tan 30^\circ=6\sqrt{3}\times\frac{\sqrt{3}}{3}=6\ (\text{cm})$

$\therefore$ (색칠한 부분의 넓이)$=\pi\times 6^2\times\frac{120}{360}=12\pi\ (\text{cm}^2)$

05 $\overline{AC}=\overline{AT}=\overline{PT}-\overline{PA}=10-7=3\ (\text{cm})$

$\overline{PT'}=\overline{PT}=10$ cm이므로

$\overline{BC}=\overline{BT'}=\overline{PT'}-\overline{PB}=10-8=2\ (\text{cm})$

$\therefore \overline{AB}=\overline{AC}+\overline{BC}=3+2=5\ (\text{cm})$

06 오른쪽 그림과 같이 꼭짓점 D에서 $\overline{BC}$에 내린 수선의 발을 H라 하면

$\overline{HB}=\overline{DA}=3$ cm,

$\overline{DH}=\overline{AB}=2\overline{AO}$

$=2\times 4=8\ (\text{cm})$ …… [30 %]

$\overline{BC}=x$ cm라 하면

$\overline{CE}=\overline{CB}=x$ cm, $\overline{CH}=(x-3)$ cm

$\overline{DE}=\overline{DA}=3$ cm이므로 $\overline{DC}=(x+3)$ cm …… [30 %]

$\triangle CDH$에서 $8^2+(x-3)^2=(x+3)^2$ …… [30 %]

$12x=64 \qquad \therefore x=\frac{16}{3}$

따라서 $\overline{BC}$의 길이는 $\frac{16}{3}$ cm이다. …… [10 %]

07 오른쪽 그림과 같이 $\overline{AB}$와 작은 원과의 접점을 H라 하면 $\overline{OH}\perp\overline{AB}$이므로

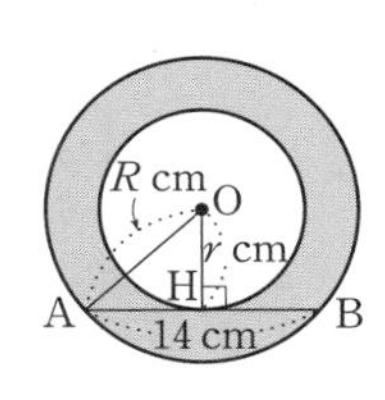

$\overline{AH}=\frac{1}{2}\overline{AB}=\frac{1}{2}\times 14=7\ (\text{cm})$

큰 원의 반지름의 길이를 R cm, 작은 원의 반지름의 길이를 r cm라 하면

$\triangle OAH$에서

$7^2+r^2=R^2 \qquad \therefore R^2-r^2=49$

$\therefore$ (색칠한 부분의 넓이)

$=$(큰 원의 넓이)$-$(작은 원의 넓이)

$=\pi(R^2-r^2)=49\pi\ (\text{cm}^2)$

08 $\overline{BD}=\overline{BE}=5$ cm이므로
$\overline{AF}=\overline{AD}=7-5=2$ (cm)
$\overline{CF}=\overline{CE}=6$ cm이므로
$\overline{AC}=\overline{AF}+\overline{CF}=2+6=8$ (cm)

09 $\overline{AD}=x$ cm라 하면 $\overline{AF}=\overline{AD}=x$ cm이므로
$\overline{BE}=\overline{BD}=(6-x)$ cm, $\overline{CE}=\overline{CF}=(5-x)$ cm
이때 $\overline{BC}=\overline{BE}+\overline{CE}$이므로
$7=(6-x)+(5-x)$, $2x=4$ $\therefore x=2$
따라서 $\overline{AD}$의 길이는 2 cm이다.

10 $\triangle$ABC에서
$\overline{AC}=\sqrt{15^2+8^2}$
$=17$ (cm) …… [30 %]
원 O의 반지름의 길이를 r cm라 하면
□DBEO는 정사각형이므로
$\overline{BD}=\overline{BE}=r$ cm
$\overline{AF}=\overline{AD}=(8-r)$ cm
$\overline{CF}=\overline{CE}=(15-r)$ cm …… [25 %]
이때 $\overline{AC}=\overline{AF}+\overline{CF}$이므로
$17=(8-r)+(15-r)$, $2r=6$
$\therefore r=3$ …… [25 %]
따라서 원 O의 둘레의 길이는
$2\pi\times3=6\pi$ (cm) …… [20 %]

11 원의 지름의 길이가 $2\times6=12$ (cm)이므로
$\overline{AB}=12$ cm
$\overline{AD}+\overline{BC}=\overline{AB}+\overline{CD}$
$=12+15=27$ (cm)
$\therefore$ □ABCD$=\frac{1}{2}\times(\overline{AD}+\overline{BC})\times\overline{AB}$
$=\frac{1}{2}\times27\times12=162$ (cm^2)

12 $\overline{AF}=\overline{BF}=\frac{1}{2}\overline{AB}=\frac{1}{2}\times6=3$ (cm)이므로
$\overline{AE}=\overline{AF}=3$ cm, $\overline{BG}=\overline{BF}=3$ cm
$\therefore \overline{CH}=\overline{CG}=10-3=7$ (cm)
$\overline{EI}=x$ cm라 하면 $\overline{IH}=\overline{EI}=x$ cm이므로
$\overline{ID}=10-(3+x)=7-x$ (cm)
$\triangle$ICD에서
$(7+x)^2=(7-x)^2+6^2$, $28x=36$ $\therefore x=\frac{9}{7}$
따라서 $\overline{EI}$의 길이는 $\frac{9}{7}$ cm이다.

4. 원주각

1 원주각

개념 확인

70쪽~73쪽

1. (1) 60° (2) 90°
2. (1) 38° (2) 35°
3. (1) 27 (2) 10 (3) 9
4. ㉠, ㉢

1 (1) $\angle x=\frac{1}{2}\angle AOB=\frac{1}{2}\times120°=60°$
(2) $\angle x=2\angle APB=2\times45°=90°$

2 (1) $\angle x=\angle APB=38°$
(2) $\overline{AB}$는 원 O의 지름이므로
$\angle ACB=90°$
$\triangle$ABC에서
$\angle x=180°-(90°+55°)=35°$

3 (1) $\widehat{AB}=\widehat{CD}$이므로
$\angle CQD=\angle APB=27°$
$\therefore x=27$
(2) $\angle APB=\angle CQD$이므로
$\widehat{AB}=\widehat{CD}=10$ cm
$\therefore x=10$
(3) $\angle APB : \angle CQD=\widehat{AB} : \widehat{CD}$이므로
$20° : 60°=3 : x$, $1 : 3=3 : x$
$\therefore x=9$

4 ㉠ $\angle ADB=\angle ACB$이므로 네 점 A, B, C, D는 한 원 위에 있다.
㉡ $\angle BAC\neq\angle BDC$이므로 네 점 A, B, C, D는 한 원 위에 있지 않다.
㉢ $\angle ADB=\angle ACB$이므로 네 점 A, B, C, D는 한 원 위에 있다.
㉣ $\angle DAC\neq\angle DBC$이므로 네 점 A, B, C, D는 한 원 위에 있지 않다.
따라서 네 점 A, B, C, D가 한 원 위에 있는 것은 ㉠, ㉢이다.

STEP 1 74쪽

1-1. (1) 58° (2) 46° (3) 40° (4) 65° 연구 (1) $\frac{1}{2}$ (3) 90°

1-2. (1) 126° (2) 73° (3) 56° (4) 50°

2-1. (1) 3 (2) 50 연구 정비례

2-2. (1) 8 (2) 18

3-1. (1) 55° (2) 70°

3-2. (1) 110° (2) 85°

1-1 (1) $\angle x=\frac{1}{2}\angle AOB=\frac{1}{2}\times 116°=58°$

(2) $\angle APB=\frac{1}{2}\angle AOB=\frac{1}{2}\times 92°=46°$

$\triangle PAO$에서

$\overline{OP}=\overline{OA}$이므로 $\angle x=\angle APO=46°$

(3) $\angle x=\angle ACB=40°$

(4) $\angle BDC=\angle BAC=25°$

이때 $\overline{AC}$는 원 O의 지름이므로

$\angle ADC=90°$

$\therefore \angle x=\angle ADC-\angle BDC$

$=90°-25°=65°$

1-2 (1) $\angle x=2\angle APB=2\times 63°=126°$

(2) $\angle AOB=360°-214°=146°$

$\therefore \angle x=\frac{1}{2}\angle AOB=\frac{1}{2}\times 146°=73°$

(3) $\angle x=\angle ADB=56°$

(4) $\angle BAC=\angle BDC=40°$

이때 $\overline{AC}$는 원 O의 지름이므로

$\angle ABC=90°$

$\triangle ABC$에서

$\angle x=180°-(40°+90°)=50°$

2-1 (1) $\angle APB=\angle CQD$이므로

$\widehat{AB}=\widehat{CD}=3$ cm $\therefore x=3$

(2) $\angle APB : \angle BPC=\widehat{AB} : \widehat{BC}$이므로

$x° : 25°=8 : 4$, $x : 25=2 : 1$

$\therefore x=50$

2-2 (1) $\angle APB=\angle BPC$이므로

$\widehat{BC}=\widehat{AB}=4$ cm

따라서 $\widehat{AC}=4+4=8$ (cm)이므로 $x=8$

(2) $\angle APB : \angle CQD=\widehat{AB} : \widehat{CD}$이므로

$x° : 54°=5 : 15$, $x : 54=1 : 3$

$3x=54$ $\therefore x=18$

3-1 (1) $\angle x=\angle BAC=55°$

(2) $\angle ABD=\angle ACD=40°$이므로

$\triangle ABP$에서

$\angle x=180°-(70°+40°)=70°$

3-2 (1) $\angle DAC=\angle DBC=50°$이므로

$\triangle APD$에서 $\angle x=50°+60°=110°$

(2) $\triangle PCD$에서 $\angle PDC=110°-25°=85°$

$\therefore \angle x=\angle BDC=85°$

STEP 2 75쪽~79쪽

1-2. $\angle x=120°$, $\angle y=240°$ **1-3.** 126°

2-2. 61°

3-2. (1) $\angle x=60°$, $\angle y=25°$ (2) $\angle x=58°$, $\angle y=36°$

4-2. 63° **5-2.** $2\sqrt{3}$ cm

6-2. 66° **7-2.** 51°

7-3. 100° **8-2.** 54°

9-2. 60° **10-2.** 110°

1-2 $\widehat{BAD}$에 대한 원주각의 크기가 60°이므로

$\angle BOD=2\times 60°=120°$

$\therefore \angle y=360°-120°=240°$

$\angle x=\frac{1}{2}\times 240°=120°$

1-3 오른쪽 그림과 같이 $\overline{OB}$를 그으면

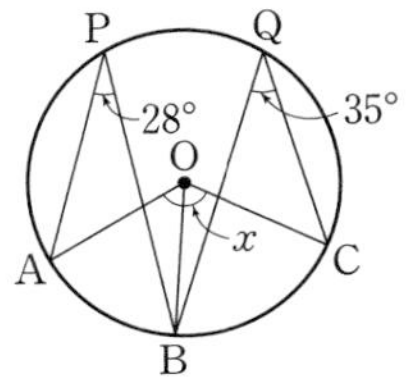

$\angle AOB=2\angle APB$

$=2\times 28°=56°$

$\angle BOC=2\angle BQC$

$=2\times 35°=70°$

$\therefore \angle x=56°+70°=126°$

2-2 $\angle PAO=\angle PBO=90°$이므로

□APBO에서

$\angle AOB=360°-(90°+58°+90°)=122°$

$\therefore \angle x=\frac{1}{2}\angle AOB=\frac{1}{2}\times 122°=61°$

3-2 (1) $\angle x=\angle BAC=60°$

$\triangle DPC$에서

$60°+\angle y=85°$ $\therefore \angle y=25°$

(2) $\angle x=\angle \mathrm{ADB}=58°$

$\angle \mathrm{DBA}=\angle \mathrm{DCA}=56°$이므로

$\triangle \mathrm{ABC}$에서

$\angle y=180°-(56°+30°+58°)=36°$

4-2 오른쪽 그림과 같이 $\overline{\mathrm{BC}}$를 그으면

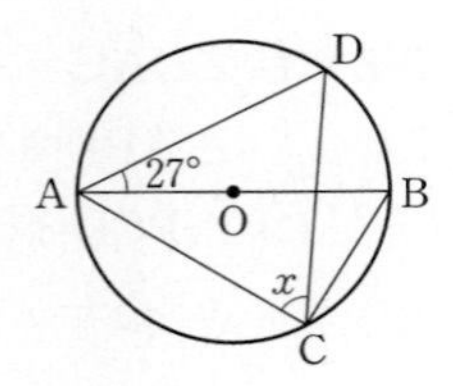

$\angle \mathrm{DCB}=\angle \mathrm{DAB}=27°$

이때 $\overline{\mathrm{AB}}$는 원 O의 지름이므로

$\angle \mathrm{ACB}=90°$

$\therefore \angle x=90°-27°=63°$

5-2 오른쪽 그림과 같이 $\overline{\mathrm{BO}}$의 연장선이 원 O와 만나는 점을 D라 하면

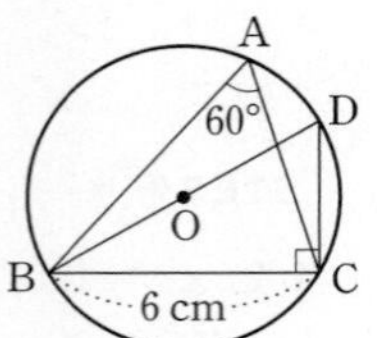

$\angle \mathrm{BDC}=\angle \mathrm{BAC}=60°$이고

$\angle \mathrm{BCD}=90°$이므로

$\triangle \mathrm{BCD}$에서

$\sin 60°=\dfrac{6}{\overline{\mathrm{BD}}}$, $\dfrac{\sqrt{3}}{2}=\dfrac{6}{\overline{\mathrm{BD}}}$

$\sqrt{3}\,\overline{\mathrm{BD}}=12$ $\quad\therefore \overline{\mathrm{BD}}=4\sqrt{3}\ (\mathrm{cm})$

따라서 원 O의 반지름의 길이는 $2\sqrt{3}$ cm이다.

6-2 $\widehat{\mathrm{AB}}=\widehat{\mathrm{CD}}$이므로 $\angle \mathrm{ACB}=\angle \mathrm{DBC}=33°$

$\triangle \mathrm{PBC}$에서 $\angle x=33°+33°=66°$

7-2 $\angle \mathrm{CAB} : \angle \mathrm{ACD}=\widehat{\mathrm{BC}} : \widehat{\mathrm{AD}}=3:2$이고

$\triangle \mathrm{ACP}$에서 $\angle \mathrm{ACP}+\angle \mathrm{CAP}=85°$이므로

$\angle \mathrm{CAB}=85°\times\dfrac{3}{3+2}=85°\times\dfrac{3}{5}=51°$

7-3 $\angle \mathrm{ABC}=\angle x$라 하면 $\angle \mathrm{ADC}=\angle \mathrm{ABC}=\angle x$

$\widehat{\mathrm{AC}} : \widehat{\mathrm{BD}}=1:4$이므로 $\angle \mathrm{BAD}=4\angle x$

$\triangle \mathrm{APD}$에서 $4\angle x=60°+\angle x$, $3\angle x=60°$

$\therefore \angle x=20°$

$\triangle \mathrm{AQB}$에서

$\angle \mathrm{BQD}=\angle \mathrm{QAB}+\angle \mathrm{ABQ}=80°+20°=100°$

8-2 $\widehat{\mathrm{AB}} : \widehat{\mathrm{BC}} : \widehat{\mathrm{CA}}=4:3:3$이므로

$\angle \mathrm{ACB} : \angle \mathrm{BAC} : \angle \mathrm{ABC}=4:3:3$

$\therefore \angle x=180°\times\dfrac{3}{4+3+3}=180°\times\dfrac{3}{10}=54°$

9-2 오른쪽 그림과 같이 $\overline{\mathrm{AB}}$를 그으면

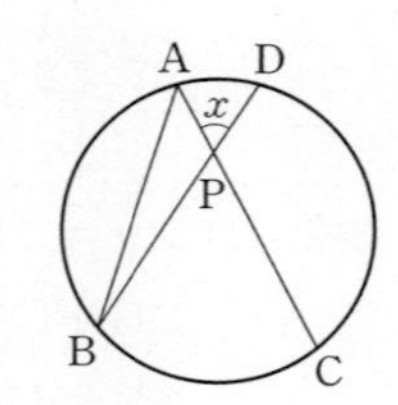

$\widehat{\mathrm{AD}}$의 길이는 원주의 $\dfrac{1}{12}$이므로

$\angle \mathrm{ABD}=180°\times\dfrac{1}{12}=15°$

이때 $\widehat{\mathrm{AD}} : \widehat{\mathrm{BC}}=1:3$이므로

$\angle \mathrm{ABD} : \angle \mathrm{BAC}=1:3$, $15° : \angle \mathrm{BAC}=1:3$

$\therefore \angle \mathrm{BAC}=45°$

$\triangle \mathrm{ABP}$에서 $\angle x=45°+15°=60°$

10-2 $\triangle \mathrm{DPB}$에서 $\angle \mathrm{DBC}=50°+30°=80°$

네 점 A, B, C, D가 한 원 위에 있으므로

$\angle x=\angle \mathrm{DBC}=80°$

$\angle y=\angle \mathrm{PDB}=30°$

$\therefore \angle x+\angle y=80°+30°=110°$

STEP 3 80쪽~82쪽

01. 34°	**02.** $11\pi\ \mathrm{cm}^2$	**03.** 115°	**04.** 10°
05. 75°	**06.** 37°	**07.** 62°	**08.** 3
09. $(15+5\sqrt{3})$ cm		**10.** 62°	**11.** 26°
12. 10 cm	**13.** 12°	**14.** 15°	**15.** 40°
16. 42°	**17.** 63°	**18.** ①, ④	**19.** 37°

01 오른쪽 그림과 같이 $\overline{\mathrm{OB}}$를 그으면

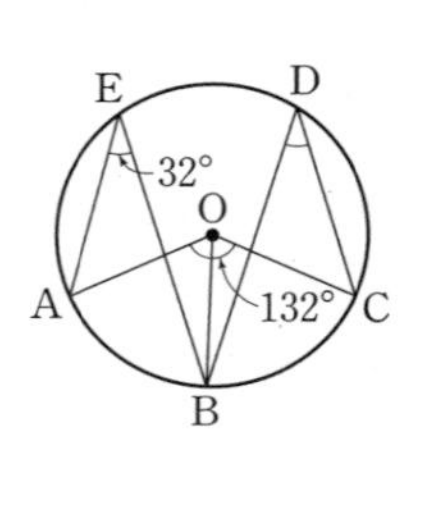

$\angle \mathrm{AOB}=2\angle \mathrm{AEB}$

$=2\times 32°=64°$

$\angle \mathrm{BOC}=132°-64°=68°$이므로

$\angle \mathrm{BDC}=\dfrac{1}{2}\angle \mathrm{BOC}$

$=\dfrac{1}{2}\times 68°=34°$

02 $\angle \mathrm{BOC}=2\angle \mathrm{BAC}=2\times 55°=110°$

$\therefore$ (색칠한 부분의 넓이)$=\pi\times 6^2\times\dfrac{110}{360}$

$=11\pi\ (\mathrm{cm}^2)$

03 $\angle \mathrm{PAO}=\angle \mathrm{PBO}=90°$이므로 □APBO에서

$\angle \mathrm{AOB}=360°-(90°+50°+90°)=130°$

이때 $\widehat{\mathrm{ADB}}$에 대한 중심각의 크기는 $360°-130°=230°$이므로 $\angle x=\dfrac{1}{2}\times 230°=115°$

04 $\angle x=\angle \mathrm{BAC}=45°$ …… [30 %]

$\triangle \mathrm{BCD}$에서

$\angle \mathrm{CBD}=180°-(20°+60°+45°)=55°$

$\therefore \angle y=\angle \mathrm{CBD}=55°$ …… [50 %]

$\therefore \angle y-\angle x=55°-45°=10°$ …… [20 %]

05 $\angle DBC=\angle DAC=20^\circ$

$\triangle ACQ$에서 $\angle ACB=20^\circ+35^\circ=55^\circ$

$\triangle PBC$에서 $\angle x=20^\circ+55^\circ=75^\circ$

06 오른쪽 그림과 같이 $\overline{AC}$를 그으면

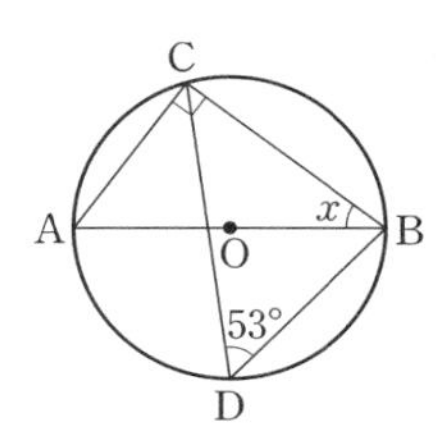

$\overline{AB}$는 원 O의 지름이므로

$\angle ACB=90^\circ$

$\angle CAB=\angle CDB=53^\circ$

$\triangle CAB$에서

$\angle x=180^\circ-(53^\circ+90^\circ)=37^\circ$

07 오른쪽 그림과 같이 $\overline{AD}$를 그으면 $\overline{AB}$는 반원 O의 지름이므로

$\angle ADB=90^\circ$

$\angle CAD=\frac{1}{2}\angle COD$

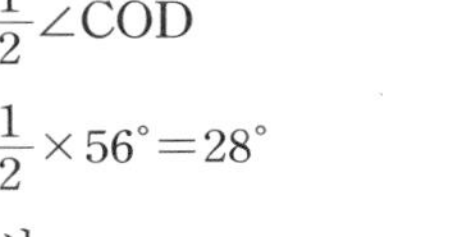

$=\frac{1}{2}\times 56^\circ=28^\circ$

$\triangle PAD$에서

$\angle x=180^\circ-(90^\circ+28^\circ)=62^\circ$

08 오른쪽 그림과 같이 원 O의 중심을 지나는 $\overline{A'C}$와 $\overline{A'B}$를 그으면

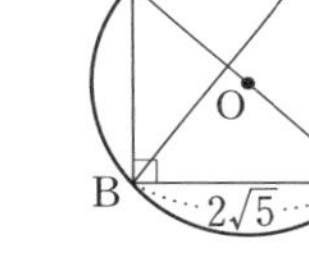

$\angle BA'C=\angle BAC$이고

$\angle A'BC=90^\circ$이므로

$\tan A=\tan A'=\frac{\overline{BC}}{\overline{A'B}}=\frac{\sqrt{5}}{2}$

$\frac{2\sqrt{5}}{\overline{A'B}}=\frac{\sqrt{5}}{2}$, $\sqrt{5}\,\overline{A'B}=4\sqrt{5}$

$\therefore \overline{A'B}=4$

$\triangle A'BC$에서 $\overline{A'C}=\sqrt{(2\sqrt{5})^2+4^2}=6$

따라서 원 O의 반지름의 길이는 3이다.

09 $\overline{AB}$는 원 O의 지름이므로 $\angle ACB=90^\circ$

이때 $\overline{AB}=2\overline{OB}=2\times 5=10$ (cm)이므로 …… [30 %]

$\triangle ABC$에서

$\overline{BC}=10\cos 30^\circ=10\times\frac{\sqrt{3}}{2}=5\sqrt{3}$ (cm) …… [30 %]

$\overline{AC}=10\sin 30^\circ=10\times\frac{1}{2}=5$ (cm) …… [30 %]

따라서 $\triangle ABC$의 둘레의 길이는

$\overline{AB}+\overline{BC}+\overline{CA}=10+5\sqrt{3}+5$

$=15+5\sqrt{3}$ (cm) …… [10 %]

10 $\overset{\frown}{AB}=\overset{\frown}{BC}$이므로

$\angle BAC=\angle ADB=28^\circ$

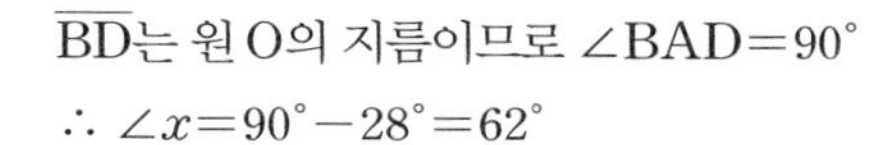

$\overline{BD}$는 원 O의 지름이므로 $\angle BAD=90^\circ$

$\therefore \angle x=90^\circ-28^\circ=62^\circ$

11 오른쪽 그림과 같이 $\overline{BD}$를 그으면

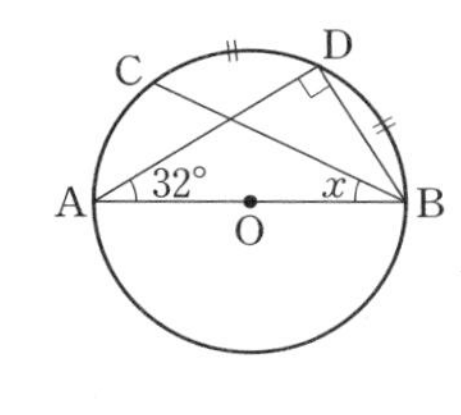

$\overline{AB}$는 원 O의 지름이므로

$\angle ADB=90^\circ$

$\overset{\frown}{CD}=\overset{\frown}{DB}$이므로

$\angle CBD=\angle DAB=32^\circ$

$\triangle DAB$에서

$32^\circ+(\angle x+32^\circ)+90^\circ=180^\circ$

$\therefore \angle x=26^\circ$

12 $\triangle ABP$에서 $\angle BAP=75^\circ-30^\circ=45^\circ$

$\angle BAC:\angle ABD=\overset{\frown}{BC}:\overset{\frown}{AD}$이므로

$45^\circ:30^\circ=15:\overset{\frown}{AD}$, $3:2=15:\overset{\frown}{AD}$

$3\overset{\frown}{AD}=30$ $\quad\therefore \overset{\frown}{AD}=10$ (cm)

13 오른쪽 그림과 같이 원 O 위의 한 점 Q를 잡아 $\overline{AQ}$, $\overline{BQ}$를 그으면

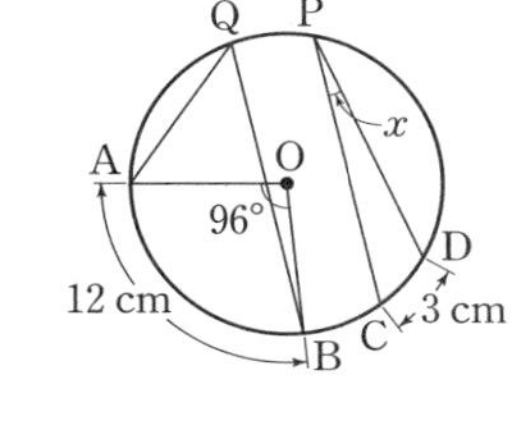

$\angle AQB=\frac{1}{2}\angle AOB$

$=\frac{1}{2}\times 96^\circ=48^\circ$

$\angle AQB:\angle CPD=\overset{\frown}{AB}:\overset{\frown}{CD}$이므로

$48^\circ:\angle x=12:3$, $48^\circ:\angle x=4:1$

$4\angle x=48^\circ$ $\quad\therefore \angle x=12^\circ$

14 $\triangle BCP$에서 $\angle ABC=\angle x+40^\circ$

$\overset{\frown}{AB}=\overset{\frown}{AC}=\overset{\frown}{CD}$이므로 $\overset{\frown}{AB}$, $\overset{\frown}{AC}$, $\overset{\frown}{CD}$에 대한 원주각의 크기는 모두 같다.

한편 모든 호에 대한 원주각의 크기의 합은 180°이므로

$\angle x+3(\angle x+40^\circ)=180^\circ$

$4\angle x=60^\circ$ $\quad\therefore \angle x=15^\circ$

15 $\overset{\frown}{AB}:\overset{\frown}{BC}:\overset{\frown}{CA}=3:2:4$이므로

$\angle ACB:\angle BAC:\angle ABC=3:2:4$

$\therefore \angle x=180^\circ\times\frac{2}{3+2+4}=180^\circ\times\frac{2}{9}=40^\circ$

16 $\overset{\frown}{AC}$의 길이는 원주의 $\frac{1}{12}$이므로

$\angle CBA=180^\circ\times\frac{1}{12}=15^\circ$

$\triangle PAB$에서 $\angle PAB=36^\circ-15^\circ=21^\circ$

$\therefore \angle DOB=2\angle DAB=2\times 21^\circ=42^\circ$

17 오른쪽 그림과 같이 $\overline{AD}$를 그으면

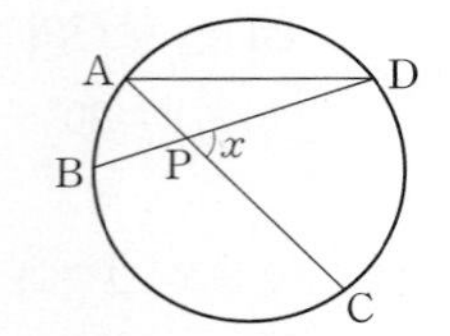

$\widehat{AB}$의 길이는 원주의 $\frac{1}{10}$이므로

$\angle ADB=180^\circ\times\frac{1}{10}=18^\circ$ …… [30 %]

이때 $\widehat{AB}:\widehat{CD}=2:5$이므로

$\angle ADB:\angle CAD=2:5$, $18^\circ:\angle CAD=2:5$

$2\angle CAD=90^\circ$ $\therefore \angle CAD=45^\circ$ …… [40 %]

$\triangle APD$에서 $\angle x=45^\circ+18^\circ=63^\circ$ …… [30 %]

18 ① $\angle BAC\neq\angle BDC$이므로 네 점 A, B, C, D는 한 원 위에 있지 않다.

② $\angle DBC=35^\circ+35^\circ=70^\circ$
$\angle DAC=\angle DBC$이므로 네 점 A, B, C, D는 한 원 위에 있다.

③ $\angle ABD=90^\circ-25^\circ=65^\circ$
$\angle ABD=\angle ACD$이므로 네 점 A, B, C, D는 한 원 위에 있다.

④ $\angle ADB=180^\circ-(40^\circ+110^\circ)=30^\circ$
$\angle ADB\neq\angle ACB$이므로 네 점 A, B, C, D는 한 원 위에 있지 않다.

⑤ $\angle BDC=180^\circ-(45^\circ+75^\circ)=60^\circ$
$\angle BAC=\angle BDC$이므로 네 점 A, B, C, D는 한 원 위에 있다.

따라서 네 점 A, B, C, D가 한 원 위에 있지 않은 것은 ①, ④이다.

19 네 점 A, B, C, D가 한 원 위에 있으므로

$\angle BDC=\angle BAC=44^\circ$

$\triangle BCD$에서

$\angle x=180^\circ-(42^\circ+57^\circ+44^\circ)=37^\circ$

2 원과 사각형

개념 확인

83쪽~84쪽

1. (1) $\angle x=75^\circ$, $\angle y=85^\circ$ (2) $\angle x=80^\circ$, $\angle y=75^\circ$

2. ㉡, ㉢, ㉣

1 (1) $105^\circ+\angle x=180^\circ$ $\therefore \angle x=75^\circ$

$95^\circ+\angle y=180^\circ$ $\therefore \angle y=85^\circ$

(2) $\angle x+100^\circ=180^\circ$ $\therefore \angle x=80^\circ$

$\angle y=\angle A=75^\circ$

2 ㉠ $\angle B+\angle D\neq180^\circ$이므로 □ABCD는 원에 내접하지 않는다.

㉡ $\angle A=\angle DCE$이므로 □ABCD는 원에 내접한다.

㉢ $\angle BAC=\angle BDC$이므로 □ABCD는 원에 내접한다.

㉣ $\angle B+\angle D=180^\circ$이므로 □ABCD는 원에 내접한다.

따라서 □ABCD가 원에 내접하는 것은 ㉡, ㉢, ㉣이다.

STEP 1

85쪽

1-1. (1) $\angle x=95^\circ$, $\angle y=115^\circ$
(2) $\angle x=80^\circ$, $\angle y=100^\circ$ 연구 180°

1-2. (1) $\angle x=60^\circ$, $\angle y=105^\circ$ (2) $\angle x=75^\circ$, $\angle y=55^\circ$

2-1. (1) $\angle x=70^\circ$, $\angle y=90^\circ$ (2) $\angle x=85^\circ$, $\angle y=85^\circ$

2-2. (1) $\angle x=103^\circ$, $\angle y=105^\circ$ (2) $\angle x=83^\circ$, $\angle y=85^\circ$

3-1. ㉡, ㉣ **3-2.** ㉠, ㉣

1-1 (1) $85^\circ+\angle x=180^\circ$ $\therefore \angle x=95^\circ$

$65^\circ+\angle y=180^\circ$ $\therefore \angle y=115^\circ$

(2) $\triangle ABD$에서 $\angle x+60^\circ+40^\circ=180^\circ$

$\therefore \angle x=80^\circ$

$80^\circ+\angle y=180^\circ$ $\therefore \angle y=100^\circ$

1-2 (1) $120^\circ+\angle x=180^\circ$ $\therefore \angle x=60^\circ$

$75^\circ+\angle y=180^\circ$ $\therefore \angle y=105^\circ$

(2) $(50^\circ+35^\circ)+(\angle y+40^\circ)=180^\circ$

$\therefore \angle y=55^\circ$

$\triangle ABC$에서 $50^\circ+\angle x+55^\circ=180^\circ$

$\therefore \angle x=75^\circ$

2-1 (1) $\angle x=\angle A=70^\circ$

$90^\circ+\angle y=180^\circ$ $\therefore \angle y=90^\circ$

(2) $\triangle ACD$에서

$50^\circ+45^\circ+\angle x=180^\circ$ $\therefore \angle x=85^\circ$

$\angle y=\angle x=85^\circ$

2-2 (1) $\angle x+77^\circ=180^\circ$ $\therefore \angle x=103^\circ$

$\angle y=\angle A=105^\circ$

(2) $\angle x=\angle DCE=83^\circ$

$95^\circ+\angle y=180^\circ$ $\therefore \angle y=85^\circ$

3-1 ㉠ $\angle ADC = 180° - 55° = 125°$
$\angle ADC \neq \angle ABE$이므로 □ABCD는 원에 내접하지 않는다.
㉡ $\angle BAC = \angle BDC$이므로 □ABCD는 원에 내접한다.
㉢ $\angle A + \angle C \neq 180°$이므로 □ABCD는 원에 내접하지 않는다.
㉣ $\angle A + \angle C = 180°$이므로 □ABCD는 원에 내접한다.
따라서 □ABCD가 원에 내접하는 것은 ㉡, ㉣이다.

3-2 ㉠ △ABC에서 $\angle B = 180° - (60° + 50°) = 70°$
$\angle B + \angle D = 180°$이므로 □ABCD는 원에 내접한다.
㉡ $\angle BAC \neq \angle BDC$이므로 □ABCD는 원에 내접하지 않는다.
㉢ $\angle D \neq \angle ABE$이므로 □ABCD는 원에 내접하지 않는다.
㉣ $\angle A + \angle C = 180°$이므로 □ABCD는 원에 내접한다.
따라서 □ABCD가 원에 내접하는 것은 ㉠, ㉣이다.

STEP 2 86쪽~88쪽

1-2. (1) $\angle x = 115°$, $\angle y = 65°$ (2) $\angle x = 69°$, $\angle y = 111°$
2-2. (1) 47° (2) 73° **3-2.** 52°
4-2. 50° **5-2.** 168°
6-2. ①, ⑤

1-2 (1) △ABC에서 $\angle x = 180° - (45° + 20°) = 115°$
□ABCD가 원에 내접하므로
$115° + \angle y = 180°$ $\therefore \angle y = 65°$
(2) △ABD에서
$\angle DAB = \angle DBA = \frac{1}{2} \times (180° - 42°) = 69°$
$\therefore \angle x = 69°$
□ABCD가 원에 내접하므로
$69° + \angle y = 180°$ $\therefore \angle y = 111°$

2-2 (1) 한 호에 대한 원주각의 크기는 같으므로
$\angle BAC = \angle BDC = 53°$
□ABCD가 원 O에 내접하므로
$\angle DAB = \angle DCE = 100°$
즉 $\angle x + 53° = 100°$ $\therefore \angle x = 47°$

(2) $\angle BAD = \frac{1}{2}\angle BOD = \frac{1}{2} \times 146° = 73°$
□ABCD가 원 O에 내접하므로
$\angle x = \angle BAD = 73°$

3-2 □ABCD가 원에 내접하므로
$\angle PBC = \angle ADC = 44°$
△QCD에서 $\angle QCP = 40° + 44° = 84°$
△BPC에서 $44° + \angle x + 84° = 180°$
$\therefore \angle x = 52°$

4-2 오른쪽 그림과 같이 $\overline{CE}$를 그으면
□ABCE가 원 O에 내접하므로
$120° + \angle AEC = 180°$
$\therefore \angle AEC = 60°$
$\angle CED = 85° - 60° = 25°$이므로
$\angle x = 2\angle CED = 2 \times 25° = 50°$

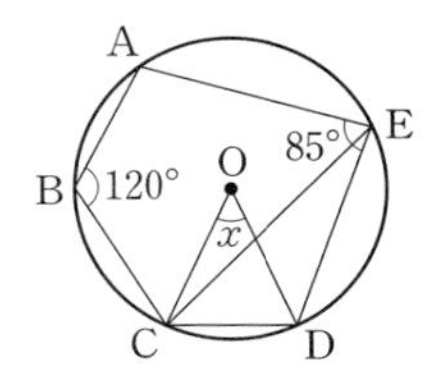

5-2 □PQCD가 원 O′에 내접하므로
$\angle PQB = \angle PDC = 96°$
□ABQP가 원 O에 내접하므로
$\angle BAP + 96° = 180°$ $\therefore \angle BAP = 84°$
$\therefore \angle x = 2\angle BAP = 2 \times 84° = 168°$

6-2 ① $\angle A + \angle C = 90° + 90° = 180°$
② $\angle BAD = 180° - 95° = 85°$이므로 $\angle BAD \neq \angle DCE$
③ $\angle B + \angle D = 85° + 85° = 170°$
④ △DBC에서 $\angle BCD = 180° - (40° + 80°) = 60°$
이므로
$\angle BAD + \angle BCD = 110° + 60° = 170°$
⑤ □ABCD는 등변사다리꼴이므로
$\angle BAD + \angle BCD = 180°$
따라서 □ABCD가 원에 내접하는 것은 ①, ⑤이다.

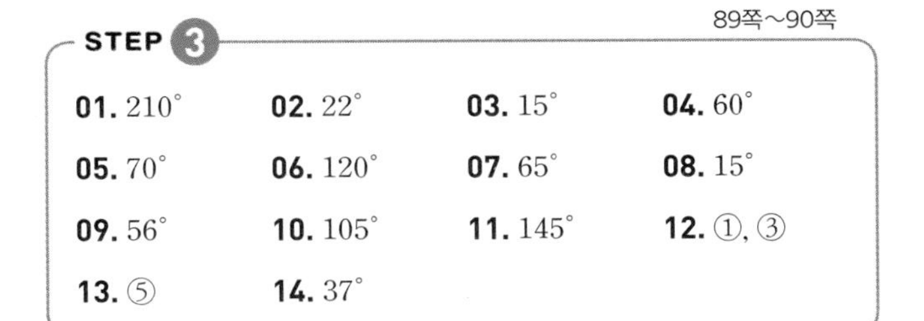

STEP 3 89쪽~90쪽

01. 210°	**02.** 22°	**03.** 15°	**04.** 60°
05. 70°	**06.** 120°	**07.** 65°	**08.** 15°
09. 56°	**10.** 105°	**11.** 145°	**12.** ①, ③
13. ⑤	**14.** 37°		

01 □ABCD가 원 O에 내접하므로
$\angle x + 110° = 180°$ $\therefore \angle x = 70°$
$\angle y = 2\angle x = 2 \times 70° = 140°$
$\therefore \angle x + \angle y = 70° + 140° = 210°$

02 $\overline{BC}$는 원 O의 지름이므로 $\angle BAC=90°$
□ABCD가 원 O에 내접하므로
$\angle ABC+112°=180°$ $\quad\therefore \angle ABC=68°$
$\triangle ABC$에서 $\angle x=180°-(90°+68°)=22°$

03 □BCDE가 원 O에 내접하므로
$85°+\angle x=180°$ $\quad\therefore \angle x=95°$ …… [40 %]
□ABCD가 원 O에 내접하므로
$\angle BAD+95°=180°$ $\quad\therefore \angle BAD=85°$ …… [20 %]
$\triangle ABF$에서 $\angle y=25°+85°=110°$ …… [20 %]
$\therefore \angle y-\angle x=110°-95°=15°$ …… [20 %]

04 □ABCD가 원 O에 내접하므로
$\angle CDP=\angle ABC=88°$
$\triangle DCP$에서 $\angle x=180°-(88°+32°)=60°$

05 $\triangle ABD$에서 $\angle BAD=180°-(45°+65°)=70°$
□ABCD가 원 O에 내접하므로
$\angle x=\angle BAD=70°$

06 $\angle BAD=\frac{1}{2}\times 240°=120°$
□ABCD가 원 O에 내접하므로
$\angle x=\angle BAD=120°$

07 □ABCE가 원 O에 내접하므로
$\angle EAB+85°=180°$ $\quad\therefore \angle EAB=95°$
$\therefore \angle BAD=95°-30°=65°$
□ABCD가 원 O에 내접하므로
$\angle DCF=\angle BAD=65°$

08 $\angle ABD=180°-(100°+48°)=32°$
한 호에 대한 원주각의 크기는 같으므로
$\angle y=\angle ABD=32°$
$\angle BDC=\angle BAC=53°$
□ABCD가 원에 내접하므로
$\angle ADC=\angle ABE=100°$
즉 $\angle x+53°=100°$ $\quad\therefore \angle x=47°$
$\therefore \angle x-\angle y=47°-32°=15°$

09 □ABCD가 원에 내접하므로
$\angle QAB=\angle DCB=\angle x$ …… [30 %]
$\triangle PBC$에서 $\angle PBQ=\angle x+23°$ …… [30 %]
$\triangle AQB$에서
$\angle x+45°+(\angle x+23°)=180°$ …… [30 %]
$2\angle x=112°$ $\quad\therefore \angle x=56°$ …… [10 %]

10 오른쪽 그림과 같이 $\overline{AC}$를 그으면
$\angle BAC=\frac{1}{2}\angle BOC$
$=\frac{1}{2}\times 60°=30°$
$\angle CAE=105°-30°=75°$
□ACDE가 원 O에 내접하므로
$75°+\angle x=180°$ $\quad\therefore \angle x=105°$

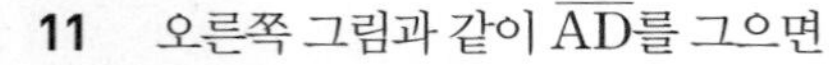

11 오른쪽 그림과 같이 $\overline{AD}$를 그으면
□ABCD가 원에 내접하므로
$115°+\angle CDA=180°$
$\therefore \angle CDA=65°$
□ADEF가 원에 내접하므로
$100°+\angle ADE=180°$
$\therefore \angle ADE=80°$
$\therefore \angle x=\angle CDA+\angle ADE=65°+80°=145°$

12 ① 오른쪽 그림에서
$\angle BAP=\angle PQC$
$=\angle CDE$
$=103°$

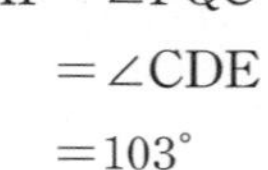

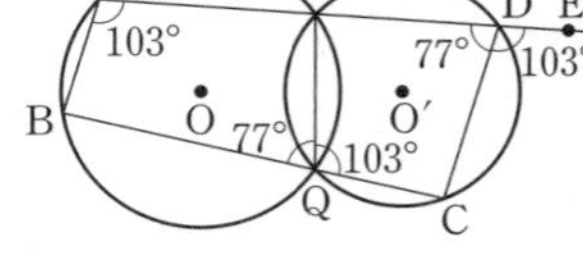

즉 동위각의 크기가 같으므로
$\overline{AB}/\!/\overline{CD}$
② $\overline{AB}/\!/\overline{PQ}$인지 알 수 없다.
③ $\angle PDC=180°-103°=77°$
④ $\angle ABQ$의 크기는 알 수 없다.
⑤ $\angle BQP=180°-103°=77°$
따라서 옳은 것은 ①, ③이다.

13 ① $\angle CAD=\angle CBD=34°$
② $\angle DCE=\angle BAD=118°$
③ $\angle DCB=\angle EDC=75°$ (엇각)
$\therefore \angle BAD+\angle DCB=105°+75°=180°$
④ $\angle ADB=180°-(90°+35°)=55°$
$\therefore \angle ACB=\angle ADB$
⑤ $\angle DAC=180°-(30°+90°)=60°$
$\triangle DPB$에서 $\angle DBC=30°+35°=65°$
$\therefore \angle DAC\neq\angle DBC$
따라서 □ABCD가 원에 내접하지 않는 것은 ⑤이다.

14 $\angle BAC=\angle BDC=68°$이므로
□ABCD는 원에 내접한다.
즉 $\angle ABC+\angle ADC=180°$이므로
$75°+(\angle x+68°)=180°$ $\quad\therefore \angle x=37°$

3 접선과 현이 이루는 각

개념 확인

91쪽

1. (1) 70° (2) 55°

1 (1) $\angle x=\angle BAT=70^\circ$
(2) $\angle x=\angle CBA=55^\circ$

STEP 1

92쪽

1-1. (1) 110° (2) 75° 연구 원주각
1-2. (1) 40° (2) 45°
2-1. 15° **2-2.** 22°
3-1. (1) 32° (2) 30° 연구 90°
3-2. (1) 46° (2) 17°

1-1 (1) $\angle x=\angle CBA=110^\circ$
(2) $\triangle BCA$에서
$\angle BCA=180^\circ-(35^\circ+70^\circ)=75^\circ$
$\therefore \angle x=\angle BCA=75^\circ$

1-2 (1) $\angle x=\angle BAT=40^\circ$
(2) $\angle CBA=\angle CAT=80^\circ$
$\triangle CAB$에서
$\angle x=180^\circ-(55^\circ+80^\circ)=45^\circ$

2-1 $\angle y=\angle BCA=72^\circ$
$\angle x=180^\circ-(51^\circ+72^\circ)=57^\circ$
$\therefore \angle y-\angle x=72^\circ-57^\circ=15^\circ$

2-2 $\angle x=\angle CAT=85^\circ$
$\triangle CAB$에서
$\angle y=180^\circ-(32^\circ+85^\circ)=63^\circ$
$\therefore \angle x-\angle y=85^\circ-63^\circ=22^\circ$

3-1 (1) $\overline{BC}$는 원 O의 지름이므로 $\angle CAB=90^\circ$
$\triangle CAB$에서
$\angle BCA=180^\circ-(90^\circ+58^\circ)=32^\circ$
$\therefore \angle x=\angle BCA=32^\circ$
(2) $\overline{BC}$는 원 O의 지름이므로 $\angle CAB=90^\circ$
$\angle BCA=\angle BAT=60^\circ$
$\triangle CAB$에서 $\angle x=180^\circ-(60^\circ+90^\circ)=30^\circ$

3-2 (1) $\overline{BC}$는 원 O의 지름이므로 $\angle CAB=90^\circ$
$\triangle CAB$에서
$\angle BCA=180^\circ-(44^\circ+90^\circ)=46^\circ$
$\therefore \angle x=\angle BCA=46^\circ$
(2) $\overline{BC}$는 원 O의 지름이므로 $\angle CAB=90^\circ$
$\angle BCA=\angle BAT=73^\circ$
$\triangle CAB$에서
$\angle x=180^\circ-(73^\circ+90^\circ)=17^\circ$

STEP 2

93쪽~95쪽

1-2. $\angle x=60^\circ$, $\angle y=40^\circ$ **2-2.** 55°
3-2. 40° **4-2.** 56°
5-2. 45° **6-2.** 57°

1-2 $\angle ACB=\frac{1}{2}\angle AOB=\frac{1}{2}\times 120^\circ=60^\circ$
$\therefore \angle x=\angle BCA=60^\circ$
$\triangle OAB$에서 $\overline{OA}=\overline{OB}$이므로
$\angle OBA=\angle OAB=\frac{1}{2}\times(180^\circ-120^\circ)=30^\circ$
$\angle CBA=\angle CAT=70^\circ$이므로
$\angle y=70^\circ-30^\circ=40^\circ$

2-2 □ABCD가 원에 내접하므로
$\angle BCD+95^\circ=180^\circ$ $\therefore \angle BCD=85^\circ$
$\triangle BCD$에서
$\angle DBC=180^\circ-(85^\circ+40^\circ)=55^\circ$
$\therefore \angle x=\angle DBC=55^\circ$

3-2 오른쪽 그림과 같이 $\overline{AC}$를 그으면 $\overline{AB}$는 원 O의 지름이므로
$\angle ACB=90^\circ$
$\triangle ACB$에서
$\angle BAC=180^\circ-(25^\circ+90^\circ)$
$=65^\circ$
$\angle ACP=\angle ABC=25^\circ$이므로
$\triangle APC$에서 $\angle x=65^\circ-25^\circ=40^\circ$

4-2 $\angle FEC=\angle FDE=62^\circ$, $\angle EFC=\angle EDF=62^\circ$이므로
$\triangle ECF$에서 $\angle ECF=180^\circ-(62^\circ+62^\circ)=56^\circ$
$\triangle ABC$에서 $\angle x=180^\circ-(68^\circ+56^\circ)=56^\circ$

5-2 원 O에서 $\angle BTQ=\angle BAT=70^\circ$
원 O′에서 $\angle CTQ=\angle CDT=\angle x$
$\therefore \angle x=180^\circ-(70^\circ+65^\circ)=45^\circ$

6-2 $\angle DCT=180^\circ-122^\circ=58^\circ$이므로
$\angle ABT=\angle ATP=\angle DCT=58^\circ$
$\triangle ABT$에서 $\angle x=180^\circ-(65^\circ+58^\circ)=57^\circ$

STEP 3 96쪽~97쪽

01. 36°	**02.** 33°	**03.** 35°	**04.** 64°
05. 30°	**06.** 60°	**07.** $\angle x=28^\circ$, $\angle y=34^\circ$	
08. 24°	**09.** 61°	**10.** $2\sqrt{6}$	**11.** 45°
12. 55°	**13.** 57°		

01 $\triangle ABC$에서 $\overline{CA}=\overline{CB}$이므로
$\angle CBA=\angle CAB=72^\circ$
$\therefore \angle BCA=180^\circ-(72^\circ+72^\circ)=36^\circ$
$\therefore \angle x=\angle BCA=36^\circ$

02 $\angle CBA=\angle CAT=57^\circ$이므로
$\angle COA=2\angle CBA=2\times 57^\circ=114^\circ$
$\triangle OCA$에서 $\overline{OC}=\overline{OA}$이므로
$\angle x=\frac{1}{2}\times(180^\circ-114^\circ)=33^\circ$

03 $\angle CBA=\angle CAT=70^\circ$
$\angle CBA : \angle BCA=\widehat{AC} : \widehat{AB}=2 : 1$이므로
$70^\circ : \angle BCA=2 : 1$, $2\angle BCA=70^\circ$
$\therefore \angle BCA=35^\circ$
$\therefore \angle x=\angle BCA=35^\circ$

04 □ABCD가 원에 내접하므로
$104^\circ+\angle DAB=180^\circ$ $\therefore \angle DAB=76^\circ$
$\triangle DAB$에서 $\angle BDA=180^\circ-(76^\circ+40^\circ)=64^\circ$
$\therefore \angle x=\angle BDA=64^\circ$

05 □ABCD가 원에 내접하므로
$72^\circ+\angle ABC=180^\circ$ $\therefore \angle ABC=108^\circ$
$\triangle APB$에서 $\angle BAP=108^\circ-66^\circ=42^\circ$
$\angle BCA=\angle BAP=42^\circ$이므로
$\triangle ABC$에서 $\angle x=180^\circ-(108^\circ+42^\circ)=30^\circ$

06 $\angle BCA=\angle BAT=30^\circ$ ...... [25 %]
$\widehat{AB}=\widehat{BC}$이므로 $\angle CAB=\angle BCA=30^\circ$ ...... [25 %]
$\triangle ABC$에서
$\angle ABC=180^\circ-(30^\circ+30^\circ)=120^\circ$ ...... [25 %]
따라서 □ABCD가 원에 내접하므로
$\angle ADC+120^\circ=180^\circ$ $\therefore \angle ADC=60^\circ$ ...... [25 %]

07 오른쪽 그림과 같이 $\overline{AB}$를 그으면 $\overline{BC}$는 원 O의 지름이므로

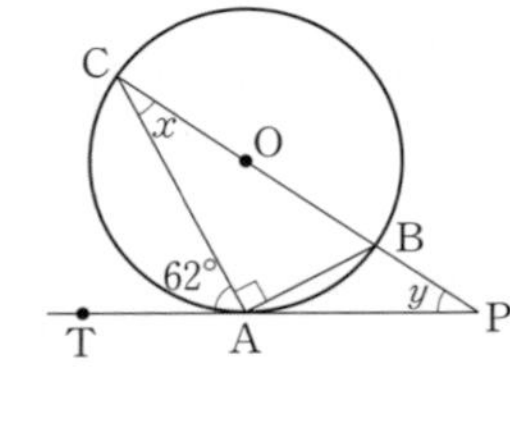

$\angle CAB=90^\circ$
$\angle CBA=\angle CAT=62^\circ$이므로
$\triangle ABC$에서
$\angle x=180^\circ-(90^\circ+62^\circ)=28^\circ$
$\angle BAP=\angle BCA=28^\circ$이므로
$\triangle APB$에서 $\angle y=62^\circ-28^\circ=34^\circ$

08 오른쪽 그림과 같이 $\overline{BD}$를 그으면 $\overline{AD}$는 원 O의 지름이므로
$\angle ABD=90^\circ$ ...... [30 %]
□ABCD가 원 O에 내접하므로
$\angle BAD+114^\circ=180^\circ$
$\therefore \angle BAD=66^\circ$ ...... [30 %]
$\triangle ABD$에서
$\angle ADB=180^\circ-(66^\circ+90^\circ)=24^\circ$
$\therefore \angle x=\angle ADB=24^\circ$ ...... [40 %]

09 $\triangle ABC$에서
$\angle ABC=180^\circ-(54^\circ+68^\circ)=58^\circ$
$\triangle BED$에서 $\overline{BE}=\overline{BD}$이므로
$\angle BED=\angle BDE=\frac{1}{2}\times(180^\circ-58^\circ)=61^\circ$
$\therefore \angle x=\angle BED=61^\circ$

10 $\overline{BC}$는 원 O의 지름이므로 $\angle CAB=90^\circ$
$\triangle CTA$와 $\triangle CAB$에서
$\angle CTA=\angle CAB=90^\circ$, $\angle CAT=\angle CBA$이므로
$\triangle CTA \backsim \triangle CAB$ (AA 닮음)
$\overline{CT} : \overline{CA}=\overline{CA} : \overline{CB}$에서 $5 : \overline{CA}=\overline{CA} : 8$
$\overline{CA}^2=40$ $\therefore \overline{CA}=2\sqrt{10}$ ($\because \overline{CA}>0$)
$\triangle CAB$에서 $\overline{AB}=\sqrt{8^2-(2\sqrt{10})^2}=\sqrt{24}=2\sqrt{6}$

11 $\triangle PBA$에서 $\overline{PA}=\overline{PB}$이므로
$\angle PAB=\angle PBA=\frac{1}{2}\times(180^\circ-40^\circ)=70^\circ$
$\angle CAB=\angle CBE=65^\circ$이므로
$\angle x=180^\circ-(70^\circ+65^\circ)=45^\circ$

12 원 O에서 $\angle ATP=\angle ABT=45^\circ$
원 O′에서 $\angle DTP=\angle DCT=80^\circ$
$\therefore \angle x=180^\circ-(45^\circ+80^\circ)=55^\circ$

13 $\angle CDT=180^\circ-112^\circ=68^\circ$이므로
$\angle BAT=\angle BTQ=\angle CDT=68^\circ$
$\triangle ABT$에서 $\angle x=180^\circ-(68^\circ+55^\circ)=57^\circ$

5. 통계

1 대푯값

개념 확인

100쪽~101쪽

1. (1) 8 (2) 17.5

2. (1) 중앙값 : 5.5, 최빈값 : 5

(2) 중앙값 : 21, 최빈값 : 22

1 (1) $(평균)=\frac{2+8+10+7+13}{5}=\frac{40}{5}=8$

(2) $(평균)=\frac{18+15+11+20+12+29}{6}=\frac{105}{6}=17.5$

2 (1) 자료를 작은 값에서부터 크기순으로 나열하면
4, 5, 5, 6, 7, 9이다.
따라서 중앙값은 $\frac{5+6}{2}=5.5$, 최빈값은 5이다.

(2) 자료를 작은 값에서부터 크기순으로 나열하면
17, 18, 20, 21, 22, 22, 29이다.
따라서 중앙값은 21, 최빈값은 22이다.

STEP 1

102쪽

1-1. (1) 5 (2) 7.5 (3) 4 연구 $\frac{n}{2}$

1-2. (1) 4 (2) 7 (3) 8.5

2-1. (1) 7 (2) 6, 9

2-2. 피자

3-1. 중앙값 : 29권, 최빈값 : 31권 연구 11, 6

3-2. 중앙값 : 15.5회, 최빈값 : 18회

1-1 (2) 자료를 작은 값에서부터 크기순으로 나열하면
3, 5, 7, 8, 8, 10이다.
따라서 중앙값은 $\frac{7+8}{2}=7.5$

(3) 자료를 작은 값에서부터 크기순으로 나열하면
1, 2, 3, 5, 8, 10이다.
따라서 중앙값은 $\frac{3+5}{2}=4$

1-2 (2) 자료를 작은 값에서부터 크기순으로 나열하면
2, 3, 7, 7, 10, 15이다.
따라서 중앙값은 $\frac{7+7}{2}=7$

(3) 자료를 작은 값에서부터 크기순으로 나열하면
5, 6, 8, 9, 10, 17이다.
따라서 중앙값은 $\frac{8+9}{2}=8.5$

2-1 (1) 가장 많이 나타나는 값은 7이므로 최빈값은 7이다.

(2) 6과 9가 3번씩 가장 많이 나타나므로 최빈값은 6과 9이다.

2-2 가장 많은 학생이 가장 좋아하는 음식은 피자이므로 최빈값은 피자이다.

3-1 자료가 11개이므로 중앙값은 자료를 작은 값에서부터 크기순으로 나열할 때, 6번째 값인 29권이다.
자료에서 31권이 3번으로 가장 많이 나타나므로 최빈값은 31권이다.

3-2 자료가 20개이고 자료를 작은 값에서부터 크기순으로 나열할 때, 10번째 자료의 값은 15회, 11번째 자료의 값은 16회이므로
$(중앙값)=\frac{15+16}{2}=15.5(회)$
자료에서 18회가 4번으로 가장 많이 나타나므로 최빈값은 18회이다.

STEP 2

103쪽~104쪽

1-2. 평균 : 940시간, 중앙값 : 1045시간, 최빈값 : 1000시간

2-2. $c<b<a$

3-2. 3

3-3. ⑤

4-2. 6

1-2 (평균)
$=\frac{1100+1080+1000+50+1200+1060+1000+1030}{8}$
$=\frac{7520}{8}=940(시간)$
자료를 작은 값에서부터 크기순으로 나열하면
50, 1000, 1000, 1030, 1060, 1080, 1100, 1200이다.
$\therefore (중앙값)=\frac{1030+1060}{2}=\frac{2090}{2}=1045(시간)$
(최빈값)=1000(시간)

2-2 $(평균)=\frac{0\times4+1\times6+2\times3+3\times2+4\times3+5\times2}{20}$
$=\frac{40}{20}=2(회)$

자료를 작은 값에서부터 크기순으로 나열할 때, 10번째 자료의 값은 1회, 11번째 자료의 값은 2회이므로

(중앙값)$=\frac{1+2}{2}=1.5$(회)

또 1회의 도수가 가장 크므로 (최빈값)$=1$(회)

따라서 $a=2$, $b=1.5$, $c=1$이므로

$c<b<a$

3-2 5개의 변량 3, 5, a, b, 8의 중앙값이 6이고 $a<b$이므로

$a=6$

6개의 변량 2, 7, 6, b, 10, 12의 중앙값이 8이므로 b의 값은 7보다 크고 10보다 작다.

따라서 6개의 변량 2, 6, 7, b, 10, 12의 중앙값이 8이므로

$\frac{7+b}{2}=8$, $7+b=16$ $\quad \therefore b=9$

$\therefore b-a=9-6=3$

3-3 ① $a=4$일 때, 즉 4, 6, 7, 7, 8, 8의 중앙값은 $\frac{7+7}{2}=7$

② $a=5$일 때, 즉 5, 6, 7, 7, 8, 8의 중앙값은 $\frac{7+7}{2}=7$

③ $a=6$일 때, 즉 6, 6, 7, 7, 8, 8의 중앙값은 $\frac{7+7}{2}=7$

④ $a=7$일 때, 즉 6, 7, 7, 7, 8, 8의 중앙값은 $\frac{7+7}{2}=7$

⑤ $a=8$일 때, 즉 6, 7, 7, 8, 8, 8의 중앙값은 $\frac{7+8}{2}=7.5$

따라서 a의 값으로 적당하지 않은 것은 ⑤이다.

4-2 x시간을 제외한 자료에서 변량 4개가 모두 다르므로 최빈값은 x시간이다.

이때 평균과 최빈값이 같으므로

$\frac{3+5+6+10+x}{5}=x$, $24+x=5x$

$4x=24$ $\quad \therefore x=6$

STEP 3 105쪽~106쪽

01. 7시간 **02.** 12 **03.** ③ **04.** 봄

05. 중앙값 : 255 mm, 최빈값 : 260 mm

06. 중앙값 : 82.5 %, 최빈값 : 84 % **07.** 8

08. ③ **09.** 6.5 **10.** 8시간 **11.** 15

12. 86점

01 (평균)$=\frac{6+8+7+9+5+8+6}{7}$

$=\frac{49}{7}=7$(시간)

02 a, b, c의 평균이 15이므로

$\frac{a+b+c}{3}=15$ $\quad \therefore a+b+c=45$

따라서 5개의 변량 7, a, b, c, 8의 평균은

$\frac{7+a+b+c+8}{5}=\frac{7+45+8}{5}=\frac{60}{5}=12$

03 각 보기의 자료를 작은 값에서부터 크기순으로 나열하여 중앙값과 최빈값을 각각 구해 보면

① 1, 2, 2, 3, 3, 3

➡ 중앙값은 $\frac{2+3}{2}=2.5$, 최빈값은 3이다.

② 2, 2, 5, 7, 8, 11

➡ 중앙값은 $\frac{5+7}{2}=6$, 최빈값은 2이다.

③ 2, 3, 5, 5, 6, 7

➡ 중앙값은 $\frac{5+5}{2}=5$, 최빈값은 5이다.

④ 2, 2, 2, 3, 4, 5, 6

➡ 중앙값은 3, 최빈값은 2이다.

⑤ 3, 4, 4, 6, 8, 8, 9

➡ 중앙값은 6, 최빈값은 4, 8이다.

따라서 중앙값과 최빈값이 서로 같은 것은 ③이다.

04 가장 많은 학생이 가장 좋아하는 계절은 봄이므로 최빈값은 봄이다.

05 자료를 작은 값에서부터 크기순으로 나열하면

120, 235, 240, 245, 245, 250, 260, 260, 260, 260, 265, 270이다.

$\therefore$ (중앙값)$=\frac{250+260}{2}=255$ (mm)

(최빈값)$=260$ (mm)

06 자료를 작은 값에서부터 크기순으로 나열할 때, 10번째 자료의 값은 82 %, 11번째 자료의 값은 83 %이므로 …… [40 %]

(중앙값)$=\frac{82+83}{2}=82.5$ (%) …… [20 %]

또한 84 %인 지역이 세 곳으로 가장 많으므로 최빈값은 84 %이다. …… [40 %]

07 주어진 꺾은선그래프를 표로 나타내면 다음과 같다.

눈의 수	1	2	3	4	5	6	합계
학생 수(명)	5	6	5	4	7	3	30

자료를 작은 값에서부터 크기순으로 나열할 때, 15번째 자료의 값은 3, 16번째 자료의 값은 3이므로

(중앙값)$=\frac{3+3}{2}=3$ $\quad\therefore a=3$

자료에서 5가 7명으로 가장 많이 나타나므로

(최빈값)$=5$ $\quad\therefore b=5$

$\therefore a+b=3+5=8$

08 ③ 평균과 중앙값은 다를 수 있다.

09 (평균)$=\frac{10+9+6+7+5+6+x+4+9+8}{10}=7$이므로

$\frac{64+x}{10}=7,\ 64+x=70$

$\therefore x=6$ …… [50 %]

자료를 작은 값에서부터 크기순으로 나열하면

4, 5, 6, 6, 6, 7, 8, 9, 9, 10이다.

$\therefore$ (중앙값)$=\frac{6+7}{2}=6.5$ …… [50 %]

10 중앙값이 8시간이므로

$\frac{7+x}{2}=8,\ 7+x=16$ $\quad\therefore x=9$

$\therefore$ (평균)$=\frac{3+5+7+9+12+12}{6}$

$=\frac{48}{6}=8$(시간)

11 x를 제외한 자료 5개의 값이 모두 다르므로 최빈값은 x이다.

이때 평균과 최빈값이 같으므로

$\frac{25+5+20+15+x+10}{6}=x$

$75+x=6x,\ 5x=75$

$\therefore x=15$

12 4번째 학생의 수학 점수를 x점이라 하면 학생 6명의 수학 점수의 중앙값이 83점이므로

$\frac{80+x}{2}=83,\ 80+x=166$ $\quad\therefore x=86$

이때 새로 추가된 학생의 수학 점수 94점은 기존의 4번째 학생의 수학 점수보다 크므로 학생 7명의 수학 점수의 중앙값은 기존의 4번째 학생의 수학 점수인 86점이다.

참고

학생 6명의 수학 점수를 작은 값에서부터 크기순으로 나열할 때, 중앙값은 3번째 학생의 수학 점수와 4번째 학생의 수학 점수의 평균이다.

2 산포도

개념 확인 107쪽~108쪽

1. ㉠ 0 ㉡ 1 ㉢ 0

2. $x=-5$, 표준편차 : $\sqrt{9.2}$점

1 (평균)$=\frac{24}{6}=4$(개)

(편차)=(변량)−(평균)이므로

㉠$=4-4=0$

㉡$=5-4=1$

㉢은 편차의 총합이므로 0이다.

2 편차의 총합은 0이므로

$-1+2+x+0+4=0$에서

$5+x=0$ $\quad\therefore x=-5$

(분산)$=\frac{(-1)^2+2^2+(-5)^2+0^2+4^2}{5}$

$=\frac{46}{5}=9.2$

$\therefore$ (표준편차)$=\sqrt{9.2}$(점)

STEP 1 109쪽

1-1. -3 연구 0 **1-2.** -2

2-1. $\sqrt{6}$회 연구 분산 **2-2.** $x=-1$, 표준편차 : $\sqrt{2}$점

3-1. 18.8 **3-2.** 54

1-1 편차의 총합은 0이므로

$-2+4+(-1)+2+x=0$에서

$3+x=0$ $\quad\therefore x=-3$

1-2 편차의 총합은 0이므로

$x+(-3)+5+4+(-4)=0$에서

$x+2=0$ $\quad\therefore x=-2$

2-1 (분산)$=\frac{4^2+(-2)^2+1^2+0^2+(-3)^2}{5}$

$=\frac{30}{5}=6$

$\therefore$ (표준편차)$=\sqrt{6}$(회)

2-2 편차의 총합은 0이므로

$2+0+x+(-2)+1=0$에서

$x+1=0 \quad \therefore x=-1$

$(\text{분산})=\frac{2^2+0^2+(-1)^2+(-2)^2+1^2}{5}=\frac{10}{5}=2$

$\therefore$ (표준편차)$=\sqrt{2}$(점)

3-1 $(\text{평균})=\frac{15+17+7+10+6}{5}=\frac{55}{5}=11(\text{분})$

$(\text{분산})=\frac{4^2+6^2+(-4)^2+(-1)^2+(-5)^2}{5}$

$=\frac{94}{5}=18.8$

3-2 $(\text{평균})=\frac{65+85+80+70+70}{5}=\frac{370}{5}=74(\text{점})$

편차는 각각 $-9, 11, 6, -4, -4$이므로

$(\text{분산})=\frac{(-9)^2+11^2+6^2+(-4)^2+(-4)^2}{5}$

$=\frac{270}{5}=54$

STEP 2 110쪽~113쪽

1-2. 70점	**2-2.** 8
2-3. $\sqrt{3}$회	**3-2.** $\sqrt{7}$초
3-3. 2	**4-2.** $\sqrt{7}$점
5-2. 70	**6-2.** 평균 : 26, 표준편차 : 10
7-2. $\sqrt{4.6}$초	**8-2.** ②

1-2 편차의 총합은 0이므로

$2+(-5)+1+x+(-3)=0$에서

$x-5=0 \quad \therefore x=5$

따라서 학생 D의 수학 성적은

$65+5=70$(점)

2-2 편차의 총합은 0이므로 학생 D의 오래 매달리기 기록의 편차를 x초라 하면

$1+(-1)+5+x+(-3)=0$에서

$x+2=0 \quad \therefore x=-2$

$\therefore (\text{분산})=\frac{1^2+(-1)^2+5^2+(-2)^2+(-3)^2}{5}=\frac{40}{5}=8$

2-3 $(\text{분산})=\frac{(-3)^2+2^2+(-1)^2+0^2+2^2+0^2}{6}$

$=\frac{18}{6}=3$

$\therefore$ (표준편차)$=\sqrt{3}$(회)

3-2 $(\text{평균})=\frac{22+23+29+23+25+28}{6}=\frac{150}{6}=25(\text{초})$

편차는 각각 $-3, -2, 4, -2, 0, 3$이므로

$(\text{분산})=\frac{(-3)^2+(-2)^2+4^2+(-2)^2+0^2+3^2}{6}$

$=\frac{42}{6}=7$

$\therefore$ (표준편차)$=\sqrt{7}$(초)

3-3 주어진 변량의 평균이 8이므로

$\frac{6+7+x+8+10}{5}=8$

$x+31=40 \quad \therefore x=9$

편차는 각각 $-2, -1, 1, 0, 2$이므로

$(\text{분산})=\frac{(-2)^2+(-1)^2+1^2+0^2+2^2}{5}$

$=\frac{10}{5}=2$

4-2 도수의 총합이 10명이므로

$1+2+3+2+1+y=10 \quad \therefore y=1$

편차의 총합은 0이므로

$(-4)\times1+(-2)\times2+(-1)\times3+1\times2+x\times1+5\times1=0$

$x-4=0 \quad \therefore x=4$

(분산)

$=\frac{(-4)^2\times1+(-2)^2\times2+(-1)^2\times3+1^2\times2+4^2\times1+5^2\times1}{10}$

$=\frac{70}{10}=7$

$\therefore$ (표준편차)$=\sqrt{7}$(점)

5-2 평균이 5이므로 $\frac{1+4+8+a+b}{5}=5$에서

$13+a+b=25$

$\therefore a+b=12$ ······ ㉠

편차는 각각 $-4, -1, 3, a-5, b-5$이고 분산이 6이므로

$\frac{(-4)^2+(-1)^2+3^2+(a-5)^2+(b-5)^2}{5}=6$에서

$16+1+9+a^2-10a+25+b^2-10b+25=30$

$a^2+b^2-10(a+b)+46=0$ ······ ㉡

㉠을 ㉡에 대입하면

$a^2+b^2-10\times12+46=0 \quad \therefore a^2+b^2=74$

이때 $(a+b)^2=a^2+2ab+b^2$에서

$12^2=74+2ab \quad \therefore 2ab=70$

6-2 a, b, c의 평균이 13이고 표준편차가 5이므로

$\frac{a+b+c}{3}=13, \frac{(a-13)^2+(b-13)^2+(c-13)^2}{3}=5^2$

$2a$, $2b$, $2c$에 대하여

(평균)$=\dfrac{2a+2b+2c}{3}=\dfrac{2(a+b+c)}{3}=2\times13=26$

(분산)$=\dfrac{(2a-26)^2+(2b-26)^2+(2c-26)^2}{3}$

$=\dfrac{\{2(a-13)\}^2+\{2(b-13)\}^2+\{2(c-13)\}^2}{3}$

$=\dfrac{2^2\{(a-13)^2+(b-13)^2+(c-13)^2\}}{3}$

$=4\times25=100$

$\therefore$ (표준편차)$=\sqrt{100}=10$

7-2 A, B 두 모둠의 평균이 같으므로 A, B 두 모둠 전체의 평균도 18초이다.

(A 모둠의 분산)$=\dfrac{\{\text{A 모둠의 (편차)}^2\text{의 총합}\}}{10}=2^2$이므로

{A 모둠의 (편차)^{2}의 총합}$=4\times10=40$

(B 모둠의 분산)$=\dfrac{\{\text{B 모둠의 (편차)}^2\text{의 총합}\}}{15}=(\sqrt{5})^2$이므로

{B 모둠의 (편차)^{2}의 총합}$=5\times15=75$

따라서 A, B 두 모둠 전체 학생의 100 m 달리기 기록의 분산은 $\dfrac{40+75}{10+15}=\dfrac{115}{25}=4.6$

$\therefore$ (표준편차)$=\sqrt{4.6}$(초)

8-2 ① 두 반의 1등의 성적은 알 수 없다.

②, ③, ④ A반의 표준편차가 B반의 표준편차보다 작으므로 A반의 성적이 B반의 성적보다 더 고르다.

⑤ A반의 표준편차가 B반의 표준편차보다 작으므로 A반의 성적이 B반의 성적보다 평균에 더 가까이 모여 있다.

STEP 3 114쪽~115쪽

01. 63점	**02.** $\sqrt{18.5}$ cm	**03.** ⑤	**04.** 2
05. ④	**06.** $\sqrt{12.5}$	**07.** 290	
08. 평균 : 3, 표준편차 : 5		**09.** ③	**10.** 3.4
11. 원재	**12.** ②, ③		

01 편차의 총합은 0이므로

$-5+4+(-4)+x+2=0$에서

$x-3=0$ $\quad\therefore x=3$

따라서 학생 D의 국어 성적은 $60+3=63$(점)

02 편차의 총합은 0이므로 학생 B의 제자리멀리뛰기 기록의 편차를 x cm라 하면

$3+x+(-6)+5=0$에서

$x+2=0$ $\quad\therefore x=-2$ ...... [30 %]

(분산)$=\dfrac{3^2+(-2)^2+(-6)^2+5^2}{4}$

$=\dfrac{74}{4}=18.5$ ...... [40 %]

$\therefore$ (표준편차)$=\sqrt{18.5}$ (cm) ...... [30 %]

03 편차의 총합은 0이므로 정은이의 수학 성적의 편차를 x점이라 하면

$5+0+x+(-4)+(-2)=0$에서

$x-1=0$ $\quad\therefore x=1$

① (분산)$=\dfrac{5^2+0^2+1^2+(-4)^2+(-2)^2}{5}$

$=\dfrac{46}{5}=9.2$

$\therefore$ (표준편차)$=\sqrt{9.2}$(점)

② 수학 성적이 가장 낮은 학생은 편차가 가장 작은 동현이다.

③ 현서의 수학 성적의 편차가 0이므로 현서의 수학 성적은 평균과 같다.

④ 평균보다 수학 성적이 높은 학생은 편차가 양수인 성준, 정은의 2명이다.

⑤ 성준이와 수연이의 수학 성적의 차는

$5-(-2)=7$(점)

04 (평균)$=\dfrac{9+6+7+8+5}{5}=\dfrac{35}{5}=7$(점)

편차는 각각 2, -1, 0, 1, -2이므로

(분산)$=\dfrac{2^2+(-1)^2+0^2+1^2+(-2)^2}{5}=\dfrac{10}{5}=2$

05 ① 자료 전체의 특징을 대표적으로 나타내는 값을 대푯값이라 한다.

② 편차는 어떤 자료의 각 변량에서 그 자료의 평균을 뺀 값을 말한다.

③, ⑤ 산포도에는 분산, 표준편차 등이 있다.

06 평균이 8이므로

$\dfrac{3+4+9+6+x+y+8+10}{8}=8$

$40+x+y=64$ $\quad\therefore x+y=24$

이때 최빈값이 9이므로 x, y의 값 중 하나가 9이다.

그런데 $x<y$이므로 $x=9$, $y=15$

편차가 각각 -5, -4, 1, -2, 1, 7, 0, 2이므로

(분산)$=\dfrac{(-5)^2+(-4)^2+1^2+(-2)^2+1^2+7^2+0^2+2^2}{8}$

$=\dfrac{100}{8}=12.5$

$\therefore$ (표준편차)$=\sqrt{12.5}$

07 평균이 8이므로

$\frac{a+8+b+5+11}{5}=8$에서

$a+b+24=40$

$\therefore a+b=16$ …… ㉠ …… [30 %]

편차는 각각 $a-8, 0, b-8, -3, 3$이고 표준편차가 6이므로

$\frac{(a-8)^2+0^2+(b-8)^2+(-3)^2+3^2}{5}=6^2$에서

$a^2-16a+64+b^2-16b+64+9+9=180$

$\therefore a^2+b^2-16(a+b)-34=0$ …… ㉡ …… [40 %]

㉠을 ㉡에 대입하면

$a^2+b^2-16\times16-34=0$

$\therefore a^2+b^2=290$ …… [30 %]

08 a, b, c의 평균이 4이고 표준편차가 5이므로

$\frac{a+b+c}{3}=4$, $\frac{(a-4)^2+(b-4)^2+(c-4)^2}{3}=5^2$

$a-1, b-1, c-1$에 대하여

(평균)$=\frac{(a-1)+(b-1)+(c-1)}{3}=\frac{a+b+c}{3}-1$

$=4-1=3$

(분산)$=\frac{\{(a-1)-3\}^2+\{(b-1)-3\}^2+\{(c-1)-3\}^2}{3}$

$=\frac{(a-4)^2+(b-4)^2+(c-4)^2}{3}=25$

$\therefore$ (표준편차)$=\sqrt{25}=5$

09 ①~⑤의 평균은 모두 3으로 같다.

이때 표준편차는 자료가 평균을 중심으로 흩어진 정도를 나타내므로 표준편차가 작다는 것은 평균에 가까이 모여 있다는 것이다.

따라서 주어진 자료들 중에서 표준편차가 가장 작은 것은 ③이다.

10 1반과 2반의 평균이 같으므로 1반과 2반 전체의 평균도 5회이다.

(1반의 분산)$=\frac{\{1반의\ (편차)^2의\ 총합\}}{32}=2$이므로

{1반의 (편차)^{2}의 총합} $=2\times32=64$

(2반의 분산)$=\frac{\{2반의\ (편차)^2의\ 총합\}}{28}=5$이므로

{2반의 (편차)^{2}의 총합} $=5\times28=140$

따라서 1반과 2반 전체 학생의 라디오 청취 횟수의 분산은

$\frac{64+140}{32+28}=\frac{204}{60}=3.4$

11 '불규칙하다.'라는 것은 '고르지 않다.'는 뜻이므로 등교하는 데 걸린 시간이 가장 불규칙한 학생은 표준편차가 가장 큰 원재이다.

12 ①, ② 사회 성적의 평균이 과학 성적의 평균보다 높으므로 사회 성적이 과학 성적보다 더 좋다.

③, ④ 과학 성적의 표준편차가 사회 성적의 표준편차보다 작으므로 과학 성적이 사회 성적보다 더 고르다.

⑤ 과학 성적의 표준편차가 사회 성적의 표준편차보다 작으므로 과학 성적이 사회 성적보다 평균에 더 가까이 모여 있다.

3 산점도와 상관관계

개념 확인

116쪽~117쪽

1.

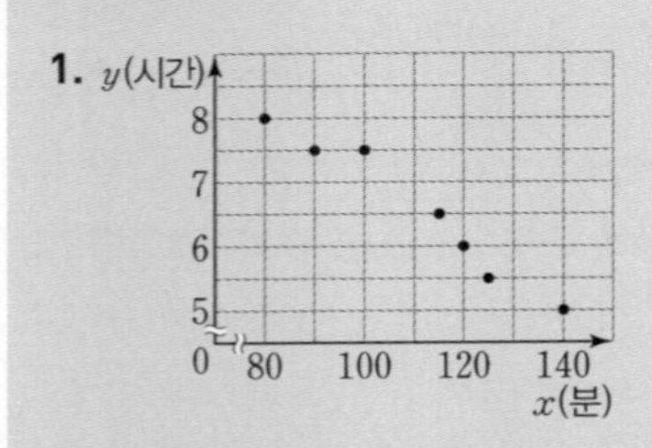

2. (1) 음의 상관관계 (2) 양의 상관관계 (3) 상관관계가 없다.

STEP 1

118쪽

1-1. (1)

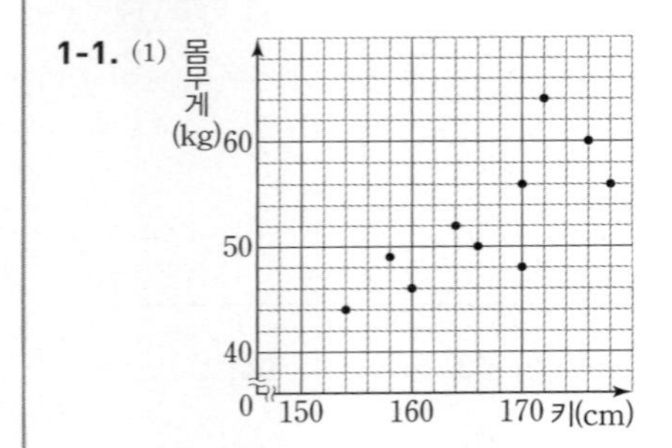

(2) 양의 상관관계

1-2.

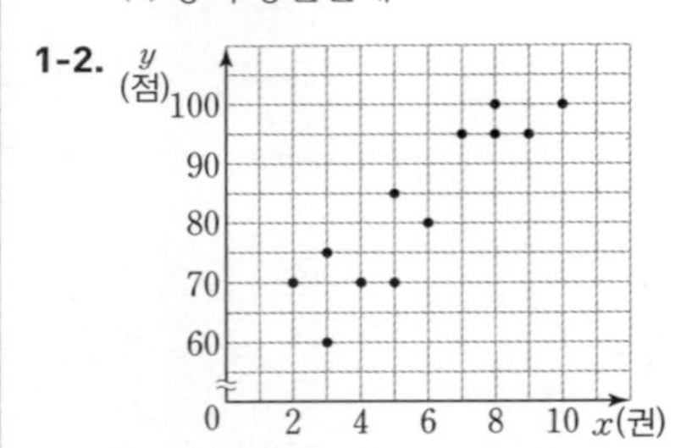

양의 상관관계

2-1. (1) 없다. (2) 음 (3) 양

연구 (1) 증가 (2) 감소 (3) 없다

2-2. (1) 음 (2) 양 (3) 음 (4) 없다.

1-1 (2) 키가 클수록 몸무게가 대체로 많이 나가는 경향이 있으므로 양의 상관관계가 있다.

1-2 1년 동안 읽은 책의 권수가 많을수록 국어 성적이 대체로 높아지는 경향이 있으므로 양의 상관관계가 있다.

119쪽~121쪽

1-2. 37.5 %	**2-2.** 6명
3-2. 35 %	**4-2.** (1) 25 % (2) 3명
5-2. ⑤	**6-2.** ③

1-2 2학기에 성적이 향상된 학생은 오른쪽 산점도에서 대각선 위쪽의 점을 나타내므로 6명이다.

$\therefore \frac{6}{16} \times 100 = 37.5\ (\%)$

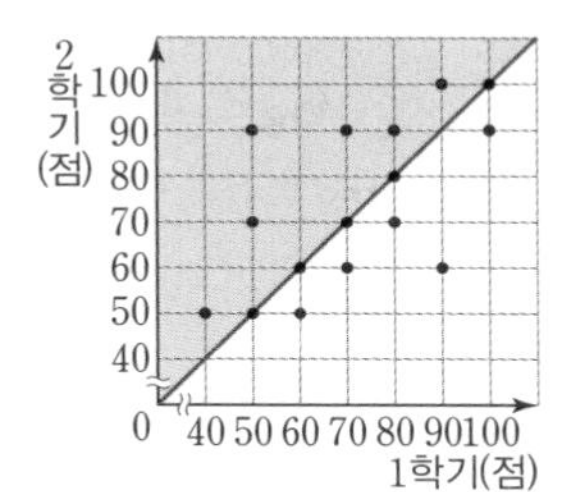

2-2 1, 2차에 걸친 영어 듣기 평가 성적이 모두 6점 이하인 학생은 오른쪽 산점도에서 경계선을 포함한 색칠한 부분에 속하는 점을 나타내므로 6명이다.

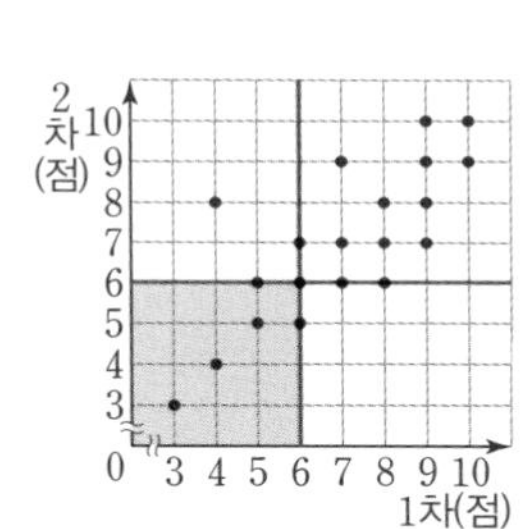

3-2 두 성적의 평균이 75점 이상인 학생은 두 성적의 총점이 150점 이상이므로 오른쪽 산점도에서 경계선을 포함한 색칠한 부분에 속하는 점을 나타낸다.
즉 학생 수는 7명이므로

$\frac{7}{20} \times 100 = 35\ (\%)$

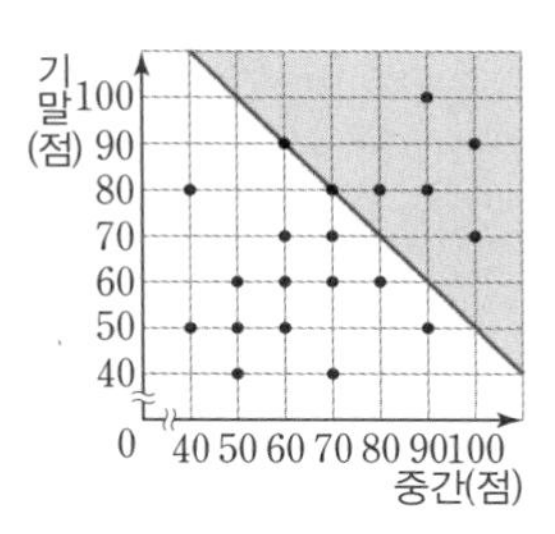

4-2 (1) 1차보다 2차의 점수가 높은 선수는 오른쪽 산점도에서 대각선 위쪽의 점을 나타내므로 4명이다.

$\therefore \frac{4}{16} \times 100 = 25\ (\%)$

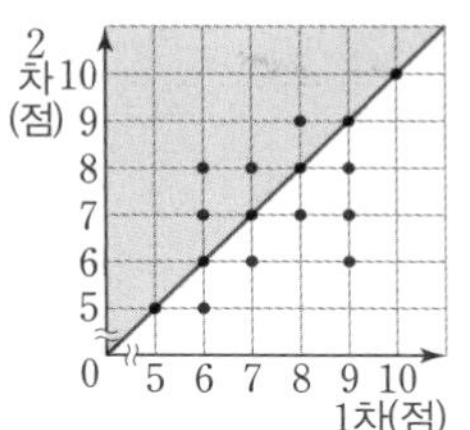
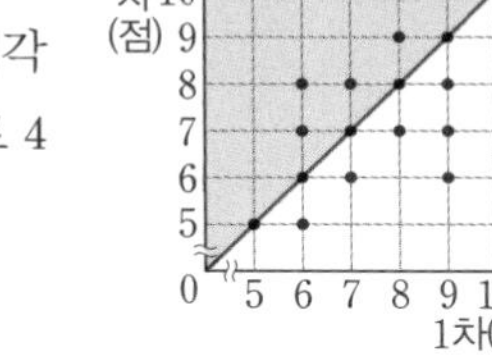

(2) 1차 점수와 2차 점수가 2점 이상 차이나는 학생은 오른쪽 산점도에서 경계선을 포함한 색칠한 부분에 속하는 점을 나타내므로 3명이다.

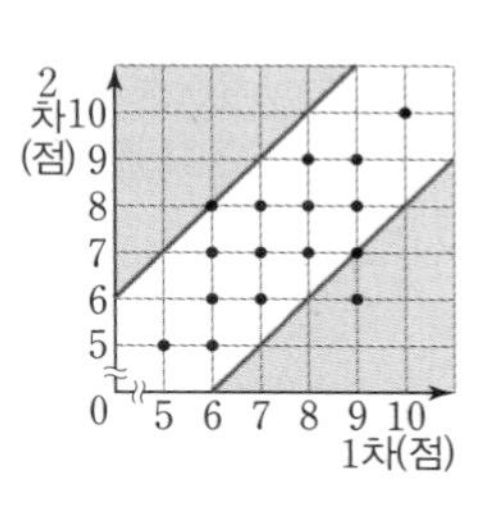

5-2 ①, ②, ③, ④ 양의 상관관계
⑤ 음의 상관관계
따라서 두 변량 사이의 상관관계가 나머지 넷과 다른 하나는 ⑤이다.

6-2 ③ A는 B보다 성적 변화가 크다.
따라서 옳지 않은 것은 ③이다.

STEP 3

122쪽~123쪽

01. (1) 6개 (2) 7개	**02.** 20 %	
03. (1) 7명 (2) 38점	**04.** ②	**05.** ④
06. ③, ④	**07.** ⑤	**08.** ④

01 (1) 먼지가 환경 기준치를 초과한 날의 수가 3월과 4월이 같은 도시는 오른쪽 산점도에서 대각선 위의 점을 나타내므로 6개이다.

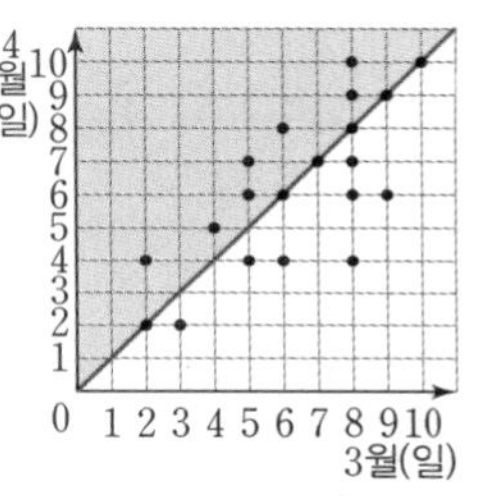

(2) 먼지가 환경 기준치를 초과한 날의 수가 3월보다 4월이 더 많은 도시는 위 산점도에서 대각선 위쪽의 점을 나타내므로 7개이다.

02 영어 듣기와 말하기의 수행평가 점수가 모두 7점 이상인 학생은 오른쪽 산점도에서 경계선을 포함한 색칠한 부분에 속하는 점을 나타내므로 4명이다. …… [60 %]

$\therefore \frac{4}{20} \times 100 = 20\ (\%)$ …… [40 %]

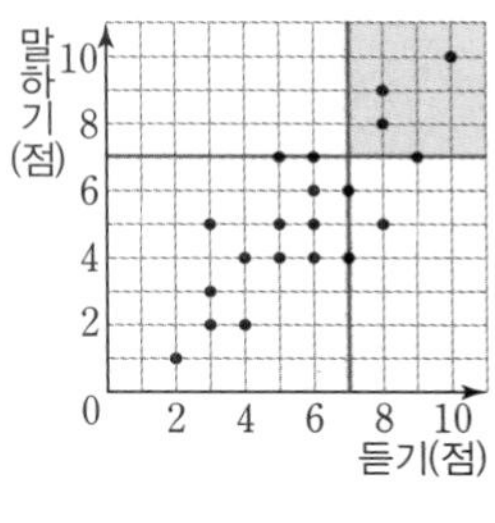

03 (1) 지필평가 점수와 수행평가 점수의 차가 10점 이상인 학생은 오른쪽 산점도에서 경계선을 포함한 색칠한 부분에 속하는 점을 나타내므로 7명이다.

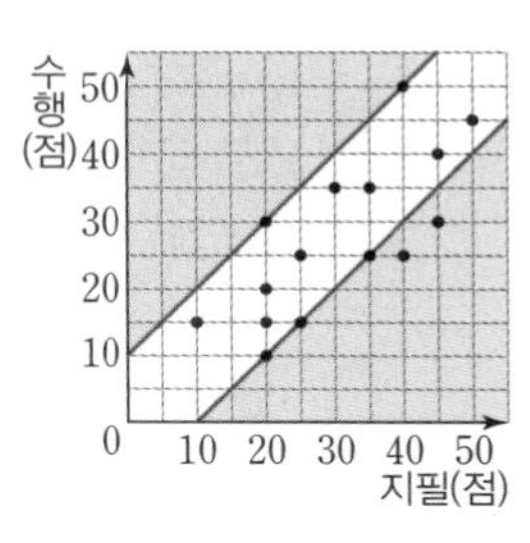

(2) 지필평가 점수가 40점 이상인 학생들의 수행평가 점수는 차례로 25점, 50점, 30점, 40점, 45점이므로

(평균)$=\frac{25+50+30+40+45}{5}=\frac{190}{5}=38$(점)

04 ② 영어 성적이 80점인 학생들의 수학 성적은 차례로 60점, 70점, 80점, 90점, 100점이므로

(평균)$=\frac{60+70+80+90+100}{5}=80$(점)

③ 수학 성적이 영어 성적보다 높은 학생은 오른쪽 산점도에서 대각선 아래쪽의 점을 나타내므로 8명이다.

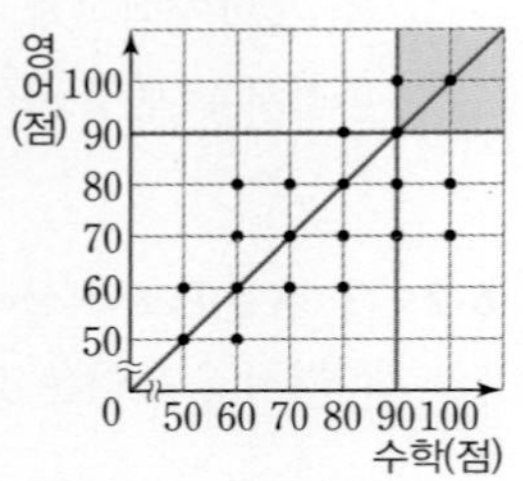

④ 수학 성적과 영어 성적이 같은 학생은 오른쪽 산점도에서 대각선 위의 점을 나타내므로 6명이다.

⑤ 수학 성적과 영어 성적이 모두 90점 이상인 학생은 위 산점도에서 경계선을 포함한 색칠한 부분에 속하는 점을 나타내므로 3명이다.

따라서 옳지 않은 것은 ②이다.

06 주어진 산점도는 음의 상관관계를 나타내므로 두 변량 사이에 음의 상관관계가 있는 것을 찾으면 ③, ④이다.

①, ② 양의 상관관계

⑤ 상관관계가 없다.

07 ① E는 시험 성적 변화가 크지 않다.

② B는 A보다 1차 시험 성적이 높다.

③ D는 2차 시험 성적이 낮은 편이다.

④ C는 1차 시험 성적은 낮은 편이고, 2차 시험 성적은 높은 편이다.

따라서 옳은 것은 ⑤이다.

08 ㉡ A, B, C, D 중 용돈에 비하여 저축을 가장 많이 하는 학생은 B이다.

따라서 옳은 것은 ㉠, ㉢, ㉣이다.

단원 종합 문제

1쪽~4쪽

❶ 삼각비 ~ ❷ 삼각비의 활용

01. ④ **02.** $4\sqrt{2}$ **03.** ② **04.** $\frac{7}{5}$ **05.** $\frac{\sqrt{2}}{3}$

06. $\frac{2\sqrt{5}}{5}$ **07.** $\frac{\sqrt{2}}{3}$ **08.** ③ **09.** ⑤ **10.** $\frac{8\sqrt{3}}{3}$

11. 1 **12.** ②, ⑤ **13.** 1.2819 **14.** ④ **15.** 10.1 m

16. $10\sqrt{21}$ m **17.** $(2\sqrt{3}+6)$ cm **18.** ②

19. $5(\sqrt{3}+1)$ m **20.** 10 cm **21.** 135°

22. $56\sqrt{3}$ cm² **23.** $16\sqrt{3}$ **24.** $50\sqrt{2}$ cm²

25. ② **26.** 30°

01 $\overline{AC}=\sqrt{10^2-8^2}=6$

① $\sin A=\frac{8}{10}=\frac{4}{5}$ ② $\cos A=\frac{6}{10}=\frac{3}{5}$

③ $\cos B=\frac{8}{10}=\frac{4}{5}$ ④ $\sin B=\frac{6}{10}=\frac{3}{5}$

⑤ $\tan B=\frac{6}{8}=\frac{3}{4}$

02 $\sin B=\frac{\overline{AC}}{6}$이므로 $\frac{1}{3}=\frac{\overline{AC}}{6}$

$3\overline{AC}=6$ $\therefore \overline{AC}=2$

$\therefore \overline{BC}=\sqrt{6^2-2^2}=4\sqrt{2}$

03 $\tan A=\frac{12}{5}$이므로 오른쪽 그림과 같이 $\angle B=90°$, $\overline{AB}=5$, $\overline{BC}=12$인 직각삼각형 ABC를 생각하면

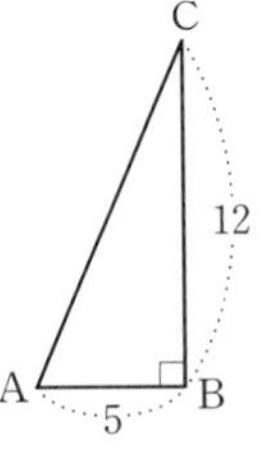

$\overline{AC}=\sqrt{5^2+12^2}=13$

따라서 $\sin A=\frac{12}{13}$, $\cos A=\frac{5}{13}$이므로

$\sin A-\cos A=\frac{12}{13}-\frac{5}{13}=\frac{7}{13}$

04 $\triangle ABC \backsim \triangle AED$ (AA 닮음)이므로

$\angle AED=\angle ABC=x$

$\triangle ADE$에서 $\overline{AD}=\sqrt{5^2-3^2}=4$

$\sin x=\sin(\angle AED)=\frac{\overline{AD}}{\overline{AE}}=\frac{4}{5}$

$\cos x=\cos(\angle AED)=\frac{\overline{DE}}{\overline{AE}}=\frac{3}{5}$

$\therefore \sin x+\cos x=\frac{4}{5}+\frac{3}{5}=\frac{7}{5}$

05 $\triangle ABH \backsim \triangle CAH$ (AA 닮음)이므로

$\angle ACH=\angle BAH=x$, $\angle ABH=\angle CAH=y$ …… [20 %]

$\triangle ABC$에서

$\overline{AB}=\sqrt{6^2-(2\sqrt{3})^2}=2\sqrt{6}$ (cm) …… [20 %]

$\sin x=\sin C=\frac{\overline{AB}}{\overline{BC}}=\frac{2\sqrt{6}}{6}=\frac{\sqrt{6}}{3}$

$\sin y=\sin B=\frac{\overline{AC}}{\overline{BC}}=\frac{2\sqrt{3}}{6}=\frac{\sqrt{3}}{3}$ …… [40 %]

$\therefore \sin x\times\sin y=\frac{\sqrt{6}}{3}\times\frac{\sqrt{3}}{3}=\frac{\sqrt{2}}{3}$ …… [20 %]

06 $2x-y+6=0$에 $y=0$을 대입하면

$2x+6=0$, $2x=-6$ $\therefore x=-3$

$\therefore A(-3, 0)$

$2x-y+6=0$에 $x=0$을 대입하면

$-y+6=0$ $\therefore y=6$

$\therefore B(0, 6)$

$\triangle AOB$에서 $\overline{AB}=\sqrt{3^2+6^2}=3\sqrt{5}$

$\therefore \sin a=\frac{\overline{BO}}{\overline{AB}}=\frac{6}{3\sqrt{5}}=\frac{2\sqrt{5}}{5}$

07 $\overline{EG}=\sqrt{1^2+1^2}=\sqrt{2}$, $\overline{AG}=\sqrt{(\sqrt{2})^2+1^2}=\sqrt{3}$이므로

$\sin x=\frac{\overline{AE}}{\overline{AG}}=\frac{1}{\sqrt{3}}=\frac{\sqrt{3}}{3}$

$\cos x=\frac{\overline{EG}}{\overline{AG}}=\frac{\sqrt{2}}{\sqrt{3}}=\frac{\sqrt{6}}{3}$

$\therefore \sin x\times\cos x=\frac{\sqrt{3}}{3}\times\frac{\sqrt{6}}{3}=\frac{\sqrt{2}}{3}$

08 ① $\sin 30°+\cos 60°=\frac{1}{2}+\frac{1}{2}=1$

② $\sin 60°-\tan 30°=\frac{\sqrt{3}}{2}-\frac{\sqrt{3}}{3}=\frac{\sqrt{3}}{6}$

③ $\tan 45°\times\sin 60°=1\times\frac{\sqrt{3}}{2}=\frac{\sqrt{3}}{2}$

④ $\sin 45°\div\cos 45°=\frac{\sqrt{2}}{2}\div\frac{\sqrt{2}}{2}=\frac{\sqrt{2}}{2}\times\frac{2}{\sqrt{2}}=1$

⑤ $\sin 30°\times\tan 60°\div\cos 30°=\frac{1}{2}\times\sqrt{3}\div\frac{\sqrt{3}}{2}$

$=\frac{1}{2}\times\sqrt{3}\times\frac{2}{\sqrt{3}}=1$

09 $\cos 60°=\frac{1}{2}$이므로

$2x+10°=60°$, $2x=50°$ $\therefore x=25°$

10 $\triangle BCD$에서 $\sin 45°=\frac{\overline{BC}}{4\sqrt{2}}$이므로

$\frac{\sqrt{2}}{2}=\frac{\overline{BC}}{4\sqrt{2}}$, $2\overline{BC}=8$

$\therefore \overline{BC}=4$ …… [50 %]

$\triangle ABC$에서 $\sin 60° = \frac{4}{\overline{AC}}$이므로

$\frac{\sqrt{3}}{2} = \frac{4}{\overline{AC}}$, $\sqrt{3}\,\overline{AC} = 8$

$\therefore \overline{AC} = \frac{8\sqrt{3}}{3}$ …… [50 %]

11 (주어진 식)$=1\times\frac{1}{2}+1\times\frac{1}{2}=\frac{1}{2}+\frac{1}{2}=1$

12 ② $0° \le A \le 90°$일 때 A의 값이 증가하면 $\cos A$의 값은 감소하므로 $\cos 30° > \cos 75°$

⑤ $\sin 45° = \frac{\sqrt{2}}{2}$, $\cos 45° = \frac{\sqrt{2}}{2}$이므로 $\sin 45° = \cos 45°$

13 $\sin 71° = 0.9455$이므로 $x = 71°$

$\tan 73° = 3.2709$이므로 $y = 73°$

$\therefore \cos x + \sin y = \cos 71° + \sin 73°$

$= 0.3256 + 0.9563 = 1.2819$

14 $\overline{AB} = 10\sin 23° = 10\times 0.39 = 3.9$

$\overline{BC} = 10\cos 23° = 10\times 0.92 = 9.2$

$\therefore$ ($\triangle ABC$의 둘레의 길이)$=\overline{AB}+\overline{BC}+\overline{CA}$

$= 3.9 + 9.2 + 10 = 23.1$

15 $\tan 40° = \frac{\overline{BC}}{10}$이므로

$\overline{BC} = 10\tan 40° = 10\times 0.84 = 8.4$ (m)

$\therefore \overline{CH} = \overline{BC} + \overline{BH} = 8.4 + 1.7 = 10.1$ (m)

16 오른쪽 그림과 같이 꼭짓점 A에서 $\overline{BC}$에 내린 수선의 발을 H라 하면 $\triangle ACH$에서

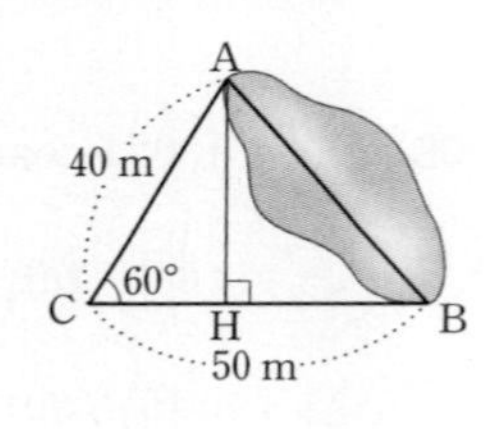

$\overline{AH} = 40\sin 60°$

$= 40\times\frac{\sqrt{3}}{2} = 20\sqrt{3}$ (m)

…… [30 %]

$\overline{CH} = 40\cos 60° = 40\times\frac{1}{2} = 20$ (m)

$\therefore \overline{HB} = \overline{CB} - \overline{CH} = 50 - 20 = 30$ (m) …… [30 %]

$\triangle AHB$에서 $\overline{AB} = \sqrt{(20\sqrt{3})^2 + 30^2} = 10\sqrt{21}$ (m)

따라서 두 지점 A, B 사이의 거리는 $10\sqrt{21}$ m이다.

…… [40 %]

17 오른쪽 그림과 같이 꼭짓점 C에서 $\overline{AB}$에 내린 수선의 발을 H라 하면 $\triangle HBC$에서

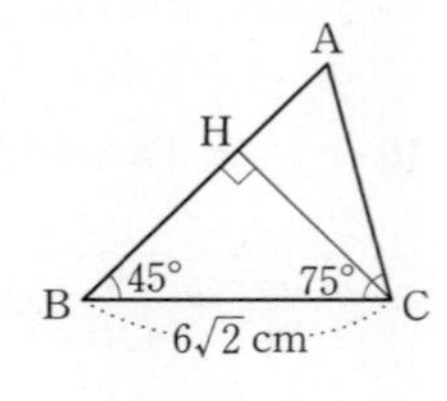

$\overline{CH} = 6\sqrt{2}\sin 45°$

$= 6\sqrt{2}\times\frac{\sqrt{2}}{2} = 6$ (cm)

$\overline{BH} = \overline{CH} = 6$ cm

$\triangle ABC$에서 $\angle A = 180° - (45° + 75°) = 60°$

$\triangle AHC$에서 $\tan 60° = \frac{6}{\overline{AH}}$이므로

$\overline{AH} = \frac{6}{\tan 60°} = \frac{6}{\sqrt{3}} = 2\sqrt{3}$ (cm)

$\therefore \overline{AB} = \overline{AH} + \overline{BH} = 2\sqrt{3} + 6$ (cm)

18 오른쪽 그림과 같이 $\overline{AH} = h$ cm라 하면 $\triangle ABH$에서

$\overline{BH} = \overline{AH} = h$ cm

$\triangle AHC$에서

$\angle CAH = 180° - (90° + 60°) = 30°$이므로

$\overline{CH} = h\tan 30° = \frac{\sqrt{3}}{3}h$ (cm)

이때 $\overline{BC} = \overline{BH} + \overline{CH}$이므로 $60 = h + \frac{\sqrt{3}}{3}h$

$\frac{3+\sqrt{3}}{3}h = 60$ $\quad\therefore h = \frac{180}{3+\sqrt{3}} = 30(3-\sqrt{3})$

따라서 $\overline{AH}$의 길이는 $30(3-\sqrt{3})$ cm이다.

19 오른쪽 그림과 같이 $\overline{AH} = h$ m라 하면 $\triangle ABH$에서

$\angle BAH$

$= 180° - (30° + 90°) = 60°$이므로

$\overline{BH} = h\tan 60° = \sqrt{3}h$ (m)

$\triangle ACH$에서 $\overline{CH} = \overline{AH} = h$ m

이때 $\overline{BC} = \overline{BH} - \overline{CH}$이므로 $10 = \sqrt{3}h - h$

$(\sqrt{3}-1)h = 10$ $\quad\therefore h = \frac{10}{\sqrt{3}-1} = 5(\sqrt{3}+1)$

따라서 $\overline{AH}$의 길이는 $5(\sqrt{3}+1)$ m이다.

20 $\triangle ABC = \frac{1}{2}\times\overline{AB}\times 12\times\sin 60°$

$= \frac{1}{2}\times\overline{AB}\times 12\times\frac{\sqrt{3}}{2}$

$= 3\sqrt{3}\,\overline{AB}$

즉 $3\sqrt{3}\,\overline{AB} = 30\sqrt{3}$이므로 $\overline{AB} = 10$ (cm)

21 $\triangle ABC = \frac{1}{2}\times 8\times 10\times\sin(180° - B) = 40\sin(180° - B)$

즉 $40\sin(180° - B) = 20\sqrt{2}$이므로 $\sin(180° - B) = \frac{\sqrt{2}}{2}$

이때 $\sin 45° = \frac{\sqrt{2}}{2}$이므로

$180° - \angle B = 45°$ $\quad\therefore \angle B = 135°$

22 △ABC에서

$\overline{AB}=16\cos 60^\circ=16\times\frac{1}{2}=8\ (cm)$ …… [25 %]

$\overline{AC}=16\sin 60^\circ=16\times\frac{\sqrt{3}}{2}=8\sqrt{3}\ (cm)$ …… [25 %]

$\therefore \square ABCD=\triangle ABC+\triangle ACD$

$=\frac{1}{2}\times 8\times 8\sqrt{3}+\frac{1}{2}\times 8\sqrt{3}\times 12\times\sin 30^\circ$

$=\frac{1}{2}\times 8\times 8\sqrt{3}+\frac{1}{2}\times 8\sqrt{3}\times 12\times\frac{1}{2}$

$=32\sqrt{3}+24\sqrt{3}$

$=56\sqrt{3}\ (cm^2)$ …… [50 %]

23 오른쪽 그림과 같이 $\overline{BD}$를 그으면

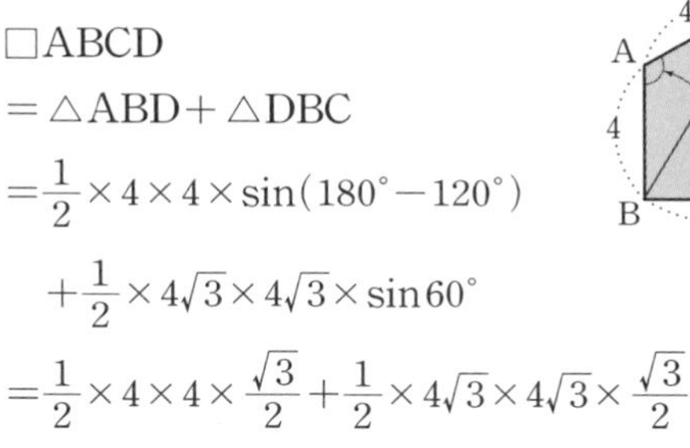

$\square ABCD$

$=\triangle ABD+\triangle DBC$

$=\frac{1}{2}\times 4\times 4\times\sin(180^\circ-120^\circ)$

$+\frac{1}{2}\times 4\sqrt{3}\times 4\sqrt{3}\times\sin 60^\circ$

$=\frac{1}{2}\times 4\times 4\times\frac{\sqrt{3}}{2}+\frac{1}{2}\times 4\sqrt{3}\times 4\sqrt{3}\times\frac{\sqrt{3}}{2}$

$=4\sqrt{3}+12\sqrt{3}=16\sqrt{3}$

24 오른쪽 그림과 같이 정팔각형은 8개의 합동인 이등변삼각형으로 나누어진다.

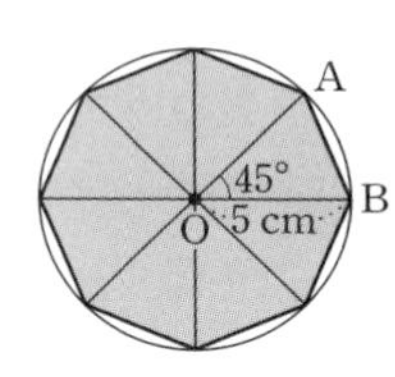

이때 $\angle AOB=\frac{360^\circ}{8}=45^\circ$이므로

(정팔각형의 넓이)$=8\times\left(\frac{1}{2}\times 5\times 5\times\sin 45^\circ\right)$

$=8\times\left(\frac{1}{2}\times 5\times 5\times\frac{\sqrt{2}}{2}\right)$

$=50\sqrt{2}\ (cm^2)$

25 $\overline{BC}=\overline{AD}=9$이므로

$\square ABCD=6\times 9\times\sin 60^\circ=6\times 9\times\frac{\sqrt{3}}{2}=27\sqrt{3}$

26 두 대각선이 이루는 예각의 크기를 x라 하면

$\square ABCD=\frac{1}{2}\times 8\times 9\times\sin x=36\sin x$

즉 $36\sin x=18$이므로 $\sin x=\frac{1}{2}$

$\therefore x=30^\circ$

따라서 두 대각선이 이루는 예각의 크기는 30°이다.

5쪽~8쪽

③ 원과 직선 ~ ④ 원주각

01. 10	**02.** $8\sqrt{3}\pi$ cm		**03.** 50°	**04.** 68°
05. $11\pi\ cm^2$		**06.** 24 cm	**07.** 5 cm	**08.** 34
09. 6 cm	**10.** 118°	**11.** 70°	**12.** 55°	**13.** 36°
14. 50°	**15.** $\frac{\sqrt{7}}{4}$	**16.** ②	**17.** 100°	**18.** 90°
19. 108°	**20.** ②	**21.** 45°	**22.** 65°	**23.** 72°
24. ④	**25.** 50°	**26.** 12°	**27.** 40°	**28.** 50°

01 $\overline{AB}\perp\overline{OC}$이므로

$\overline{AM}=\overline{BM}=\frac{1}{2}\overline{AB}=\frac{1}{2}\times 12=6$

원 O의 반지름의 길이를 r라 하면 $\overline{OM}=r-2$

△OMB에서

$r^2=6^2+(r-2)^2$, $4r=40$ $\quad\therefore r=10$

따라서 원 O의 반지름의 길이는 10이다.

02 $\overline{OM}=\overline{ON}$이므로 $\overline{AB}=\overline{CD}=12$ cm

$\overline{BM}=\frac{1}{2}\overline{AB}=\frac{1}{2}\times 12=6\ (cm)$ …… [40 %]

△OBM에서

$\overline{OB}=\frac{6}{\cos 30^\circ}=6\div\frac{\sqrt{3}}{2}$

$=6\times\frac{2}{\sqrt{3}}=4\sqrt{3}\ (cm)$ …… [40 %]

따라서 원 O의 둘레의 길이는

$2\pi\times 4\sqrt{3}=8\sqrt{3}\pi\ (cm)$ …… [20 %]

03 $\overline{OM}=\overline{ON}$이므로 $\overline{AB}=\overline{AC}$

즉 △ABC는 $\overline{AB}=\overline{AC}$인 이등변삼각형이므로

$\angle ACB=\angle ABC=65^\circ$

$\therefore \angle BAC=180^\circ-(65^\circ+65^\circ)=50^\circ$

04 $\angle PAC=90^\circ$이므로 $\angle PAB=90^\circ-34^\circ=56^\circ$

△PBA에서 $\overline{PB}=\overline{PA}$이므로 $\angle PBA=\angle PAB=56^\circ$

$\therefore \angle APB=180^\circ-(56^\circ+56^\circ)=68^\circ$

05 $\angle PAO=\angle PBO=90^\circ$이므로 □APBO에서

$\angle AOB=360^\circ-(90^\circ+70^\circ+90^\circ)=110^\circ$

∴ (색칠한 부분의 넓이)$=\pi\times 6^2\times\frac{110}{360}=11\pi\ (cm^2)$

06 △AOD에서 $\overline{AD}=\sqrt{13^2-5^2}=12\ (cm)$이고

$\overline{AF}=\overline{AD}=12$ cm

$\overline{BE}=\overline{BD}$, $\overline{CE}=\overline{CF}$이므로

$(\triangle ABC$의 둘레의 길이$)=\overline{AB}+\overline{AC}+\overline{BC}$

$=\overline{AD}+\overline{AF}$

$=2\overline{AD}$

$=2\times 12=24\ (\text{cm})$

07 $\overline{CF}=x$ cm라 하면 $\overline{CE}=\overline{CF}=x$ cm이므로

$\overline{AD}=\overline{AF}=(9-x)$ cm, $\overline{BD}=\overline{BE}=(11-x)$ cm

이때 $\overline{AB}=\overline{AD}+\overline{BD}$이므로

$(9-x)+(11-x)=10$, $2x=10$ $\quad\therefore x=5$

따라서 $\overline{CF}$의 길이는 5 cm이다.

08 $\overline{AB}+\overline{CD}=\overline{AD}+\overline{BC}$이므로

$(2x+1)+(3x-4)=(x+2)+(2x+3)$

$5x-3=3x+5$, $2x=8$ $\quad\therefore x=4$

따라서 $\overline{AB}=9$, $\overline{BC}=11$, $\overline{CD}=8$, $\overline{AD}=6$이므로

$(\square ABCD$의 둘레의 길이$)=9+11+8+6=34$

09 $\square ABCD$는 등변사다리꼴이므로 $\overline{AB}=\overline{DC}$

$\overline{AB}+\overline{DC}=\overline{AD}+\overline{BC}$이므로

$2\overline{AB}=8+18=26$ $\quad\therefore \overline{AB}=13\ (\text{cm})$

오른쪽 그림과 같이 두 꼭짓점 A, D에서 $\overline{BC}$에 내린 수선의 발을 각각 E, F라 하면

$\overline{BE}=\overline{CF}=\frac{1}{2}\times(18-8)$

$=5\ (\text{cm})$

$\triangle ABE$에서 $\overline{AE}=\sqrt{13^2-5^2}=12\ (\text{cm})$

따라서 원 O의 지름의 길이는 $\overline{AE}$의 길이와 같으므로

원 O의 반지름의 길이는 $\frac{1}{2}\times 12=6\ (\text{cm})$

10 $\angle BAC=\frac{1}{2}\times(360^\circ-124^\circ)=118^\circ$

11 $\angle PAO=\angle PBO=90^\circ$이므로 ...... [30 %]

$\square AOBP$에서

$\angle AOB=360^\circ-(90^\circ+40^\circ+90^\circ)=140^\circ$ ...... [40 %]

$\therefore \angle ACB=\frac{1}{2}\angle AOB=\frac{1}{2}\times 140^\circ=70^\circ$ ...... [30 %]

12 오른쪽 그림과 같이 $\overline{PB}$를 그으면

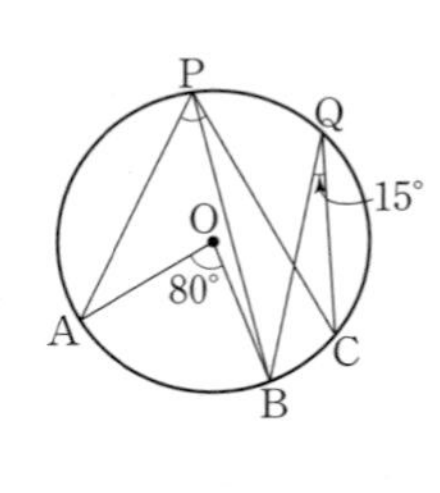

$\angle APB=\frac{1}{2}\angle AOB$

$=\frac{1}{2}\times 80^\circ=40^\circ$

$\angle BPC=\angle BQC=15^\circ$

$\therefore \angle APC=\angle APB+\angle BPC$

$=40^\circ+15^\circ=55^\circ$

13 $\angle BAC=\angle x$라 하면 $\angle BDC=\angle BAC=\angle x$

$\triangle CDQ$에서 $\angle ACD=\angle x+38^\circ$

$\triangle APC$에서 $\angle x+(\angle x+38^\circ)=110^\circ$

$2\angle x=72^\circ$ $\quad\therefore \angle x=36^\circ$

따라서 $\angle BAC$의 크기는 36°이다.

14 오른쪽 그림과 같이 $\overline{AD}$를 그으면

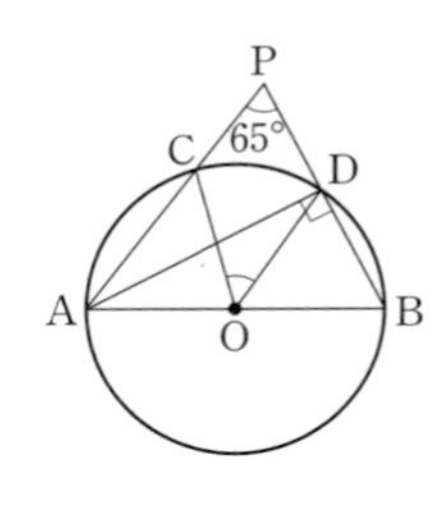

$\angle ADB=90^\circ$

$\triangle PAD$에서

$\angle PAD=180^\circ-(65^\circ+90^\circ)=25^\circ$

$\therefore \angle COD=2\angle CAD$

$=2\times 25^\circ=50^\circ$

15 오른쪽 그림과 같이 $\overline{BO}$의 연장선이 원 O와 만나는 점을 D라 하면 $\overline{BD}$는 원 O의 지름이므로

$\angle BCD=90^\circ$ ...... [40 %]

$\triangle DBC$에서

$\overline{DC}=\sqrt{8^2-6^2}=2\sqrt{7}$ ...... [20 %]

$\angle BAC=\angle BDC$이므로

$\cos A=\cos D=\frac{\overline{DC}}{\overline{BD}}=\frac{2\sqrt{7}}{8}=\frac{\sqrt{7}}{4}$ ...... [40 %]

16 $2:3=30^\circ:\angle x$이므로 $2\angle x=90^\circ$ $\quad\therefore \angle x=45^\circ$

$2:4=30^\circ:\angle y$이므로 $2\angle y=120^\circ$ $\quad\therefore \angle y=60^\circ$

$\therefore \angle y-\angle x=60^\circ-45^\circ=15^\circ$

17 $\widehat{AD}:\widehat{BC}=\angle ABD:\angle BAC$이므로

$3:9=25^\circ:\angle BAC$ $\quad\therefore \angle BAC=75^\circ$

따라서 $\triangle ABP$에서

$\angle BPC=75^\circ+25^\circ=100^\circ$

18 $\widehat{AB}:\widehat{BC}:\widehat{CA}=2:3:1$이므로

$\angle ACB:\angle BAC:\angle ABC=2:3:1$

$\therefore \angle BAC=180^\circ\times\frac{3}{2+3+1}=180^\circ\times\frac{1}{2}=90^\circ$

19 오른쪽 그림과 같이 $\overline{BC}$를 그으면

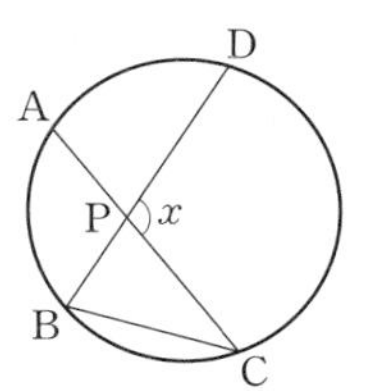

$\angle ACB=180^\circ\times\frac{1}{5}=36^\circ$

$\overparen{AB}:\overparen{CD}=1:2$이므로

$\angle ACB:\angle DBC=1:2$

$\angle DBC=2\angle ACB=2\times36^\circ=72^\circ$

따라서 $\triangle PBC$에서

$\angle x=36^\circ+72^\circ=108^\circ$

20 $\angle x=\frac{1}{2}\angle BOD=\frac{1}{2}\times160^\circ=80^\circ$

□ABCD는 원 O에 내접하므로

$80^\circ+\angle y=180^\circ$ $\quad\therefore \angle y=100^\circ$

$\therefore \angle y-\angle x=100^\circ-80^\circ=20^\circ$

21 $\overline{BC}$는 원 O의 지름이므로 $\angle BAC=90^\circ$

□ABCD가 원 O에 내접하므로

$\angle DAB+\angle BCD=180^\circ$에서

$(90^\circ+25^\circ)+(20^\circ+\angle x)=180^\circ$

$\therefore \angle x=45^\circ$

22 $\triangle DCE$에서 $\angle DCE=100^\circ-35^\circ=65^\circ$

□ABCD가 원에 내접하므로 $\angle x=\angle DCE=65^\circ$

23 오른쪽 그림과 같이 $\overline{AC}$를 그으면

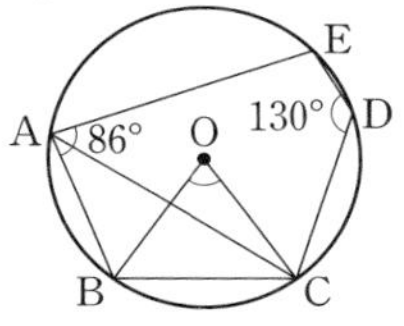

□ACDE는 원 O에 내접하므로

$\angle EAC+130^\circ=180^\circ$

$\therefore \angle EAC=50^\circ$

이때 $\angle BAC=86^\circ-50^\circ=36^\circ$이므로

$\angle BOC=2\angle BAC=2\times36^\circ=72^\circ$

24 ㉡ 등변사다리꼴의 아랫변의 양 끝 각의 크기가 서로 같고 윗변의 양 끝 각의 크기가 서로 같으므로 대각의 크기의 합이 180°이다.

㉤ 직사각형의 네 내각의 크기는 모두 90°이므로 대각의 크기의 합이 180°이다.

㉥ 정사각형의 네 내각의 크기는 모두 90°이므로 대각의 크기의 합이 180°이다.

따라서 항상 원에 내접하는 사각형은 ㉡, ㉤, ㉥이다.

25 $\angle x=\angle BAT=70^\circ$이므로

$\angle BOA=2\angle x=2\times70^\circ=140^\circ$

$\triangle OAB$에서 $\overline{OA}=\overline{OB}$이므로

$\angle y=\frac{1}{2}\times(180^\circ-140^\circ)=20^\circ$

$\therefore \angle x-\angle y=70^\circ-20^\circ=50^\circ$

26 오른쪽 그림과 같이 $\overline{AC}$를 그으면 $\overline{AB}$는 원 O의 지름이므로

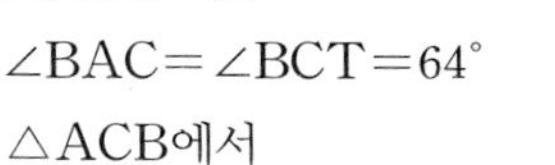

$\angle ACB=90^\circ$

$\angle BAC=\angle BCT=64^\circ$

$\triangle ACB$에서

$\angle y=180^\circ-(64^\circ+90^\circ)=26^\circ$

$\triangle BPC$에서 $\angle x=64^\circ-26^\circ=38^\circ$

$\therefore \angle x-\angle y=38^\circ-26^\circ=12^\circ$

27 $\triangle PAB$에서 $\overline{PA}=\overline{PB}$이므로

$\angle PBA=\frac{1}{2}\times(180^\circ-50^\circ)=65^\circ$

$\angle CBA=\angle CAD=75^\circ$이므로

$\angle EBC=180^\circ-(65^\circ+75^\circ)=40^\circ$

28 원 O에서 $\angle BTQ=\angle BAT=75^\circ$

원 O′에서 $\angle CTQ=\angle CDT=55^\circ$

$\therefore \angle x=180^\circ-(75^\circ+55^\circ)=50^\circ$

9쪽~12쪽

❺ 통계

01. ④	**02.** 15	**03.** ②	**04.** ④	**05.** ②
06. 16.5	**07.** 8	**08.** 6개	**09.** ④	**10.** −3
11. 9	**12.** 62 kg	**13.** ③	**14.** $2\sqrt{2}$ cm	
15. 10	**16.** 평균 : 5, 분산 : 10	**17.** ⑤	**18.** 88	
19. ④	**20.** 40 %	**21.** 80점	**22.** 4명	**23.** ③
24. ①, ⑤	**25.** ①			

01 5회의 시험에서 x점을 받는다고 하면

$\frac{89+85+91+92+x}{5}=90$

$357+x=450$ $\quad\therefore x=93$

따라서 5회의 시험에서 93점을 받아야 한다.

02 $(\text{평균})=\frac{7+5+13+3+6+4+4}{7}=\frac{42}{7}=6$

자료를 작은 값에서부터 크기순으로 나열하면

3, 4, 4, 5, 6, 7, 13이므로

(중앙값)=5, (최빈값)=4

따라서 $a=6$, $b=5$, $c=4$이므로

$a+b+c=6+5+4=15$

03 라면을 좋아하는 학생이 가장 많으므로 최빈값은 라면이다.

04 ① (평균)$=\frac{16+13+12+28+14+13+15+9}{8}$

$=\frac{120}{8}=15$(분)

②, ③, ④ 자료를 작은 값에서부터 크기순으로 나열하면

9, 12, 13, 13, 14, 15, 16, 28이므로

(중앙값)$=\frac{13+14}{2}=13.5$(분), (최빈값)$=13$(분)

따라서 중앙값과 최빈값은 다르다.

⑤ 이 자료에 14분을 추가하면

9, 12, 13, 13, 14, 14, 15, 16, 28이다.

따라서 중앙값은 14분이므로 중앙값이 바뀐다.

05 예빈이의 자료에서

(평균)$=\frac{4+5+7+7+6}{5}=\frac{29}{5}=5.8$(개)

(중앙값)$=6$(개), (최빈값)$=7$(개)

정우의 자료에서

(평균)$=\frac{5+9+2+7+7}{5}=\frac{30}{5}=6$(개)

(중앙값)$=7$(개), (최빈값)$=7$(개)

06 평균이 16이므로 $\frac{8+12+21+x}{4}=16$

$41+x=64 \quad \therefore x=23$ …… [40 %]

자료를 작은 값에서부터 크기순으로 나열하면

8, 12, 21, 23이므로

(중앙값)$=\frac{12+21}{2}=16.5$ …… [60 %]

07 x를 제외한 자료가 모두 다르므로 최빈값을 가지려면 x는 7, 8, 10, 4, 11 중 하나이어야 한다.

따라서 최빈값은 x회이다.

(평균)$=\frac{7+8+10+4+11+x}{6}=\frac{40+x}{6}$(회)

이때 평균과 최빈값이 같으므로

$\frac{40+x}{6}=x$, $40+x=6x$

$5x=40 \quad \therefore x=8$

08 조건 ㈎에서 5개의 변량을 작은 값에서부터 크기순으로 나열할 때 25가 3번째에 있어야 하므로 $a\ge25$ …… ㉠

조건 ㈏에서 4개의 변량을 작은 값에서부터 크기순으로 나열할 때 30과 34가 2번째, 3번째에 있어야 하므로 $a\le30$ …… ㉡

㉠, ㉡에서 $25\le a\le30$

따라서 조건을 만족하는 정수 a의 개수는 25, 26, 27, 28, 29, 30의 6개이다.

09 7개의 변량의 평균이 2이므로

$\frac{4+10+b+3+(-7)+2+a}{7}=2$

$a+b+12=14 \quad \therefore a+b=2$

이때 최빈값은 4이고 $a<b$이므로 a, b의 값 중 하나가 4이다.

$a+b=2$이므로 $a=-2$, $b=4$

따라서 7개의 변량을 작은 값에서부터 크기순으로 나열하면 -7, -2, 2, 3, 4, 4, 10이므로 중앙값은 3이다.

10 편차의 총합은 0이므로

$0+(-3)+7+x+(-1)+y=0$

$\therefore x+y=-3$

11 편차의 총합은 0이므로

$(-2)\times4+(-1)\times x+0\times5+1\times7+2\times5=0$

$-x+9=0 \quad \therefore x=9$

12 편차의 총합은 0이므로 민석이의 몸무게의 편차를 x kg이라 하면

$-2+3+x+5+(-4)+1=0$

$x+3=0 \quad \therefore x=-3$

따라서 민석이의 몸무게는

$65+(-3)=62$ (kg)

13 ① 평균보다 큰 변량의 편차는 양수이다.

② 편차는 산포도가 아니다.

④ 분산, 표준편차가 작을수록 변량이 고르게 분포되어 있다.

⑤ 산포도가 작을수록 변량은 평균을 중심으로 가까이 모여 있다.

14 편차의 총합은 0이므로

$-4+2+4+0+x=0$

$x+2=0 \quad \therefore x=-2$ …… [40 %]

(분산)$=\frac{(-4)^2+2^2+4^2+0^2+(-2)^2}{5}$

$=\frac{40}{5}=8$ …… [40 %]

$\therefore$ (표준편차)$=\sqrt{8}=2\sqrt{2}$ (cm) …… [20 %]

15 $(\text{평균})=\frac{6+5+9+14+13+7+9}{7}$

$=\frac{63}{7}=9(\text{시간})$

편차는 각각 $-3, -4, 0, 5, 4, -2, 0$이므로

$(\text{분산})=\frac{(-3)^2+(-4)^2+0^2+5^2+4^2+(-2)^2+0^2}{7}$

$=\frac{70}{7}=10$

16 a, b, c에 대하여 평균이 6, 분산이 10이므로

$\frac{a+b+c}{3}=6$, $\frac{(a-6)^2+(b-6)^2+(c-6)^2}{3}=10$

$a-1, b-1, c-1$에 대하여

$(\text{평균})=\frac{(a-1)+(b-1)+(c-1)}{3}$

$=\frac{a+b+c-3}{3}=6-1=5$

$(\text{분산})=\frac{\{(a-1)-5\}^2+\{(b-1)-5\}^2+\{(c-1)-5\}^2}{3}$

$=\frac{(a-6)^2+(b-6)^2+(c-6)^2}{3}=10$

17 편차의 합은 0이므로

$-4+(-1)+x+2+y=0$ $\quad\therefore x+y=3$

표준편차가 $\sqrt{10}$이므로

$\frac{(-4)^2+(-1)^2+x^2+2^2+y^2}{5}=(\sqrt{10})^2$

$x^2+y^2+21=50$ $\quad\therefore x^2+y^2=29$

이때 $x^2+y^2=(x+y)^2-2xy$이므로

$29=3^2-2xy$ $\quad\therefore xy=-10$

18 A, B 두 반의 영어 성적의 평균이 같으므로 A, B 두 반 전체 학생들의 영어 성적의 평균은 70점이다.

$(\text{A반의 분산})=\frac{\{\text{A반의 (편차)}^2\text{의 총합}\}}{15}=80$이므로

$\{\text{A반의 (편차)}^2\text{의 총합}\}=15\times80=1200$

$(\text{B반의 분산})=\frac{\{\text{B반의 (편차)}^2\text{의 총합}\}}{10}=100$이므로

$\{\text{B반의 (편차)}^2\text{의 총합}\}=10\times100=1000$

따라서 A, B 두 반 전체 학생 25명의 영어 성적의 분산은

$\frac{1200+1000}{25}=\frac{2200}{25}=88$

19 ① B반의 성적이 A반의 성적보다 더 우수하다.

②, ③ 알 수 없다.

④, ⑤ A반의 표준편차가 B반의 표준편차보다 더 작으므로 A반의 성적이 B반의 성적보다 더 고르다.

20 과학 성적이 수학 성적보다 낮은 학생은 오른쪽 산점도에서 대각선 아래쪽에 있는 점을 나타내므로 8명이다.

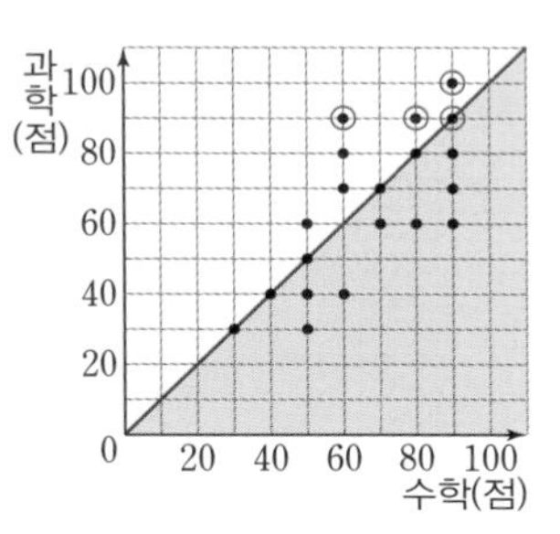

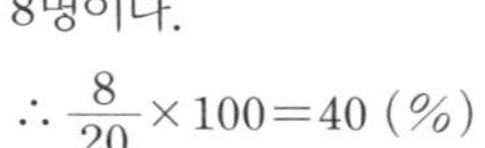

$\therefore \frac{8}{20}\times100=40\ (\%)$

21 과학 성적이 90점 이상인 학생은 위 산점도에서 ○ 표시한 점을 나타내므로 수학 성적은 각각 60점, 80점, 90점, 90점이다.

$\therefore (\text{평균})=\frac{60+80+90+90}{4}=\frac{320}{4}=80(\text{점})$

22 두 성적의 평균이 85점 이상인 학생은 두 성적의 총점이 170점 이상인 학생이므로 오른쪽 산점도에서 경계선을 포함한 색칠한 부분에 속하는 점을 나타낸다. ...... [80 %]

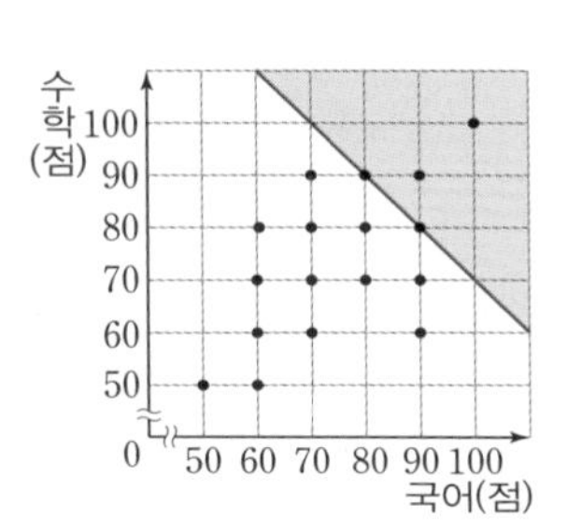

따라서 구하는 학생 수는 4명이다. ...... [20 %]

23 ③ 강한 상관관계일수록 산점도에서 점들이 한 직선 주위에 가까이 모여 있다.

24 주어진 산점도는 양의 상관관계를 나타낸다.

①, ⑤ 양의 상관관계

②, ④ 음의 상관관계

③ 상관관계가 없다.

25 양쪽 눈의 시력 차가 클수록 대각선에서 멀리 떨어져 있으므로 A, B, C, D, E 중 양쪽 눈의 시력 차가 가장 큰 학생은 A이다.

개념 해결의 법칙
me
mo

개념 해결의 법칙
memo

개념 해결의 법칙
memo

개념 해결의 법칙

정답과 해설

중학 수학 3-2

에듀테크로 미래를 디자인하는 천재교육

AI가 추천하는 나를 위한 맞춤 학습!
빅데이터에 기반한 학습 트렌드 분석!
에듀테크가 펼치는 학습 현장은
놀라움의 연속입니다.

천재교육은 기술로 미래를 만들어 갑니다.

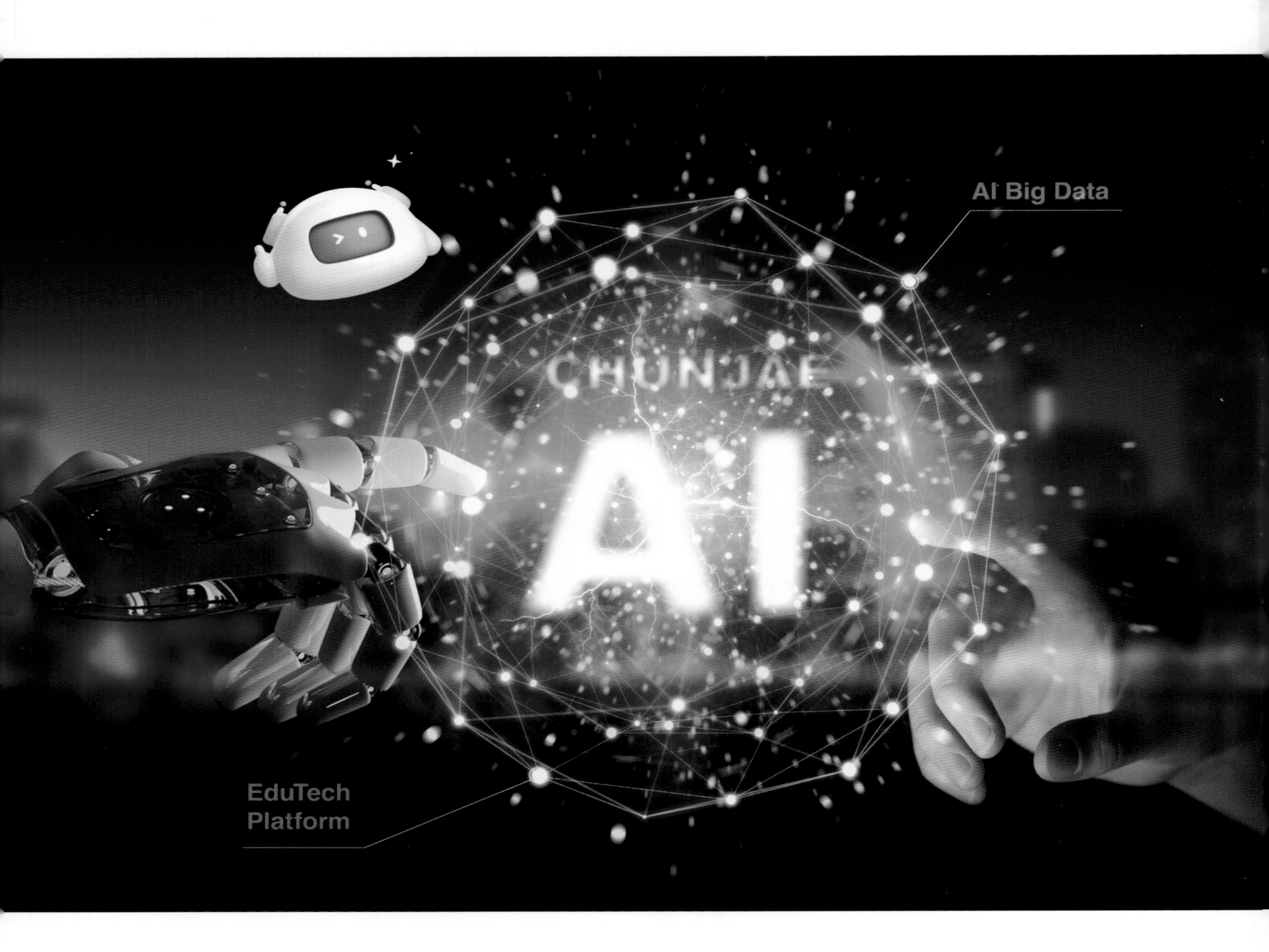